T5-APQ-900

STUDIES IN GERMAN LITERATURE,
LINGUISTICS, AND CULTURE

VOL. 8

STUDIES IN GERMAN LITERATURE, LINGUISTICS, AND CULTURE

VOL. 8



CAMDEN HOUSE

Columbia, South Carolina

# Die weibliche Muse

## Sechs Essays über künstlerisch schaffende Frauen der Goethezeit

Thisbe, Öl auf Leinwand, von Louise Seidler (1832).
Original: Nationale Forschungs- und Gedenkstätten der klassischen deutschen Literatur in Weimar.

# Die weibliche Muse

## Sechs Essays über künstlerisch schaffende Frauen der Goethezeit

Helene M. Kastinger Riley

CAMDEN HOUSE

Set in Garamond type and printed on
acid-free Glatfelder paper.

Composition by Timothy D. Stewart

Typography by Thomas J. Howard, Sr.
Palmetto State Printing, Inc.
Columbia, South Carolina


Drawer 2025
Columbia, South Carolina 29202
Library of Congress Catalog Card Number: 81-69883

Printed in the United States of America
First Edition
ISBN: 0-938100-05-X

# Inhalt

| | Page |
|---|---|
| Vorbemerkungen | ix |
| Kapitel I. Wölfin unter Schäfern. Die sozialkritische Lyrik der Anna Louisa Karsch | 1 |
| Kapitel II. Tugend im Umbruch. Sophie Laroches *Geschichte des Fräuleins von Sternheim* einmal anders | 27 |
| Kapitel III. Saat und Ernte. Sophie Mereaus Forderung geschlechtlicher Gleichberechtigung | 55 |
| Kapitel IV. Zwischen den Welten. Ambivalenz und Existentialproblematik im Werk Caroline von Günderrodes | 91 |
| Kapitel V. "Der eine Weg der Ergebung." Louise Reichardts musikalisches Schaffen und Wirken im kulturellen Leben Hamburgs | 121 |
| Kapitel VI. Pinsel und Feder. Zur Karriere- und Lebensproblematik der Künstlerin in der ersten Hälfte des 19. Jahrhunderts, gesehen aus der Perspektive Louise Seidlers | 155 |
| Anmerkungen | 181 |
| Anhang | 214 |
| Bibliographie | 271 |

Meiner verehrten Freundin Clara von Arnim
mit Dank und Zuneigung gewidmet

Klarheit Leichtigkeit und (was bey Produkten der weiblichen Muse ein so seltnes Verdienst ist) Correctheit zeichnen [Ihre Gedichte] sehr vorzüglich aus.

Schiller an Sophie Mereau, 11. 7. 1795

# Vorbemerkungen

SCHILLERS WORT von der weiblichen Muse erscheint uns heute als sprachliche Anomalie, die umsomehr auffällt, als sie im selben Satz mit dem Terminus "Correctheit" auftritt; und doch ist sie, diese scheinbar so flüchtig hingeworfene Wortkonstellation, ein prägnanter Ausdruck ihrer Zeit, denn das von Schiller gemeinte Phänomen selbst—die künstlerisch begeisterte Produktivität der Frau—wurde von ihm und seinen Zeitgenossen als eine eigentlich regel-und gesetzwidrige Erscheinung aufgefaßt. In gewissem Sinne ist sie es; denn die Aufklärung bereitete mit ihrem Einsatz für Toleranz gegenüber dem Andersgearteten und -denkenden auch den Weg für die Lösung von Literatur und Kunst aus prosodischen und mimetischen Fesseln vor. Die Ästhetik blühte in Diskussion und Gefühl und trug die verschiedenartigsten Früchte auf einem Zweig.

Gerade in jener Blütezeit deutscher Kultur, die so auffällig mit den Lebensjahren Goethes übereinstimmt, zeigte sich neben politischen Umwälzungen, philosophischen Neuansätzen und der Befreiung der Poesie von fremden Vorbildern und Regeln ein bedeutender Aufschwung in der Zahl der Frauen, die sich berufsmäßig öffentlich künstlerisch betätigten. Unter ihnen befanden sich die sechs, deren Werk und künstlerische Laufbahn hier besprochen werden. Zu ihren Lebzeiten waren sie sämtlich weit über ihren engeren Wirkungskreis hinaus in Deutschland bekannt und wir verdanken es eigentlich einer Rückkehr im folgenden Jahrhundert zu den formalistischen Prinzipien der Kunst-und Literaturkritik, daß sie, die sich im wesentlichen an ihre eigenen Kriterien hielten und nach persönlichem einsichtigen Gutdünken schafften, in Vergessenheit gerieten. Es spiegelt sich aber oft gerade im Werk jener, die abseits der wissenschaftlichen Strömungen oder entgegen ihren Forderungen schafften, ein kritisches Bild der zeitgenössischen Gegebenheiten wider, welches das von literar-und kunstkritischen Schulen gefärbte, historisch überlieferte an Klarheit, Reinheit und Wahrheit nicht selten übertrifft. Deshalb mag der kurze Einblick in die Lebens-und Schaffensbedingungen dieser sechs Frauen auch manche Sicht eröffnen, die durch die Lektüre gängiger literar-und kunstgeschichtlicher Werke nicht deutlich wird. Wünschenswert wäre es gewesen, die Vielfalt der Repräsentantinnen weiblicher Schöpferkraft zu berücksichtigen, aber der notwendig begrenzte Umfang der Arbeit bedingte eine Auswahl. Ihr Ziel war es, ein möglichst breites Bild weiblich künstlerischen Schaffens darzulegen, und gleichzeitig eine Kohärenz zwischen den einzelnen Künstlerportraits zu wahren. Ein weiteres Anliegen war es, das Vorzügliche unter den weniger Bekannten zu suchen und damit vielleicht den Anstoß zu einer intensiveren Beschäftigung mit ihnen zu begründen, statt das bereits Vertraute mit einigen Wissensnuancen zu bereichern.

Die einzelnen Essays bieten aus verschiedenen Gründen divergierende Perspektiven. Zunächst sind die erörterten Künstlerinnen aus unterschiedlichen sozialen Verhältnissen gewählt und bringen damit jeweils andersgeartete persönliche und intellektuelle Vorbedingungen ans Werk heran. Sie entstammen teils dem bäuerlichen Milieu, dem niederen Adel, teils Bürger-, Beamten-und Künstlerfamilien. Zwar ist es nicht Absicht oder Aufgabe dieser Arbeit, den geburtsbedingten Vor-oder Nachteilen für eine Künstlerkarriere nachzugehen, aber es sollte gezeigt werden, daß sich die Produktivität dieser Schaffenden nicht auf eine einzelne Gesellschaftsschicht beschränkte. Auch aus der zeitlichen Sicht wurde in einer begrenzten Spanne eine Auswahl getroffen: zwar sind alle der besprochenen Frauen im 18. Jahrhundert geboren, aber zwischen dem Geburtsjahr der ältesten (1722) und der jüngsten (1786) liegen mehr als 60 Jahre. Auf diese Weise läßt sich sowohl in ihrem Werk wie in ihren Schaffensbedingungen ein zeitbedingter Wandel wahrnehmen, der sich vor allem in Form, Stoffwahl und Thematik der Künstlerinnen ausdrückt. Auch in der Betrachtung dieser Aspekte mußte allerdings eine Begrenzung gewahrt bleiben. Um zu vermeiden, einem bestimmten Genre den Vorzug zu geben und damit den Untersuchungshorizont zu eng zu ziehen, wurde jeweils eine Schriftstellerin gewählt, die als Repräsentantin eines Genres in Betracht kommen kann. Die Wahl fiel auf Karsch als Lyrikerin und Laroche als Romanschriftstellerin, während bei Mereau außer einer Besprechung dieser beiden Genres auch ihre Übersetzungsarbeiten einbezogen wurden. Günderrode ist die einzige als Dramatikerin Tätige in dieser Gruppe. Die Schwerpunkte der Untersuchung sind in den einzelnen Essays verschieden. Bereits Bekanntes wurde zugunsten einer Perspektive unberücksichtigt gelassen, die zur Füllung von bestehenden Lücken in der Forschung beitragen konnte. Schließlich schien es wichtig, den Überblick nicht lediglich auf das literarische Gebiet zu beschränken. Es ist offensichtlich, daß hier keine Gesamtübersicht der weiblichen Tätigkeit in den Künsten angestrebt werden konnte, abgesehen davon, daß für ein solches Unternehmen aus Kompetenzgründen eine Vielzahl von Mitarbeitern erforderlich gewesen wäre. Dennoch wurde versucht, aus Vergleichsgründen auch eine Komponistin und eine Malerin unter die kleine Gruppe der Dichterinnen aufzunehmen. Die Wahl fiel hierbei auf Louise Reichardt und Louise Seidler, weil beide dem Kreis um Goethe besonders nahe standen.

Letzterer Aspekt ist es vor allem, der die einzelnen, von einander so verschiedenen Frauengestalten verbindet. Jede von ihnen hat sich entweder in ihrem Werk oder durch persönliche Bekanntschaft mit dem Dichter und Menschen

Goethe auseinandergesetzt. Wer allerdings den Spuren Goethes nachforschen will, wird diese andernorts oft genug besprochenen Bezüge in dieser Arbeit bloß verdeckt finden. Sie ist lediglich den Künstlerinnen gewidmet und nicht jenem Großen, dessen Einfluß sie ebensowenig wie alle anderen seiner Zeit entgehen konnten. Manchmal schien es zweckmäßig, auf Zusammenhänge zwischen Goethes Persönlichkeit und dem Werk einer der besprochenen Künstlerinnen besonders hinzuweisen. Seidlers berufliche Beziehung zu Goethe ist zum Beispiel so zentral für ihre Karriere, daß die Hinweise darauf unbedingt nötig waren. Mereaus Gedicht an Goethe gehört zu ihren besten lyrischen Produkten und wurde deshalb näher besprochen. Dagegen ist Karschs gereimte Besuchsankündigung bei Goethe im Kontext ihres Werks von geringer Wichtigkeit und schien keiner besonderen Hervorhebung wert. Ebenso störend hätte der Einschub von Louise Reichardts Vertonung eines Goethegedichts gewirkt, da ihre anderen Lieder fast ausschließlich Vertonungen der Lyrik von Romantikern sind. Diese Denkwürdigkeiten wurden jedoch in den Anhang aufgenommen.

Neben der Tatsache, daß sie zu den Zeitgenossinnen Goethes gehörten, verbindet die sechs Frauengestalten noch eine Vielzahl von psychologischen und ökonomischen Faktoren, die erhellend auf zeitgenössische gesellschaftliche Verhältnisse und auf die Position der Frau darin wirken. Die Notwendigkeit des eigenen Broterwerbs, beziehungsweise der Beitrag zur finanziellen Unterstützung der Familie, ist ihnen allen gemein. Er mag eine wichtige Rolle in der zielstrebigen Ausdauer spielen, mit der diese Künstlerinnen ihr Talent in einer ihnen skeptisch und geringschätzend gegenüberstehenden Umwelt durchsetzten. Wahrscheinlich erwächst aus dieser Problematik in ihren literarischen Arbeiten auch durchgehend als thematischer Fokus eine Auseinandersetzung mit der Rolle der Frau in der Gesellschaft. Ebenfalls durch ihre Sonderstellung als berufstätige Künstlerinnen bedingt, fallen sie durch ihre Absonderung von gängigen Kunsturteilen und -regeln auf, was ihrem Schaffen ein innovatives, von zeitbedingten Strömungen relativ unabhängiges Gepräge gibt. Der Grund hierfür ist in der erzieherischen und gesellschaftlichen Basis ihrer Talententfaltung zu suchen. Kurz hingewiesen hierauf wird in den einzelnen Essays, wo die berufliche Ausbildung der Frau als Künstlerin auf gesellschaftlichen Widerstand stieß, und im ersten Aufsatz, wo die Mädchenerziehung im 18. Jahrhundert etwas eingehender besprochen wird. Weiterführende Literatur wird dort auch angegeben, da es keineswegs im Bereich dieser Arbeit liegt, solche Einzelperspektiven durchgreifend zu behandeln. Gezeigt werden soll lediglich, daß der Frau karrierefördernde Fachbildung, sowohl wie gewisse, den Männern vorbehaltene Stütz-und Hilfsorganisationen (Studentenvereine, Klubs, Tischgesellschaften, usw.), die dem Ideen-und Gedankenaustausch der Gleichgesinnten entgegenkamen, nicht zugänglich waren. Weil die akademische, kunst-und literarhistorische Ausbildung und damit die Kenntnis der Kunst-"Regeln" den meisten dieser Frauen fehlte, vermochten sie sich auch nicht in die jeweils vorherrschende

Kunstschule mit ihren spezifischen Prämissen und Perspektiven einzuordnen. Dies hatte den Nachteil, daß sie von Kunst-und Literarhistorikern oft übergangen wurden, weil ihre Arbeiten sich nicht in geschichtliche Schablonen und Kategorien einfügen ließen. Es hatte aber auch den Vorteil, daß ihr Schaffen ziemlich unberührt von Modeerscheinungen in den Künsten blieb und deshalb originell und spontan wirkt. Selbstverständlich ist, daß in der Diskussion der einzelnen Künstlerschicksale oft auch politische Aspekte berührt werden, sofern sie mit den eigenen Aussagen der Künstlerinnen, oder in literarischer Verarbeitung zur Sprache kommen. Eine eingehende Behandlung der zeitgenössischen kulturpolitischen Verhältnisse liegt aber ebenfalls außerhalb des Bereichs dieser Arbeit. Was angestrebt wurde, ist lediglich, ein allgemeines Zeitbild anhand spezifischer Künstlerfiguren zu liefern, und damit einige Anregungen für umfangreichere und detailliertere Studien in den hier angesprochenen diversen Fachbereichen zu bieten.

Die Methode, das Material in einzelnen, voneinander unabhängigen Essays darzulegen, wurde deshalb gewählt, weil auf diese Weise mehrere verschiedene Perspektiven beleuchtet werden konnten, ohne die zeitliche und thematische Kohärenz zu beeinträchtigen und gleichzeitig die für die einzelnen Figuren wichtigen Interessensgebiete aufzugreifen. Wo zum Beispiel außerordentlich wenig über die persönlichen Verhältnisse der Künstlerin bekannt war, wurde biographisches Material in die Analyse miteinbezogen. Dies war vor allem bei Louise Reichardt der Fall, wo selbst die neueren Lexika falsche Angaben früherer Auflagen weiterführen. Von ihr finden sich auch nirgends musikalische Analysen ihrer Werke, weshalb dieser Aspekt bei der Besprechung ebenfalls besonders hervorgehoben wurde. Andererseits wurde das Biographische weitgehend zurückgestellt, wo die Literaturkritik sich bereits hinlänglich damit beschäftigt hatte. Dies trifft bei Günderrode zu, deren Kritiker fast ausschließlich den unglücklichen Verlauf ihrer Beziehung zu Creuzer als Hauptaugenmerk hervorgehoben haben. Dagegen ist bisher außerordentlich wenig über ihre Dramen und noch weniger über ihre Prosaarbeiten gesagt worden, was die Perspektive für diesen Aufsatz nahelegte. Auch bei Mereau findet sich genügend in der Literatur über ihre persönlichen Verhältnisse, wogegen die Kritik ihre Übersetzungen und redaktionelle Tätigkeit bisher vernachlässigte. Unter Hinweis auf die Fachliteratur auf anderem Gebiet, wurde daher besonders das weniger Bekannte aufgegriffen. Hier ist noch eines der Probleme der gegenwärtigen Forschungslage zu erwähnen. Es wird im Text und in den Fußnoten auf gewisse Vorarbeiten hingewiesen, die zwar als nicht vollkommen zuverlässig anerkannt aber dennoch zitiert werden. Der Grund hierfür dürfte offensichtlich sein: der bisherige Mangel an den grundlegendsten Recherchen macht es unbedingt notwendig, das Bestehende hinzuzuziehen. Wo nötig wurden dann auch falsche Angaben und Daten richtiggestellt oder es wurde gegebenenfalls auf die Fragwürdigkeit der Quelle aufmerksam gemacht. Dies trifft vor allem auf Brandts Buch über Reichardt zu, aber auch auf die Angaben Steigs über Mereau. Bloß deshalb, weil sich inzwischen neues Material gefunden hat, das die Berichtigung früherer Forschungsergebnisse erfordert, kann und darf auf die Pionierarbeiten nicht verzichtet werden. Es bleibt ihnen das Verdienst, den Anfang auf schwierigem Gebiet gemacht zu haben. Bei Karsch wurde neben den literarischen Analysen besonders auf gesellschaftliche Aspekte ihres Schaffens hingewiesen. Fast alle Ausgaben ihrer Werke bringen das nötigste biographische Material, wo die kurzen Angaben dieser Arbeit je nach Interesse ergänzend nachgelesen werden können. Fast gar nicht ist jedoch ihre Kritik an der Gesellschaft, die in vielen ihrer Gedichte sehr deutlich wird, aufgegriffen worden, während überall ihre Gelegenheits-und Huldigungsgedichte Aufnahme fanden. Aus dieser Lücke in der Forschung ergab sich die Perspektive des ersten Essays. Laroches hier besprochener Roman ist zwar ihre bekannteste Arbeit, doch galt meine Aufmerksamkeit einer intensiven Neuinterpertation. Dieser Essay ist der einzige, der sich ausschließlich mit einem Werk der besprochenen Dichterin auseinandersetzt. Ein ganz spezieller Fall ist der Aufsatz über Seidler. Er bildet lediglich einen Gesamthinweis auf diese zu Unrecht sehr vernachlässigte Malerin, über die nicht einmal das grundlegendste an Vorarbeiten geleistet worden ist, und hofft damit, die Aufmerksamkeit der Kunsthistoriker zu erwecken. Ihre Gemälde einer eingehenden Analyse zu unterziehen, besitze ich nicht die nötigen Fachkenntnisse. Überdies sind zunächst einmal Umfang und Standort ihres Schaffens festzustellen. Zu diesem Zweck habe ich aus den vorhandenen autobiographischen Hinweisen und den wenigen Kritiken eine vorläufige Aufstellung ihrer Arbeiten geliefert, die keinesfalls als Gesamtverzeichnis zu werten ist. Immerhin bildet sie einen Anfang für eine noch zu leistende fachkritische Untersuchung, die, wie die Aufstellung im Anhang zeigt, wegen Seidlers ungewöhnlicher Schaffensfreudigkeit ein langjähriges Projekt für Spezialisten sein wird. Das Ziel dieses Essays war es, Seidlers Persönlichkeit näher zu bestimmen, wobei ihre autobiographischen Aufzeichnungen auf ihre thematische Orientierung hin untersucht wurden, die unter Einbezug von existierenden Hinweisen über ihre Karriere auch ein aufschlußreiches Bild über die besondere Berufsproblematik der Frau und Malerin ihrer Zeit liefert. Auf diese Weise mag in den verschiedenen Essays nicht nur Literatur-, Musik-und Kunstkritisches zur Sprache kommen; es dürften darin auch einige Hinweise für Fachleute auf sozialwissenschaftlichem und allgemein historischem Gebiet enthalten sein, die zu eingehenderen Studien einen geringen Anfang bilden mögen.

Den Anhang bildet schließlich eine Zusammenstellung von Materialien und Fakten, die für die Ergänzung der Einzelessays von spezifischer Bedeutung sind. Daß sich hierbei kein zusammenhängendes Gesamtbild erzielen läßt, weil die einzelnen Aufsätze verschiedene Blickrichtungen verfolgen, dürfte verständlich sein. Wo die textliche Besprechung lediglich Ansätze zu einem Thema zu bieten vermochte, wurde eine Auswahl von zusätzlichem, meist bisher unveröffentlichtem Material in den Anhang aufgenommen. Da die Beziehung zu Goethe ein Kriterium für die Wahl dieser Künstlerinnen war, wurden Arbeiten, die ihren berühmten Zeitgenossen betreffen, selbst dann in den Anhang aufgenommen, wenn sie im Text unbesprochen blieben, weil sie dort den Zusammenhang des Ganzen gestört hätten. Für die Beurteilung von Seidlers Schaffen schien es auch von Wichtigkeit, einige ihrer Gemälde als Zeugnis ihres Könnens abzubilden, weil ihre Arbeiten weder in kunstgeschichtlichen Werken noch in Museen allgemein zugänglich sind. Der Anhang ist selbstverständlich nicht als inhärenter Teil das Buches zu betrachten, sondern lediglich als ein zu weiteren Studien anleitendes Ergänzungsmittel, das künftigen Studien Hilfsmittel und Hinweise bieten, beziehungsweise Nachforschungen ersparen will. Überhaupt hoffe ich, daß dieser Band weniger als abgeschlossenes Ganzes betrachtet werden wird, sondern daß er den Anfang zu einer intensiveren Beschäftigung mit dem Schaffen der Frauen im vergangenen Jahrhundert bilden darf.

New Haven, Connecticut
März 1981

Helene M. Kastinger Riley

Anna Louisa Karsch, Zeichnung von Daniel Chodowiecki;
Archiv für Kunst und Geschichte, Berlin

# 1

# Wölfin unter Schäfern. Die sozialkritische Lyrik der Anna Louisa Karsch

DIE VOLKSDICHTERIN Anna Louisa Karsch war zu ihren Lebzeiten als deutsche Sappho[1] im In- und Ausland berühmt, doch heute ist sie so gut wie vergessen. Die Literarhistoriker haben sie, wie auch viele ihrer Kolleginnen, in ihren Aufzeichnungen beiseite geschoben. Diese Frau aber, schreibt Elisabeth Hausmann,

> ist noch zu ihren Lebzeiten eines Denkmals für würdig befunden worden. Eines gewichtigen Denkmals aus Stein: überlebensgroß in griechischem Gewand—das fand man damals, es war im Jahre 1785, schön und notwendig—stand sie auf steinernem Sockel. Ein Lorbeerkranz im Haar und eine Leier in der Hand sollten sie als Dichterin bezeugen. Auf der Vorderseite des Sockels die Inschrift: Die deutsche Sappho; auf der Rückseite bescheiden ihr Name: Anna Louise Karsch (H. 14).

Franz Muncker, der sie mit Hagedorn, Gleim, Uz, Kleist und Ramler in den Anakreontikerband der *Deutschen National-Litteratur*-Reihe einbezieht, führt sie als letzte unter diesen an und qualifiziert seine Wahl mit der Bemerkung, Karschs Talent konnte "sich aber selbstverständlich die ihm von der Natur versagte Eigenart und Größe nicht geben, wird vielmehr [...] abhängig, bleibt in allen seinen Leistungen unbedeutend und ersetzt nur allzusehr durch Fülle und Breite, was ihm an Tiefe und Selbständigkeit abgeht."[2] Sie verdankt, meint er, "die immerhin nicht ganz unbedeutende Stelle, die sie in der Geschichte der deutschen Litteratur inne hat, weniger dem, was sie selbst leistete, als dem, was ihre Freunde bewundernd in ihr sahen" (289). Herybert Menzel zeichnet in der Einleitung seines 1938 herausgegebenen Gedichtbands *Das Lied der Karschin*[3] treffend das literaturgeschichtliche Dilemma: auf seine Frage, wer jene Karsch sei, deren Existenz an einem Schwiebuser Hause durch die Marmortafel mit der Inschrift "Anna Luise Karschin, die deutsche Sappho, lebte in diesem Hause" gefeiert werde, erhält er die Antwort, sie sei "eine Tänzerin Friedrichs des

Großen" gewesen (M. 10). Der Professor des Gymnasiums erklärt, "Sappho war eine große griechische Dichterin. Die Karschin sei also auch wohl eine Dichterin gewesen, aber keine große, sonst wüßte man mehr von ihr" (M. 10). Menzel kommentiert: "Er sagte das spöttisch, wie das noch heute alle klugen Leute tun, die nichts von ihr wissen, als was sie Dummes in veralteten Literaturgeschichten lasen, die nur immer eine von der andern abgeschrieben wurden" (M. 10). Selbst die neuere Forschung, wenn von einer solchen überhaupt gesprochen werden kann, übergeht Karsch zum Großteil. Reinhard M. G. Nickisch, der in seinem Aufsatz "Die Frau als Briefschreiberin im Zeitalter der deutschen Aufklärung"[4] Luise Gottsched, Meta Klopstock, Sophie Laroche u.a. eine nähere Untersuchung widmet, nennt Karsch zwar die "eindrucksvollste deutsche Briefschreiberin, welche das Aufklärungszeitalter hervorgebracht hat" (49), bringt aber bloß einen einzigen, bereits bei Hausmann gedruckten Brief Karschs an Gleim und kommentiert ihn auf weniger als zwei Seiten. Obwohl er ihr die Einsicht "in die sozio-ökonomischen Ursachen ihres so elend hingebrachten Daseins in der ersten Lebenshälfte" abspricht, mißt er ihr dennoch sozialgeschichtlichen Wert zu: "Ihre Bedeutung liegt vielmehr darin, daß sie ein außerordentliches Beispiel für die Fähigkeit einer (noch dazu über Gebühr heimgesuchten) Unterschichtangehörigen" ist, "an einer der großen geistigen Leistungen des aufsteigenden zeitgenössischen Bürgertums—der Briefkultur—voll zu partizipieren. Insofern eben ist die Karschin womöglich noch eindrucksvoller als Meta Klopstock und alle anderen bürgerlichen Briefschreiberinnen" (51). Damit erkennt Nickisch wenigstens einen Teil dessen, was die Zeitgenossen an Karsch schätzten. In der Vorrede zu dem 1764 erschienenen Band *Auserlesene Gedichte von Anna Louisa Karschin*[5] bemerkt der Herausgeber J. G. Sulzer:

> Sie ist in einem Stande gebohren, der zunächst an den niedrigsten gränzet, ihre Erziehung, die Beschäftigungen ihrer Kindheit und ersten Jugend, waren der Niedrigkeit ihrer Geburt angemessen; in ihren reiferen Jahren aber waren ihre Umstände so, daß ihr Geist nothwendig in den tiefsten Staub wäre niedergedruckt worden, wenn die Natur nicht weit stärker wäre, als alle Hindernisse, die ihr entgegen würken (XII).

Der ungeheuren Lebenskraft wird hier gehuldigt, die für Karsch notwendig war, sich aus ihrem Milieu herauszuarbeiten und sich trotz aller Hindernisse der bestehenden sozialen und künstlerischen Vorurteile durchzusetzen. Aber Karsch, die erste Frau, die in den von Friedrich dem Großen regierten Gebieten die Ehescheidung erlangte (H. 35), ist auch auf künstlerischem Gebiet innovativ. Ihr Schaffen ist unbeeinträchtigt von jenen angelernten, erkünstelten Regeln der Dichtkunst, ohne deren Kenntnisse zu jener Zeit keiner hoffen durfte, zum Dichter zu werden. Sie ist ein "Naturtalent," wie es von Herder bis zu den Romantikern in der Volksdichtung gefeiert wurde. Sie bricht mit der Tradition, die durch Schulung den Begabten zum Poeten formt, und ihn deshalb fast ausschließlich als gebildetes männliches Wesen kennt. Der Herausgeber ihrer *Auserlesenen Gedichte* hebt die Natürlichkeit ihres Genies hervor und rechfertigt sie, indem er sich auf Plato bezieht:

> Es ist eine alte und bekannte Anmerkung, daß die Dichter nicht durch Unterricht und Regeln gebildet werden, sondern ihren Beruf und ihre Fähigkeiten blos von der Natur erhalten. [...] Man darf sich deshalb nicht wundern, daß die fürtreflichsten Dichter älter sind, als die Regeln, und daß die feineste Critik keine vollkommenere Gesänge hervorgebracht hat, als die sind, welche vor der Kunst gewesen. Das Beyspiel der Dichterin, von welcher wir hier einige auserlesene Lieder der Welt vorlegen, bestätiget die Wahrheit dieser Anmerkungen auf die unzweifelhafteste Weise. Ohne Vorsatz, ohne Kunst und Unterricht sehen wir sie unter den besten Dichtern ihren Platz behaupten (VII-IX).

Diesen Standpunkt vertritt Ludwig Achim von Arnim nochmals fast ein halbes Jahrhundert später in seinem Aufsatz "Ueber deutsches Sylbenmaaß und griechische Deklamation"[6] und in seiner Natur/Kunstpoesiedebatte mit Jacob Grimm.[7] Es ist nicht verwunderlich, daß Karsch als Phänomen gefeiert wurde. Die beiden Hauptfaktoren ihrer Sonderstellung unter den Dichtern des 18. Jahrhunderts, ihre soziale und künstlerische Initiative und ihr Innovationsgeist, bilden die Basis der weiteren Diskussion ihres Talents.

Es ist uns heute kaum verständlich, wie sehr die formale Erziehung der Mädchen noch im 18. Jahrhundert vernachlässigt wurde. Ulrich Herrmann gibt in seinem ausgezeichneten zusammenfassenden Aufsatz über "Erziehung und Schulunterricht für Mädchen im 18. Jahrhundert"[8] einen aufschlußreichen Überblick über die Entwicklung und Auswirkung pädagogisch-philosophischer Grundsätze der damaligen Mädchenerziehung. Wenn von Schulung überhaupt gesprochen werden konnte, dann lediglich für die oberen sozialen Schichten, und noch immer unter dem alten Grundsatz, "nützliche, geschickte, fröhliche, freundliche, gehorsame, gottesfürchtige, nicht abergläubige und eigenköpfige Hausmütter" (Herrmann, 103) zu erziehen. Insofern unter Berufung auf eine "natürliche" Ordnung (Rollentrennung der Geschlechter) der Frau die Tätigkeit außer Haus versagt wurde, erkannte der Staat "nur Bürger, aber eigentlich keine Bürgerinnen" an.[9] "Die Frauenzimmer gehören nur ihrem Hause an" (Uden, 90) und vom "Frauenzimmer fordert der Staat hingegen nichts unmittelbar. Er hat alle seine Vorrechte, die er sich nehmen könnte, dem Hausherrn gelassen. Jene sind also in ihrem natürlichen Verhältnisse geblieben; sie haben keine andere Bestimmung erhalten, als die ihnen von Natur gesetzt war: Töchter des Hauses, und als Gattinnen Hausfrauen zu sein" (Uden, 92). Irgendeine intellektuelle Erziehung war also nicht nur unnötig, sondern auch gefährlich, weil sie Unzufriedenheit mit ihrer Bestimmung und ihrem Los hervorrufen könnte. Noch 1789 schreibt Campe in seinem *Väterlichen Rath für meine Tochter,*[10] daß "Geduld, Sanftmuth, Nachgiebigkeit und Selbstverläugnung" (21) die wichtigsten Tugenden der Frau seien und daß ihre "Gewöhnung an Abhängigkeit" (247ff.)

das eigentliche Erziehungsziel für Mädchen sein müsse. Wenn es überhaupt Mädchenschulen gab, dann vermittelten sie miserablen Unterricht: etwas Französisch, die gewöhnlichsten der weiblichen Handarbeiten. Goeckingk schreibt 1783 kritisch: "Wer sind denn die Männer und Frauen, welche unsre gewöhnliche Erziehungs-Anstalten für Mädchen angelegt haben? Gewöhnlich; Leute, die nicht so viel gelernt haben, um auf andre Art ihr Brod zu verdienen; die Noth bringt sie zu diesem Mittel."[11] Obgleich die Frau theoretisch als gleichberechtigtes menschliches Wesen betrachtet wurde, sah die Realität aufgrund der Differenzierung der Erziehungszwecke von Knaben und Mädchen folgendermaßen aus: "In adligen und reichen Bürgerhäusern hat es gelegentlich Erzieherinnen für die Mädchen gegeben; sie wurden auch vom Hofmeister der Jungen mit unterrichtet. Mädchen in Häusern geringeren Standes hatten—außer dem kirchlichen—gar keinen Unterricht, und von planmäßiger Erziehung kann keine Rede sein" (Herrmann, 104).

Auch Karsch genoß eine solche "Nicht-Erziehung," bzw. eine Erziehung zur Gewöhnung an Abhängigkeit. Auf ihrer Erkenntnis, daß ihr ein wirklich außerordentliches Schicksal unter ihren Standesgenossinnen beschieden war, beruht auch ihre heute fast übertrieben wirkende Dankbarkeit gegen ihre Wohltäter, die sie in unzähligen Gedichten besang. Diese Dankes- und Gelegenheitsgedichte, sowie die Lobgedichte auf Friedrich den Großen, die ihr schließlich die Audienz beim König eintrugen (der sich ihre Gedichte ins Französische übersetzen ließ, bevor er sie anhörte) und ihren weiten Ruhm begründeten, sind die meistüberlieferten ihrer poetischen Zeugnisse.[12] Sie gehören aber durchaus nicht zu ihren besten, interessantesten, oder innovativsten. Auf die damalige Sicht dessen, was einer Frau zukam, ist ihre unglaubliche Duldsamkeit und Bescheidenheit zurückzuführen. In ihren Briefen und Gedichten dringt oftmals ihr Glaube durch, daß sie eigentlich unverdientermaßen ihren Platz an der Sonne gefunden habe. Für dieses Sonnenplätzchen wird dem Schöpfer in diversen Metaphern gedankt: sie vergleicht sich mit dem unscheinbaren Moos, welches, anders als die Blumen, die Beschwerlichkeiten des Winters überdauern kann ("Das fein gebaute Moos bleibt, wenn sie schon gestorben, / Tief unter Schnee noch unverdorben. / Wie ähnlich ist es mir! tief lag ich unter Gram / Viel schwere Jahre lang, und als mein Winter kam, / Da stand ich unverwelkt und fieng erst an zu grünen");[13] sie ist dankbar wie der freie Vogel, gottergeben wie das unscheinbarste der Tiere ("Ich preise dich, wie dich der Vogel preist, / Der unter deinem niedern Himmel schwebt, / Ich danke dir, wie dir die Grille dankt, / Die kummerfrei von Halm zu Halme hüpft").[14]

Der Lebenslauf der Dichterin ist in fast allen ihrer Gedichtausgaben hinreichend beschrieben.[15] Wichtig für das Verständnis von Zeit und Umständen, für ihre Leistung als Dichterin und die Anerkennung, die sie dafür erhielt, sind aber folgende kurze Hinweise. Louisa Karsch erhielt ursprünglich keinerlei Schulung. Schon früh wurde sie als Kinderwärterin ihrer Geschwister, im Haushalt und als

Hirtenmädchen beschäftigt. "Meine Jugend ward gedrückt von Sorgen," lautet eine ihrer Gedichtzeilen,[16] und "Belloisens Lebenslauf" beginnt mit der Aussage: "Ich ward geboren ohne feierliche Bitte / Des Kirchspiels, ohne Priesterflehn / Hab ich in strohbedeckter Hütte / Das erste Tageslicht gesehn" (H. 396). Ihre Briefe an Sulzer erhellen die häusliche Situation etwas mehr: "meine Mutter versagte mir ihren Kuß[...]als sie das erste Mal mich anblickte. Ich war niemals der Liebling ihres Herzens," schreibt Karsch am 1. September 1762 (H. 22). Für sie war es deshalb ein Glück, daß ihr verwitweter Großonkel sie zu sich nach Polen nahm. Er war im Ruhestand und kinderlos und konnte sich dem Mädchen widmen. Er lehrte sie— gemäß den damaligen Verhältnissen—die Bibel lesen, "und in weniger als einem Monat las ich ihm mit aller möglichen Fertigkeit die Sprüche Salomonis vor," schreibt Karsch weiter. "Ich fing an zu denken, was ich las, und von unbeschreiblicher Begierde entflammt, lag ich unaufhörlich über dem Buche, aus welchem wir die Grundsätze unserer Religion erlernen. Mein ehrlicher Oheim freute sich heimlich," und Karsch "belohnte ihm seine fromme Mühe mit tausend kleinen Schmeicheleyen" (H. 22). Zwei Dinge fallen auf: der Großonkel lehrte sie zunächst nur lesen; dies schien für Mädchen damals allenfalls noch gerechtfertigt, weil sie durch das Lesen der heiligen Schrift für ihre künftige Bestimmung als Gattin und Mutter Nutzen ziehen konnten.[17] Zweitens zeigt sich hier schon jenes Mittel zum Zweck, welches Karsch zeitlebens benutzte, um bei Männern ihren Willen durchzusetzen: Schmeichelei und demütiges Benehmen. "Die demüthige, schmeichelnde Art, mit der ich ihm begegnete, besänftigte" auch den Trotz ihres Stiefvaters, wie sie später schreibt (H. 29). Unter dieser äußeren Sanftmut, mit der sie dem herrschenden Geschlecht begegnete, lag aber ein eiserner Wille und "unweiblicher" Ehrgeiz. Sie bat den Großonkel, sie schreiben zu lehren. Ihrem weiteren Unterricht stellten sich aber vor allem die weiblichen Familienmitglieder entgegen: "meine Großmutter widersetzte sich und wandte alle Beredsamkeit an, um diesen Vorsatz zu zernichten. Es mißlung ihr; ich suchte aus irgend einem Winkel ein Brett hervor und brachte es meinem gütigen Oheim. Er zeichnete mir Buchstaben darauf, ich malte sie ihm nach. Sehr bald ergriff ich die Feder" (H. 23). Darauf kam die Mutter, um sie zurückzuholen: "'Ich brauche sie künftig zur Wiege und ich fürchte sie wird verrückt im Kopfe werden, wenn sie fortfährt Tag und Nacht über den Büchern zu liegen. Sie kann lesen und schreiben, dies ist alles, was ein Mädchen wissen muß!'" (H. 23). Auf den Vorschlag des Onkels, sie solle noch soviel Latein lernen, als er selbst wisse, erwidert die Mutter: "'sie wird nicht studieren.'"[18] Karsch kommentiert: "Meine Mutter gab ihrem zweiten Manne einen Sohn und ich bekam das Amt einer Kinderwärterin. Zehn Jahre war ich alt, mein Stiefbruder ward der einzige Vorwurf meiner Beschäftigung. Traurig saß ich an seiner Wiege, weil mir Bücher fehlten, denn an meinem Geburtsort auf der Meierey fand ich keine" (H. 23). Die idyllische Geschichte ihrer Begegnung mit dem Hirtenknaben, der ihr Bücher lieh, ist wohlbekannt. Teils, um ihr weibliche Fertigkeiten beizubringen, teils, um sie aus dem Hause zu haben, wurde sie bei einer Näherin untergebracht. "Ich war unwillig über mein Schicksal," schreibt sie Sulzer; "schon hatte ich wieder vergessen, daß ich ein Mädchen war" (H. 25).

Das damals gängige pädagogische Postulat, daß intellektuelle Erziehung die Frau der notwendigen Unterordnung in ihrem Beruf als Gattin und Mutter entfremde, bestätigt Karsch allerdings in ihrem Leben.[19] Rebellion gegen ihr Schicksal durchbricht immer wieder die versuchte Fügsamkeit. Von ihren Eltern als Magd verdingt ("mein Alter von zwölf Jahren gab mir nicht Kräfte genug"—H. 26), verläßt sie diesen Posten, um unerwünscht wieder im Elternhaus aufzutauchen. Eine Abneigung gegen die männlichen Mitglieder ihrer Familie, vielleicht ein Neid der apperzipierten besseren Lebensstellung, macht sich auch immer wieder bei ihr bemerkbar; zum Tod ihres Stiefvaters findet sie die Verse: "So trotzig wie er that, mußt er doch unterliegen, / Ich wußts dem Himmel Dank" (H. 30), und ihr Brief an ihren zweiten Mann ist voll Haß, wie gerechtfertigt dieser immer sein mag: "Seine ganze Pflicht und die Heiligkeit der ehelichen Gesetze" erfüllt der Mann, meint sie, "wenn er nur das thierische der Wollust bei keiner andern ausübt, er mag sonst sein ganzes Selbst an die Trinkhäuser hängen, dem Weibe die Haussorgen überlassen, und niemals vernünftig sein; das schadet nichts. Er ist doch ein Mann, und das empfindet die Frau in der Stärke seiner Faust" (H. 58-59). Hier wird, genau besehen, die eheliche Treue des Gatten zu einem Anklagepunkt erhoben; und im selben Brief drückt sie den Stachel in ihrer Seele aus: "Ich, ein Weib, das auf die Natur zürnt, daß sie mich nicht zum Manne gemacht hat" (H. 57). Stimmt es, wenn Hausmann behauptet, Karsch sei "keine Frauenrechtlerin" gewesen? (H. 13). Vielleicht verleiten vielmehr Karschs Schilderungen eines unglücklichen Elternhauses und zweier miserabler Ehegatten zu einem falschen Eindruck.

Die von ihrer Mutter vermittelte erste Ehe beschreibt sie poetisch mit den Worten: "Ohne Regung, die ich oft beschreibe, / Ohne Zärtlichkeit ward ich zum Weibe, / Ward zur Mutter! Wie im wilden Krieg, / Unverliebt ein Mädchen werden müßte, / Die ein Krieger halb gezwungen küßte, / Der die Mauer einer Stadt erstieg" (B.G. 139). Man braucht kein Psychologe zu sein, um in den Worten "wilder Krieg," "halb gezwungen," und in der Metaphorik der erstiegenen, bezwungenen Stadtmauer, mit der sie ihr Ehebett beschreibt, ihren Unwillen zu erkennen. Bezeichnenderweise verbindet sie nichts Sexuelles mit dem Mann (Gleim), dem ihre ganze feurige Liebe gilt: "Sing ich Lieder für der Liebe Kenner: / Dann denk ich den zärtlichsten der Männer, / Den ich immer wünschte, nie erhielt; / Keine Gattin küßte je getreuer, / Als ich in der Sapho sanftem Feuer / Lippen küßte, die ich nie gefühlt" (B.G. 140). Es ist fraglich, ob Rohheit, Gefühllosigkeit, Vernachlässigung ihrer Gatten ihr das Leben verbitterten, oder ob ihr nicht doch das Ehejoch so verhaßt war, daß sie wesentlich zu dem Unglück in ihren Ehen beitrug, wie ihr dies die Tochter bitter und scharf vorwirft.[20]

Es ist weder meine Absicht, Karschs Glaubwürdigkeit anzuzweifeln, noch als schuldigen Teil in ihren beiden unglücklichen Ehen zu bezeichnen. Vielmehr soll gezeigt werden, daß in den damaligen Verhältnissen kaum ein Ausweg für die Frau bestand, die sich gegen die ihr zugeteilte Rolle auflehnte, oder ihr zu entfliehen hoffte. Mit 16 Jahren dem Weber Hirsekorn vermählt, hatte sie bald zwei Söhne und war schwanger mit dem dritten Kind, als ihr Mann die eben von Friedrich II. eingeführte Scheidung verlangte. Karsch schreibt an Sulzer: "Dem Charakter meines Mannes fehlte es nicht an sehr guten Seiten. Er war ein guter Wirth, ein Feind aller Völlerey und hatte die Gabe, sich bey jedermann beliebt zu machen." Aber es "war ihm nicht möglich, mit meinem Herzen bekannt zu werden" (H. 33). Hirsekorn schlief im getrennten Bett ("ein unerhörtes Vorgehen damals; eine Schmach ohnegleichen für die junge Frau"—H. 35), sein Dringen auf Scheidung—das waren Vorfälle, die Schuld und Schande für die zerrüttete Ehe der Frau auflasteten, die mit dem beliebten, von äußeren Vergehen freien Mann einfach nicht leben konnte. Diesem fiel bei der Scheidung ihre ehemalige Mitgift, sowie die beiden Söhne zu und sie wurde, hochschwanger und mittellos, auf die Straße gesetzt. Sie begann also, sich durch Schreibarbeiten und Trostliedchen (etwas anderes hatte sie ja nicht gelernt) in einer Gesellschaft zu rechtfertigen, die ihr dafür einen geringen Unterhalt zukommen ließ. Wenn sie nun "blühete wie eine Rose und sang wie ein Vogel" (H. 39), ist dies Zeugnis genug, daß ihr die Freiheit wichtiger war als ein geregeltes Auskommen im Eheleben. Das war damals aber undenkbar für eine Frau und ihre Mutter verheiratete sie zum zweiten Mal, diesmal an den Schneider Karsch. Die Dichterin schreibt am 3. September 1762 an Sulzer:

> Ich wiederhole nur den wichtigen Ausruf, daß ich frey war. Aber nicht lange: meine gütige Mutter wollte mich zum zweyten Mal verheirathet wissen.[...]Es ward mir unbeschreiblich sauer, meinem Herzen diese Gewalt anzuthun; ich fand in den Gesichtszügen meines Liebhabers etwas so Widersprechendes und Wildes, daß mir schauderte. Doch das ehrwürdige Anraten und der halb göttliche Befehl einer Mutter vermochte mich, meinen Neigungen entgegen zu handeln; ich überredete mein Herz [...] und ward auf lange niederdrückende Jahre gefesselt (H. 40-41).

Rückblickend meint sie: "Mein voriger Zustand [...] war bei aller Unterdrückung dennoch Glückseligkeit gewesen, aber jetzt gab mir ein Mann Kinder, die meiner Versorgung überlassen blieben, wenn eine unselige Trunklust ihn fortriß" (H. 41). Sie verdiente ihren Unterhalt mit Gelegenheitsgedichten zu Hochzeiten, Kindstaufen und Begräbnissen, schließlich auch mit Lobgedichten auf die Siege des Königs, und ihr Ruf gelangte von ihren Gönnern getragen von Fraustadt nach Glogau, wohin sie übersiedelte: "Meine Familie ward vermehrt, ich war

Mutter von vier Kindern und noch immer die Gattin eines nicht zu bessernden Mannes," schreibt sie an Sulzer, und gleich darauf folgt der triumphierende Satz: "Er verlor bald die Gunst seines Predigers durch Schuld einer unanständigen Aufführung, ich aber befestigte mich umso mehr" (H. 49-50).

Der Ehrgeiz dieser Frau, ihre Auflehnung gegen das ihr aufgezwungene Schicksal, zeichnen ihr Leben wie ihr Werk. Eine zweite Scheidung war unmöglich. So bewirkte sie mit Hilfe ihrer adeligen Gönner, daß ihr Mann zum Soldatendienst eingezogen wurde, was einer Ehetrennung gleichkam. Statt der Schande aber war damit eine patriotische Gesinnung verbunden. Alles Sträuben, Bitten und Flehen nützte Karsch nichts. Seine Frau schreibt ihm als Antwort auf seine Briefe:

> Es ist wahr, Deine Klagen würden mich rühren, aber sie sind voll von der Sprache eines niederträchtigen Hochmuths. Ich begreife nicht, was es für ein Elend ist, über welches Du so ein Geschrei machst, gleich dem Geschrei derer die in einem finstern Kerker das Urtheil des Todes erwarten. Du gibst nur gar zu schlechte Beweise Deines patriotischen Herzens. [...] Lerne Dich vor Dir selber schämen (H. 56-57).

Ihre zwei jüngsten Töchter starben kurz nacheinander. "Ich erkühnte mich den Himmel zu fragen warum er dicht hintereinander meine Kinder zu sich nahm," schreibt sie und fügt hinzu: "Ich Unwissende sollte ihm Dank sagen" (H. 53). Kaum war eine Frau je weniger geeignet, Gattin und Mutter zu sein, und doch war dies zu ihren Zeiten die einzige anerkannte Lebensberechtigung ihres Geschlechts. Aber Karsch berichtigte ihr Schicksal nach eigenen Kräften. Mit Schmeichelei und demütigem, dankbarem Betragen—Mittel, die sie seit der Kindheit als wirksam erkannt hatte—erwarb sie sich das Wohlwollen derer, die in der Lage waren, ihr zu helfen. Ihre Lob- und Preisgedichte sind vor allem Mittel zum Zweck und bauen auf den Stolz und die Eigenliebe ihrer Gönner vom König bis zum Gemeindepfarrer. Die Rechnung ging auf: ihre eigentliche Karriere begann mit ihrer durch Baron von Kottwitz durchgeführten Übersiedlung nach Berlin und ihrer Einführung in die Gesellschaft. Kottwitz ließ sie "holen und fragte, ob es mir gefiele in seiner Equipage nach Berlin zu reisen, er wolle für mich und meine Kinder sorgen. Er glaube, daß hier mein Genie unter Sorgen der Nahrung ersticke und daß es in der großen berlinischen Welt mehr hervordringen werde" (H. 60). Nur ihre Tochter Caroline nahm sie mit. Der Sohn wurde bei einem Amtmann in Kost gegeben. Die 38-jährige war zum ersten Mal frei, nach ihrem eigenen Wunsch zu leben. Mit einem Gedicht dankte sie Kottwitz:

> Der mich aus unanständigen Geschäften,
> Aus einem pöbelhaften Leben ohne Ruh
> Herausgerissen, mit des Menschenfreundes Kräften,
> Mein Theurer Kottwitz! der bist Du.
>
> [...]

Denn ohne Dich wär, an dem Oderstrande
Mühselig unterdrückt mein glückliches Genïe;
Ein Blumen-Saame stirbt in unbetautem Sande,
Keimt auf des Steines Rücken nie.

[...]

So wär auch ich verwildert; aber Deine,
Von einem Gott gelenkte, rechte Freundes Hand,
Zog mich zum grossen Sitz des Königes, der seine
Gecrönte Schläfe grün umwand
(*Auserlesene Gedichte,* III-V).

Ihre Dank- und Gelegenheitsgedichte werden hier nicht weiter berücksichtigt werden, obwohl sie die Basis ihres Schaffens bilden und ihr Erfolg auf ihnen beruht. Vielmehr sollen hier einige ihrer weniger bekannten Gedichte besprochen werden, welche zeigen, daß Karsch keineswegs mit den Danksagungen ihren Stolz einbüßte, sondern ihren Kämpfergeist zeitlebens bewahrte. War Karsch auch keine Freiheits- und Frauenrechtlerin in dem Sinne, wie sie die Bürger- und Frauenemanzipation späterer Epochen hervorbrachte—mit solchen Taktiken wäre eine Frau ihres Standes ungehört geblieben— so ist die Kritik am Standeswesen doch in ihrem Schaffen nicht zu übersehen. Ein Beispiel ist ihre Eintragung ins Stammbuch eines jungen Adligen:

Aus hocherhobenem Stamm entstehn,
Vornehm geboren sein, ist Zufall nur zu nennen;
Selbst seines Stammes Ruhm erhöhn,
Durch eigenes Verdienst sich Glanz verschaffen können,
Mit einem Herzen gut und schön,
Auf karg beblümten Fleißesbahnen,
Dies übertrifft den Glanz von sechzehn grauen Ahnen (M. 127).

Die Zeilen sind eine Revanche für das Betragen des jungen Edelmannes gegenüber ihresgleichen und die Spitze ist durch das Wortspiel mit dem Wort "Stamm" doppelt wirksam. Der "hocherhobene Stamm" des Baumes triumphiert nur scheinbar über das unscheinbare Blümchen ("Auf karg beblümten Fleißesbahnen") zu seinen Wurzeln. Wirkliche Größe ist nicht durch den Zufall der Geburt, sondern nur durch "eigenes Verdienst" zu erlangen. Im genealogischen Sinn des "Stammes," also im Sinne von Familie und Geschlecht, übertrifft die Reinheit des Herzens "den Glanz von sechzehn grauen Ahnen." Der Kontrast rechtfertigt Karschs Abkunft gegenüber jener des Adligen. Den Beweis ihrer eigentlichen Überlegenheit dem gesellschaftlich Höhergestellten gegenüber liefert Karsch aber dadurch, daß sie aufgrund von selbsterworbenem Ruhm

Gelegenheit hat, dem Adligen die Zurechtweisung ins "Stammbuch" zu schreiben. Verdienst, Herzensreinheit, Fleiß und Können triumphieren über Geburt und Ahnenreichtum.

Eine ähnliche Zurechtweisung ungerechtfertigten Standesdünkels bildet das Gedicht "An das stolze Nanntchen" (M. 113-15). Karsch beginnt das Gedicht mit der etwas sarkastischen Bemerkung: "Laß dich beileibe nicht vergleichen / Mit meiner Kleinigkeit" (M. 113), stellt dann aber sofort einen solchen Vergleich her. Der Kontrast zwischen dem Pomp, der künstlichen, verzärtelten Atmosphäre, in der Nanntchen zur Müßiggängerin erzogen wird, und Karschs eigener arbeitsamer Jugend wird in Verspaaren herausgearbeitet: "Ich lief nur unter Haselsträuchen / In früher Jugendzeit, / Wenn unter einer Bachuslaube / Dein zartes Füßchen ging, / Wo dir die schönste Purpurtraube / Ins Rosenmäulchen hing—" (M. 113). Während Karsch "nur die Nachtigallen" (M. 114) kannte, wird Nanntchen vom bunten Papagei gerufen; und deren Sofa war für Karsch "nur Wiesenerde." Das Natürliche in Karschs Leben wird dem Künstlichen, bzw. Exotischen aus Nanntchens Jugend gegenübergestellt. Ihr arbeitsames und nützliches Leben wird sarkastisch mit dem Müßiggang des adligen Fräuleins kontrastiert: "Mir horchten auf ein Wort drei Rinder, / Wie dir Fidelchen Boll, / Ich pflegte meiner Mutter Kinder, / Wenn du von Liebe voll / Auf deinem Schoße Zuckerküchlein / Dem Kläffer gabst, und ihm / Das Maul mit einem seidnen Tüchlein / Verstopftest, weil es schien, / Daß er Mamachen wecken möchte—" (M. 114). Danach kommt Karsch wieder zu den Anfangszeilen zurück. Doch nun hat die Aufforderung "Laß dich beileibe nicht vergleichen / Mit meiner Kleinigkeit" einen ernsten Ton. Es besteht keine Vergleichmöglichkeit: "Du warst geboren reich; / Ich bin vom Ackerbaugeschlechte, / Darum ist ein Vergleich / Nie zwischen dir und mir zu machen. / Du singst dem Mann allein, / Bist groß, kannst über Fürsten lachen; / Ich darf so stolz nicht sein!" (M. 114). Doch in der Betonung des Unterschieds liegt eine Umkehrung der gesellschaftlich akzeptierten Werte: es ist das arbeitsame Leben, welches hier ernsthaft gerechtfertigt wird, und nicht das untätige des reichen Mädchens. Mit dem Stolz der rechtschaffen gelebten Existenz werden die Anfangszeilen sinnverändert zum "Laß *mich* beileibe nicht vergleichen / Mit *deiner* Kleinigkeit." Die folgenden Zeilen bestätigen die Selbsteinschätzung Karschs: Kaiser und Könige bemühen sich um sie und finden es nicht unter ihrer Würde, mit ihr zu verkehren. Angesichts dessen wird Nanntchens Stolz als kleinlich angeprangert: "Doch dring ich nicht auf Marmorstufen / Zu karger Fürsten Ohr: / Der König selber ließ mich rufen / Nach Sanssouci empor, / Ob er gleich nicht das Deutsche liebet. / Und was kann ich davor, / Daß Ferdinand mir Antwort gibet, / Der große Ferdinand! / Sovielmal ihm mein Herz geschrieben, / Von aller Habsucht rein: / Er muß bei hohen Heldentrieben / So stolz wie du nicht sein" (M. 114-15).

Aber auch der König mußte scharfe Worte hinnehmen, als er ihr das versprochene Haus in Berlin nicht bauen ließ. Oft hatte sie seine Siege besungen und sich dadurch Zugang bei Hof und Berühmtheit verschafft.[21] Als sie aber den König nach Jahren an sein Versprechen erinnerte und er ihr zwei Taler übersenden ließ, schrieb sie ihm: "Zwei Taler gibt kein großer König, / Und sie erhöhen nicht mein Glück. / Nein, sie erniedern mich ein wenig, / Drum send ich sie zurück!" (M. 38). Nicht an Eigensinn zu überbieten, sandte ihr Friedrich drei Taler für den "Hausbau." Hierauf erwiderte Karsch:

Seine Majestät befahlen,
Mir, anstatt ein Haus zu baun,
Doch drei Taler auszuzahlen.
Der Monarchbefehl ward traun
Prompt und billig ausgerichtet,
Und zu Dank bin ich verpflichtet.
Aber für drei Taler kann
Zu Berlin kein Hobelmann
Mir mein letztes Haus erbauen,
Sonst bestellt ich ohne Grauen
Heut mir noch ein solches Haus,
Wo einst Würmer Tafel halten
Und sich ärgern übern Schmaus
Bei des abgehärmten alten
Magern Weibes Überrest,
Die der König darben läßt (M. 39).

Ihre Überzeugung von der Ungerechtfertigtkeit des Standesdünkels taucht in ihren Gedichten immer wieder auf, wenngleich nicht als Hauptthema, wie in den oben erläuterten. Die Nivellierung der Standesunterschiede durch den Tod (die Vergänglichkeit alles Irdischen) und durch Katastrophen betont sie im Gedicht "An Gott" und in der Ballade über den "Tag des Schreckens in Glogau." Im Gedicht "An Gott" wird das irdisch Vergängliche den "Welten" des Firmaments gegenübergestellt: "Hier aber unter ihrem Blick / Vergeht, verfliegt, veraltet alles. / Dem Thronenpomp, dem Cronenglück / Droht eine Zeit des Falles!" (B.G. 138). In diesem Vergleich zwischen Kosmischem und Irdischem wird, auf kleinsten Raum gedrängt, die Illusion des sicheren Bestehens von Stand, Ruhm, Glück und Herrschaft zerstört. Selbst die Unbeständigkeit des absolutistischen Regimes, unter dem sie aufgewachsen war, wird bereits vorausgesehen. Auf solch vergänglichen Boden ist kein Glaube an Vorrang zu bauen, denn "Der Mensch verblüht wie prächtig Gras, / Sein Ansehn wird der Zeit zum Raube" (B.G. 139). Ähnlich wie später in Kleists "Erdbeben in Chili" wird im Gedicht über den Brand Glogaus die Naturkatastrophe zum Katalysator für die Erkenntnis der inhärenten Gleichheit aller Menschen. Im gemeinsamen Unglück ist Alt und Jung, Arm und Reich bloß Mensch: "Weit von dem Stolz entfernt, ward hier nicht an die Pracht, / Nicht an die Eitelkeit und an den Rang gedacht" (M. 147).

Aus dieser Überzeugung von der grundsätzlichen Gleichheit aller Menschen vor Gott und den Elementen schöpft Karsch die Kraft für die eigene Existenz und den Glauben an den eigenen Wert. In dem Gelegenheitsgedicht über "Das Harz-Moos," dessen Anlaß das von Freiherrn Spiegel zum Diesenberg vom Harzgebirge mitgebrachte Stückchen Moos war, verweist Karsch auf den Wert des Unscheinbaren. Man könnte dieses Gedicht, wie den Stammbuchvers und jenes an Nanntchen, ein Lob der eigenen Person nennen, wenn Karsch in sich selbst nicht die Repräsentantin der Unterschicht im allgemeinen verstände und damit den Versen sozialkritische Tragweite verliehe. Die ersten fünf Zeilen bestätigen zunächst, ähnlich wie im Gedicht an Nanntchen, eine hierarchische Ordnung unter der Herrschaft Gottes, nur um sie später zu negieren: "Gott zeigt in seiner Schöpfung-Werke / Sich über unserm Haupt, sich auf der Erde groß; / Er gab der Sonne Glut, er gab dem Löwen Stärke, / Und bildete das kleinste Moos, / Das an dem Harzberg wächst" (B.G. 136). Die drei Formen materieller/stofflicher Existenz—Gestein (bzw. hier Gestirn), Fauna und Flora—werden nach Größe und Kraft eingestuft, wobei "der Sonne Glut" und des "Löwen Stärke" die unterste Stufe, "das kleinste Moos," an Pracht und Macht weit übertreffen. In den folgenden Zeilen wird das Naturbild auf die soziale Ordnung der menschlichen Gemeinschaft bezogen, indem die Dichterin das unscheinbare Moos mit einem Mädchen vergleicht. Das Gewächs, "fein zweigigt wie Cypresse, / Voll kleiner Knospen, untersprengt / Mit etwas Röthe" ist "so, wie junger Mädchen Blässe / Im Antlitz sich mit roth vermengt." Damit leitet Karsch die Metapher in die traditionelle Symbolik des Vergleichs von Mädchen und Blume über. Die Moosknospen sind ähnlich und doch anders als schönere, prachtvollere Blumen, denn "andre Blumen sterben bald, / Das fein gebaute Moos bleibt, wenn sie schon gestorben, / Tief unter Schnee noch unverdorben." In dieser Hierarchie ist das Unscheinbare und Niedrige von größerer Widerstandskraft und Zähigkeit, als die prachtvollere Schwester. Es ist wohlbekannt, daß Karsch ein von Vielen als ausgesprochen häßlich empfundenes Äußere hatte. Der folgende Vergleich mit dem Moos ("Wie ähnlich ist es mir!") bezieht sich sowohl konkret auf ihre eigene Person wie auf ihre Standesgenossen im sozial-abstrakten Sinne. Wie das Moos unter der Todesdecke des Schnees weiterexistiert, so lag auch sie "tief [...] unter Gram / Viel schwere Jahre lang, und als mein Winter kam, / Da stand ich unverwelkt und fieng erst an zu grünen". Der Bezug zur gesellschaftlichen Hierarchie wird in den nächsten zwei Zeilen deutlich: "Ich muste, wie das Moos dem Glück zum weichen Tritt, / Dem Thoren zur Verachtung dienen." Die bestehenden gesellschaftlichen Werte, die törichte zeitgenössische Standesphilosophie, welche die unteren Schichten der Bevölkerung verachten zu dürfen glaubt, werden in der letzten Zeile negiert. Selbst der Tod ist hier überwindbar: "Einst sterb ich! Doch mein Lied geht nicht zum Grabe mit!" Diese Zeile verweist auf den Anfang zurück, wo Gott und Sonne als höchste Instanzen der Hierarchie das Unvergängliche verkörperten. Im ichbezogenen Sinne schreibt Karsch sich hier durch ihre Kunst nichts weniger als Unsterblichkeit zu; im gesellschaftsbezogenen Sinn wird der unteren Schicht zwar die Sterblichkeit des Einzelnen ("Einst sterb ich"), gleichzeitig aber die Unsterblichkeit der Klasse der Unscheinbaren durch ihre Produktivkraft zugesprochen. Dieses Gedicht der Karsch ist nicht nur sozialpolitisch prophetisch im Inhalt, sondern bezeugt auch künstlerisch einen genialen Bau. Das Bezugsgeflecht der poetischen Bilder, die Karschs eigenständige Natur- und Gesellschaftssymbolik mit traditionellen literarischen Vergleichen verbinden, wird durch Kontrast und Paradoxon intensiviert und durch die Ringstruktur—die Unsterblichkeit ihres Werks weist zurück zu den Anfangszeilen über die Schöpfung Gottes—formal gestärkt. Das Enjambement der Verse, die die poetische Bedeutung des Moosbildes erläutern, bedingt die lyrische Flüssigkeit bis zum konkreten Bezug des Symbols zum dichterischen Ich (Z. 13-16), wobei dieser Bezug durch die Änderung des Reimschemas besonders hervorgehoben wird (von a,b,a,b, zu aa,bb). Dieses Gedicht allein würde die ihr von Muncker vorgeworfene Abhängigkeit, Unbedeutendheit und "versagte Eigenart und Größe" widerlegen. Es ist aber kein Einzelfall unter Karschs lyrischer Produktion.

Stand und Geschlecht—das Leben des Bauern und das Los der Frau—sind Themata, die Karsch in viele ihrer Gedichte einflicht. In diesem Sinn ist sie emanzipatorisch tätig. Gleichzeitig bezeugen ihre Gedichte einen frischen, bodenständigen Geist und eine Neuheit der Perspektive, die den anakreontischen Tändeleien ihrer antikisierenden Zeitgenossen durchaus mangelt. Ein Beispiel ihrer Ansicht, daß auch die unteren Stände es wert sind, Gegenstand belletristischer Versuche zu sein, ist ihr "Schlesisches Bauerngespräch," welches sich vor allem dadurch auszeichnet, daß es in Mundart gedichtet ist. Das "Gespräch" steht den gekünstelten Schäfergedichten ihrer männlichen Kollegen mit einer Spiegelung des wahren bäuerlichen Milieus in Inhalt und Sprache gegenüber, das es erst mit der neueren Dialektdichtung vergleichbar macht. Der Dialog ist eine Auseinandersetzung zwischen Tante und Neffen über die Übel des Krieges: "Ih, worum schlägst du denn die Augen so herunter?" fragt Muhm Ohrte, und Vetter Hans antwortet: "Die Zeiten sein darnach. Wer kann doch lustig sein, / Der Krieg ist noch nich gar" (M. 149). Die Lieferungen von Naturalien versauern ihm das Leben, meint Hans. Die Tante stimmt bei: "Doch jo! Fürwohr, du darfst dich übern Krieg beklagen," erläutert aber, daß er sich glücklich nennen dürfe, vom Feind verschont geblieben zu sein:

> Die Russen, do sie nu die große Schlacht verloren,
> Die haben auf der Flucht das Mütel sich gekühlt.
> Man spricht, daß der Kosak nur wie a Ochse fühlt,
> Und wann a nich wie wir im Aussahn menschlich wäre,
> So dächte man, a wär die Zucht von Zeidelbäre,
> Und wie gesoht, a Ruß, der muß kei Mensch nich sein,
> Sunst käm ihm doch auch wohl a bissel Mitleid ein,

Sunst würd a nimmermehr so sengen und so brennen
Und so den armen Baur das Saatkorn nähmen können

Jo, lieber Vetter Hans, die Breslauer Zeitung soht,
Es is a Volk, was nischt nach Gott, nach Menschen froht,
Sie lassen einen nich amal das Hemd am Leibe;
Und mancher Mann, der muß mit seinem jungen Weibe
Suwas beginnen sahn, was sich nu gar nich schickt (M. 150).

Nachdem es der Tante gelungen ist, den Neffen davon zu überzeugen, daß es ihm relativ gut gehe, erheitert Hans sie seinerseits. Die Tante trauert noch ihrem früh verstorbenen Mann nach. "A war ne gute Haut, doch laß ihn immer ruhn," meint Hans, "Und eh du um den Mann dir sult a Leid antun, / Eh wüßt ich andern Rat" (M. 158). Er wolle zu Neujahr wiederkommen und ihr den Bruder der Lehne mitbringen, der ihr die Zeit vertreiben könne: "Die Menscher sitzen uft a ganzen Abend flennen, / Wenn a vom Krieg erzählt, denn a beschreibt dir's recht" (M. 159). Das alltägliche Leben, die Sorgen und Freuden das Bauernvolks werden hier zum Thema einer Auseinandersetzung, die gleichzeitig politisch didaktisch, d.h. patriotisch und belehrend gefaßt ist. Der Bauer ist nicht der unräsonierende, lächerliche, ungelehrte und unbelehrbare Tölpel, als der er in den Komödien des zeitgenössischen Theaters oft dargestellt wird. Vielmehr wird ihm die bedeutende Stellung zugesprochen, die er in Wirklichkeit und besonders im Kriege einnahm: er ist der Versorger der Truppen und der Kavalleriepferde, oft auch selbst Soldat, und trägt außerdem den größten Teil des Schadens, der dem Land im Krieg widerfährt. Erst in den Freiheitskriegen im Kampf gegen Napoleon wurde die Regierung ihrer Abhängigkeit von dem Wohlwollen und dem Beistand jener niedersten Schichten im Kampf um Deutschlands Existenz gewahr.[22] Karsch versucht dies zu einer Zeit zu verdeutlichen, in der man noch glaubte, mit dem Bauern nicht rechnen zu brauchen. Der Bauer als Mensch, der fühlt und denkt, dessen Sprache ein bodenständiges Deutsch ist, dessen Freuden einfach[23] und dessen Beiträge zur Verteidigung des Vaterlandes groß sind—das ist das Bild, das Karsch von ihrem Volk entwirft.

Sie beschreibt das, was sie wie kein anderer Schriftsteller ihrer Zeit kennt—das Dasein der Unbekannten und Ungehörten, und dazu gehört auch Leben und Schicksal der Frau aus den niederen Schichten. War sie mit diesem Sujet in ihrer Dichtung der Zeit sozialpolitisch weit voraus, so liegt auch der Grund ihrer literarischen Nichtbeachtung durch spätere Generationen in deren Unfähigkeit, ihr Werk in gängige literaturkritische Konzepte einzuordnen. Karsch schuf als Frau, mit gesundem Menschenverstand und ohne prosodische Kenntnisse oder literarische Vorurteile, aus ihrem weiblich-menschlichen Daseinserlebnis. Weder die geistesgeschichtlich orientierte, noch die werkimmanente Literaturkritik konnte ihr Schaffen und das von vielen anderen Schriftstellern und Schriftstellerinnen vergangener Epochen aufgrund eines kritischen Schablonendenkens hinreichend erfassen und würdigen. Klaus Berghahn bemerkt in seiner Zusammenfassung germanistischer Methodik neuerer Zeit: "Die immanente Methode ignoriert nicht nur die konkrete historische Situation, in der das Kunstwerk entsteht, sie unterschlägt auch die Realität, welche sich im Kunstwerk vielfältig bricht;"[24] und wenn auch die werkimmanente Methode "inzwischen historisch geworden" ist (397), so hat sich bisher noch keine geschichtliche, sozial, oder politisch orientierte Kritik ergeben, die den besonderen Perspektiven weiblichen Schaffens gerecht würde. Gerade das Bild der Frau taucht bei Karsch immer wieder auf. Es ist immer ich-bezogen, wie im "Harz-Moos," wo das Unscheinbare mit Verjüngungskraft und Widerstandsfähigkeit durchdrungen ist; aber es ist das Ich eines ganzen Geschlechts und nicht eines Einzelwesens, "konkrete historische Situation" manifestiert im persönlichen Erlebnis. Der Mangel an Erziehung und Schulung des Bauernmädchens wird in "Belloisens Lebenslauf" deutlich: ohne Feierlichkeiten, ungebeten, ja unerwünscht, ist sie "in strohbedeckter Hütte" geboren, "Wuchs unter Lämmerchen und Tauben / Und Ziegen bis ins fünfte Jahr / Und lernt an einen Schöpfer glauben, / Weil's Morgenrot so lieblich war, / So grün der Wald, so bunt die Wiesen, / So klar und silberschön der Bach, / Die Lerche sang für Belloisen, / Und Belloise sang ihr nach" (M. 53). Dies ist weit entfernt von zeitgenössischen Idyllen. Zwar sind alle Elemente der Idylle vorhanden: Lämmerchen, Morgenrot, Lerche, usw.; aber dieses Naturbild verliert das süßlich Erkünstelte, das den Idyllen eigen ist, durch die Konfrontation von Naturschönheit mit "Naturbelassenheit." "Wild" wie die Natur wächst dieses Kind auf, und was in der Natur chaotische Schöneit sein mag, ist beim Menschenkind Verwahrlosung. Die Zeilen "Und lernt an einen Schöpfer glauben, / Weil [...]" beinhalten die Anklage, daß ihr der Religionsunterricht versagt wurde. Nicht auf diese Weise, sich selbst überlassen auf gut oder übel, hätte sie zu Gott finden sollen. Dieselbe Kritik ist in den Zeilen "Die Lerche sang für Belloisen, / Und Belloise sang ihr nach" enthalten. Der Unterricht im Singen (Poesie) von der Natur ist im Zeitalter Rousseaus nicht inhärent negativ zu nennen, aber die grundlegende Idee hier ist doch die Vernachlässigung der Erziehung des Kindes durch Eltern und Gesellschaft. Weil ihr keine andere Lernmöglichkeit gegeben wurde, war sie gezwungen, nur von der Natur zu lernen.[25] Die "Mädchenarbeit" (Kinderwärterin, später Ehefrau und Mutter zu sein) war ihr besonders verhaßt. Oft beklagen ihre Gedichte dieses vorgeschriebene Dasein:

> Als ich den Bruder groß getragen,
> Trieb ich drei Rinder auf die Flur,
> Und pries in meinen Hirtentagen
> Vergnügt die Schönheit der Natur.
> Ward früh ins Ehejoch gespannet,
> Trug's zweimal nacheinander schwer,

Und hätte mich wohl nicht ermannet,
Wenn's nicht den Musen eigen wär,
Im Unglück und in bittern Stunden
Dem beizustehn, der ihre Huld
Vor der Geburt schon hat empfunden.
Sie gaben mir Mut und Geduld [...] (M. 53-54).

Wortwahl und -verbindung verleihen Karschs Kritik hier Schärfe. Die zentrale Wortkonstellation "ins Ehejoch gespannet" erhält ihre pejorative Bedeutung vor allem durch den vorhergehenden Hinweis auf die "Rinder," das Vieh, das ebenfalls als Arbeitstier ins Joch gespannt wird.[26] Die darauffolgende Wortwahl "sich ermannen" ist zweifach bedeutsam. Einerseits, weil es ein sich Loslösen vom Joch bedeutet, also im von Karsch benutzten bildlichen Sinne eine Menschwerdung aus dem tierischen Zustand, mit dem sie die Ehe vergleicht. Andererseits ist das Wort psychologisch interessant, insofern die Wahl von er"mann"en diese Menschwerdung mit einer Loslösung auch aus dem "weiblichen" Zustand verbindet. Vieh und Frau werden hier auf dramatische Weise gleichgesetzt und erst die "Ermannung" bedeutet Menschwerdung.

Diese "Ermannung" geschieht durch das Wort, d.h. durch das Schreiben, das den Frauen nicht gelehrt wird. Die Musen "lehreten mich Lieder dichten," schreibt Karsch, "Mit kleinen Kindern auf dem Schoß. / Bei Weib- und Magd- und Mutterpflichten, / Bei manchem Kummer, schwer und groß / Sang ich den König und die Schlachten, / Die ihm und seiner Heldenschar / Unsterblich grüne Kränze brachten, / Und hatte noch manch saures Jahr, / Eh frei von andrer Pflichten Drang / Mir Tage wurden zu Gesang" (M. 54). Die "Weib- und Magd- und Mutterpflichten" sind keineswegs eine Verklärung fraulicher Arbeit wie sie Goethe durch Werthers Augen in Lotte darstellt. Schon das Wort "Magd"-Pflichten, ähnlich wie oben das Wort "Joch" pejorativ zwischen "Weib" und "Mutter" placiert, verweist auf die Erniedrigung solcher Arbeit. Die alliterative Verbindung der Zeilen durch die Konstellationen "Kinder" und "Kummer," "Magd" und "Mutter," vervollständigt das Negative dieser Beschreibung. Karsch bagatellisiert nicht die Mühe des weiblichen Lebens, verherrlicht sie auch nicht, wie viele der männlichen Schriftsteller es im Muttersymbol tun, sondern sagt rund heraus, was es heißt, Frau zu sein: "Kummer, schwer und groß" zu haben. Den Kontrast zu diesem Elendslos bildet das Heldenschicksal, das nur für den Mann erreichbar ist. König und Heldenschar erringen Ruhm und Unsterblichkeit in der Schlacht. Die Zeile "Sang ich den König und die Schlachten" verweist bereits auf die Möglichkeit des Dichters, den Helden durch den Gesang eigentlich erst zu schaffen, bzw. ihm Unsterblichkeit zu verleihen. Ihre eigene "Ermannung" kann zwar nur im Abglanz stattfinden, d.h. im Lobgesang der Helden. Dieser Gesang aber ist es, der sie im konkreten wie im übertragenen Sinne erhöht, aus dem Elend reißt und ihr die Selbstschöpfung ermöglicht. Die letzte Zeile verweist in ihrer Ambiguität darauf. Karsch hatte "noch manch saures Jahr," bis sie von den lästigen Mutterpflichten "frei" war, und bis ihr "Tage wurden zu Gesang." Das kann bedeuten, bis sie Zeit hatte, um sich der Dichtkunst zu widmen, oder auch, bis sie fröhliche Tage hatte (i.e., bis ihr die Tage zu Gesang wurden). Aber im Rückblick auf die Konstellation "Sang ich den König," kann es auch ausgelegt werden: bis für mich Tage kamen, die Anlaß zu Gesang gaben, oder: bis auch *ich* gerühmt wurde. Die Schlußzeile ist damit jener des "Harz-Mooses" ("Einst sterb ich! Doch mein Lied geht nicht zum Grabe mit!") und des Gedichts über den Ruhm ähnlich, wo es von der Freundschaft heißt: "Sie weinet, wenn ich gnug gesungen und gelebet, / Noch Ruhm auf meines Sarges Holz" (M. 81).

Zweifellos war Karsch auf ihre "Selbstschöpfung" stolz. Der Vergleich zwischen ihrem früheren armseligen Leben und ihrem jetzigen Zustand ist das Thema des Gedichts "Der Winter hauchet Frost" (M. 78-79). Ein frostiger Tag gibt Anlaß zu ihrer Rückerinnerung: "Viel Kälte stand ich aus, als Armut mich gejagt / Frühmorgens aus dem Bett, sobald es nur getagt, / Wie ängstlich lief ich da nach Holze." Die Verachtung, die sie damals als Elende ertragen mußte, taucht in den nächsten Zeilen wieder als Standesdünkel auf, der angeprangert wird. Diesmal sind es nicht Adlige, sondern bloße Bürger, die auf die Bauersfrau herabsehen: "Bei mir vorüber ging das stolze / Und reiche Bürgervolk, nicht vornehm, aber doch / Sehr aufgebläht durch kluges Wissen / Des Geldbesitzens, das sie noch / Vielleicht, wie Rauch, Verlieren müssen." Das Enjambement gibt diesen Versen eine flüssige, fast erzählerische und sehr moderne Qualität. Es sind trotz des Reims freie Verse ohne künstliches Metrum. Hier werden nicht Silben gezählt, wie dies damals vom Dichter verlangt wurde, sondern Akzent, Rhythmus und Atempause sind durch den Inhalt und durch die natürlichen Hebungen und Senkungen der Sprache beim Erzählen bestimmt. "Der arme Körper war inwendig kalt und leer, / Von außen war er schlecht behangen," fährt Karsch fort; "Ein Bündel Holz trug unter jedem Arm / Das Weib, nach welcher jetzt so warm, / So eifrig alt und jung verlangen." Der Gegensatz von einst und jetzt wird durch die Erweiterung der Bedeutung von kalt und warm aus dem physischen in den psychologischen Bereich unterstützt. Damals war sie auch "inwendig kalt und leer," verlassen, ungefragt, während sich jetzt "warm," bzw. eifrig, alle Welt um sie kümmert. Die folgenden Zeilen beschreiben jenen "Kummer, schwer und groß," den die Frau und Mutter des niederen Standes ertragen muß:

> Ich schleppte mühsam mich und brach das Reisigt klein,
> Saß vor dem Ofen hin und heizte zitternd ein,
> Die Kinder vor dem Frost zu schützen;
> O, dein Gedanke sieht mich bei dem Ofen sitzen,
> Ein Topf mit Wasser steht bei trockner Fichtenglut;
> Er kocht, ich heb ihn ab, um Mehl darin zu schütten,
> Die Suppe, schlecht und ohne Schmalz, war gut.
> Jetzt dürfte keiner mich darauf zu Gaste bitten.
> Seit dem berühmten Sieg bei Leuthen tadle ich

> Den Kaffee, wenn er nicht so kräftig ist, daß mich
> Sein wärmend Öl beschützt vor einem bösen Husten,
> Den alle Suppen mir nicht zu vertreiben wußten;
> Jetzt eben komm ich, Frau, und wenn ich dich geküßt,
> So fragt mein erster Blick: ob Kaffee fertig ist! (M. 79).

Ihre Schicksalswendung wird mit dem doppelsinnigen Wort "Seit dem berühmten Sieg bei Leuthen" angedeutet, das sich nicht nur auf ihre Beschreibung der Schlacht bezieht, sondern auch auf ihre erfolgreiche Einführung in die höhere Gesellschaft.

Die Welt der Frau, mit Muttersorgen und Kaffeeklatsch, ist Karschs Bereich ebenso wie Heroenpreisung; und sicher ist in dieser Darstellung des geschichtlich Unbedeutenden mindestens ebensoviel Pathos wie in den antikisierenden Balladen von Deutschlands bekannten Dichtern. Der Literarhistoriker hat noch nicht erkannt, was Stefan Zweig 1922 über die Gerechtigkeit der Geschichte gesagt hat: "Darum tut es not, Geschichte nicht gläubig zu lesen, sondern neugierig mißtrauisch, denn sie dient, die scheinbar unbestechliche, doch der tiefen Neigung der Menschheit zur Legende, zum Mythos—sie heroisiert bewußt oder unbewußt einige wenige Helden zur Vollkommenheit und läßt die Helden des Alltags, die heroischen Naturen des zweiten und dritten Ranges ins Dunkel fallen."[27]

Eine heroische Natur des Alltags war Karsch gewiß. Unbedeutend war sie nicht. Gerade weil ihr die "Gesetze" der Poesie fremd waren, konnte sie ihre dichterische Aussage konventionsungebunden und damit innovativ gestalten. Karsch arbeitet nach einem intuitiven "Ton"[28] und mit den psychologischen Erkenntnissen, die ihr Beobachtungsgabe und Erfahrung vermittelten. Mendelssohn bewunderte Karschs "männliche und fast wilde Imagination" in den folgenden Versen ihres Gedichts auf die Torgauer Schlacht: "Der König winkt, die Reuter falten / Ernsthaft die Stirnen, und ihr Arm / Wird ihren Feinden schwer, geschwungne Säbel spalten / Den Kopf, und vom Gehirn noch warm, / Zerfleischt das Schwert die Eingeweide." Innovativ nennt er das Stirnenfalten der Reiter: "Der Zug ist erhaben und, so viel ich weiß, noch ungebraucht. Ich begreife nicht, wie ein unkriegerisches Frauenzimmer auf diese Bemerkung hat zuerst kommen können" (zitiert nach H. 73). Diese wenngleich positive Beurteilung läßt sich heute nicht mehr aufrecht erhalten. Karsch, die ihr Leben lang kämpfte, kann kaum "unkriegerisch" genannt werden und das Gedicht ist nicht "männlicher" als jenes, in dem sie von Fischen spricht, die sich "vergebens / Dem Tod" entgegensträuben: "Sie starben unter dem Messer / Der hurtigen Köchin dahin" (M. 62). Das "Schlachten" entstammt der prosaischen Welt der Bäuerin, und der Gebrauch einer Floskel in ungewohntem Kontext macht sie noch nicht zur Wortschöpferin.

Dagegen ist sie auf mehrfache Weise wirklich innovativ. Die freien Verse, der fließende Rhythmus der Sprache, komplementieren im Gedicht "Die Abendmahlzeit auf dem Lande" (M. 61-62) das Sujet: es ist das Lob der Einfachheit und der Natürlichkeit des Bauernlebens. "Freund, nicht in fürstlichen Sälen / Bei dem glattsteinigten Tisch, / Bedeckt mit köstlicher Leinwand, / Wohnt das Vergnügen allein. / Auch im kleinräumichten Hause, / Gebaut nach ländlicher Art, / Auf schlechtem, reinlichem Zwillich, / Mit *einer* Schüssel besetzt, / Schmeckt dem nicht wählenden Gaumen / Die ungekünstelte Kost" (M. 61). Aufgebaut auf dem Kontrastverfahren welches sie so oft benutzt, wird das Bild bäuerlicher Einfachheit und ungekünstelten Vergnügens gegenüber fürstlichen Ansprüchen auch künstlerisch durch den Verzicht auf prosodische Extravaganz zugunsten eines schlicht reimlosen Verses unterstützt, der dem normalen Sprachrhythmus angepaßt ist. Das Bauernleben, wie Karsch es schildert, hat nichts Idyllenhaftes oder Anakreontisches, nichts erkünstelt "Naturhaftes" an sich; auch nichts tölpelhaft Lächerliches, derb Sinnliches, oder Unflätiges, so wie die Zeitgenossen es gern in Komödien sahen. Karsch beschreibt den Bauern aus persönlicher Erfahrung: ärmlich und arbeitsam, ungelehrt aber nicht dumm, bescheiden, und gottesfürchtig, aber trotzdem voll Kraft, Ehrenhaftigkeit, und Stolz. Sowohl in sozialer wie in künstlerischer Hinsicht ist dieses Gedicht ihrer Zeit weit voraus.

Karsch fand viele Nachahmer ihrer realistischen Beschreibung des ländlichen Lebens. Da ihnen aber das, was sie beschrieben, wesensfremd war, verraten ihre Gedichte jene verfehlte Auffassung der Mimesis, die bereits Ludwig Tieck vernichtend kritisierte. "In der Sehnsucht nach ländlichem Glück" des Predigers Schmidt aus Werneuchen "finden Sie folgende merkwürdige Stelle S. 112," schreibt Tieck: "Unterwegs, verfolgt von Mück' und Wespe, / Läßt sich's, hingestreckt auf Kukuksklee, / Weicher als des Königs Kanapee, / Im Gesäusel einer Zitterespe, / Müd' und warm, mit Sand in beiden Schuh'n, / Dann so herrlich aneinander ruh'n."[29] Wie Karsch benutzt auch Schmidt den Kontrast des Einfachen mit dem Fürstlichen (Kuckucksklee/Königs Kanapee), um die Vorzüge des Naturhaften zu preisen. Wie Karsch sucht auch Schmidt das Idyllische zu vermeiden. Aber wie unwahr und lächerlich wirkt dieses Gedicht im Vergleich mit dem erhabenen Ernst von Karschs einleitenden Strophen zur "Abendmahlzeit."

Ähnlich wegbereitend war Karschs Lob der alltäglichen Dinge und besonders das von Speise und Trank: die Sättigung ist für den Menschen niederen Standes stets eine der wichtigsten "Vergnügungen" gewesen. In vielen der bereits besprochenen Gedichte spielen Essen und Trinken eine wichtige Rolle. Im "Bauerngespräch" nötigt die Tante den Neffen öfters zur Teilnahme an der Mahlzeit, denn das Brechen des Brots hatte seit Urzeiten auch eine gesellschaftliche Funktion; im Gedicht "Der Winter hauchet Frost" ist es der Kaffee, der den freundschaftlichen Meinungsaustausch fördert und ihm erst den Rahmen gibt; in der "Abendmahlzeit" sind es die Fische,[30] die den Freund zur interpersönlichen Teilnahme anregen sollen ("Komm! Deine liebende Freundin / Winkt mit gefälligem Blick /Dich zum bescheidenen Gastmahl! / Dein warten Fische"—M. 61); im "Lob des Essens" huldigt Karsch den verschiedensten Speisen mit den Worten: "Lob des Rebensaftes ward / Von keinem Dichter je vergessen; / Doch keiner sang mit gleicher Art / Das Lob vom guten Essen" (Muncker, 321).

Dichterisch geglückter als das "Lob des Essens" ist Karschs "Lob der schwarzen Kirschen." Lebensfreude und Übermut drücken sich in diesem Gedicht aus, das auf die Symbolgeschichte der Kirsche als Verführungsmittel anspielt: "Des Weinstocks Saftgewächse ward / Von tausend Dichtern laut erhoben; / Warum will denn nach Sängerart / Kein Mensch die Kirsche loben? / O die karfunkelfarbne Frucht / In reifer Schönheit ward vor diesen / Unfehlbar von der Frau versucht, / Die Milton hat gepriesen" (B.G. 137). Das Thema der Versuchung in Anspielung auf die Eva aus Miltons "Paradise Lost" wird in der nächsten Strophe durch den Hinweis auf den Apfel weitergeführt. Dabei bleibt das Gedicht trotz dieser Hinweise auf die Symbolik der Kirsche durchaus auch im konkreten Bereich: "Kein Apfel reizet so den Gaum / Und löschet so des Durstes Flammen; / Er mag gleich vom Chineser-Baum / In ächter Abkunft stammen." Nachdem Karsch aus der weiblich-hausfraulichen Perspektive die kulinarischen und medizinischen Vorzüge des Kirschensaftes beschreibt, vergleicht sie die aphrodisische, verführerische Qualität dieses Allheilmittels mit dem "goldenen Rheinstrandwein" und schließt mit den Zeilen: "Dann werd' ich eben so verführt, / Als Eva, die den Baum betrachtet, / So schön gewachsen und geziert, / Und nach der Frucht geschmachtet. / Ich trink und rufe dreymal hoch! / Ihr Dichter singt im Ernst und Scherze / Zu oft die Rose, singet doch / Einmal der Kirschen Schwärze!" (B.G. 137). Zwei Ebenen greifen hier ineinander: die graphisch-konkrete, auf der die Verwendung des Kirschensaftes in Küche und Medizin dargelegt wird, und die symbolische, wo die Kirsche in religiöser und literarischer Tradition im sexuellen Sinne der Verführung fungiert. In den letzten zwei Zeilen bringt schließlich der Verweis auf den Symbolkomplex der Rose ein weiteres Element in das Gedicht. Die Rose ist, außer der populären Verbindung der roten Rose mit dem Liebesgefühl, seit der Mariendichtung des Mittelalters auch das Symbol für die Frau und, in der weißen Rose, das Bild weiblicher Keuschheit. Wenn Karsch also verlangt, daß statt der Rose die Kirsche besungen werden solle, und noch dazu deren Farbe Schwarz, den Ausdruck des Sündhaften im biblischen Sinne hervorhebt, so wird das "Lob der schwarzen Kirschen" zum Preis der sexuellen Vereinigung schlechthin. Es ist ein schelmisches, moralisch gewagtes, aber dichterisch durchaus gelungenes Beispiel von Karschs Fähigkeit, das unscheinbar Alltägliche ins poetisch Außergewöhnliche zu steigern.

Auch auf diesem Gebiet wurde Karsch imitiert, aber ihren Nachahmern fehlte das feine poetische Verständnis, welches sich in Karschs Gedichten ausdrückt; ihre Produkte degenerierten zu bloßen Beschreibungen von diversen Lebensmitteln, ohne jeden Ausdruck von Witz und geistreicher Assoziation, die Karschs Gedichte belebt. Daher konnte Tieck mit Recht klagen: "In der neuesten Zeit hat man das Gebiet der poetischen Ergötzung noch weiter ausgedehnt, weil man die Einförmigkeit empfand. Bischof, Punsch, Thee sind auch dichterisch gewürdigt; wir sind aber nicht blos bei den Getränken stehen geblieben, sondern viele Arten Braten, so wie Kartoffeln, mehrere Obstsorten können sich rühmen, besungen zu sein" (112).

Aber nicht nur kleine Geister erhielten Inspiration durch Karschs Schaffen. Ein Vergleich ihres Gedichts über den alles verheerenden Brand Glogaus vom 13. Mai 1758, das der Buchhändler Heinke drucken ließ, und welches ihr aus der Namenlosigkeit zu einer gewissen Berühmtheit verhalf,[31] mit Schillers "Glocke" zeigt etliche frappante Ähnlichkeiten. Schillers Pathos ist dem schlichten Genie Karschs dichterisch nicht vergleichbar. Dennoch sind die Beschreibungen des Brandes in den beiden Gedichten als Kuriositäten einer Gegenüberstellung wert.

Der Tag des Schreckens in Glogau
(1758)

[...]
Sie flohn, sie bebten fort aus vollgeflammten Gassen,
Die Bürger, die der Glut den Vorrat mußten lassen.
Die Flamme wälzte sich und flog von Dach zu Dach,
Das nasse Element ward nützelos und schwach;
Die Winde wirbelten und spielten mit dem Bogen,
Der aus Maschinen stieg, die du herbeigezogen.
Begierig fraß die Glut ein Dritteil deiner Pracht,
Und ach! ihr Hunger ward nur hungriger gemacht,
Und unersättlich flog sie über Wall und Mauer,
Ihr Geiz fiel Häuser an,[...]
[...]
Sieh hier die Wirksamkeit der göttlichen Entrüstung
So schwarz, so grauenvoll wie eine Mitternacht,
Die ein gekreuzter Blitz erschrecklich heiter macht,
So war der Kreis der Luft vom Dampf der großen Hütte,
[...]und ihr Fall
Erscholl in deinem Ohr so furchtbar wie der Knall,
Der zu dem Wetterstrahl freundschaftlich sich gesellet
[...]
Dort trug ein fliehend Weib ihr halb bekleidet Kind,
Hier lief ein blökend Schaf und dort ein brüllend Rind;
[...]
Sei ruhig, schüttle Staub und Kohlen von dir los
Und blühe wieder neu und wachse wieder groß
(M. 140-49)

Das Lied von der Glocke
(Erstdruck: 1800)

[...]
Alles rennet, rettet, flüchtet,
Taghell ist die Nacht gelichtet [...]
[...] Flackernd steigt die Feuersäule,
Durch der Straße lange Zeile
[...] hoch im Bogen
Sprützen Quellen, Wasserwogen.
Heulend kommt der Sturm geflogen,
Der die Flamme brausend sucht.
Prasselnd in die dürre Frucht
Fällt sie, in des Speichers Räume
[...]
Aus der Wolke Quillt der Segen,
Strömt der Regen,
Aus der Wolke, ohne Wahl,
Zuckt der Strahl!
[...]
Pfosten stürzen, Fenster klirren,

Kinder jammern, Mütter irren,
Tiere wimmern Unter Trümmern.
[...]
Einen Blick Nach dem Grabe
Seiner Habe
Sendet noch der Mensch zurück—
Greift fröhlich dann zum Wanderstabe.

Karschs eigenes Lied von der Glocke spiegelt in dem unscheinbaren Ding, der mahnenden Glocke, die zur geistig-moralischen Regeneration aufruft, ihre eigentliche Funktion als Dichterin. Es ist das in den *Auserlesenen Gedichten* (S. 55) gedruckte Gedicht "Auf eine Glocke die in Magdeburg umgegossen ward." Das Neue an diesem Vorläufer des Dinggedichts Mörikes, C. F. Meyers und Rilkes ist vor allem die Distanzierung des Objekts vom Betrachter, indem sich das lyrische Ich in das Ding selbst versetzt. Es ist die Glocke, die hier spricht, und nicht der Beschauer oder Dichter. Das Ding selbst, obgleich unbelebt ("Ich unbegeistertes Metall") "ruft" die Lebendigen als Zeugen Gottes zur Kirche ("Rief, ganze sechs und neunzig Jahre [...] Zum Gottesdienst, und zu der Bahre"). Nicht die Natur, die dichterisch so oft als Zeuge der göttlichen Existenz gewählt wurde, sondern etwas von Menschenhand Geschaffenes, ein Kunstwerk, ist hier Vermittler des Gottesgedankens. Das schöpferische Werk des Menschen, und nicht umgekehrt, die Schöpfung Gottes, erweckt die Neigung zur Devotion. Der memento-mori-Gedanke im anhaltenden Ruf der Glocke zum Begräbnis wird in den nächsten Strophen ausgeweitet und erklärt; sowohl die Glocke wie das Land befinden sich in einem Zustand der Degeneration und bedürfen der Erneuerung: "Gebrauch verminderte den Klang: / Ich hohles Erz ward umgegossen, / Zur Zeit, da schon fünf Jahre lang / Der Krieg das ganze Land umschlossen. / Drey Monarchien sandten aus / Mit jedem Früling grosse Heere, / Den König, und sein hohes Haus / Zu stürzen." Das Umgießen der Glocke bedeutet erneute Nutzbarkeit, neues Leben. Diese Erneuerung ermöglicht es ihr, einer Welt, die den Glauben an Gott im allgemeinen Elend verloren hat, zuzurufen: "Es ist ein Gott! [...] Gott lebt! Er thut die Wunder noch, / Die er gethan in Davids Tagen!" Die Regeneration der Glocke widerspricht dem Todesgedanken und verkündet Hoffnung. Inmitten einer Zeit der Vergänglichkeit, und selbst Produkt des Irdisch-Sterblichen, wird die Glocke zum Symbol des Zeitlosen. Sie verbindet Vergangenheit ("in Davids Tagen") mit der Zukunft ("Ihr, die ihr in der goldnen Zeit / Zu mir herauf steigt, dies zu lesen, / Erkennt den Herrn der Herrlichkeit") und ruft zur allgemeinen Erneuerung der Gegenwart auf: "Und ihr, die ihr mich rufen hört / Zum Gott des Himmels und der Erde, / Bringt ihm das Herz, daß es gelehrt, / Und heilig umgeschmolzen werde." So wie das "hohle Erz" beispielhaft umgegossen wurde, so soll das ungläubige "Herz" des Menschen umgeschmolzen werden. Diese Analogie ist doppelt bedeutsam. Karsch bedient sich hier nämlich eines geistreichen Wortspiels: die Worte Erz und Herz unterscheiden sich nur durch den anlautenden Hauch. In der biblischen Darstellung von der Schöpfung des Menschen haucht aber Gott der toten Lehmform Geist, Leben und Seele ein. Jetzt wird dieses Bild umgekehrt, indem gerade das Unbeseelte zur physischen und geistigen Regeneration des ursprünglich Beseelten aufruft. Der Umschlag "Es ist ein Gott!," der von Degeneration und Todesgedanken zur Regeneration und Hoffnung überleitet, bewirkt die hermeneutisch kreisförmige Anlage des Schöpfungsgedankens in diesem Gedicht: der von Gott geschaffene Mensch schafft das Kunstwerk, das seinerseits die geistige Regeneration des Menschen herbeiführen und damit den Glauben an dessen Schöpfer erneuern will. Somit wird auch das vom Menschen Geschaffene zum Schöpfer des Geistigen. Als Dinggedicht kann es Anspruch auf Ursprünglichkeit erheben; hier wird bereits der Gegenstand (diesem Genre gemäß) objektiviert, aber gleichzeitig das Wesen des Dinges als Widerspiegelung des Schöpfungsgedankens erfahren. Im kritischen Gesamtkontext von Karschs Werk läßt sich die Glocke als Werkzeug einer divinatorisch inspirierten Kraft sehen, die wie ihre eigene dichterische Tätigkeit erneuernd ins gesellschaftliche Leben einzugreifen vermag.

Eines der schönsten Gedichte Karschs entstammt ihrem Briefwechsel mit Gleim; durch den unverhohlen ausgesprochenen Wunsch der Frau nach sexueller Vereinigung wirkt es emanzipiert. Das Gedicht, "Den 22. Juny 1761. Morgens 7 Uhr" geschrieben, wird meist als unvollendet bezeichnet.[32] Die vorgefaßte Meinung, daß Karsch keinen Sinn für das gelernt Formale hatte, mag diese Auffassung unterstützt haben. Das Gedicht ist aber inhaltlich und formal durchaus geschlossen; das Argument führt, wie ein gutes rhetorisches Beispiel, von der These zur Explikation und weiter zur endgültigen Bekräftigung. Die beiden ersten Verse bestimmen Thema und Tendenz des Gedichts—die Besonderheit eines gewöhnlichen Tages, wenn er mit Liebe empfunden und erlebt wird. "Freund, zeichne diesen Tag mit einem größern Strich! / Er war doch ganz für dich und mich" (M. 64). Die folgenden Zeilen setzen die Szene, die mit Hain und Vogelgezwitscher an den mittelalterlichen *locus amoenus* erinnert: "Wir wandelten im Hain und hörten Vögel singen / In dicken Fichten, wo der Mann das Weibchen hascht." Bereits im letzten Vers klingt das erotische Moment an. Ist es aber hier die Beobachtung aus dem Tierreich, das verliebte Spiel der Vögel in den Fichten, so leitet Karsch nun geschickt auf die Entstehung des Menschengeschlechts über, die auf ebensolchem Spiel beruht. Gleichzeitig wird das Vergangene (das Gleichnis aus Genesis) mit der erlebten Gegenwart verbunden: "Gut war's, daß über uns nicht Edens Äpfel hingen, / Indem wir Hand in Hand durch das Gebüsche gingen, / Da hätten du und ich genascht / Und im Entzücken nicht die Folgen von den Bissen / Nur einen Augenblick bedacht: / So hat es Eva einst gemacht, / So machen's heute noch Verliebte, die sich küssen—." Die Verbindung von Mythos und Gegenwart verleiht dem Geschehen historische Tragweite und Legitimierung, und in der Nachvollziehung des ersten Sündenfalls wird das allgemein Menschliche des Wunsches zur Vereinigung dargestellt. Die Anspielung auf die Verhaltensweise der Tiere drückt aber gleichzeitig die über das Menschliche hinaus erweiterte generelle Notwendigkeit der Fortpflanzung aus.

Es ist aber bloß der Wunsch, der hier besungen wird, und nicht seine Erfüllung, denn Edens Äpfel hingen *nicht* über den beiden Verliebten und das "Naschen"—die tatsächliche Nachvollziehung der paradigmatischen Handlung— ist im Konjunktiv gehalten ("Da *hätten* du und ich genascht"). Bloß ein behutsamer Anfang des Liebesspiels wurde gemacht: "Bald werd ich nichts zu schwatzen wissen, / Als ewig von dem Kuß." Es ist offensichtlich, daß während des Spiels der Einbruch der Realität nicht abzuweisen war. Karsch leitet vom Biologischen (dem Haschen der Vögel) und dem Mythos (der Analogie vom Garten Eden) auf ihre spezifische Vergangenheit, auf ihre eigene Entstehung über: "Und meiner Mutter Mann, / Durch den ich ward, ist schuld daran, / Daß ich so gern von Küssen sing und sage, / Denn er verküßte sich des Lebens schwere Plage." Der erotische Wunsch wird also dreifach gerechtfertigt. Die historisch-biologische Grundlage soll den Trieb erklären und den Wunsch zur Hingabe entschuldigen. Aber weder mit der Entsagung, noch mit der Gewährung des Kusses ist ein Reuegefühl verbunden. Durch das ganze Gedicht ist das Glück dieses Erlebnisses zu spüren, wenngleich am Ende die Wirklichkeit durchbricht: "Allein ich wende mich nun wieder zu dem Tage, / Von dem ich reden will, schreib ihn mit goldnem Strich! / Er war doch ganz für dich und mich—." Welche Umstände die Erfüllung des Wunsches verhinderten, wird nicht ausgesagt. Es mögen moralische oder praktische Bedenken gewesen sein, und sie mögen von Karsch oder von Gleim ihren Ausgang gehabt haben. Dies ist auch für das Gedicht gar nicht wichtig. Ausgesagt soll werden, daß dieser Tag *doch* golden war, daß er *doch* "ganz für dich und mich" war, daß er trotz der Entsagung beglückend verlief.

Formal ist das Gedicht kreisförmig geschlossen angelegt; die beiden letzten Verse sind, abgesehen von einer leichten Abwandlung (von "zeichne diesen Tag mit einem größern Strich" zu "schreib ihn mit goldnem Strich") und einer leichten Steigerung, mit den zwei ersten identisch. Die Begründung der These führt vom allgemeinen Beispiel (Tier) zum spezifisch Menschlichen (Eva) und schließlich zum Persönlichen (Vater) in einer stets sich steigernden historischen Zuspitzung, die sowohl den evolutionären Vorgang wie den mythologischen Bereich als verantwortliche und handlungsverbindende Elemente für die Entscheidung des Individuums in der gegenwärtigen Situation darstellt. Die Rückkehr aus dem "historischen" Bereich und die Konfrontation mit der Realität der Gegenwart ("Allein ich wende mich nun wieder zu dem Tage") endet nicht mit einer Negation, sondern mit einer Bekräftigung der These. Das Gefühlserlebnis, der erotische Wunsch, die konkrete Handlung dieses Tages werden rational erklärt und legitimiert. Die Tatsache, daß dieses Gedicht trotz seiner streng rationalen Gedankenführung, trotz seines spekulativ-philosophischen Aufbaus, ein von tiefst empfundenem Gefühl durchdrungenes Liebesgedicht bleibt, macht es zu einem künstlerisch nur selten erreichten Spitzenwerk. Hier spricht eine Frau ein höchst weibliches Verlangen nach Hingabe aus; doch ist dies auch eine Frau, die sich den Anforderungen der konkreten Umwelt an das Individuum bewußt ist.

Louisa Karsch ist eine jener Dichterpersönlichkeiten, die in der modernen Germanistik fast stets übergangen werden. Sie paßt nicht in das Bild, das wir uns von einem Dichter machen und erfüllt nicht die Ansprüche, die wir an einen solchen geistig Schaffenden stellen. Sie läßt sich nicht einordnen und klassifizieren; ihr Werk ist originell aber nicht qualitativ gleichförmig, sie arbeitet, indem sie sich viel auf ihr eigenes Urteil und wenig auf die Kunstregeln und -mandate stützt, die man ihr aufdringen will. Sie steht als Dichterin außerhalb des wissenschaftlichen Denkstils und deshalb außerhalb der wissenschaftlichen Beschäftigung. Leo Kreutzer bemerkt in seinem Kapital "Plumpe Gedanken über Literatur und eine Wissenschaft davon,"[33] daß "der wissenschaftliche Denkstil gegenwärtig in einer Weise alle Bereiche unseres gesellschaftlichen Lebens kontrolliert, wie das so umfassend und wirksam keiner anderen Instanz oder Institution auch nur annähernd gelingt, vergleichbar allenfalls der Kontrollfunktion, welche im Mittelalter die Religion innehatte: Was sich da nicht in den religiösen Denkstil übersetzen ließ, konnte nicht als Wahrheit akzeptiert werden" (7-8). Der neue Weg zum Verständnis jener außerhalb der akzeptierten wissenschaftlich-kritischen Denknorm Stehenden ist noch nicht gefunden worden und läßt sich vielleicht auch, wie Kreutzer annimmt, innerhalb der bereits historisch gewordenen literarkritischen Stilisierung nicht finden.[34] Die Künstlergemeinde selbst hat in neuerer Zeit den Versuch unternommen, die von kritischer Seite notorisch Unverstandenen der goldenen deutschen Literaturepoche um- und nachzugestalten und damit, das bestehende wissenschaftliche Urteil umgehend, diesen literarischen Freigeistern neue Aufmerksamkeit zuzuwenden.[35]

Ob eine wissenschaftliche Neusicht auf dem Umweg über die Belletristik allgemein erfolgreich sein kann ist zu bezweifeln; was Peter Weiss für die literarkritische Sicht Hölderlins zu tun vermochte,[36] ist für eine Schriftstellerin wie Karsch nicht zu erwarten. Es müßte vielmehr in der Germanistik ein neuer Weg eingeschlagen werden, der den Forscher von historischen Vorurteilen und dogmatischen Kriterien befreit und es ihm ermöglicht, einen Maßstab anzulegen, der dem einzelnen Dichter seiner Eigenart gemäß gerecht wird. Dann wäre auch für unkonventionell Schaffende wie Anna Louisa Karsch die Möglichkeit gegeben, mit einem sozial, formal und inhaltlich von der Norm abweichenden Werk, mit dem sie ihrer Zeit erheblich voraus ist, auf ein erweitertes Publikumsinteresse zu treffen.

Sophie von Laroche,
Anonymes Pastellporträt; Freies Deutsches Hochstift, Frankfurt/Main.

# 2

# Tugend im Umbruch. Sophie Laroches *Geschichte des Fräuleins von Sternheim* einmal anders

UNTER DEN DEUTSCHEN Dichterinnen des 18. Jahrhunderts ist Sophie von Laroche[1] eine der bekanntesten. Zeugnis hierfür bietet u.a. der Band *Deutsche Dichter des 18. Jahrhunderts,*[2] der sie als einzige Frau unter die 45 darin besprochenen Dichter aufnimmt. Brinker-Gabler, die vor allem deutsche Lyrikerinnen in ihren Band einbezieht, widmet Laroche einige Zeilen in der Einleitung.[3] Bezeichnend für das Scheuklappendenken deutscher Literarhistoriker ist es, daß Laroche trotz ihrer vielen Verdienste und trotz der gehobenen Stellung, die sie im 18. Jahrhundert genoß, meist als Anhängsel, Protégé oder Freundin zeitgenössischer Dichter genannt wird. Siegfried Sudhof schreibt darüber: "Das Verlöbnis mit Wieland ist eine nicht unwesentliche Voraussetzung, daß der Name Sophie Laroches bekannt geblieben ist. Jede Wieland-Biographie widmet dieser Verbindung ein eigenes Kapitel."[4] Wieland selbst meinte: "Nichts ist wol gewisser, als daß ich, wofern uns das Schicksal nicht im Jahre 1750 zusammengebracht hätte, kein Dichter geworden wäre."[5] Goethe erhielt von Laroches Roman *Geschichte des Fräuleins von Sternheim*–unter dem Decknamen C. M. Wielands erschienen—manche Anregung für seinen *Werther.*[6] Der Einfluß, den Laroche damals auf Goethe ausübte, ist u.a. durch Lenz bezeugt.[7] Dieser Einfluß, wenn überhaupt anerkannt, ist aber bisher immer nur auf eine gewisse, beiden Werken innewohnende Sentimentalität, auf das Gefühlsbetonte des Ausdrucks und auf die Briefform der beiden Romane zurückgeführt worden. Überhaupt ist Laroches Roman unter keinem anderen als dem bereits von Eichendorff charakterisierten Blickpunkt analysiert worden. Dieser schreibt in seiner Literaturgeschichte unter dem Abschnitt "Salonpoesie der Frauen," daß "eine dichtende Frau allerdings schon an den äußersten Grenzen ihres natürlichen Berufs" stehe und bemerkt über Laroche: "Sophie von Laroche sodann sitzt ein halbes Jahrhundert lang unverrückt auf dem Throne conventioneller Grazie und hält mitten in dem schrecklichen Tosen und Getümmel der Kraftgenies zarten Minnehof der

Sentimentalität mit reisenden Literaten, die liebeselig ihre langweiligen Correspondenzen vorlesen."[8]

Laroche als Muse der Dichter, selbst bloß der Erzeugung einer gefühlsüberschwenglichen, salonorientierten Erziehungsliteratur fähig: das ist das allgemeine Fehlurteil über diese Frau; denn Sophie war sowohl ungewöhnlich klug, wie auch durchaus fortschrittlich gesinnt. Daß dies bei Beurteilungen ihres Schaffens nicht in Betracht gezogen wird, liegt an der für weibliche Dichter dieser Zeit typischen Forschungslage: "Sie galt als frühreifes Kind," schreibt Sudhof;

> mit drei Jahren konnte sie lesen, zwei Jahre später hatte sie die Bibel zum erstenmal durchstudiert. Mit zwölf Jahren galt sie als Bibliothekarin des gelehrten Vaters. Trotz dieser Vorzugsstellung sind—den Zeitläuften entsprechend—keine weiteren Einzelheiten über die heranwachsende junge Dame bekannt. Und auch diese spärlichen Notizen stammen aus einer autobiographischen Skizze, die Sophie Laroche im Alter niedergeschrieben hat (300-301).

Sie soll "Fertigkeiten in der Musik und in der italienischen Sprache" gehabt haben, aber im Vordergrund unseres Wissens über sie "stehen die persönlichen Probleme, etwa die frühe Verlobung mit dem italienischen Arzt Gian Lodovico Bianconi [. . .], die Lösung der Verlobung,[...]schließlich die neue Bindung an Christoph Martin Wieland (1750), die indes auch nicht von Dauer war" (301). Bereits diese kärgliche Information läßt aber auf einen willensstarken Charakter schließen, der den Bruch mit der Konvention nicht scheute, denn die Lösung einer Verlobung wurde damals noch als Schande aufgefaßt. Die Pioniertätigkeit Laroches wird auch dadurch bezeugt, daß sie als erste Frau eine Frauenzeitschrift herausgab.[9] Diese, die *Pomona. Für Teutschlands Töchter,* setzte sich gegen das Konkurrenzunternehmen des Gymnasiallehrers David Christoph Seybold folgendermaßen ab: "*Das Magazin für Frauenzimmer* [Seybolds Journal] [. . .] zeigt meinen Leserinnen, was deutsche Männer uns nützlich und gefällig achten. Pomona wird ihnen sagen, was ich als Frau dafür halte."[10] Wie viele innovative Unternehmen war auch dieses ein finanzieller Mißerfolg und Laroche mußte die Publikation des Blattes, das 1783 erschien, bereits im darauffolgenden Jahr einstellen.

Wichtig für eine Neusicht des Romans *Die Geschichte des Fräuleins von Sternheim* (1771), die hier versucht werden soll, scheinen mir zwei Erwägungen: der Einfluß von *Sternheim* auf *Werther;* und eine Gegenüberstellung der Ideologie der *Pomona* und des *Magazins für Frauenzimmer.* Beiden liegt nämlich derselbe Gedanke zugrunde: die kritische Distanzierung von einer propagierten Scheinwelt, bzw. die Entlarvung der Gesellschaft, wie sie wirklich ist. Dies bedarf einer Erläuterung. Die Rezeptionsgeschichte *Werthers* ist wohlbekannt. Die zeitgenössische Deutung des Protagonisten, die Sympathie mit einem sentimentalen, von der Umwelt mißverstandenen und mißhandelten Helden, führte zu einem Wertherkult, in dem die Nachahmung dieser Figur von der Kleidung bis zum

Selbstmord eine grimme Modeerscheinung wurde. Werther ist aber kein positiver Held. In der Einleitung zu seinem rezeptionsgeschichtlichen Werk nimmt Karl Robert Mandelkow einführend Stellung zu Klaus Scherpes[11] Meinung, daß *Werther* "auf das empfindlichste die Erwartung des bürgerlichen Publikums" störte, "das gewohnt war, in seiner Romanlektüre Nutzen und Vergnügen angenehm verbunden zu finden." Mandelkow dagegen sieht in dem dialektischen Verhältnis zwischen Wirkung und Wahrheit, das durchaus noch "innerhalb der Grenzen der aufklärerischen Wirkungsästhetik" in einer neuen Textform "zu einer Emanzipation des Lesers von allen heteronomistischen Bestimmungen" führt, die Möglichkeit eines Dialogs zwischen dem Werk und dem Leser.[12]

> Für den "Werther," und das bezeichnet seine epochale Bedeutung innerhalb der Geschichte der Literatur im 18. Jahrhundert, ist das ästhetische Moment der Wirkung identisch mit dem gnoseologischen Moment der Wahrheit, ein Griff "hinter" die Wirkung des Werkes führt nicht zur Dekodierung seiner in der Aisthesis der Wirkung verschlüsselten "Botschaft," sondern zur Konfrontation des Rezipienten mit sich selbst,

meint Mandelkow. "Indem Wirkung und Wahrheit des Werkes nicht mehr hierarchisch getrennt, sondern gleichrangig dialektisch aufeinander bezogen sind, ist der Rezeptionsvorgang zum von außen nicht mehr kontrollierbaren autonomen Dialog zwischen Werk und Leser geworden" (XLI). Die neue "Appellstruktur" des Romans besteht darin, "daß Goethe, gerade indem er die Forderungen der aufklärerischen Wirkungsästhetik ernst zu nehmen schien, die Bedingungen, auf denen sie ruhte, aufhob" (XLI).[13] Der Leser wird durch das Werk zur Infragestellung der darin angelegten ästhetischen, moralischen, gesellschaftlichen und politisch-ökonomischen Werte aufgefordert. Gerade der nämliche Aspekt einer dialektischen Ästhetik, die einesteils auf einer Identifikation des Lesers mit der Protagonistin, andererseits auf kritischer Abstandnahme basiert, ist die Grundlage der *Sternheim.* Hier wird nicht, wie bisher ausnahmslos angenommen, ein nachzuahmendes Vorbild evoziert, sondern das weibliche Rollenmodell in seiner äußersten Tugendhaftigkeit mit den Ansprüchen der konkreten Existenz konfrontiert. Der "Frauenspiegel" entlarvt ein den Realitäten des täglichen Lebens nicht gewachsenes Idealbild. In diesem Sinne ist die *Sternheim* ein Vorgänger und Vorbild des *Werthers.* Dieselbe Dialektik wird deutlich, wenn Laroche ihre *Pomona* dem *Magazin für Frauenzimmer* gegenüberstellt. Dieses wünscht ein idealisiertes, unrealistisches Vorbild zu bringen ("was deutsche Männer uns nützlich und gefällig achten"); die *Pomona* soll das realistische Gegenbild dazu sein ("was ich als Frau dafür halte").

Wenn die Möglichkeit einer solchen Interpretation eingestanden wird, gewinnt die *Sternheim* eine völlig neue Perspektive: die eines Romans, der die Problematik der Wende vom feudalistischen zum frühen bürgerlichen Zeitalter widerspiegelt. Die sich wandelnden Ansprüche an das Individuum in einer Umwelt, welche die alten patriarchalisch-feudalistischen Grundsätze gegen die

Verantwortlichkeit einer individualistisch orientierten bürgerlichen Welt eintauscht, sind mit kühner und sicherer Feder gezeichnet. Diese zeitgenössische Relevanz ist es auch, die die ungemeine Beliebtheit des Romans erklärt;[14] denn in *Sternheim* sind die Probleme des sich emanzipierenden Bürgertums sowohl in der Figur des Obersten von Sternheim, wie in dessen Tochter Sophie deutlich beschrieben. Da Laroche eine Frau zur Protagonistin macht, wird die standesbedingte Problematik durch die Geschlechtsdifferenzierung potenziert: so wie die führende Gesellschaftsschicht die unteren Klassen mit patriarchalischer Überlegenheit behandelt, so ist die Frau in allen sozialen Schichten zwar das Objekt des männlichen Interesses und Schutzes, wird aber nicht als eigenständig denkendes und handelndes Individuum gesehen. Daß die Prinzipien ritterlichen Benehmens die Frau nicht vor der Möglichkeit unverdienten Elends schützen, ihr gleichzeitig aber die Selbsthilfe versagen, ist die grundlegende Aussage des Romans. Angeklagt wird die ideologische Auswirkung eines feudalistischen Prinzips, das, im letzten Drittel des 18. Jahrhunderts zwar längst zum Anachronismus geworden, durch das Festhalten an unverbindlichen Traditionen dennoch die Entfaltung der bürgerlichen Kräfte und der weiblichen Emanzipation erfolgreich verhindert.[15] In der folgenden Analyse des *Fräuleins von Sternheim* werden also die sozialkritischen Elemente in ihrer Vielfalt besprochen und das daraus folgende Fazit für eine Neusicht des Romans gezogen.

Das dialektische Prinzip, auf dem der Roman aufgebaut ist, umfaßt sowohl formale wie inhaltliche Aspekte. Durch die Briefform wird der Leser indirekt zu einem angesprochenen Dritten, der jedoch die Funktion eines über den Ereignissen stehenden Zuschauers einnimmt. Obgleich er sich bis zu einem gewissen Grade mit der Protagonistin identifiziert—Sophies Tugend und Leiden erwecken die vom Drama bekannten Empfindungen von "Furcht und Mitleid"—ist dieses subjektive Moment durch die Distanz zwischen Betrachter und Heldin objektiviert: Sophies Charakter und Handlungen werden einer Analyse, bzw. einer Kritik unterzogen. Gefördert wird diese objektive Betrachtungsweise zum einen durch die einleitenden Bemerkungen Wielands und dessen Kommentare in den Fußnoten, zum andern durch die Autorin in kritischen Bemerkungen der Protagonistin über sich selbst, in Lord Derbys sarkastischen Aussagen über die Erziehung der Frauen und in belehrenden Einschüben (z.B. in Sophies schottischem Tagebuch, im "Plan der Hülfe für die Familie G.," u.ö.). Dabei zeigt sich sehr bald, daß Wielands Sicht des Romans mit der Aussage des Werks in derart offenkundigem Kontrast steht, daß der Leser förmlich aufgefordert wird, das Urteil des Herausgebers zu korrigieren.[16] Wenn Wieland in der Einleitung zum Roman sagt, "nützlich zu seyn, wünschte sie; Gutes will sie thun,"[17] so trifft das auf Laroches Heldin nur bedingt zu und nicht in dem Sinne, wie es Wieland versteht. Sophie von Sternheim ist eine negative Heldin; ihr Beispiel soll nicht nachgeahmt werden, wie Wieland meint, sondern es soll warnen. Dies wird expressis verbis betont: "Sie erkennen hier, meine Emilia, die Grundsätze meines Vaters: meine

Melancholie rief sie mir sehr lebhaft zurück, da ich in der Ruhe der Einsamkeit mich umwandte, und den Weg abmaß, durch welchen mich meine Empfindung gejagt, und so weit von dem Orte meiner Bestimmung verschlagen hatte," schreibt Sophie Sternheim und fügt hinzu: "aber jede Mutter wird ihre Tochter durch die Vorstellung meiner Fehler warnen" (II, 25-26). Hier wird nicht nur Sophies eigene Lebensphilosophie, sondern auch die ihrer Erziehung angeklagt. Aus diesem Grund findet Wieland auch "zwanzig kleine Mißtöne" (I, viii), die er zu korrigieren wünscht, und bemängelt "ihre besondern Ideen und Launen [. . .] und, was noch ärger ist als dies alles, der beständige Contrast, den ihre Art zu empfinden, zu urtheilen und zu handeln mit dem Geschmack, den Sitten und Gewohnheiten der großen Welt macht" (I, xix-xx). Eben dieser "Kontrast" zu den "Sitten und Gewohnheiten" der zeitgenössischen Welt konstituiert aber das didaktische Element des Romans. Wenn Wieland über die Stermheim erklärt, er finde sich "in der angenehmsten Uebereinstimmung ihrer [. . .] Gesinnungen und ihrer Handlungen mit den besten Empfindungen und mit den lebhaftesten Ueberzeugungen" seiner Seele; wenn er beteuert, "möchten meine Töchter so denken, so handeln lernen, wie Sophie Sternheim" (I, viii-ix), so hat er offensichtlich die Tendenz des Romans nicht verstanden. Sophie Sternheim ist in eben dem Sinne ein Opfer ihrer Zeit und ihrer Erziehung, wie es Werther ist; sie erfährt, formal gesehen, eine ähnliche Einengung wie Gretchen im *Faust,* d.h., ihr Weg führt aus der Freiheit und Ungezwungenheit ihres häuslichen Lebens auf dem Lande in die oppressivste Beengung eines schottischen Kerkers; ihr Schicksal zeigt verblüffende Ähnlichkeiten mit *Wilhelm Meister,* "dessen Held nichts lernt, obgleich er mit der gesicherten sozialen Integration und glücklichen Selbstverwirklichung sein Wunschziel erreicht,"[18] sie hofft wie die Auswanderer der *Wanderjahre* ihr Los durch die Reise in eine "neue," bessere Welt positiv zu ändern;[19] und sie versucht wie Ottilie in den *Wahlverwandtschaften* ihre Fehler durch Fasten und Beten zu büßen. Sophie von Sternheim könnte beinahe als Vorlage für Goethes Protagonisten erklärt werden und damit die "Abhängigkeit" des literarischen Riesen von dieser unscheinbaren Autorin bezeugen.

Inhaltlich bestätigt sich das dialektische Prinzip in der Gegenüberstellung der sozialen Verhältnisse und Anforderungen an beide Geschlechter, und an der Konfrontation des Individuums mit der Gesellschaft und deren Klassenbedingungen. In allen Sozialbezügen übernimmt Sophie von Sternheim scheinbar die Rolle des Apologeten für das feudalistische Regime, d.h., sie befürwortet den Status quo und erkennt die subordinierte Stellung der Frau gegenüber dem Mann, die Rechte der Gesellschaft über die des Individuums, und die bevorzugte Stellung des Adels über Volk und Bürgertum an. Scheinbar ist diese Anerkennung, weil sich ans Schicksal der Sternheim, an die selbstkritischen Einschübe der Protagonistin, an die Perspektive der anderen in die Handlung einbezogenen Personen und an Wortwahl und Thematik eine kritische Sicht knüpft, die den Leser zur objektiven Betrachtung, bzw. zur Negierung des subjektiven, von Sternheim vertretenen Standpunkts auffordern.

Die Basis für Sternheims unaufhaltsames Absinken ins Elend bildet ihre Erziehung, an deren Maximen sie unbeirrbar und unbelehrbar festhält, und die sie selbst an die ihr Anvertrauten und Untergebenen weiterzuleiten sucht. Bereits ihr Vater, indem er in Sophie "die ganze Güte und liebenswürdige Fröhlichkeit ihrer Mutter" sieht, und damit die Personifikation alles Guten und Schönen, setzt an die Spitze allen moralischen Handelns die göttliche Gerechtigkeit als Vorbild und Richter: "Gott gebe, daß dieses Beyspiel des Wiedervergeltungsrechts von meiner Tochter bis auf ihre späteste Enkel fortgepflanzt werde; denn ich habe ihr eben so viel davon gesprochen, als mein Vater mir!" (I, 75). In einer diesseitsgerichteten Welt ist die Spekulation auf göttliche Vergeltung ein Anachronismus: sie fördert das duldsame Ertragen von Ungerechtigkeiten, beschränkt das Individuum im Streben nach Selbstverwirklichung und erlaubt seine physische, psychische und materielle Ausbeutung im Namen eines im Jenseits zu erwartenden Lohnes.[20] Eine solche Philosophie fördert die Lebensuntüchtigkeit, bzw. die Unterdrückung des Individuums, und seine unausweichliche Niederlage im materialistischen Lebenskampf. Als solche ist sie auch ein Mittel des Feudalismus, seine Rechte gegenüber denjenigen der unbegüterten Klassen geltend zu machen. Daß Hof und Adel zwar die moralisch-ethische Existenz idealisieren, selbst aber durchaus materialistischen und realistischen Prinzipien folgen, wird im Roman immer wieder bekräftigt. Am deutlichsten wird dies durch die Reaktion von Sophies Tante, der späteren Gräfin Löbau, als sie von der bevorstehenden Mesalliance ihrer Schwester erfährt. Sophies Mutter hatte nämlich eingewilligt, einen Mann "voll Weisheit und Tugend [...] aber nicht von altem Adel" (I, 20), also Oberst Sternheim, zu heiraten. "Der Unterschied der Geburt" ist ihr "nicht anstößig" (I, 21), denn sie gehört zu jenen Wenigen, denen "das Verdienst eines rechtschaffnen Mannes" so wertvoll ist wie "die Vorzüge des Namens und der Geburt" (I, 16). Wo Sophies Mutter also nach idealistischen Prinzipien handelt, bedenkt ihre Schwester Charlotte die Folgen dieser Ehe für die eigene gesellschaftliche Stellung: "diese schöne Verbindung" werde "auf Unkosten [ihres] Glücks gemacht," meint sie. Wer wird, so fragt sie, "unser Haus zu einer Vermählung suchen, wenn die ältere Tochter so verschleudert ist?" (I, 30). Ihre eigenen Heiratsaussichten würden durch diese Ehe geschmälert, meint sie, und kleidet ihr Argument in Worte, die dem Marktprinzip, d.h. dem Handels- und Kaufwesen entlehnt sind: die jüngere Schwester hat "Unkosten," weil die ältere "verschleudert" wird (I, 30); Charlotte will sich nicht "zum Schuldenabtrag" gebrauchen lassen (I, 31) und es wird vom "Werth" des Mannes geredet (I, 16). Charlotte betrachtet auch später das aus dieser Verbindung entsprungene Kind, die Protagonistin Sophie, förmlich als Ware, zum "Schuldenabtrag" und als "käufliches" Wesen. Die Gegenüberstellung der beiden Ideologien—der von Sophies Eltern und der von Charlotte—konfrontiert bereits ganz zu Anfang des Romans Ideal und Wirklichkeit, Tugendmoral und Materialismus, aufkommendes Bürgertum und alten Adel. Dabei ist die Verschränkung der Interessen interessant, mit welcher beide Klassen in der Krise der Zeitenwende ihre

Lebensfähigkeit behaupten wollen: der alte Adel bedient sich der Taktiken des Marktwesens, das Bürgertum sucht "seiner aufkeimenden Ehre eine Stütze zu geben" (I, 30), indem es die Verbindung mit dem Adel sucht. Das bedeutet die versuchte Anpassung des Adels an die Mächte der Zukunft (also einen Regenerationsversuch), bzw. eine regressive Entwicklung des Bürgertums (also eine Flucht in die veralteten, ursprünglichen Prinzipien des Adels). Aus diesem Grunde ist das Hofleben, wenngleich als moralisch verwerflich gezeichnet, das Revier der Lebenstüchtigen und Erfolgreichen, während Sophie, wie ihre Eltern eine Vertreterin der Tugendmoral, immer tiefer ins Unglück gestürzt wird.

Sophie Sternheim ist, in Umkehrung des bekannten auf Mephisto bezogenen *Faust*-Zitats, "ein Teil von jener Kraft, die stets das Gute will und stets das Böse schafft." Indem sie an veralteten gesellschaftlichen "Spielregeln" festhält, diese auch noch weiterzuverbreiten sucht und damit auch andere in die alten Fesseln bannt, wird sie durchaus zu einer negativen Heldin, der die Einsicht in ihr falsches Lebensverhältnis fehlt. Ihre Erfahrung lehrt sie, daß ihre glücklichere Umwelt anders handelt als sie:

> Aber ich konnte mich nicht enthalten, der Betrachtung nachzuhängen: Woher es komme, daß eine Person vielerley Gattungen von Spielen lernt, und sehr sorgfältig allen Fehlern wider die Gesetze davon auszuweichen sucht, so daß alles was in dem Zimmer vorgeht, diese Person zu keiner Vergessenheit oder Uebertretung der Spielgesetze bringen kann: und eine Viertelstunde vorher war nichts vermögend, sie bey verschiednen Anlässen von Scherzen und Reden abzuhalten, die alle Vorschriften der Tugend und des Wohlstandes beleidigten (I, 137-138).

Sophie versteht nicht, daß diese Personen den gesellschaftlichen Spielregeln durchaus folgen und daß sie es ist, die durch Wahrung aller "Vorschriften der Tugend" den Zeitgesetzen zuwiderhandelt.

Worin bestehen nun diese "Spielregeln?" Diejenigen einer veralteten Ideologie, wie sie Sophie personifiziert, sind repressiv. Sie verhindern die freie Entfaltung der individuellen Persönlichkeit und das Erlangen eines eigenständigen Glücks. Sophies "Spielregeln" trennen die Menschen in Tugendhafte und Böse, in Herrschende und Dienende. Sie hält fest an der Tradition und am Traditionellen. Ersichtlich wird dies an der ständigen Betonung der Rollentrennung zwischen Mann und Frau, zwischen oberer und unterer Klasse. Die Frau, wie sie vorbildlich im Roman auftritt, ist voll "Tugend und Güte" (I, 2), sie ist "ein gehorsames tugendvolles Kind" (I, 73), sie besitzt "keine böse Neigung," aber Fleiß und Verstand (I, 74), bezeugt "eine holde Ernsthaftigkeit [. . .] , eine edle anständige Höflichkeit [. . .] , die äußerste Zärtlichkeit" (I, 147), sie soll "die Eigenschaften edelgesinnter liebenswürdiger Frauenzimmer besitzen" und "dieses ohne großen Reichthum werden und bleiben können" (I, 296), sie hat eine "sanfte fromme Seele" (I, 361), sie soll ihr Los "mit gelassener Tapferkeit" aushalten (II, 40), sie muß wissen, "daß man andere glücklich machen kann, ohne es selbst zu werden" (II, 134), und daß "wahre Tugend [. . .] bescheiden seyn" muß (II, 152). Vor allem aber darf sie nicht widersprechen oder selbständige Reden führen. Charlottes Einwände gegen Oberst von Sternheim werden kurzerhand unterbrochen: "Du hast die Geduld deines Bruders gemißbraucht," erklärt der Baron (I, 32). Sophie Sternheims Bemerkungen über die Extravaganzen des Hofes werden ebenfalls als ungebührlich aufgefaßt: "Liebes, liebes Kind; was für eine eifrige Strafpredigt halten Sie da! sagte das Fräulein; reden Sie nicht so stark!" (I, 122). Zwar ist es der Frau erlaubt, Verstand zu haben, nicht aber, ihn durch kritische Bemerkungen, längere mündliche Betrachtungen, oder schriftliche Darlegungen zu üben. Das Denken per se ist Sache des Mannes, wie es das Reden und Schreiben ist. Besonders deutlich wird dies in Sternheims Bericht über ihre Unterredung mit einem Literaten, "dessen vortreffliche Schriften" sie bereits gelesen hatte (I, 218):

> O! wie geizte ich nach jeder Minute, die mir dieser hochachtungswerthe Mann schenkte; wenn er mit dem liebreichsten, meiner Wißbegierde und Empfindsamkeit angemeßnen Tone meine Fragen beantwortete, oder mir vorzügliche Bücher nannte, und mich lehrte, wie ich sie mit Nutzen lesen könne. Mit edler Freymüthigkeit sagte er mir ernst: "Ob sich schon Fähigkeiten und Wissensbegierde in beynahe gleichem Grade in meiner Seele zeigten, so wäre ich doch zu keiner Denkerin gebohren; hingegen könnte ich zufrieden seyn, daß mich die Natur durch die glücklichste Anlage den eigentlichen Endzweck unsers Daseyns zu erfüllen, dafür entschädigt hätte; dieser bestehe eigentlich im Handeln, nicht im Speculieren"

und sie solle ihre philosophischen Betrachtungen "'durch edle Handlungen, deren ich so fähig sey, zu zeigen suchen'" (I, 219-20). Damit meint er sie vom Lesen wissenschaftlicher Werke ab-, und den "weiblicheren" Arbeiten der Erziehung und Wohltätigkeit zuzuwenden. Wielands Bemerkungen zu diesem Absatz zeigen, daß das uns stereotyp scheinende Idealbild der Frau in Laroches Roman durchaus ernst genommen wurde. Eben weil Wieland es selbst bestätigt, bleibt ihm die sozialkritische, ja satirische Funktion der Schilderung verborgen. Seine beiden Fußnoten zu dem Gespräch des Literaten mit Sternheim greifen zwei Punkte auf: erstens will er den Unterschied zwischen "weiblichem" Spekulieren und "männlichem" Denken klar machen. Für die Frau ist es zweckmäßiger, edle Handlungen zu verrichten *statt* zu spekulieren; für den Mann *sind* Gedankenübungen edle Handlungen: "Wohlverstanden," erläutert Wieland, "daß die Speculationen der *Gelehrten,* so bald sie einigen Nutzen für die menschliche Gesellschaft haben, eben dadurch den Werth von guten *Handlungen* bekommen" (I, 220; Fußnote). Zweitens erlaubt sich Wieland, Laroches Darlegung umzudeuten und seiner Meinung nach zu verbessern, indem er vorgibt zu wissen, was "Herr** (den wir zu kennen die Ehre haben)" wirklich meinte: "Er habe an dem Fräulein von St. eine gewisse Neigung über moralische Dinge aus allgemeinen Grundsätzen zu raisonniren, Distinctionen zu machen, und ihren Gedanken eine Art von systematischer Form zu geben, wahrgenommen, und zugleich gefunden, daß ihr gerade dieses am wenigsten gelingen wolle. Ihn habe bedünkt, das, worinn ihre Stärke liegt, sey die Feinheit der Empfindung [...] und dieses habe er eigentlich dem Fräulein von St. sagen wollen"—I, 220-21; Fußnote). Sophie wird hier offensichtlich (und entgegen Laroches beabsichtigter Darstellung ihrer Heldin als intellektuell begabte Frau) von Wieland "weiblicher" gemacht, indem er ihr die Fähigkeit rationalen Denkens abspricht: es ist nur "eine Art" von Systematik, in die sich ihre Gedanken kleiden.

Dergleichen Aussagen im Roman betonen, wie der Idealcharakter einer Frau *ist*. Gezeigt wird aber auch, wie dieses Ideal *handelt*. Auch im Handeln ist sie passiv. Sanft, still und unfähig selbst rational zu urteilen, braucht sie jemand, der sie bevormundet (sehr oft wird Sophie mit dem Titel "Kind" bezeichnet). Sophie bestätigt dies selbst, indem sie sagt: "O hätte ich meinen Vater nur behalten, bis meine Hand unter seinem Seegen an einen würdigen Mann gegeben gewesen wäre!" (II, 22). Da dies aber nicht der Fall ist, kommt sie unter die Obhut ihrer Tante Charlotte, der nunmehrigen Gräfin Löbau, sowie deren Mann. Indem sie dieser für sie nachteiligen Bevormundung entfliehen will, erkennt sie nur einen Ausweg: den in die Ehe. An Lord Derby schreibt sie, daß es "unumgänglich nöthig für ihre Ruhe sey," daß er "mit ihr vermählt würde, ehe sie das Haus ihres Oncles verließe, indem sie nicht anders als an der Hand eines würdigen Gemahls daraus gehen wolle" (I, 357-58). Diese Übergabe der Frau von einer ehrbaren männlichen Hand in die andere ist die Grundlage eines Systems das vorgibt, die Frau zu schützen. Sie selbst hat hierin wenig Wahl. Die Verbindung wird entweder vom Vormund arrangiert (bei Sophies Mutter war dies der Bruder), oder vom zukünftigen Gatten bei diesem beantragt. Wenn die Frau Neigung oder Liebe zu einem Mann gefaßt hat, so darf sie dies nicht gestehen. Sophies Mutter, die Oberst von Sternheim liebt, zeigt einen "stillen Gram" auf ihrem Gesicht (I, 5), sie schreibt kleine "Aufsätze von Betrachtungen, von Klagen gegen das Schicksal" (I, 17) und weint oft. Schließlich erfährt ihr Bruder den Grund ihres Trübsinns und verspricht, die Verbindung herzustellen. "Schone meiner dabey!" bittet die Schwester, "du weist, daß ein Mädchen nicht ungebeten lieben darf!" (I, 23). Sophie ist sich dieser Regeln wohl bewußt. Intelligent wie sie ist, und von den Realitäten des Lebens bereits weitgehend unterrichtet, stellt sie als Madam Leidens die Klugheit dieses Systems in Frage: "woher kömmt es, daß man auch bey der besten Gattung Menschen eine Art von eigensinniger Befolgung eines Vorurtheils antrifft. Warum darf ein edeldenkendes, tugendhaftes Mädchen nicht zuerst sagen, diesen würdigen Mann liebe ich? warum vergiebt man ihr nicht, wenn sie ihm zu gefallen sucht, und sich auf alle Weise um seine Hochachtung bemühet?" (II, 168-69). Dies ist einer der kritischen Einschübe, die den Leser zur Reflexion anregen sollen. Bezeichnenderweise findet sich auch hier wieder eine Fußnote Wielands: "Diese Frage ist eben nicht schwer zu beantworten: das edeldenkende, tugendhafte Mädchen darf dieß nicht, *weil man keine eigene Moral für sie machen kann*" (II, 169; Fußnote). Die "allgemeine" Moral muß gewahrt bleiben; die Typisierung kennt keine Ausnahme für das Individuum; die Frau muß in Wesen und Tat passiv bleiben. Es ist ihm nicht klar, daß hier Kritik an der Gesellschaft geübt wird.

Die Handlungsfreiheit der Frau wird weiter dadurch eingeschränkt, daß sie zum "Besitz" des Mannes wird, der sie bevormundet. Wenn dies der Gatte ist, zeigt sich das in der Aufgabe ihres Namens zugunsten der Annahme des seinen. Hierauf wird das Vorurteil gegen Mesalliancen gegründet. Gegen die Heirat von Sophies Mutter wird eingewendet: "Hast du aber nicht selbst einmal deine dir so lieben Engländer angeführt, welche die Heyrath außer Stand den Töchtern viel weniger vergeben als den Söhnen, weil die Tochter ihren Namen aufgeben, und den von ihrem Manne tragen muß, folglich sich erniedriget?" (I, 33). Bedeutet die Heirat unter Stand und die Annahme des Names einer gesellschaftlich minderwertigen Familie für die Frau eine "Erniedrigung," so wird der Verlust des Namens gleichbedeutend mit der Negierung der Existenz eines Individuums. Bereits aus den mittelalterlichen Epen ist die Wichtigkeit des Namens als Abbild der gesellschaftlichen Stellung und des individuellen Werts eines Protagonisten bekannt. Wenn der Held die Bekanntgabe seines Namens versagt (Lohengrin; Parzival als "roter Ritter," usw.), ist dies stets mit einer Identitätskrise verbunden. Für Sophie Sternheim ist der Namensverlust gleichbedeutend mit dem gesellschaftlichen "Tod" ihrer Person. Durch die Ungültigkeit ihrer Verbindung mit Lord Derby, mit dem sie verheiratet zu sein glaubte, verliert sie sowohl ihren Mädchennamen wie auch den ihres vermeintlichen Gatten. Es bleibt bloß die Schande, von der Jungfrau zur namenlosen Frau geworden zu sein. Metaphorisch wird ihre "Neugeburt" nach der verhängisvollen falschen Heirat dadurch ausgedrückt, daß sie sich selbst einen neuen Namen gibt: "Sie nahm eine fremde Benennung an; sie wollte in Beziehung auf ihr Schicksal Madam Leidens heißen, und als eine junge Officierswitwe bey uns wohnen" (II, 65).

Die neue Namensgebung ist für Sophie mehr als bloßer Ausweg aus einer peinlichen Situation: die Selbstbenennung am Krisenpunkt ihres Lebens ist eine Emanzipation aus den Fesseln, die ihr die Gesellschaft angelegt hatte, eine Erkenntnis des eigenen Wertes und die Erlangung eines Selbstbewußtseins, das der männlichen Unterstützung nicht mehr bedarf. Bis zu diesem Wendepunkt in ihrem Schicksal handelt sie mit der ihr anerzogenen Unterwerfung unter die Wünsche ihrer männlichen Familienmitglieder und Beschützer. Unterwürfige Körperhaltung, Melancholie bis zum Todeswunsch, Minderwertigkeitsgefühle und Tränen bezeichnen Handlungen und seelischen Zustand der Frau, die sich nicht selbst "besitzt:" schon als Zwölfjährige geschieht es, "daß das junge Fräulein knieend bey ihm [ihrem Vater] schluchzte, und oft zu sterben wünschte" (I, 67); bei ihrem Onkel wird sie zum "Opfer" von "Gewohnheit, den Umständen" und Lebensverhältnissen (I, 92); als Frau wird sie "Eigenthum" (I, 100) des Mannes und weiß doch nicht, warum sie sich so elend fühlt: "aber ich konnte mir nicht helfen. Es hatte mich eine Bangigkeit befallen, eine Begierde weit weg zu seyn, eine innerliche Unruh; ich hätte sogar weinen mögen, ohne eine bestimmte Ursache angeben zu können" (I, 111). Diese Situation wird einerseits fatalistisch gedeutet: "dann messe ich die allgemeinen moralischen Pflichten, die unser Schöpfer jedem Menschen, wer er auch sey, durch ewige unveränderliche

Gesetze auferlegt hat" (I, 187). Zu diesen unabänderlichen Gesetzen gehört die Rollentrennung der Geschlechter: "die Verschiedenheit des Geschlechts" sei von der Natur bedingt, die "in der Leidenschaft der Liebe den Mann heftig, die Frau zärtlich gemacht; in Beleidigungen Jenen mit Zorn, Diese mit rührenden Thränen bewaffnet; zu Geschäfften und Wissenschaften dem männlichen Geiste Stärke und Tiefsinn, dem weiblichen Geschmeidigkeit und Anmuth; in Unglücksfällen dem Manne Standhaftigkeit und Muth, der Frau Geduld und Ergebung, vorzüglich mitgetheilt" habe. Eine solche Trennung der Menschheit in aktive und passive Personen müsse gewahrt bleiben: "Auf diese Weise, und wenn ein jeder Theil in seinem angewiesnen Kreise bliebe, liefen beyde in der nehmlichen Bahn, wiewohl in zwoen verschiedenen Linien, dem Endzweck ihrer Bestimmung zu; ohne daß durch eine erzwungene Mischung der Charakter die moralische Ordnung gestört würde" (I, 222-23). Gleichzeitig erkennt sie aber auch, daß "die besten Tage" ihres Geistes in einer solchen Bahn zugrundegerichtet würden: "Es ist etwas in mir, das mich empfinden läßt, daß sie nicht mehr zurück kommen werden, daß ich niemals so glücklich seyn werde, nach meinen Wünschen und Neigungen, so einfach, so wenig fodernd sie sind, leben zu können!" (I, 223).

Die Erkenntnis der Unmöglichkeit, in einem solchen Zustand der Unterwürfigkeit glücklich zu sein, führt zur Kritik an der Gesellschaft. "Da fühlte ich mit Unmuth die vorzügliche Klugheit der französischen Eigenliebe, die sich in so edle nützliche Auswüchse verbreitet" (I, 229)— nämlich auch den Frauen das Denken zu erlauben, sie die "Schönheiten der Sprache und des Ausdrucks" (I, 228) lernen zu lassen; ihnen zu gewähren, "Von allen Wissenschaften eine Idee zu haben, um hie und da etliche Worte in die Unterredung mischen zu können" und wenigstens "die Nahmen aller Schriften zu wissen, und etwas das einem Urtheil gleiche darüber zu sagen." Selbst der Besuch von "öffentlichen physicalischen Lehrstunden, wo sie ohne viele Mühe, sehr nützliche Begriffe sammelten" (I, 228) ist den Französinnen erlaubt. Eigenliebe wird diese kleine Freiheit genannt, und noch dazu eine "vorzügliche Klugheit." Einem wie Sophie in der Selbstlosigkeit geschulten Charakter ist diese Bemerkung der äußersten Desillusionierung anzurechnen. Desgleichen die sofort folgende Kritik an den deutschen Kavalieren, die "ihren Schwestern und Verwandtinnen" von ihren Bildungsreisen nichts Wissenswertes mitbringen (I, 229-30). Solche Kritik am männlichen Geschlecht im allgemeinen übt Sophie selten. Nur einmal noch kontrastiert diese Vertreterin der deutschen Tugendmoral deren Produkt mit dem französischen: "Moralische Gemählde von Tugenden aller Stände, besonders von unserm Geschlechte, möchte ich gesammlet haben; und darinn sind die Französinnen glücklicher als wir. Das weibliche Verdienst erhält unter ihnen öffentliche und dauernde Ehrenbezeigungen" (II, 145).

Zeigt sich in der Gegenüberstellung der deutschen und französischen Frauen bereits ein Wunsch nach persönlicher Freiheit (den Sophie allerdings noch immer als Fehler ihres Gemüts interpretiert), so drückt sich die empfundene Handlungsunfreiheit in der Fessel-Metaphorik aus. Die Freiheitsbeschränkung kann sowohl geistig wie physisch sein und wird im Roman mit zunehmender Vehemenz metaphorisch verdeutlicht. Daß der Platz der Frau im Hause ist, wird in *Sternheim* als selbstverständlich angenommen. Sophie selbst belehrt Frau T.: "Halten Sie Ihre heranwachsende Töchter, je mehr Schönheit, je mehr Talente sie haben werden, je mehr zu Hause" (I, 303). Sternheims regressive Perspektive läßt sie überhaupt das Heim als Zufluchtsort der Frau sehen, dem sie angehört, und das sie beherrscht. In der für sie typischen Ambivalenz, die dem unvereinbaren Kontrast zwischen Erziehung (Ideal) und individuellem Wunsch (Realität) entspringt, verlagert sich das Freiheitsbedürfnis in den Bereich der Phantasie. Unfähig, den geistigen Fesseln ihres Tugendideals zu entrinnen, erweitert sie ihren Wirkungskreis durch eine rege Einbildungskraft: "Auf diese Weise, war ich schon Fürst, Fürstin, Minister, Hofdame, Favorit, Mutter von *diesen* Kindern, Gemahlin *jenes* Mannes, ja sogar auch einmal in dem Platz einer regierenden und alles führenden Maitresse" (I, 187-88). Selbst die geistige Freiheit sucht ihre Umwelt jedoch zu unterbinden. Ihr liebster Besitz wird ihr vorenthalten: "Von der Tafel gieng ich in mein Zimmer. Da fand ich mein Büchergestelle leer: Was ist dieß, Rosine? Der Graf, sagte sie, wäre gekommen, und hätte alles wegnehmen lassen. [. . .] Ich klagte meine Tante, über ihren Bücherraub, im Scherz an. Das Fräulein stund ihr bey: Das ist gut ausgedacht, sagte sie, wir wollen sehen, was der Geist unsrer Sternheim macht, wenn sie ohne Führer, ohne Ausleger, mit uns lebt" (I, 126-27). Wesentlich deutlicher wird das Fesselmotiv dadurch, daß sie an den ihr verhaßten Hof gebunden wird: "Sie wollte zwar unverzüglich auf ihre Güter; aber ihr Oncle erklärte, daß er sie nicht reisen lasse" (I, 351). Sternheim ist durchaus kein unmündiges Kind mehr, sondern eine rationale Frau in heiratsfähigem Alter. Es ist eben diese Fessel der Heirat, in die sie der Onkel durch sein Verhalten zwingen will: "Dazu kommt nun der Antrag einer Verbindung mit dem jungen Grafen F*, die ich, wenn mir auch der Mann gefiele, nicht annehmen würde, weil sie mich an den Hof fesseln würde. So sehr auch diese Fesseln übergüldet und mit Blumen bestreuet wären, so würden sie doch mein Herz nur desto mehr belästigen" (I, 327). Erklärt werden solche Gewaltmaßnahmen mit einer Denkart, wie sie Lord Derby ausdrückt: "Mädchen sehen die Gewalt der Liebe gerne" (I, 351).

Ambivalent ist auch der Eifer, mit dem Sophie die Witwe C. in eine neue Ehe drängt. Selbst durch ihre falsche Ehe gebrandmarkt, versucht sie trotzdem, der ebenfalls in ihrer Ehe unglücklich gewesenen Witwe eine neue Verbindung einzureden. Die Witwe benutzt die Fessel-Metaphorik, um ihre Abneigung gegen die eheliche Beschränkung der Frau zu verdeutlichen: "wie viele Blumen Sie auf die versteckte Kette streuen!", meint Frau von C., während Sophie, die in der gleichen Situation ebenfalls die mit Blumen bestreuten vergoldeten Fesseln (I, 327) als Vergleichsmetapher benutzt hatte, nun von einer "Kette von Zufriedenheit" spricht (II, 110). Die "Bänder" der Ehe wolle man ihr zu "Schleifen knüpfen," sagt die Witwe, und deutet damit sogar die letzte Lebensbeschränkung durch den Tod mit der Symbolik des Hängens an (II, 111). Für sie ist die Ehe eine "traurige Erfahrung," die sie "wider jene Idee von Verbindung empört" (II, 116). Laroche läßt ihre Heldin hier wieder als irregeführte und irreführende Figur erscheinen, indem sie Sophie den Zweifel über ihr Verhalten in den Mund legt: sie wundert sich "über den Eifer, womit ich mich in diese Sache gemischt hatte. Klären Sie mir das Dunkle in meiner Seele darüber auf; es dünkt mich: daß ich lauter unrechte Ursachen hasche" (II, 116). Das dialektisch auf Pro und Contra aufgebaute Gespräch der beiden Frauen nimmt durch Sophies Ambivalenz verstärkt eine psychologische Dimension ein; indem es eine Distanz zum Leser herstellt, soll an dessen eigene Urteilskraft appelliert werden. Laroches negative Heldin, die stets das Gute will und stets das Falsche tut, zieht aber endlich doch das Fazit, daß die Ehe "in Wahrheit viel abschreckendes" hat (II, 135). Frau von C. übernimmt durch ihre Kritik die Rolle der Lehrerin, die Sophie von dem ihr anerzogenen, idealen Wunschbild auf die Realität des Lebens verweist. Die Gegenüberstellung von Ideal und Wirklichkeit führt zur plötzlichen Erkenntnis ihres unkritischen Denkens und Handelns.

Die funktionale Beschaffenheit der Heldin verlangt aber von ihr ein standhaftes Festhalten an der Tugendmoral trotz wiederholter Desillusionierungen. "Warum haben doch gute Leute so viel Schafmäßiges an sich, und warum werden die Weibsbilder nicht klug, ungeachtet der unzähligen Beyspiele unserer Schelmereyen, welche sie vor sich haben?" (I, 360). So drückt Lord Derby das Phänomen aus, das sich wie ein Leitmotiv durch den Roman zieht. Lord Rich spricht gar von "dem dichten Nebel [. . .] , der ihr ursprüngliches Land beständig umgiebt" (II, 167), womit er Deutschlands moralische Denkart charakterisiert. Auf Sophies Frage, "ob er denn meinen Geist für benebelt hielte" antwortet der Lord mit einem Verweis auf die Melancholie, die Depression, die Nervenzusammenbrüche Sophies, die, psychologisch gesehen, ein Produkt dieser Erziehung sind. Sophie verkörpert das Individuum, das dem Einfluß ihrer Erziehung im Kindes- und Jugendalter trotz vielfachen Konfrontationen mit der Realität des Lebens, trotz leidvoller Erfahrung und persönlicher intellektueller Regsamkeit unentrinnbar verkettet bleibt, und das in dieser psychologischen Abhängigkeit von einem destruktiven Tugendideal unbelehrbar ist. Selbst die brutalste Behandlung, die äußerste physische Einschränkung sind unfähig, Sophie zur Erkenntnis ihres falschen Handelns zu bringen. Sie wird "abermals das Opfer" für das Glück eines anderen (II, 191), meint, "das Schicksal hat mich zum Leiden bestimmt" (II, 196) und sieht sich als "Schlachtopfer" (II, 218). Ihre Gefangenschaft in den schottischen Bleigebirgen und ihre körperliche Mißhandlung faßt sie als Strafe für eingebildete Fehltritte auf. Bei einem Bauern auf kleinstem Raum eingekerkert, endlich blutiggeschlagen und bewußtlos in ein schmutziges, nasses Turmgefängnis geworfen sieht sie den einzigen Ausweg im Todeswunsch. Dies ist die äußerste Instanz einer körperlichen Bedrängung und psychologischen Erniedrigung, die sie schrittweise aus ihrem einstigen Leben in ländlicher Weite in die größte Freiheitsbeschränkung bringt: zunächst in die repressive Welt ihrer Bevormundung durch Tante und Onkel; dann in eine falsche, sie entehrende Ehe; ins Inkognito und den Identitätsverlust; und schließlich in die freiwillige Verbannung aus der

Heimat und in die Enge ihres Turmgefängnisses. Selbst ihre Erlösung ist schließlich eine Rückkehr in das Ehestandsgefängnis, das sie zwar mit dem Ton der Verzückung und des Glücks, aber konsequenterweise mit Worten der Trauer und der Unterwerfung beschreibt: der Gatte "bewacht mich" (liebevoll), ihre Hochzeitsreise geht "zu dem Grabe meiner Aeltern," wo sie zu "Füssen ihres Leichensteins [. . .] knien" und "Thränen des Danks [. . .] auf ihre Asche vergießen" will (II, 289). Flitterwochen makabreren Inhalts lassen sich kaum ausdenken.

Im Entwurf dieses Idealbilds weiblicher Tugend, von dem Wieland in einer Fußnote anmerkt, daß "eine Dame von so schöner Sinnesart, als Fräulein St., in England nicht weniger selten als in Deutschland" sei (I, 148), übt Laroche unumwunden Kritik an der Tugendmoral, der Glückseligkeitslehre und dem Erziehungsdiktum des 18. Jahrhunderts. Durch ihr Festhalten an den ihr von Jugend auf eingeschärften Dogmen wird Sophie in einer von Egoismus und Materialismus regierten Umwelt ausgenutzt, übervorteilt und nahezu lebensunfähig gemacht. Ihr Verhalten ist gesellschaftlich regressiv und repressiv. Statt sich nämlich den fortschrittlichen Elementen des Bürgertums anzuschließen, dem sie durch die Geburt angehört, das nach Freiheit strebt und dem die politische Zukunft gehört, schließt sie sich dem feudalistischen Denken an. Sie folgt nicht dem Beispiel ihrer Eltern, wie sie es zu tun glaubt. Während ihre Mutter die Schranken des Standes negierte, indem sie einen Bürgerlichen heiratete, und während ihr Vater erklärt: "Was mir itzt mangelt, muß die Klugheit und die Zeit bessern" (I, 24), sucht Sophie ihr Glück in der Ehe mit Männern adligen Standes (sowohl in der falschen mit Lord Derby, wie in der gültigen mit Lord Seymour). Das parodistische, ja satirische Element in ihrer Heirat mit einem Mann, der in ihr einst "eine freywillige weggeworfene meiner Achtung unwürdige Creatur" sah (II, 13), ist unübersehbar. Repressiv ist ihr Verhalten, indem sie die von ihr anerkannten, aber falschen Grundsätze weiterzuverbreiten bemüht ist, beziehungsweise die dekadenten feudalistischen Dogmen ihren Untergebenen aufzwingt. Damit verlangt sie von anderen eine Nachvollziehung eben jener Lebens- und Moralphilosophie, die sich bereits in ihrem eigenen Leben als unzulänglich erwiesen hatte. Sophies Verwirrung, mit der sie einerseits an den Erziehungsgrundsätzen ihrer Jugend festhält und diese andererseits als Basis ihres tragischen Schicksals erfährt, schildert Laroche wieder in der ambivalenten Geisteshaltung der Heldin. Im Gehorsam gegen Tante und Onkel erkennt sie "die letzte Tryannie, welche die Gefälligkeit für andre an mir ausüben wird" (I, 333-34); die "Dankbarkeit und Hochachtung," die sie Lord Derby pflichtgemäß als ihrem Gatten entgegenbringt, trägt ihr bloß Unglück und äußerste Erniedrigung ein; und dennoch will sie "die Früchte meiner Erziehung und Erfahrung während dem traurigen Winter meines Verhängnisses zu meiner moralischen Nahrung anwenden" (II, 84), weil ihr nichts als ihre Erziehung übrig geblieben ist (II, 95).

Wie sie aber Frau von C. trotz ihrer schlechten Erfahrungen zu einer erneuten Ehe überreden will, so versucht Sophie auch, die Standesmoral (unter der sie selbst als Bürgerstochter zu leiden hatte) ihren Untergebenen anzuerziehen. Die beiden Nichten ihrer Wirtin "unterrichtet" sie in den Künsten der Zofinnen: "Ich redete ihnen von den Pflichten des Standes, in welchen Gott sie, und von denen, in welchen er mich gesetzt habe, und brachte es so weit, daß sie sich viel glücklicher achteten, Kammerjungfern, als Damen zu seyn, weil ich ihnen sehr von der großen Verantwortung sagte, die uns wegen dem Gebrauch unsrer Vorzüge und unsrer Gewalt über andere aufgelegt sey" (II, 28-29). Ihre von egoistischen Erwägungen einer adligen Volkspädagogik getragenen "Erziehungsmethoden" ermangeln auch nicht der üblichen Vorurteile, mit dem die Ausbeutung des Volks entschuldigt wird: "Ihre Begriffe von Glück, und ihre Wünsche waren ohnehin begrenzt" (II, 29). Sie setzt die Unterdrückung der niederen Klassen fort, indem sie das Dulden zur Tugend erklärt (II, 29) und ihre pädagogischen Fähigkeiten zur Wahrung des Status quo benutzt.[21]

Wieder stehen dabei Erfahrung (Realität) und Lehre (Ideal, Erziehung) in einem Gegensatz, dessen Bedeutung Sophie nicht erkennen und praktisch verwerten kann. Einerseits empfindet sie das gesellschaftliche Vorurteil gegen sie aufgrund ihrer Geburt (II, 19) und der Mesalliance ihrer Mutter (I, 356) als ein Übermaß an Beleidigung. Es ist ihr also möglich, die soziale Ungerechtigkeit eines solchen Standesprinzips zu erkennen, wo sie auf die eigene Person bezogen ist. Ihre Handlungen aber widersprechen dieser Erkenntnis und sie beruft sich auf den Stand ihrer Mutter, um persönlichen Vorteil daraus zu ziehen: "glauben Sie nur auch, daß ich es würdig bin. Ich bemerkte, daß ihre Augen auf meine Hand und das Bildniß meiner Mutter geheftet waren;—da sagte ich ihr, es ist meine Mutter, eine Enkelin von Lord David Watson" (II, 240-41). Die Ambivalenz des Hauptcharakters, die Diskrepanz zwischen Ideal und Wirklichkeit, das dialektische Selbstverständnis Sophies—diese Methoden verdeutlichen Laroches Kritik an den bestehenden moralischen und sozialen Grundsätzen. Um funktional zu sein, müßten sich Ideal und Wirklichkeit entsprechen: die "ideale" Frau, beziehungsweise der "ideale" Mann,[22] müßte auch lebensfähig und erfolgreich sein, wenn sich Tugendmoral und Glückseligkeitslehre des 18. Jahrhunderts bestätigen sollten. Wieland, der die Intention des Romans verkennt, erläutert in einer Fußnote die akzeptierte Ansicht, daß "Privat-Glückseligkeit ohne *Tugend*" (I, 294; Fußnote) unmöglich sei. Diese Ansicht steht aber in scharfem Kontrast zu den Aussagen im Roman, wo gerade die "unmoralischen" Charaktere Erfolg, Macht und irdisches Glück besitzen.

Diese Diskrepanz zwischen Ideal und Wirklichkeit entlarvt die Glückseligkeitslehre als dekadentes, überholtes Prinzip, das dem sozialen Fortschritt und dem individuellen Selbstverwirklichungsdrang hindernd entgegenwirkt. Sophie wird als Personifikation des Tugendideals in die Realität einer zeitgenössischen Welt versetzt, deren Materialismus und Egoismus ihre Erziehungsprinzipien nicht gewachsen sind. Hier wird zerstört, was nicht lebensfähig ist; hier dürfen die Schutzbedürftigen (Volk, Frau) kein Erbarmen erwarten; es gilt das Gesetz des

Stärkeren. Das Bild, das Laroche vom Hof entwirft, ist ebensowenig negativ, wie die Heldin positiv zu sehen ist. Vielmehr verkörpert die Hofwelt das fortschrittliche Element, das sich von einer feudalistischen Schutzmoral ab- und dem materialistisch-kapitalistischen Selbstverwirklichungssystem zuwendet. Laroche geht es darum, den Adel in einer Übergangsperiode vom Feudalismus zum Kapitalismus zu schildern, und sie tut dies, indem sie ihm die Anpassungsfähigkeit an die Prinzipien des Markts und des Materialismus zuspricht. Während die bürgerliche Gesellschaft in ihrem Streben, die vom Adel eingenommene Vorrangsstellung zu erreichen, regressiv auf patriarchalische Prinzipien zurückgreift und sich dem Feudalismus anzupassen sucht, übernimmt der Adel die neue "Marktmoral," in der das Individuum nach Fähigkeit und Manipulationskraft erfolgreich ist. Sophie Sternheim wird, unfähig sich in dieser materialistischen Umgebung durchzusetzen, zunehmend entrealisiert und entindividualisiert, bis sie als bloße Scheinfigur und entmenschlichte "Un-Person" erscheint.

Bereits zu Beginn ihrer Ankunft bei Hof wird Sophie als "Ware" oder Tauschgegenstand betrachtet. Ihre moralischen Prinzipien besitzen in dieser neuen Welt bloß Scheinwert und ihr individueller Wert besteht in der "Kauf"-Kraft ihrer äußeren Person. Die Betonung auf der physischen Erscheinung, auf Putz, Mode und Schminke, die Sophie so zuwider ist, verdeutlicht die Umkehrung der Werte von "innerer" Schönheit (Sophies Tugendmoral) zur Notwendigkeit, äußerlich zu gefallen: "Was mir noch beschwerlicher fiel, war, daß meine Tante den Hoffriseur rufen ließ, meinen Kopf nach der Mode zuzurichten. [. . .] Aber der Schneider und die Putzmacherin waren noch unerträglicher" (I, 88-89). Lob und Schmeichelei begleiten die äußerliche Transformation und sind darauf angelegt, das Selbstbewußtsein zu heben und das Individuum "kampffähig" zu machen. Sophie ist, wie zu erwarten, ungelehrig. Sie versteht nicht die Funktion des hier waltenden Marktprinzips, mit dem sie Selbstbewußtsein (einen psychologisch wirksamen Vorteil) und Anziehungskraft vom Berufspersonal erkauft, und aufgefordert wird, diese neuerrungenen Mittel zugunsten des persönlichen Erfolgs auszuwerten. Ihre Tante versucht, Sophie in diese neue Welt einzuführen. Für die Fürsorge, die sie ihr angedeihen läßt, erhofft sie von Sophie Hilfe in einer Rechtsangelegenheit. Doch Sophie ist für diesen noch recht unschuldigen Austausch von Gefälligkeiten unerreichbar und behauptet, Rechtsangelegenheiten seien Männersache. Ihre anerzogene Gewohnheit der strengen Rollentrennung zwischen den Geschlechtern erlaubt ihr keinen Eingriff in öffentliche Angelegenheiten. Sophie sieht menschliche Schwäche, wo lediglich subtile Marktprinzipien am Werk sind, und sie versteht nicht, daß für das Geleistete Gegenleistungen von ihr gefordert werden. "Der Ton und die Bezeugung der Hofleute sind in der That dadurch angenehm, weil die Eigenliebe eines jeden so wohl in Acht genommen wird," meint sie, ist aber nicht gewillt, Gleiches zu leisten (I, 98-99). Statt dessen charakterisiert sie die Gesellschaft mit negativen Ausdrücken und betrachtet die Gleichberechtigung des Individuums als Nivellierung: "Soll ich Ihnen sagen, wie ich hier und da aufgenommen wurde? Gut, allenthalben gut! denn für solche Begebenheiten hat der Hof eine allgemeine Sprache, die der Geistlose eben so fertig zu reden weiß, als der Allervernünftigste" (I, 102). Sie bleibt standhaft in ihrer Weigerung, selbst etwas zu ihrem eigenen Wohl beizutragen: auf die Ermahnung der Tante, "du kannst deinem Oncle große Dienste thun, und selbst ein ansehnliches Glück machen," erwidert Sophie, "Dieß sehe und wünsche ich nicht, meine Tante" (I, 124-25). Ihre moralischen Ansichten sind unbeugsam einem veralteten Gesellschaftssystem verpflichtet, in dem die Frau ohne irgendwelches Zutun ihrerseits Erhaltung und Schutz erwarten darf. Sobald ihre Umgebung erkennt, daß Sophie jede Anpassungsfähigkeit mangelt, ändert sich ihre anfängliche Einstellung. Die gute Aufnahme, die sie von den erwartungsvollen und ihr gegenüber aufgeschlossenen adligen Kreisen erhielt, erfährt eine Wandlung, als es klar wird, daß sich Sophie nicht in das Milieu einfügen will.

Die nun folgende "Hofcomödie" (I, 151) ist ein grausames Spiel mit einer Frau, das ihrer Lebensphilosophie spottet und sie mit der Realität des auch für Frauen notwendigen Lebenskampfes konfrontiert. Der Einsatz ist hoch: für Sophie entscheidet sich Glück oder Vernichtung, für die Höflinge Gnade oder Ungnade des Fürsten. Sophie ist eine unwillige Mitspielerin und ihr einziger Trumpf ist eben jene Tugendmoral, deren Wert mit der Marktmoral des Hofes konfrontiert und daran gemessen wird. Die Strategie des Spiels ist es, Sophie "zu einer Maitresse des Fürsten" (I, 149) zu machen. Von keinem ihrer Freunde und Freundinnen wird ihr Hilfe oder auch nur Sympathie zuteil—es ist ein Kampf, den sie selbst und mit eigenen Mitteln verfechten muß und der die Validität ihrer Prinzipien in der Daseinsrealität erproben soll. Lord Seymours Anerbieten, "durch meine Vermählung mit ihr, ihre Tugend, ihre Ehre und ihre Annehmlichkeiten zu retten" (I, 149), wird von seinem Onkel abgeschlagen: "Er bat mich, ihn ruhig anzuhören, und sagte mir; er selbst verehrte das Fräulein, und sey überzeugt, daß sie das ganze schändliche Vorhaben zernichten werde; und er gab mir die Versicherung, daß, wenn sie ihrem würdigen Charakter gemäß handle, er sich ein Vergnügen davon machen wolle, ihre Tugend zu krönen" (I, 149). Lord Seymour, wenngleich er sie später heiratet, stellt sich "den Widerstand der Tugend als ein entzückendes Schauspiel vor" und beschließt ohne das geringste Mitleid, sich ganz nach der Vorschrift seines Onkels zu richten (I, 150).

Die Prinzipien, um die es hier geht, werden durch die Metaphorik verdeutlicht. Erstens soll der Realitätsbezug der beiden einander gegenübergestellten Prinzipien (Tugend- versus Marktmoral) erprobt werden. Dies geschieht in einem Scheinmilieu, das über die wirklichen Konsequenzen des Verhaltens der "Spieler" hinwegtäuscht. Damit wird auf neutralem Grund gespielt, indem sich bei den Spielern keine moralischen Bedenken über ihr Verhalten einstellen. Man spielt "Comödie" oder "Hofcomödie" (I, 151) und bedient sich damit der Theatermetaphorik einer problemlosen Scheinwelt. Die Agierenden werden durch ihr Verhalten nicht schuldig, eben weil sie bloß Theater spielen. Tatsächlich finden zu diesem Zeitpunkt weder der Fürst, noch Sophie oder deren Verwandte ihre Handlungen moralisch unverantwortlich. Lediglich in einzelnen Wörtern wird ein Realitätsbezug hergestellt. Sophie wird z.B. "in der Hofcomödie dem Blick des Fürsten zum erstenmal ausgesetzt" (I, 151). Das "Aussetzen" deutet auf die Verlassenheit, auf den Lebenskampf, den Sophie vollkommen allein bestehen muß. Die Theaterwelt, die irreale Scheinwelt, ist der Bereich auch von Sophies den wirklichen Anforderungen nicht mehr gewachsener Moralphilosophie.

Im zweiten Aspekt des "Spielens" werden Marktmechanismus und Kaufmetaphorik in krass materialistischer Weise auf den Bereich des Fürsten übertragen, indem Sophie von der Prinzessin in das Glücks-, bzw. Hasardspiel eingeführt wird, bei dem es um Geld geht. Später spielt der Fürst selber mit Sophie und läßt sie eine erhebliche Summe gewinnen. Sophie versteht nicht, daß sie sich gerade "verkauft" hat und daß von ihr eine Gegenleistung erwartet wird. In den Personen Sophies und des Fürsten stehen sich Moral- und Marktphilosophie, Tugend und Geld, Feudalismus und Kapitalismus gegenüber und stellen sich gegenseitig auf die Probe.

Die Frage, welche von den beiden Philosophien der Selbstverwirklichung und der Persönlichkeitsentwicklung des Individuums am zuträglichsten ist, bildet den dritten Aspekt der Hofkomödie. Dabei stellt sich rasch heraus, daß es Sophie an dem für die individuelle Entfaltung nötigen Selbstbewußtsein fehlt. Ihre Erziehung versagt es ihr geradezu, Initiative oder Ehrgeiz zu besitzen. Lord Derby meint über Sophie: "Da sie sich für meine Ehefrau hält, war es nicht ihre Pflicht, sich in allem nach meinem Sinne zu schicken?[. . .] Und ist es also nicht billig und recht, daß der Betrug, den ihr Ehrgeiz an mir begangen, auch durch mich an ihrem Ehrgeiz gerächet werde?" (II, 44). Allerdings nennt Derby "Ehrgeiz," was in Sophies Fall bloßer Selbsterhaltungstrieb ist, also ihre Unwilligkeit, die vollkommene persönliche und finanzielle Zerstörung klaglos hinzunehmen. Deutlich wird aber, daß die Selbstverwirklichung die Prerogative des Mannes ist, insofern sie Tatkraft und öffentliches Auftreten verlangt: "Ehrgeiz und Wollust allein haben Leute in ihren Diensten, die Unternehmungen wagen, und ausführen helfen!" meint Derby und fügt hinzu: "auch sind dieses die einzigen Gottheiten, die ich künftig verehren will" (II, 59). Derbys Philosophie ist jener des Hofes ähnlich und steht in scharfem Kontrast zu Sophies Prinzipien der Glückseligkeitslehre. Derby baut nicht auf Tugend und deren Lohn im Jenseits, oder auf die Theorie des Glücks durch Tugend per se bereits im Diesseits; er verläßt sich auf die eigene Kraft, die ihm Macht, Geld, und Glück gewinnen soll. Ehrgeiz und Wollust bedingen auch das Verhalten des Fürsten Sophie gegenüber. Das Verlangen, die Frau zu besitzen, wird oft durch die Augen, durch feurige Blicke, durch das unverblümte Ansehen beschrieben. Es ist eine Art von "Angriff," dem Sophie nicht standzuhalten weiß. Sophie schätzt in der Frau die Bescheidenheit und Weltferne (I, 142), die Anonymität, die "der dichte Schleyer" gibt (I, 143), und es ist ihr zuwider, "daß sie der Fürst in Gesicht hatte; er sah sie unaufhörlich an" (I, 154). Sophies geringes Selbstbewußtsein, ausgedrückt in ihrem Unvermögen, einem Mann in die Augen zu sehen, taucht in der "Augenmetaphorik" an entscheidenden Stellen immer wieder auf. Sie kritisiert Frauen, die dem männlich Blick standhalten, oder ihn gar erwidern (I, 96) und fühlt sich durch die Blicke anderer physisch bedroht und beleidigt: "Manche Augen gafften nach mir, aber sie waren mir zur Last, weil mich immer dünkte, es wäre ein Ausdruck darinn, welcher meine Grundsätze beleidigte" (I, 115). Sie erkennt zwar, daß im Austausch der Blicke ein unausgesprochenes Messen der persönlichen "Kraft" stattfindet, aber sie versteht nicht, daß ohne ein gewisses Selbstbewußtsein das Individuum seine Identität völlig aufgibt. Ihre eigene Affinität zum Sichverbergen (Schleier, Augenniederschlag, Weltflucht) wird in der Hofkomödie von ihren Widersachern ausgenützt, indem ihr durch eine Maske symbolisch jede Individualität genommen wird. Mit diesen Hinweisen auf die Spiel-, Kauf- und Augenmetaphorik, die im Roman mit weitaus zahlreicheren Beispielen als den wenigen hier angeführten belegbar ist, mag die Bedeutung der Hofkomödie offensichtlich werden, deren Verlauf im folgenden kurz nachgezeichnet ist.

Sophie wird den Absichten des Hofes durch jene Gräfin F. ausgesetzt, deren Einfluß beim Fürsten den Prozeß des Grafen Löbau (Sophies Onkel) fördern soll. Die Gräfin "sprach beynahe von nichts als von Gnadenbezeugungen, welche sie genössen" und von "Lobeserhebungen des Prinzen; sie rühmte die Schönheit seiner Person, allerhand Geschicklichkeiten, seinen guten Geschmack in allem, besonders in Festins, seine prächtige Freygebigkeit, worinn er eine fürstliche Seele zeigte" (I, 115). Es wird erläutert, daß Leistung eine Gegenleistung verlangt. Auch Sophie könne auf diese Weise erfolgreich werden, denn des Fürsten "Freygebigkeit" sei mit einer "Neigung gegen das schöne Geschlecht" verbunden. Es wird Sophie nichts verheimlicht und nichts wird mißrepräsentiert. Es wird ihr erklärt, daß sie die Möglichkeit hat für sich und für ihre Umwelt das Glück zu machen (I, 115-16). Der Erfolg hängt allein von ihrem Geschick und ihrer Intelligenz ab, den Herrn zu "fesseln." Ihre individuellen Kräfte werden an jenen des Fürsten erprobt; man räumt ihr durchaus die Möglichkeit ein, diesen Kampf der Persönlichkeiten zu gewinnen. Bereits Lord Seymours Onkel hatte auf die Wirkung von Sophies weiblichen Waffen verwiesen: "Seymour, nimm dich in Acht, diese Netze sind nicht vergeblich so schön und so ausgebreitet" (I, 112). Später spricht Sophie selbst über ihre Wirksamkeit: "niemals dachte Er, daß das Schicksal mir einst die Gewalt geben würde, ihm so sehr zu schaden" (II, 193) und Lord N. (Derby) erwähnt "Hymens Fesseln" (II, 198). Sophie besitzt begehrenswerte geistige und körperliche Vorzüge, d.h. individuelle Werte, die sie gegen andere, aber ihr nützliche, eintauschen bzw. "vermarkten" kann. Wie groß ihr Gewinn dabei ist, beruht auf ihrem "kaufmännischen" Geschick. Dies wird ihr beim Besuch der Gräfin F. erläutert und da sie keinerlei Einspruch erhebt, wird angenommen, daß sie die Herausforderung annimmt.

Nach dieser Einführung werden alle "Schachzüge" Sophies und des Fürsten zum öffentlichen Schauspiel. Die Konfrontationen der beiden finden auch stets in der Theateratmosphäre statt. Die erste erfolgt im Hoftheater, wo der Fürst sein "lüsternes Auge sogleich auf die Loge der Gräfin F." wendet, wo Sophie sitzt (I, 152). Hernach wird "bey der Fürstin von W*" gespeist und gespielt, wo die "Gräfin F* [. . .] das Fräulein mit vielem Gepränge dem Fürsten" vorstellt (I, 154). Andere Bewerber und Sophies Freundinnen ziehen sich zurück. Erstere, um dem Fürsten das Feld zu räumen; letztere, weil der Umgang mit der bereits als Mätresse Gezeichneten dem Ruf der jungen Damen unzuträglich ist: "Die Freundschaft des Fräulein C* war das Einzige, was mich erfreute," meinte Sophie; "aber auch diese ist nicht mehr was sie war. Sie spricht so kalt; sie besucht mich nicht mehr; wir kommen beym Spiel nicht mehr zusammen" (I, 162). Auf diese Weise wird Sophie mitten in der Gesellschaft isoliert, eingeengt, abgeschlossen, ohne daß sie in ihrer Weltfremdheit den Grund hierfür erkennt.

Die Kauf-Metaphorik wird nun prävalent. Lord Derby vergleicht "die Pariser Eroberungen," die "nur durch Gold" zu erzielen sind (I, 164), mit dieser "Rose," die "für den Fürsten bestimmt ist, bey dem sie einen Proceß für ihren Oheim gewinnen soll" (I, 167). Sophies Person wird hier zum Kaufobjekt nicht nur für eigenen Vorteil, sondern auch für den ihrer Familie. Der langsame Vorgang, der zu Sophies Identitätsverlust führt, und den sie nicht aufzuhalten weiß, ist in dieser Charakterisierung der Heldin als Ware oder Werkzeug bereits angedeutet. Auch das Heiratsangebot des jungen Grafen F. ist einer der Schachzüge in dieser Hofunterhaltung, bei der Sophie zur bloßen Figur wird: "Der Sohn des Grafen F. bietet sich zur Vermählung mit ihr an, um den Mantel zu machen; wenn sie ihn aber liebt, so will er die Anschläge des Grafen Löbau und seines Vaters zu nichte machen" (I, 167). Sophies scheinbare Ehrenrettung, der Deckmantel für ihre Verbindung mit dem Fürsten, ist die eine Möglichkeit für sie, Gewinn aus der Situation zu schlagen: sie würde in eine der angesehensten und einflußreichsten Familien einheiraten, dadurch ihre soziale Stellung wesentlich verbessern, und außerdem Nutzen aus der Gunst des Fürsten ziehen können. Aus der Perspektive der Marktmoral gesehen ist dies ein vorzügliches Angebot. Selbst der Tugendmoral wird ein Ausweg gelassen: will sie wahrhaftig die Frau des jungen Grafen werden, so erbietet er sich, sie zu schützen. Sophie erkennt aber, daß sie hier bloß zum Spielball männlichen Ehrgeizes wird und ihren Wert als Individuum verloren hat. Indem sie beide Angebote ausschlägt, verliert sie eine wertvolle Schachfigur, gibt sie einen Trumpf ohne ersichtliche Gegenleistung auf. Interessant ist, daß Sophie bis zu einem gewissen Grad die Nützlichkeit des neuen Systems klar wird. Sie habe, sagt sie, ihre

> Abneigung vor dem Hofe durch die Vorstellung gemäßigt, daß gleichwie in der materiellen Welt alle mögliche Arten von Dingen ihren angewiesenen Kreis haben, darinn sie alles antreffen, was zu ihrer Vollkommenheit beytragen kann: so möge auch in der moralischen Welt das Hofleben der Kreis seyn, in welchem allein gewisse Fähigkeiten unsers Geistes und Körpers ihre vollkommene Ausbildung erlangen können

und fügt hinzu: "Der Hof ist auch der schicklichste Schauplatz die außerordentliche Biegsamkeit unsers Geistes und Körpers zu beweisen" (I, 190-91). Damit erkennt sie offensichtlich die positive Möglichkeit der höchsten individuellen Persönlichkeitsentfaltung, die dem neuen System innewohnt, weigert sich aber gleichzeitig, daran teilzunehmen und hält an den alten Ideen fest.

Ein neuer Aspekt des nach und nach sich vollziehenden Identitätsverlusts Sophies wird in der sich nunmehr entfaltenden Tier-Metaphorik deutlich. Lord Derby will "das schöne schüchterne Vögelchen in mein verstecktes Garn" jagen (I, 234). Später nennt er Sophie seine "gute Haustaube" (I, 358) und "das Thierchen" (I, 352). Graf F. wird als "Oberjägermeister" (I, 234) bezeichnet, der "als Minister zu Vergnügung des Ehrgeizes seines Fürsten tausend Schlachtopfer für nichts achtet" (I, 257). Noch weiter wird die Entpersönlichung Sophies getrieben, indem sie schließlich überhaupt einer konkreten Existenz entkleidet und einer mythischen Scheinfigur gleichgesetzt wird: bei den Belustigungen zieht Sophie einen Lotteriezettel und bekommt "die von Apollo verfolgte Daphne" (I, 254). Derby hofft, "sie einst in der Gestalt der miltonischen Eva zu sehen, wenn ich ihr Adam seyn werde" (I, 236). Das Bild wird später nochmals aufgegriffen und eindringlich mit der Vergewaltigung durch Derby verbunden, die den totalen Verlust ihrer persönlichen Freiheit bedeutet. "Milton's Bild der Eva kam mir in den Sinn," erläutert Derby. "Ich schickte ihr Kammermensch weg, und bat sie, sich auf einen Augenblick zu entkleiden, [. . .] aber sie versagte mir meine Bitte gerade zu; ich drang in sie, und sie sträubte sich so lange, bis Ungeduld und Begierde mir eingaben ihre Kleidung vom Hals an durchzureissen, um auch wider ihren Willen zu meinem Endzweck zu gelangen" (II, 41). Sophies Klage, "Sie zerreissen mein Herz" (II, 42) drückt aus, daß durch diese Handlung ihre Persönlichkeit, ihr Menschtum, ihr Recht, sich selbst zu verschenken oder zu verweigern, brutal negiert wird. Trotz der Eindringlichkeit, mit der Laroche diese Szene beschreibt und erläutert, findet Wieland Sophies Verhalten rätselhaft. In seiner Fußnote fragt er: "Warum sagte sie, er zerreisse ihr *Herz,* da er doch nur ihr *Deshabille* zerriß?" und vermutet, Derby habe sie ungenügend vorbereitet, "um sich zur Gefälligkeit für einen Einfall, in welchem mehr Muthwillen als Zärtlichkeit zu seyn schien, herabzulassen" (II, 43; Fußnote). Deutlicher kann wohl Wielands Unverständnis sowohl der weiblichen Psyche wie auch der Intention des Romans kaum ausgedrückt werden.

Die schreckliche Konsequenz dieser zynischen Entpersönlichung und Verdinglichung wäre nie eingetreten, wenn Sophie die ersten Anzeichen davon bei jenem Fest richtig interpretiert und Schritte dagegen unternommen hätte. Hierin liegt das didaktische Moment des Romans und Laroches Anklage nicht nur der Gesellschaft, sondern vor allem des Individuums, das sich von Gewissenlosen ausbeuten läßt: Sophies tragischer Fehler ist ihre Weigerung, sich kämpfend zu verteidigen. Die Naivität, die sie beim Erhalt des Daphnebildchens an den Tag legt, ist durch einen Mangel an Intelligenz nicht zu begründen und muß auf einen psychologischen Widerstand gegen das reale Geschehen zurückgeführt werden: "Ich bekam die vom Apollo verfolgte Daphne," schreibt sie, und folgert, "es schien auch, daß mich andere darum beneideten, weil es für das schönste gehalten wurde. Es dünkte mich vielerley Veränderungen und Ausdrücke auf den Gesichtern einiger Damen zu lesen, da sie es ansahen" (I, 262).

Die Umstände des Festes tragen viel dazu bei, Sophie endgültig als Fürstenmätresse zu brandmarken. Die Wichtigkeit dieser Hofffête, die gleichzeitig Sophies Krisenzeit in D. einleitet und den Höhepunkt des Romans bildet, wird formal durch die dreifache Perspektive betont, in der die Geschehnisse geschildert werden. Zweck des Festes ist es, dem Fürsten wieder eine Zusammenkunft mit Sophie zu ermöglichen. Durch Kostümierung wird die Theateratmosphäre beibehalten. Lord Seymour erklärt, daß es eigentlich der Fürst war, der die Unterhaltung veranstaltete: "Der erste Minister des Hofs gab dem Adel, oder vielmehr der Fürst gab unter dem Nahmen des Grafen F* dem Fräulein von Sternheim eine *Fête* auf dem Lande" (I, 252-53). Sophie hingegen glaubt, daß Graf F. "zum Beweis seiner Freude über das Wohlseyn der Gräfin" (I, 259) das Fest veranstalten ließ. Im Verlauf des Festes trennt sich Sophie von der Gesellschaft und verschwindet in der Tür des Pfarrgartens. Kurz nachdem sie wieder herauskommt, erscheint auch der Fürst in der nämlichen Pforte, "der sein Vergnügen über sie nicht verbergen konnte, und seine Leidenschaft in vollem Feuer zeigte" (I, 256). Während der Leser durch Sophie erfährt, daß sie dem Pfarrer bloß Geld für die Armen gegeben hatte, vermutet die Gesellschaft, eine Verabredung des Fürsten mit Sophie gesehen zu haben.

> Nun hättest du den Ausdruck des Argwohns und des boshaften Urtheils der Gedanken über die Zusammenkunft der Sternheim mit dem Fürsten sehen sollen, der auf einmal in jedem spröden coquetten und devoten Affengesicht sichtbar wurde; und die albernen Scherze der Mannsleute über die Röthe, da sie der Fürst mit Entzücken betrachtete. Beydes wurde als ein Beweis ihrer vergnügten Zusammenkunft im Pfarrhaus aufgenommen, und alle sagten sich ins Ohr: wir feyren das Fest der Uebergabe dieser für unüberwindlich gehaltenen Schönen (I, 238).

Lord Seymour erklärt: "Sie soll zur linken Hand vermählt worden seyn. Elende lächerliche Larve, eine verstellte Tugend vor Schande sicher zu stellen!—Alle schmeichelten ihr" (I, 258). Die vermutete "Scheinehe" bestätigt die "Comödie des Fürsten mit meiner Sternheim" (I, 337), wie Derby es ausdrückt, und vernichtet Sophies Ruf.

Sophies Erziehung und ihr Festhalten an der Tugendmoral werden die Mittel zu ihrer Vernichtung, wie Derbys Strategie zeigt: "in dem Harnisch ihrer Tugend" wird er sie "zum Streit mit mir untüchtig sehen; wie man die Anmerkung von den alten Kriegsrüstungen machte, unter deren Last endlich der Streiter erlag und mit seinem schönen festen Panzer gefangen wurde" (I, 316-17). Dieser Vergleich verdeutlicht die didaktische Funktion der Romanhandlung: die progressiven

Elemente (Marktmoral) sollen das regressive System (Tugendmoral) aufgrund seiner Schwächen überwinden. Sophie wird "gekauft," indem man ihr Mitleid und ihre Freigebigkeit gegenüber den Armen ausnutzt. Indem sie den Fürsten um "Gnade für eine unglückliche Familie" bittet (I, 282), gerät sie in Gefahr, sich in seine Schuld zu bringen. Der Fürst nimmt diese Gelegenheit auch sofort wahr: "ich verspreche Ihnen meine liebe, eifrige Fürbitterin, daß alle Wünsche ihres Herzens erfüllt werden sollen, wenn ich erhalten kann, daß Sie gut für mich denken" (I, 283-84). Am Spieltisch erfüllt er ihr Anliegen: "Der Fürst verlohr viel Geld an mich; ich hatte bemerkt, daß er mit Vorsatz schlecht spielte, wenn er allein gegen mich war" (I, 321). Doch jede Gefälligkeit des Fürsten, die Sophie erbittet, erwidert er mit erneuten Liebesforderungen. "Für meines Oncles Proceß muß ich noch reden" (329-30) erklärt Sophie, und singt für den Fürsten, "weil man glaubt, der Proceß meines Oncles gewinne dabey;" hernach muß sie mit ihm "spatzieren gehen, und ihn von Liebe reden hören" (I, 331). Ohne daß Sophie selbst daraus irgendeinen Gewinn zieht, wird sie immer tiefer in den Marktmechanismus verwickelt, in dem nicht nur ihre Person zur Ware wird, sondern Liebe und Liebesbeweise ebenfalls auf eine materielle Basis gestellt werden. Der Fürst selbst rät ihr, den Mann zu nehmen, "der Sie am meisten liebt; und ihnen seine Liebe am besten beweisen kann" (I, 332-33).

Deshalb trachtet der Fürst, seine Liebe zu Sophie durch diverse Veranstaltungen zu demonstrieren: "die Comödie eilt zum Schlusse, weil die Leidenschaft des Fürsten so heftig wird, daß man die Anstalten zu ihrer Verwicklung eifriger betreibt, und Feste über Feste veranstaltet" (I, 319). Bei einem Maskenball zahlt der Fürst für Sophies Kleidung und Schmuck: "zween Tage vor dem Bal war dem Hof und der Stadt bekannt, daß der Fürst dem Fräulein die Kleidung und den Schmuck gäbe, und auch selbst ihre Farben tragen werde" (I, 338). Tatsächlich erscheint Sophie mit dem "Schmuck, welchen der Hofjuwelier" für sie besorgt hat (II, 3), worauf alle schließen, "daß sie sich aufgeopfert habe; sie hätte schon vorher Gnaden von ihm [dem Fürsten] erbeten, und alles erhalten, was sie verlangt habe" (II, 2). Der Anschein von Käuflichkeit wird mit ihrem Identitätsverlust durch die Maske erhärtet, die ihr Gesicht verbirgt und die Aufmerksamkeit der Beschauer auf Schmuck, Kleidung und Körper, kurz auf die Symbole ihrer Käuflichkeit lenkt. Lord Derby erläutert, "daß unser Gesicht, und das was man Physionomie nennt, ganz eigentlich der Ausdruck unsrer Seele ist;" "ohne Masque war meine Sternheim allezeit das Bild der sittlichen Schönheit, indem ihre Miene und der Blick ihrer Augen, eine Hoheit und Reinigkeit der Seele über ihre ganze Person auszugießen schien." Durch die Maske, welche ihr halbes Gesicht bedeckt, wird "ihre Seele gleichsam unsichtbar gemacht; sie verlohr dadurch die sittliche charakteristische Züge ihrer Annehmlichkeiten, und sank zu der allgemeinen Idee eines *Mädchens* herab" (I, 340). Dieses Herabsinken zur "allgemeinen Idee" ist der höchstmöglichste Identitätsverlust, die vollkommene Abstraktion des Individuums zum bloßen Begriff—und den negativen Konnex des

Begriffs "Mädchen" macht Derby etwas später klar: "mit allen ihren stralenden Vollkommenheiten ist sie doch—nur ein Mädchen" (I, 354). Daß Sophie durch das Tauschgeschäft (Gnadenbezeugungen des Fürsten, Schmuck, Kleidung als Gegengabe für ihre Gunst) das Recht auf ihre Person verwirkt hat, zeigt sich sofort in den Handlungen des Fürsten. Vor den Augen aller, die wissen, "daß sie ihren ganzen Anzug vom Fürsten erhalten, ihm zu Ehren gesungen hatte, und schon lange von ihm geliebt wurde," vor denen sie also "als würkliche Maitresse" erschien (I, 340-41), drängt er sich ihr mit unsanfter Gewalt auf.

Als Sophie erfährt, daß ihre Kleidung und der Schmuck ein Geschenk des Fürsten sind, entledigt sie sich mit zitternden Händen ihrer Maske und zerreißt ihren Halskragen und ihre Manschetten (I, 342-43). Auch den Schmuck reißt sie herab und nennt sich ein "Opfer der verhaßten Leidenschaft des Fürsten" (I, 342), spricht von ihrer "Erniedrigung" und der ihres "guten Namens" (I, 343). Die Reaktion der Gesellschaft ist zweifach: einige "hielten es für eine schöne Comödie, und waren begierig, wie weit sie die Rolle treiben würde" (I, 347). Hier wird deutlich, daß von vielen angenommen wurde, Sophie habe sich gemäß den Spielregeln der Scheinwelt von Theater und Kasino benommen. Daß sie sich möglicherweise darin irren könnten, kommt ihnen absurd und deshalb abwegig vor. In diesem Sinne ist Laroches subtile Ironie gegenüber ihrer Heldin nicht zu übersehen. Die andere Gruppe von Zuschauern durchbricht die "Komödie" mit Bemerkungen über die realen Begebenheiten des Hoflebens: schließlich hätte Sophie wissen sollen, daß sie nicht die erste Liebe des Fürsten sei; man nimmt es ihr übel, für die Verteidigung ihrer Ehre "die ganze Welt zu Zeugen" genommen zu haben (I, 347). Dieser Ansicht stimmt Wieland in einer Fußnote bei. Ihm ist die Wahrung des Anstands und des Scheins das wichtigste Element in dieser Konfrontation. So finden in den beiden Gruppen also auch die Gegensätze von Schein und Wirklichkeit, Theaterspiel und Realität ihren Ausdruck. Ironischerweise, und von Laroche zweifellos unbeabsichtigt, erweist sich durch Wielands Kommentar der Vertreter des Tugendmoralsystems gleichzeitig als Vertreter der Scheinmoral. Damit werden die regressiven Prinzipien auch durch Wielands kritische Bemerkung in ihrem Wirklichkeitsanspruch relativiert.

Am Höhepunkt des Skandals hat keine der handelnden Personen in diesem Konkurrenzkampf der Prinzipien definitiv gewonnen: der Fürst hat Sophies Opposition nicht überwunden. Aber Sophie hat trotz ihrer Tugend ihre Ehre verloren und damit ist sie ihrer moralischen Existenzbasis beraubt. Während der Fürst durch das Intermezzo persönlich unberührt bleibt—also das Prinzip der Marktmoral zeitweilige Rückschläge leicht verschmerzt—hat die Heldin außer ihrer Tugend auch ihre Identität eingebüßt: "bin ich nicht wie ein junger Baum, der in seiner vollen Blüthe durch Schläge eines unglücklichen Schicksals seiner Crone und seines Stammes beraubt wurde?" fragt sie (II, 159). Es ist dies ein Hinweis auf den Verlust ihrer Ehre (Krone) und ihres Namens (Stamm). Der Verteidigung unfähig, erleidet sie einen Nervenzusammenbruch.

Mit dem dramatischen Höhepunkt, der in der Hofkomödie bildlich die beiden konkurrierenden zeitgenössischen Lebensphilosophien der Tugend- und Marktmoral gegenüberstellt, verdeutlicht Laroche ihre eigene politische Sicht und ihre didaktische Absicht. Der Adel als Institution wird hier keineswegs angeklagt. Vielmehr ist er Repräsentant einer gesellschaftlich anpassungs- und wandlungsfähigen Schicht, die progressiv die neuen marktmechanischen Mittel zur individuellen Selbstentfaltung und Persönlichkeitsentwicklung zu verwerten weiß. Die Tugendmoral, als eine regressive, gewissen Angehörigen des Bürgertums und des niederen Adels noch anhaftende Philosophie, verliert durch die ihr inhärente Selbstnegation ihre Widerstandskraft und Behauptungsfähigkeit in der Realität des Existenzkampfes. Die weitere Entwicklung der Handlung zeigt dies. Sophie hat von ihrer Teilnahme an der paradigmatischen Hofkomödie nichts gelernt. Gemäß ihrem Erziehungsdiktum hat sie sowohl die Scheinehe[23] wie die indirekte "Bezahlung" für ihre Gunst kategorisch abgelehnt. Indem sie aber einen Ausweg aus ihrem Dilemma sucht und diesen in einer Flucht in die Ehe sieht, wiederholt sich die "Komödie." Spielte sich diese aber zuerst in einer Theateratmosphäre ab, so wird nunmehr die Handlung zur tragischen Realität: ihre Heirat mit Lord Derby entpuppt sich als illegaler Scherz, den er als "Bestrafung ihrer Thorheiten" (I, 360) bezeichnet. Was Sophie für Wirklichkeit hält, nämlich die Ehe als Hafen und Schutz für die Frau, stellt sich als Schein heraus. Der Schmuck und das im Spiel gewonnene Geld des Fürsten, in der Hofkomödie eine indirekte Bezahlung, werden zum realen "Wechselbrief von sechshundert Carolinen" (II, 50), den ihr Lord Derby für ihre Dienste als "Gattin" schickt. In der Umkehrung von Schein und Wirklichkeit wird Laroches ironische Haltung ihrer Protagonistin gegenüber deutlich. Gleichzeitig bedingt die formale Dialektik die Infragestellung der Werte von Sophies Tugendmoral: indem Laroche sie scheinbar ernst nimmt, ihre Funktionsfähigkeit aber in der Realitätserprobung ironisch zerstört,[24] wird jene Moral als ethisch-philosophisches Lebensprinzip in ihren Grundbedingungen aufgehoben. Ihre Heirat mit Lord Seymour ist die logische Folge ihrer Lebenssicht und keineswegs als sentimentaler Abschluß eines erfolgreichen Lebensprogramms zu sehen. Vielmehr bestätigt sie die ironische Maxime des Romans. Mit Sophies scheinbar erreichtem Wunschziel, mit ihrer sozialen Wiederintegration und einer bedingten Selbstverwirklichung als Frau, ist sie nach unsäglichen Qualen persönlich um keinen Schritt weiter gelangt als zurück zum Anfang der Geschichte. Indem sie Seymours Frau wird, dessen Lebensperspektive die nämliche regressive Tendenz zeigt wie ihre eigene, wird ihr Schicksal in eine kreisförmige Bahn gelenkt. Alle jene von Sophie in vereinzelten Reflexionsmomenten als repressiv erkannten sozialen Gepflogenheiten, mit deren Verdeutlichung Laroche ihre Sozialkritik übt, finden demnach erneut Gewalt über ihr weiteres Schicksal. Sie bleibt ein Spielball jener inneren und äußeren Mächte, die selbst zu bezwingen sie nicht die Kraft aufbringt und wird Mitglied eines regressiven Systems, dessen Zerfall bereits Mitte des 18. Jahrhunderts nicht mehr aufzuhalten war.

Zusammenfassend läßt sich folgendes über *Die Geschichte des Fräuleins von Sternheim* sagen. Der Roman setzt die aus einer Mesalliance hervorgegangene (halb bürgerliche, halb adlige) Heldin in eine Konfliktsituation, die dem Einfluß der alten feudalistischen und der neuen kapitalistisch-ökonomischen Strömungen auf die Gesellschaft entspringt. In diesem Machtkampf zweier Prinzipien erkennt Laroche dem alten Adel die Fähigkeit und die Tendenz zu, sich den neuen ökonomischen Bedingungen (Geld-, Markt-, Warenverkehr) regenerativ anzupassen. Für Sophie besteht ebenfalls die Möglichkeit, veraltete, das Individuum behindernde Grundsätze abzustreifen, und sich dem Modus der Zukunft einzugliedern. Sophie glaubt aber die Legitimation ihrer Persönlichkeit in einer quasiadligen Lebensgestaltung erstreben zu müssen. Laroche weist hiermit auf die Tendenz des Bürgertums hin, sich bei seinem gesellschaftlichen Aufstieg die Gewohnheiten und Prinzipien des feudalistischen Systems anzueignen, um damit die Spuren der niederen Geburt zu übertünchen. Bei der Heldin zeigt sich die regressive Tendenz im Festhalten an tugend- und schutzmoralischen Glaubenssätzen, an ihrem Streben, sich durch Heirat in ein gesichertes Milieu zu begeben, in ihrer Weigerung, selbstständig für Glück und Wohl zu sorgen, und in ihrer Unfähigkeit, sich den wechselnden Anforderungen anzupassen, die die politisch-ökonomische Umwälzung vom Individuum fordert. Sie mißversteht vollends die den Einzelnen manipulierenden gesellschaftlichen Kräfte und mißinterpretiert ihre Funktion innerhalb der Gesellschaft. Das Resultat ist ihre totale Demütigung. Ihre Lernunfähigkeit wird formal dialektisch, inhaltlich ironisch durch das Erreichen eines apriori als gesellschaftlich regressiv dargestellten Wunschziels ausgedrückt.

Das didaktische Element des Romans zeigt sich in Laroches Entlarvung des Tugendmoralsystems als Hindernis für die Selbstverwirklichung und Persönlichkeitsentfaltung der Frau. Anhand einer Gegenüberstellung von Ideal und Wirklichkeit entfaltet sich nicht nur das Bild einer sozialen Konkurrenz, sondern auch ein individueller Konflikt zwischen den Geschlechtern. Für diesen Existenzkampf zeigt sich der Mann aufgrund seiner Erziehung ungleich besser vorbereitet und gewappnet. Weit davon entfernt, in Sophie einen "Frauenspiegel" für ihre Zeitgenossinnen darzustellen, zeichnet Laroche ihre Protagonistin als warnendes Beispiel für jene, die sich von den Prämissen einer dekadenten Schutzmoral dazu verleiten lassen, eigenständiges Streben nach Selbstverwirklichung zugunsten einer illusorischen kollektiven Persönlichkeitsentfaltung aufzugeben. Metaphorik und Symbolik unterstützen Laroches Sondierung einer sich im ökonomischen Wandel befindlichen Epoche, die mit einer dem Marktmechanismus zugewandten Feudalgesellschaft eine Verbürgerlichung des Adels, mit der am Tugendmoral- und Schutzsystem festhaltenden Mittelklasse eine Veradelichung des Bürgertums darstellt. In Bildlichkeit und Tendenz kann der Roman als Vorläufer für Goethes Prosawerk gesehen werden,[25] inhaltlich mag Vieles auf die eigene und Familienproblematik Laroches hinweisen.[26]

Sophie Mereau, Anonyme Zeichnung; Archiv Preußischer Kulturbesitz, Berlin.

# 3

# Saat und Ernte. Sophie Mereaus Forderung geschlechtlicher Gleichberechtigung

DIE FOLGENDE GENERATION der moralisch und ökonomisch Aufgeklärten zeigt entschieden wenig Neigung, der Apologie für die Frau zuzustimmen, die sich in der ihr vorgeschriebenen Rolle beengt fühlt. Vielmehr wird eine zunehmende Irritation mit dem langsamen Fortschritt der Verbesserung ihres sozialen Zustands deutlich. Zu jenen Frauen, die sich literarisch damit auseinandersetzten, gehört Sophie Mereau mit ihrer relativ kurzen aber produktiven dichterischen Laufbahn. Am 28. März 1770 geboren, veröffentlichte sie ihre ersten Gedichte ab 1791 unter Schillers Förderung und Anweisung,[1] und starb bereits am 31. Oktober 1806 als Clemens Brentanos Frau im 5. Kindbett. In der kurzen Zeitspanne von ca. 15 Jahren leistete sie in rastloser Tätigkeit fast Unmögliches und hinterließ ein Werk, dessen Umfang bis heute noch nicht ganz bekannt ist.[2] Mehrere Gründe sind hierfür verantwortlich. Zunächst sind die meisten ihrer Werke, die schon zu ihren Lebzeiten in sehr mäßiger Auflage erschienen, heute kaum mehr zugänglich.[3] Zweitens war es für Mereau, deren Ruf bereits durch die Scheidung von ihrem ersten Gatten, dem Juraprofessor Friedrich Ernst Carl Mereau,[4] geschädigt war, eine zwiespältige Ehre, durch eigene Veröffentlichungen im gesellschaftlichen Gesprächsmittelpunkt zu bleiben.[5] Noch war die künstlerische Tätigkeit der Frau nicht voll akzeptabel; 1801 berichtet Knebel an Herders Frau von der Ehescheidung Mereaus mit den Worten: "Das sind die poetischen Weiber!" und noch in unserem Jahrhundert findet ihr Biograph Daniel Jacoby am lobenswertesten, daß sie "nie, und das rühmte Herder an ihr, über die Grenzen ihres Geschlechts" hinaustrat.[6] Mereau unterließ es daher oft, ihre Gedichte zu unterzeichnen und blieb auch als Redakteurin im Hintergrund.[7] Diese Situation wurde nach ihrer Heirat mit Brentano noch verschärft, denn dessen Liebe zu ihr war gepaart mit einer fast krankhaft zu nennenden Eifersucht und Besitzsucht, die ihr, angeblich um sie zu schützen, die Nennung ihres Namens unter ihren Arbeiten zu verwehren suchte. Bei der Herausgabe der *Fiametta* hatte Brentano Sophie so weit gebracht, daß sie einwilligte, das Buch unter Achim von Arnims Namen herausgeben zu lassen. Arnim schrieb aber an Clemens: "Ueberlege noch einmal mit kaltem Geblüt, welcher Name vorstehen soll. Ich bin noch immer zu allem bereit, aber auch Reimer [der Verleger] meinte, der Name Deiner Frau würde besser thun oder der Deine. Das merkwürdigste dabei ist immer unsre Vormundschaft über das arme Kind."[8] Die *Fiametta* erschien schließlich unter Sophies Namen. Dagegen wird bis heute in den Bibliographien Clemens Brentano als Verfasser der *Spanischen und Italienischen Novellen* bezeichnet, nachdem Steig ihn als solchen gerechtfertigt hatte: "Auf dem Titel des Buches steht zwar, die Novellen seien 'herausgegeben' von Sophie Brentano. [. . .] Die eigentliche Arbeit aber hat Clemens Brentano gethan, dessen Kunst sich auch in den prächtigen Gedichten zeigt, die der Novelle vom gewarnten Betrogenen, der ersten des zweiten Bandes, eingefügt sind" (Steig I, 158). In einer Fußnote bekennt Steig zwar, daß ihm, "als ich das Obige schrieb, nur der zweite Theil zugänglich" war (I, 356), daß er aber "mit Sicherheit sagen" könne, daß Sophie bloß ihren Namen unter das Werk gesetzt hätte. Gegen Steigs Annahme spricht aber vor allem Sophies Brief an Clemens, der Steig damals unbekannt gewesen sein mag.[9] Sie schreibt am 21. September 1803 an Clemens: "Ich habe dem Buchhändler Dienemann in Penig, der etwas von mir verlegen wollte, spanische und italienische Novellen angeboten, die ich herausgeben wollte. Er hat es angenommen und zahlt 1 Louisdor für den Bogen. Gieb Dir nun Mühe, Lieber, mir etwas italienisches zu verschafen, daß ich übersetzen und dazu benutzen kann; das erste Bändchen kömmt zu Ostern, und das ganze kann mehrere Jahre fortdauern."[10] Steig führt außer seiner Intuition keinerlei stichhaltige Gründe für seine Annahme an und ist von Amelung auch anderweitig bei Verzerrungen der Tatsachen ertappt worden.[11] Damit hat auch die Forschung das Verdienst der Dichterin nicht gebührend gewürdigt.

Daß sich Mereau trotz allseitiger Behinderung durchzusetzen wußte, liegt an ihrer durch nichts zu entmutigenden Zielstrebigkeit. Einige Monate nach ihrer Scheidung von Mereau schreibt sie an Clemens: "Das Ziel der Ausführung ist gesteckt; ich weis daß ich dabei mein Leben wage, aber ist es zu viel, wenn man um zu leben, ein Leben wagt, daß ohne dem kein Leben ist?" (BM I, 17). Ihre Freude über das Lob, welches Georg Friedrich Creuzer ihrer spanischen Erzählung "Rückkehr des Don Fernand de Lara in sein Vaterland"[12] entgegenbrachte, geht aus Sophies Bericht an Clemens vom 12. September 1804 hervor: "Die Erzählung ist zu Ende, ich habe sie Kreuzer vorgeleßen, und sie schien ihm sehr zu gefallen. Er sagte, er sei sehr überrascht, sie so sehr schön zu finden, er habe das nicht erwartet" (BM II, 125). Clemens dagegen sagte Sophies Erfolg nicht zu. Kleinlich wirkt sein Vorwurf, daß ihr "auf Erden noch Nichts gelungen ist, keine Liebe, keine Freundschaft, keine Mütterlichkeit, keine Kunst, keine Andacht" (BM I, 150) und hart, wenn man bedenkt, daß ihr neben der gescheiterten Ehe das Unglück zuteil wurde, in den Jahren 1800, 1804, 1805 und 1806 vier ihrer fünf Kinder zu verlieren. Es ist kaum verwunderlich, wenn sie ihm schreibt, "Du hast keinen Sinn für Schonung und für Schicklichkeit. Du kannst Dinge aussprechen, die das innerste Wesen des andern zerreißen" (BM I, 164). Sophies eigener Schaffensdrang war bereits vor ihrer Ehe mit Brentano ein problematischer Bereich für die beiden Verliebten. Wenngleich sie einander deswegen verspotteten, taucht das Thema dennoch immer wieder in den Briefen auf. Am 10. Januar 1803 schreibt Clemens zum Beispiel:

> Es ist für ein Weib sehr gefährlich zu dichten, noch gefährlicher einen Musenallmanach herauszugeben, unter mehreren *Dissertationen* die ich auf dem Tapete habe wäre dies eine, die Sie besonders intereßiren könnte, die andern würden davon handlen, inwiefern kann ein Weib ein Kaffeehauß ohne ihrer Ehre zu schaden, halten oder frequentiren, inwiefern sind weibliche Bediente auf Akademien zur Bildung der Studenten nothwendig, inwiefern darf ein gesittetes Weib Kutschieren, reiten, etc. (BM I, 45-46).

Die scherzhafte Gestaltung verbarg den ernsthaften Kern. Einige Monate später greift er das Thema wieder auf, diesmal mit der innigen Bitte: "Gelt liebes Kind Du reitest nicht mehr, Du schminkst Dich nie wieder, mich lieben, mich beglücken, das soll Deine einzige Lust sein" (BM II, 209).[13] Sophies schnippische Antwort auf Clemens' Spott blieb nicht aus: "Was Sie mir über die weiblichen Schriftsteller, und ins besondre, über meine geringen Versuche, sagen, hat mich recht ergriffen, ja erbaut" schreibt sie ihm am 20. Januar 1803.

> Gewis ziemt es sich eigentlich gar nicht für unser Geschlecht und nur die außerordentliche Grosmuth der Männer hat diesen Unfug so lange gelaßen zusehen können. Ich würde recht zittern wegen einiger Arbeiten, die leider! schon unter der Preße sind, wenn ich nicht in dem Gedanken an ihre Unbedeutsamkeit und Unschädlichkeit einigen Trost fände. Aber für die Zukunft werde ich wenigstens mit Versemachen meine Zeit nicht mehr verschwenden, und wenn ich mich ja genöthigt sehen sollte, zu schreiben, nur gute moralische, oder Kochbücher zu verfertigen suchen. Und wer weis, ob Ihr gelehrtes Werk, auf deßen Erscheinung Sie mich gütigst aufmerksam gemacht haben, mich nicht ganz und gar bestimmt, die Feder auf immer mit der Nadel zu vertauschen (BM I, 62-63).

Doch Sophie verfolgte ihre schriftstellerische Tätigkeit nicht nur aus Eigensinn, sondern aus echter Freude daran. Überdies war es für sie die einzige Möglichkeit des Gelderwerbs. Diese Tätigkeit, wie überhaupt ihre persönliche Freiheit, suchte Clemens auf jede Art zu beschränken: "Ich bitte Dich," schreibt er kurz vor ihrer Heirat, "trenne Dich immer mehr von der großen Welt trenne Dich von den Freunden, die Dein Vertrauen, mit dem Hofe theilen" (BM II, 7). Sicherlich war dieser Charakterzug Brentanos mit ein Grund, warum Sophie so lange zögerte, bis sie ihn heiratete. Noch im September 1804 schreibt sie: "Es ist wahr, ein Gefühl ist in mir, ein einziges, welches nicht Dein gehört. Es ist das Gefühl der Freiheit. Was es ist, weis ich nicht, es ist mir angebohren, und Du verletzest es zuweilen. Vertheidigen kann ich es nicht, denn wer sich vertheidigen muß, ist nicht frei; betrügen kann ich nicht, denn Betrug ist Zwang, kannst

Du es also mehr schonen, wie bisher, so bin ich zufriedner" (BM II, 127-28).

Durch ihre Arbeit verdiente sie genügend Geld, um sich und ihre Tochter Hulda (aus der Ehe mit Mereau) unabhängig zu erhalten.[14] In seinem Drängen, ihn zu heiraten, meint Brentano zwar: "es wird Dir dadurch der Vortheil entstehen, daß Du nicht mehr ängstlich ums Brot arbeiten darfst" (BM II, 15), aber bei der brieflichen Auseinandersetzung ihrer Finanzen wird es deutlich, daß Sophies Position nicht ungünstig war. Im September 1803 schreibt sie, daß ihr "in diesem halben Jahr meine Arbeiten über 700 Rthlr. einbringen" (BM I, 169; nochmals II, 39) und daß sie von Mereau "eine jährliche Einnahme von 200 Rthlr." habe, "bis ich wieder heurathen würde" (BM II, 40). Clemens schreibt dagegen, "daß die Intreßen meines Kapitals ohngefähr 1200 Reichsthaler jährlich betragen, die ich gern und freudig mit Dir theilen will" (BM II, 55). Diesen Vorschlag unterstützt er mit der Erwägung, daß es für Sophie aus gesellschaftlichen Gründen vorteilhaft sein würde, ihn zu heiraten: "Ich sage Dir, ich kann nicht ohne Dich leben, ich kann nicht leben, als mit Dir im engsten häuslichen Verein, Du verlierst 200 Th. durch Deine Verehlichung, [...] Du weißt vielleicht nicht, daß der Ruf einer Frau, der Ruf einer Mutter mehr als 200 Th. wert ist" (BM II, 66). Was aber Clemens' Beredsamkeit nicht vermochte, bewirkte das Geschick. Als Sophie schwanger wurde, willigte sie in die Heirat ein. In den drei Ehejahren mit Clemens, die für sie "Himmel und Hölle" waren, "aber die Hölle sei vorherrschend,"[15] gebar sie drei Kinder, die alle kurz nach der Geburt starben. Durch die dauernde Schwangerschaft wurde auch Brentanos Wunsch erfüllt, daß sie in größerer Zurückgezogenheit leben möge. Goedeke summiert: "Wiewohl noch immerfort als Schriftstellerin thätig, sah sie doch ihre höhere Pflicht darin, die Arbeitspläne ihres Gatten zu fördern. In diesem Sinne hat sie auf die schönsten Dichtungen Brentanos, besonders auf den ersten Band des Wunderhorns, wohlthätig eingewirkt. Er hat ihr Bild in seinen Werken gezeichnet."[16] Es ist eine überhebliche und unrichtige Beurteilung von Sophies Existenz. Im folgenden sollen zwei Bereiche von Sophie Mereaus schriftstellerischer Tätigkeit eingehender besprochen werden. Der erste Abschnitt wird sich mit ihrer Lyrik beschäftigen und ihrer literarischen Beeinflussung und zeitgenössischen Wirkung nachgehen während der zweite Teil Umfang, Tendenz und Vielfalt ihrer Prosaschriften behandeln soll.

Die erste bedeutende dichterische Förderung erhielt die erst Einundzwanzigjährige durch Schillers Bemühungen um ihr Talent, der ihr Gedicht "Die Zukunft" im dritten Band seiner *Thalia* veröffentlichte.[17] Es ist leicht zu ersehen, warum Schiller an den frühen Gedichten Sophies Gefallen fand: sie sind in ihrem elegischen Charakter, im Pathos und in der Versgestaltung jenen Schillers so ähnlich, daß sein Einfluß offensichtlich ist. Das Gedicht "Die Zukunft" zeigt überdies mit Schillers "Resignation"[18] inhaltlich einige Übereinstimmungen, wenngleich die gedankliche Auseinandersetzung mit der Thematik eines Lebens nach dem Tode zu entgegengesetzten Resultaten kommt.[19] Schillers Gedicht verneint den Glauben an eine solche außerirdische Existenz als Trugbild,[20] während Mereau diese religiös verankerte Glaubenstradition bejaht: "Nein, vergebens webte nicht sein Wille / In mein Wesen diese Sehnsucht ein. / Dieses Herzens nie gestilltes Sehnen / Muß ein Bürge der Erfüllung seyn." Sophies intelligente Antwort auf seine herausfordernde Anprangerung religiöser Dogmatik mag Schillers Interesse an dem Gedicht bewirkt haben.

Die Geistesverwandtschaft, die Schiller in Mereaus Arbeiten feststellte, ist am deutlichsten in seinem Brief an sie vom 18. Juni 1795 ersichtlich: "Mit vielem Vergnügen las ich Ihre Gedichte," schreibt Schiller.

> Ich entdeckte darinn denselben Geist der Contemplation, der allem aufgedrückt ist, was Sie dichten. Ihre Phantasie liebt zu symbolisieren und alles was sich ihr darstellt, als einen Ausdruck von Ideen zu behandeln. Es ist dieß überhaupt der herrschende Charakterzug des *deutschen* poetischen Geistes, wovon uns Klopstok das erste und auffallendste Muster gegeben, und dem wir alle, der eine weniger der andre mehr, nicht sowohl nachahmen als durch unsre nordisch-philosophierende Natur gedrungen folgen.[21]

Die Briefe Schillers an Sophie Mereau, in denen er positive Kritik an ihrem Werk übt und gleichzeitig Vorschläge für Verbesserungen liefert, wurden bereits 1808 in Ludwig Achim von Arnims *Zeitung für Einsiedler* unter dem Titel "Auszüge aus Briefen Schiller's an eine junge Dichterin" unter Weglassung von Namen und spezifischen Details gedruckt.[22] Arnim veröffentlicht sie, um "ein belehrendes Beyspiel zu geben, was Critik seyn kann, wenn sie ein frommes Geheimniß zwischen zween, keine feile Oeffentlichkeit ist" (149). Tatsächlich zeigt Schillers Kommentar ein tiefes Interesse an Sophies Fortschritten. "Ich habe mir die Freyheit eines Redacteur genommen und in Ihren Gedichten einiges angestrichen, wogegen ein strenger Aristarch etwas einwenden möchte. Sie finden vielleicht Zeit und Lust, diese Kleinigkeiten zu ändern. *Schwarzburg* hat vorzüglich meinen Beyfall. Nur finde ich dieses Gedicht um ein merkliches zu lang: es übersteigt beynah um 1 Drittheil die Grenze, welche der Ton der Empfindung und die Natur der Sache dergleichen Schilderungen setzt," fährt er im selben Brief fort (36/I: 199). Schließlich berührt er scharfsinnig jenen Punkt, der aus der Retrospektive die frühen Arbeiten Mereaus vom späteren lyrischen Werk trennen: "Allen den jetzt überschickten Gedichten haben Sie einen Geist der Melancholie aufgedrückt. Nun wünschte ich auch einige zu lesen, die eine fröliche Stimmung und einen Geist der Lustigkeit athmen" (36/I: 200). Das elegische Pathos, in eine gesucht klassische Form gegossen, ist bei Mereau ein Versuch der Anpassung an das gängige Kunst- und Schönheitsideal der zeitgenössischen Dichtung, und entspricht nicht ihrem eigentlichen Wesen und ihrer Lebenssicht. Aus diesem Grunde erscheinen ihre Gedichte aus dieser Zeit unwahr und gekünstelt, wenngleich sie allgemein gelobt und höchst populär waren. In ihrer Antwort an Schiller zeigt sich auch ihr eigenes Erstaunen über ihre erfolglose Suche nach einem Gedicht, "das, wie Sie es wünschten, einer frohen Laune seine Entstehung zu verdancken hätte; aber ich fand keines, das nicht höchst unbedeutend geweßen wäre. Dies Phänomen, das mir bis jezt nicht aufgefallen war, befremdete mich allerdings, da ich fern davon bin, mich unter die Claße derer zählen zu wollen, die ihr ganzes Leben durch, mit wircklichen oder erträumten Uebeln zu kämpfen haben. [. . .] eine heitre, ruhige Stimung ist mir natürlich" (36/I: 242). Die veränderten und nach Schillers Wunsch verbesserten Gedichte legt sie nochmals zur Begutachtung bei, bloß "Schwarzburg" ließ sie im wesentlichen unverändert:

> Gern hätte ich, Ihrem Urtheil gemäß, *Schwarzburg* um ein Drittheil verkürzt, wenn es mir nur möglich geweßen wäre!—aber ich fühlte, daß ich nicht Scharfsinn genug besaß, um gerade das herauszufinden, was füglich wegbleiben konnte, um so mehr, da mein Urtheil, durch die Vorliebe für dies Gedicht, weil es mir als ein Denkmal einiger meiner süßesten Stunden erscheint, schon im voraus bestochen war. Wenn ich weglaßen wollte, was konnte stehen bleiben?—Genug, es stellt sich, mit Ausnahme eines einzigen Verses, Ihnen, wieder in seiner *ganzen Länge* dar (36/I: 241-42).

Schiller antwortete noch am selben Tag (den 11. Juli 1795): "Die Mühe, welche Sie auf Verbeßerung Ihrer Gedichte verwendet haben, ist durch einen sehr glücklichen Erfolg belohnt. Klarheit Leichtigkeit und (was bey Produkten der weiblichen Muse ein so seltnes Verdienst ist) Correctheit zeichnen solche sehr vorzüglich aus, und ich darf Ihnen ohne alle Schmeicheley im Voraus versichern, daß sie in dem Almanach hervorstechen werden."[23] Über "Schwarzburg," das noch im 9. Stück der *Horen* (1795) erschien, meinte er, Sophies Vorliebe für das Gedicht sei "vollkommen gerecht." Er hätte nicht gemeint, Sophie solle "eine Auswahl unter den einzelnen Stanzen" treffen, "sondern aus Einem Gedicht deren 2" machen, "weil ich zwey verschiedene Töne der Empfindung darinn zu bemerken glaubte, und mir gegen die Einheit des Geistes gefehlt schien. Nach einem zweyten Lesen fällt mir aber dieser Umstand weit weniger auf, und so wie es ist bin ich jetzt auch vollkommen damit zufrieden" (28: 9-10). Vermutlich hatte sich Schiller beim ersten Lesen an den Gegensätzen gestoßen, die aber für den Aufbau verantwortlich und für den Sinn funktionsbedingt sind. Das Naturbild wird als Inbegriff der Harmonie aufgefaßt, "Und nur der Mensch von aussen und von innen, / Bestürmt, geengt, wünscht mit entflammten Sinnen, / Was ihn aus deinem stillen Kreise zieht."[24] Die eigentliche Aussage das Gedichts ist aber; daß diese Harmonie in der Natur durch einen steten Wechsel und durch den Ausgleich der in der Natur ebenfalls enthaltenen Gegensätze bewirkt wird. Bereits zu Anfang des Gedichts wird darauf hinwiesen: "O du Natur! Wie strebt in deinem Reiche, / Voll ew'ger Harmonie der Grashalm und die Eiche, / In ihrer Kraft mit gleichem Recht empor" (1001). Die Idee der gleichen Lebensberechtigung für physisch ungleiche Lebewesen, die Mereau später im Aufsatz über Ninon de L'Enclos emanzipatorisch auf die sexuelle Gleichberechtigung von Mann und Frau ausweitet, wird schon in jenem Bild dargestellt. Indem der Gang des Wanderers verfolgt wird, dem sich stets neue Naturbilder öffnen, wird das Gegensätzliche in der Natur im Wechsel verdeutlicht: "grünen Hügeln" folgen "schroffe Felsenwände," dem Gewölk folgt Sonnenschein, Tag folgt Nacht, usw. "Und Fels und Hayn tönt vom Gesange wieder. / Der lieblich durch die zarten Zweige hallt. / Dicht nebenan, gehüllt in finstre Trauer, / Stürzt, leis durchweht vom kühlen Abendschauer, / Ein Fichtenwald den steilen Berg hinab" (1003). Die menschliche Stimmung, das himmelhoch jauchzende, dann wieder zu Tode betrübte Gemüt, wird dem Naturbild verglichen. Das Wort "Hinauf!" leitet erstere Stimmung ein: "Hinauf! dort wo der jungen Sonne Stralen / Mit Himmelsglanz des Vogels Schwingen mahlen, / Erwacht die Phantasie mit neuem Schwung. / Wir steigen fröhlich durch bethaute Matten / Den Tannenwald hinan, wo Sonnenlicht mit Schatten / Zusammenschmilzt in süße Dämmerung" (1006). Die *coincidentia oppositorum* von Sonnenlicht und Schatten in Dämmerung wird durch das Verbum "zusammenschmelzen" besiegelt. Noch einen Schritt weiter geht die letzte Strophe, die mit dem Antonym des Anfangsworts obiger Strophe beginnt: "Hinab! Ich will mir selbst die Banden kürzen, / In diesen Himmel mich hinab zu stürzen, / In dieser Glut zu sterben, Götterglück! / Ich seh die leichten Schranken niederfallen, / Mich aufgelößt im reinen Aether wallen / Und Gottheit liegt in diesem Augenblick!" (1006). Das Oxymoron des sich in den "Himmel hinab"-Stürzens, die Idee des physischen Sich-Auflösens komplementiert gesteigert den Zusammenfall der Gegensätze im Naturbild der vorhergehenden Strophe. Göttlich ist der Mensch im Aufgehen in der Natur, im Nach- und Mitempfinden mit der Umwelt, das die Vereinigung von Natur und Mensch in Harmonie bewirkt. Die Analogie zwischen Natur und Mensch erklärt, daß der Mensch, so innerlich zerrissen er auch sein mag, der Natur durchaus ähnlich ist; und daß ohne diese Gegensätze eine Harmonie überhaupt undenkbar wird. In ihrer Philosophie erinnert diese Idee an Mephistopheles' Erklärung im *Faust;* "Ich bin ein Teil des Teils, der anfangs alles war, / Ein Teil der Finsternis, die sich das Licht gebar" (Z. 1349-50). Indem Mereau von der Prämisse ausgeht, daß die im Menschen offenbaren Gegensätzlichkeiten einen "natürlichen" Bestandteil seines Wesens darstellen, widerspricht sie wieder Schillers eigenen Ansichten, der im Widersprüchlichen und in der Disharmonie eher etwas Degeneriertes als etwas Natürliches zu sehen pflegte. Ihre Gegenposition ist aber so wohlüberlegt und durchdacht, so rational dargelegt und formal so logisch gegliedert, daß Schiller mit seiner Bewunderung nicht zurückhielt. Er fuhr fort, ihre Arbeiten in seinen Journalen zu drucken und schrieb 1797 sogar folgende Zeilen an Goethe, die heute vielleicht als zweifelhaftes Lob erscheinen, im Kontext des damaligen Fortschritts weiblicher Emanzipation aber durchaus positiv zu werten sind:

> Für die Horen hat mir unsere Dichterin Mereau jetzt ein sehr angenehmes Geschenk gemacht, und das mich wirklich überraschte. Es ist der Anfang eines Romans in Briefen ["Briefe von Amanda und Eduard"], die mit weit mehr Klarheit Leichtigkeit und Simplicität geschrieben sind, als ich je von ihr erwartet hätte. Sie

fängt darinn an, sich von Fehlern frey zu machen, die ich an ihr für ganz unheilbar hielt, und wenn sie auf diesem guten Wege weiter fortgeht, so erleben wir noch was an ihr. Ich muß mich doch wirklich drüber wundern, wie unsere Weiber jetzt, auf bloß dilettantischem Wege, eine gewiße Schreibgeschicklichkeit sich zu verschaffen wißen, die der Kunst nahe kommt (29: 93; Brief an Goethe vom 30. Juni 1797).

Noch auf eine andere Art förderte Schiller Mereaus Ruhm. In seinem Brief vom 3. August 1795 an den Komponisten und Kapellmeister Johann Friedrich Reichardt erwähnt er Mereaus Gedicht "Frühling" mit den Worten: "Der *Frühling* ist von einem jungen Frauenzimmer, das wie Sie aus dieser Probe sehen, viel poetisches Talent hat. Mir scheint dieses Stück auch eine musikalische Canonisation zu verdienen" (28: 17). Nun war Reichardt zwar bereits mit Mereaus Arbeiten bekannt, insofern er ihr Gedicht "Feuerfarb" samt einer seiner Melodien in *Hartungs Liedersammlung* (1794) unterbrachte. Auf Schillers Aufforderung komponierte er jedoch auch eine Melodie zu ihrem Gedicht "Frühling," welches Schiller dann samt der Musikbeilage in den *Musen-Almanach* 1796 aufnahm. Reichardt veröffentlichte Lied und Text auch noch in seinen *Liedern geselliger Freude*[25] und 1798 in den *Liedern der Liebe und der Einsamkeit.*[26] Auch komponierte Reichardt eine Melodie zu Mereaus Gedicht "Das Lieblingsörtchen," welches zwar ohne Musikbeilage 1796 in Schillers *Musen-Almanach* erschien (S. 145-47), das aber Reichardt samt Musik in das von ihm herausgegebene Journal *Deutschland* aufnahm[27] und auch im ersten Band der *Lieder der Liebe und der Einsamkeit* unterbrachte (S. 54). Auf diese Weise erhielten Mereaus Gedichte eine schnelle Verbreitung in namhaften Publikationen.

Mereaus "Frühling" umfaßt 12 Strophen von je vier Zeilen. Die Verse sind fünffüßige Trochäen. Das Gedicht zerfällt in zwei gleiche Teile von je sechs Strophen, wobei allerdings die fünfte als Übergangsstrophe, die letzte als sentenzartiger Abschluß gesehen werden kann. Sinngemäß ergibt der erste Teil eine Beschreibung der frühlinghaften Natur, der zweite Teil die Belehrung, die das lyrische Ich als nützliche Erkenntnis aus dem vorbildhaften Naturereignis zieht. Es ist das chronologisch erste der von Schiller veröffentlichten Gedichte, welches nicht die von ihm beanstandete melancholische Stimmung aufweist. Im Gegenteil, Lebenslust und eine ausgeprägte Sinnlichkeit sind Gegenstand der Verherrlichung. Dies wird schon in den beiden ersten Strophen deutlich, wo die neubelebte Natur durch den Geruchs-, Gehör- und Gesichtssinn empfangen und erkannt wird: "Düfte wallen.— Tausend frohe Stimmen / Jauchzen in den Lüften um mich her;" und in der zweiten Strophe: "Welche Klarheit, welches Licht entfliesset / Lebensvoll der glühenden Natur!" Duft, jauchzende Stimmen und Licht setzen die Szene zu einem Fest, welches in der ersten Strophe als Verjüngung, also als frühlingshafte Naturerneuerung, aber auch als bacchantisches, berauschendes Ereignis geschildert wird: "Die verjüngten trunknen Wesen schwimmen / Aufgelöst in einem Wonnemeer." Die Befreiung von allen physischen und geistigen

Schranken, im "aufgelösten" Schwimmen "trunkner Wesen" im Wonnemeer angedeutet, bereitet das Fest der Sinnlichkeit vor, die in der zweiten Strophe durch die Hochzeitsmetapher ausgedrückt wird: "Festlich glänzt der Äther und umschliesset, / Wie die Braut der Bräutigam, die Flur." Die beiden folgenden Strophen verherrlichen die Folgen dieser "Hochzeit;" selbst in Sumpf und Moor und im unfruchtbaren Gestein beginnt sich Leben zu regen: "Leben rauscht von allen Blütenzweigen, / Regt sich einsam unter Sumpf und Moor, / Quillt, so hoch die öden Gipfel steigen, / Emsig zwischen Fels und Sand hervor." Sogar das bereits Tote und Verfallene wird vom Sonnenschein, Spender dieses Lichts und neuen Lebens, in diesen Sinnenrausch einbezogen: "Welch ein zarter, wunderbarer Schimmer / Überstralt den jungen Blütenhain! / Und auf Bergen, um verfallne Trümmer, / Buhlt und lächelt milder Sonnenschein."

Den Übergang zur Reflexion über das Geschaute bildet die sechste Strophe. Nicht mehr die Natur wird beschrieben, sondern der Eindruck, den dieses Schauspiel entfesselter Sinnlichkeit auf die Seele des Beschauers ausübt: "In ein Meer von süsser Lust versenket, / Wallt die Seele staunend auf und ab, / Stürzt, von frohen Ahndungen getränket, / Sich im Taumel des Gefühls hinab." In kindlichem Nachahmungstrieb vollzieht die "Seele" des Menschen denselben Schritt der Befreiung von allem Fesselnden, der in der ersten Strophe beschrieben wurde. Sie "wallt" wie die Düftc, und wie die "trunknen Wesen" sich "in einem Wonnemeer" auflösen, so versenkt sich die Seele "im Taumel des Gefühls" in "ein Meer von süsser Lust." Die Widerholung einzelner Worte ist hier durchaus Absicht und deutet nicht auf Mereaus poetischen Dilettantismus.[28]

Der zweite Teil des Gedichts steht in scharfem Kontrast zum ersten, insofern hier nicht das Gefühl, sondern der Verstand reflektierend zur Sprache kommt. Das Fazit des Geschauten ist: "Liebe hat die Wesen neu gestaltet" und "Ihre Gottheit überstralt auch mich." Die Übertragung des Naturereignisses auf den Menschen wird dadurch begründet, daß der Mensch ein Teil des Ganzen ist: die "Heil'ge Erde" ist auch "meine Schöpferin!"; "Einer Mutter Kinder sind wir alle"; und die Frage, "Sind wir nicht aus Einem Stoff gewoben?" ist rhetorisch. In der "heil'gen Sympathie," die Mensch und Natur verbindet, entfaltet sich "ein neuer üppiger Lenz" auch "Ahndungsvoll in meiner Seele," und das Gedicht endet mit der Mahnung: "Schwelge, schwelge, eh' ein kalt Besinnen / Diesen schönen Einklang unterbricht, / Ganz in Lust und Liebe zu zerrinnen, / Trunknes Herz, und widerstrebe nicht!" Die Wahl der Worte führt kreisförmig wieder zur Anfangsstrophe zurück, insofern das "trunkne Herz" aufgefordert wird, wie die "trunknen Wesen" in der Natur ganz "in Lust und Liebe zu zerrinnen," bzw. "aufgelöst in einem Wonnemeer" sich hinzugeben.

Mereau hat das Gedicht im wesentlichen unverändert aus Schillers *Musen-Almanach,* bzw. Reichardts Liederbüchern in den ersten Band ihrer Gedichtsammlung aufgenommen. Lediglich die Interpunktion erscheint leicht geändert und die Orthographie, die Reichardt modernisiet hatte, zeigt wieder die ältere

Form (z.B. th statt t). Ein Unterschied allerdings fällt auf. Die letzte Zeile der achten Strophe, die bei Schiller und Reichardt die Bitte an Mutter Erde enthält, "lass mich trinken, / Jauchzen, dass ich dein Erzeugtes bin!," zeigt im Gedichtband die Änderung des Hauptworts vom Neutrum zum Maskulinum: "[. . .] dass ich dein Erzeugter bin!" Das Neutrum bezog sich vermutlich auf den Vers "Liebe hat die Wesen neu gestaltet" und führt damit die Teilnahme des lyrischen Ich am Naturschauspiel als der Allgemeinheit angehöriges Wesen fort. Die Änderung zu "dein Erzeugter" bringt andererseits ein störendes Element in das Gedicht, weil es das Ich als Maskulin definiert. Es mag sich hierbei aber um einen Druckfehler handeln.

Ebenfalls von Reichardt vertont ist Mereaus Gedicht "Der Hirtin Nachtlied," dem sie den Zusatz "Nach: Jägers Nachtlied" ( = Jägers Abendlied) beifügte. Bereits Herder machte in seiner Rezension des Mereauschen Gedichtbandes darauf aufmerksam, daß es sich um keine Parodie des Goetheschen Gedichts handelt.[29] Es ist vielmehr als eine Huldigung dem Großen gegenüber anzusehen, der ihr auch (wie Schiller) gut gesinnt war. Schiller hatte sich nicht enthalten können, mit Goethe u.a. Mereaus Eheprobleme und ihre Reise mit G. P. Schmidt zu diskutieren,[30] die zum allgemeinen Klatsch, zur Schädigung ihres Rufs und wahrscheinlich auch zur Scheidung beitrugen. Vielleicht unter dem Einfluß von Goethe, wandelte sich Mereaus Stil merklich. Zum Teil ist dies bereits in der Huldigung "An Goethe" bemerkbar. Anders als in den bisher besprochenen Gedichten, wo aus der Naturmetapher logisch gefolgert wurde, wird hier umgekehrt aus rationalen Überlegungen der schöpferische Weg zur Poesie gefunden. Die erste Strophe, wenngleich noch formal einem fünffüßigen Jambus entsprechend, ist ein einziger langer, rhythmisch fließender Satz gedanklicher Prosa. Eingeleitet wird er durch ein "Oft," nach dem die notwendig eintretende Pause bereits beim ersten Versfuß die hypnotisierende Gleichförmigkeit dieses Metrums zerbricht. Das gänzliche Fehlen dichterischer Freiheiten in der Syntax, die Enjambements, und vor allem die intrikate Satzgliederung, die einen unterschiedlich beschleunigten, bzw. retardierenden Sprachfluß diktiert, bedingen ein Zustreben der Verse in hymnenhafter Steigerung auf den Hauptsatz, der am Strophenende den Höhepunkt der Aussage bildet:

Oft, wenn ich still, mit seeligem Vergnügen,
In Deiner Feder schöpferischen Zügen,
Den hohen Geist, das wundervolle Leben,
Das die Natur dem Liebling hingegeben,
Die Allgewalt, die über das Gewühl
Der Menge, Licht und süße Heiterkeit
Ergießt, wie auf der Fluthen wechselnd Spiel,
Der Gott des Lichts die Feuersäule streut,
Wenn ich dies alles, in mich selbst gewandt,
In stiller Seele innig tief empfand,

Da dünkt' es würdig meinem Wunsch' und heilig,
Den Spiegel dieser göttlichen Gedanken
Minutenlang bewegen, leis' und eilig,
Wie Morgenträume leicht vorüberwanken.[31]

Die Interpunktion ist, vielleicht durch die Eigenmächtigkeit eines übereifrigen Setzers, nicht immer glücklich gewählt. So stört zum Beispiel das Komma sowohl nach "Zügen," nach "Der Menge," und nach "wechselnd Spiel" den Sinn des Satzes. Noch Sinnentstellender ist sie in der zweiten Strophe. Hier wird die Idee des Abglanzes (Spiegel) von "göttlichen Gedanken" im Werk Goethes in einer Metapher "konkretisiert:" der "Spiegel" des Göttlichen ist ähnlich dem See, in dem sich Sonne und Gestirne ebenso wie die Blume (Makro- und Mikrokosmos, die Schöpfung und die Beschauerin) wahrheitsgetreu abgebildet finden.

So steht an eines großen See's Gestade,
Des Herrlichen, die Blume bebend da;
Sie ist so ferne ihm, und doch so nah.
In seine Fluth neigt sich zum Wellenbade
Der gold'ne Phöbus; mit bewegter Brust
Schaut Phöbe, zögernd, sich, und alle Sterne
Sehn in dem reinen Spiegel, voller Lust,
Ihr treues Bild aus ungemeßner Ferne.
Es neigt die Blume sich, in ihm ihr Bild zu sehn
Auf einen Augenblick—um froher zu vergehn.[32]

Mereaus Huldigung nimmt hier eine doppelte Form an. Erstens bringt die Dichterin dem Dichter ihre poetische Opfergabe dar, indem sie an Goethes eigene Metapher in seinem Gedicht "Gesang der Geister über den Wassern" erinnert ("Und in dem glatten See / Weiden ihr Antlitz / Alle Gestirne. [. . .] Seele des Menschen, / Wie gleichst du dem Wasser!"). Zweitens aber erkennt sie bescheiden, trotz physischer Nähe und gleicher Berufung, den Unterschied an, der ihr und Goethes Schaffen qualitativ trennt: zwar steht die Blume am Rand des Sees, aber er bleibt ihr doch unerreichbar ("Sie ist so ferne ihm, und doch so nah"). Die beiden letzten Verse setzen sich durch ihr sechsfüßiges Metrum formal vom übrigen ab—ein Bruch mit jener Formenreinheit, die ihr Schiller anzuerziehen versucht hatte.

Der "Formenzwang," den ihr das Streben nach klassisch- ästhetischer Vollkommenheit auferlegte, war Sophie Mereau allerdings sowohl als Mensch wie als Dichterin fremd. Schiller erkennt es, wenn er von ihrem "Widerspruch mit der Welt" spricht, durch den sie sich gebildet hat. Am 17. August 1797 schreibt er an Goethe: "Unsre Freundin Mereau hat in der That eine gewiße Innigkeit und zuweilen selbst eine Würde des Empfindens und eine gewiße Tiefe kann ich ihr auch nicht absprechen. Sie hat sich bloß in einer einsamen Existenz und in einem Widerspruch mit der Welt gebildet" (29: 119). Mereau hätte zwar den nötigen

"Ernst" des Gehaltes in ihrer Produktion, nicht aber die Gewandtheit des "Spiels," das sich in der Form ausdrückt. Das Ästhetische sei aber "Ernst" und "Spiel" zugleich. Mereau müsse daher "das Poetische immer der Form nach [. . .] verfehlen" (29: 119).

Sosehr sich Mereau aber dem zeitgenössischen Ideal fügen wollte, um erfolgreich zu sein, sosehr empfand sie den Zwiespalt, den dieser Anpassungsversuch ihrer Persönlichkeit verursachte. Das Gefühl des Gebundenseins und der Fesselung spricht sich kaum deutlicher aus als in ihrem Gedicht "An einen Baum am Spalier":

> Armer Baum!—an deiner kalten Mauer
> fest gebunden, stehst du traurig da,
> fühlest kaum den Zephyr, der mit süßem Schauer
> in den Blättern freier Bäume weilt
> und bey deinen leicht vorübereilt.
> O! dein Anblick geht mir nah!
> und die bilderreiche Phantasie
> stellt mit ihrer flüchtigen Magie
> eine menschliche Gestalt schnell vor mich hin,
> die, auf ewig von dem freien Sinn
> der Natur entfernt, ein fremder Drang
> auch wie dich in steife Formen zwang (B.G., 151).

Der Bruch mit dem Streben nach Formvollendung ist sowohl im Versmaß wie im Reimschema ersichtlich. Die fünffüßigen Trochäen werden durch kürzere und längere Zeilen unterbrochen (Verse 3, 6, 9) und das Reimschema wechselt von a, b, a, c, c, b zu aa, bb, cc im zweiten Teil des Gedichts, wobei die beiden Teile jedoch nicht strophisch gegliedert sind. Diese ungezwungene "Natürlichkeit" ist sicherlich Willkür, insofern dadurch das Sujet des Gedichts durch die Form unterstrichen wird. Die beiden Teile des Gedichts ergeben sich aus der Beschreibung des Naturbilds und die darauf folgende Reflexion. Diese Technik ist für ihre Lyrik kennzeichnend.[33] Den ersten Teil beherrscht die Gegenüberstellung des von seiner natürlichen Lebensweise abgesonderten Wesens (des Baums am Spalier) mit der vom Menschen nicht gefesselten Natur. Der künstlich gezogene Baum wird mit durchweg negativen Adjektiven und Verben beschrieben: er ist "arm," steht an seiner "kalten" Mauer, ist traurig, festgebunden und gefühlsentfremdet. Kälte und Starrheit, in diesem Baum ausgedrückt, werden vom Zephyr, dem Sinnbild von Ungebundenheit und frühlingshafter Wärme, gemieden: der sanfte Westwind weilt bloß "in den Blättern freier Bäume." Der zweite Teil des Gedichts weitet das Bild mit ähnlichen Adjektiven auf den Menschen aus, der wie der Baum am Spalier von seiner natürlichen Lebensart abgebracht worden ist. Entfremdung vom "freien Sinn," der Zwang in "steife Formen," ist im Menschen wie in der Flora etwas Naturwidriges (ein "fremder Drang"). Es braucht hier nicht unbedingt der Einfluß der Romantik auf Mereaus Dichtung gesehen zu werden.[34] Es ist vielmehr Mereaus eigener Charakter, der mit fortschreitender geistiger Reife zum Durchbruch kommt. Sie erkennt die Notwendigkeit der Absage an die von der Gesellschaft geforderten Lebens- und Schaffensprinzipien, wenn sie, dem eigenen Instinkt folgend, persönliches Glück und Selbstverwirklichung erzielen soll. Wenn Selma Stern meint, Mereau sei "Reizbar ohne Schwäche, heiter ohne Empfindlichkeit, gefühlvoll, ohne sich selbst zu quälen" gewesen,[35] so ist das sicher ein verzerrtes Bild. Schon der noch vorhandene kleine Teil ihrer Briefe belügt diese Charakterisierung. Vielmehr versuchte Mereau, sich gegen die allseitigen Angriffe auf ihre Persönlichkeit und ihre Lebensweise[36] psychologisch mit ihrer Überzeugung zu wappnen, und dem kritischen Sturm mit äußerlicher Stoik entgegenzutreten.[37]

Die Reife, das eigene Wesen zu akzeptieren, die Einsicht, daß sie nur sich selbst für ihre Ansichten und Handlungen verantwortlich war, bedingte bei Mereau auch den stilistischen und thematischen Wandel in ihrem Werk. Letzteres ist besonders in ihrer Beschäftigung mit Ninon de Lenclos ersichtlich, die im folgenden diskutiert wird. Die poetische Abkehr vom Klassizistischen und ihre Hinwendung zum Volksliedhaften zeigt sich vor allem in den Gedichten, die sie in die Briefe an Brentano einwebt. Als Beispiel mag das folgende aus dem Jahr 1803 gelten.[38]

In Tränen geh ich nun allein,
am Quell—Du kennst ihn wohl.
Ich blicke in den Bach hinein,
daß er mich trösten soll.

Du freundlich Liebesangesicht,
wie bist du doch so fern!
Dich bringt mir nun kein Tageslicht,
bringt nicht der Abendstern.

Mein Leben schließt die Augen zu,
weil es Dich nicht mehr sieht,
indeß in Träumen ohne Ruh
mein Herz stets zu Dir zieht.

Die leise Welle rinnet klar,
und zeigt den grünen Grund.
O! Welle mache ofenbar,
was wohl mich macht gesund!

Die Welle schweigt und fliehet bald,
doch unten frisch und hell

grünt wundervoll ein Pflanzenwald
bedeckt vom klaren Quell.

Und aus dem frischen Waßerreich
steigt hell der Trost zu mir:
"es grünet so der Hofnung Zweig
auch unter Tränen Dir" (BM I, 113-14).

Der Unterschied zu den bisher besprochenen Gedichten Mereaus tritt hier deutlich hervor. Die von ihr bevorzugte Zweiteilung fehlt hier gänzlich und es ist nicht mehr Naturbild und Reflexion, konkrete Schilderung der Landschaft und deren Abstraktion, die Sinn und Symbolik im Gedicht erfassen; es ist nicht mehr ein Nacheinander, sondern ein Nebeneinander von Realität und Symbolik, das dieses Gedicht auszeichnet; und es entsteht eine Ballung der Bilder, die es der klassischen Form und Straffheit entziehen und in eine verwirrende Fülle von Eindrücken taucht. Alles das bei einer denkbar einfachen, volksliedartigen Sprachgestaltung. Wenn dem Gedicht die reflektierende Distanz fehlt, die die früheren Gedichte charakterisierte, so tritt an ihre Stelle eine neue Innigkeit, die formal durch eine durchgehende Ich-Du-Beziehung gekennzeichnet ist, die nicht nur das angesprochene Du, sondern auch die Natur miteinbezieht.

Die drei Komponenten dieser Einigkeit werden sofort in der ersten Strophe dargelegt. Sie sind das lyrische Ich, das angesprochene Du, und der Bach, der "trösten soll." Die enge Verbindung zwischen dem Ich und dem Naturbild (dem Bach) wird auf zweierlei Arten gefestigt: die Tränen sind dem Quell, bzw. dem Bächlein ähnlich, und das Spiegelmotiv ("Ich blicke in den Bach hinein") erhebt die Quelle zu einem alter ego. Dadurch wird der Akt der Bespiegelung eine Erforschung der eigenen Seele, die trostbringend wirkt. Die zweite Strophe bezieht das angesprochene Du in die Verbindung von ego und alter ego (Ich und Quelle) ein, insofern nämlich das im Bach erblickte "freundlich Liebesangesicht" verblüffenderweise mit dem fernen Geliebten identifiziert wird ("wie bist du doch so fern!"), ähnlich einer im Kristall geschauten Vision. Der Blick in den Wasserspiegel als Blick in die Seele zeigt die Ursache der Tränen, also die Ferne des Geliebten. Dieser Prozeß der Heilung oder Tröstung durch die Erkenntnis dessen, was die Depression verursacht, ist ein der modernen Psychologie gut bekanntes Phänomen, das hier dichterisch in seinen Grundelementen bereits erfaßt wurde. Er wird nochmals in der vierten Strophe mit den Worten "O! Welle mache ofenbar, / was wohl mich macht gesund!" angedeutet. Der Durchbruch der Realität ("Mein Leben schließt die Augen zu, / weil es Dich nicht mehr sieht") wird indessen mit der psychologischen Reaktion des Individuums konfrontiert: im Traum erfüllt sich der Wunsch der Vereinigung. Dabei wird das Beziehungsgeflecht alter ego/Bach/Spiegel/Seele noch mit dem Traum identifiziert, denn dieser besitzt die Eigenschaften der Quelle: er zieht "ohne Ruh [. . .] zu Dir" ("indeß in Träumen ohne Ruh / mein Herz stets zu Dir zieht"). Die

Verbindung Traum/Bächlein wird durch die folgende Zeile hervorgehoben, wo ebenfalls die pausenlose Weiterbewegung des Wassers betont wird: "Die leise Welle rinnet klar." Dabei klingt das Tränenmotiv wieder an. Letzteres durchdringt auch die beiden letzten Strophen. Im konkreten Bild des Bächleins mit pflanzenbewachsenem Grund wird unter Zuhilfenahme der populären Farbensymbolik (Grün = Hoffnung) einerseits das Fortbestehen von Leben unter der Wasserdecke bezeugt ("es grünet so der Hofnung Zweig"). Andererseits wird die Verbindung Quelle/Tränen weiterverfolgt und intensiviert: "Die Welle schweigt und fliehet bald" kann auch so verstanden werden, daß die Tränen gestillt werden und vergehen; und "aus dem frischen Waßerreich / steigt hell der Trost zu mir" hat die doppelte Bedeutung, daß dem Tränenfluß erneute Hoffnung folgt. Formal weist die letzte Strophe wieder zur ersten zurück, wo Tränen und Quell, mit der Psyche identifiziert, um Trost gebeten werden. In der letzten Strophe wird dieser Wunsch erfüllt ("Und aus dem frischen Waßerreich / steigt hell der Trost zu mir"). Mereau führt die Sentenz in Anführungszeichen an (" 'es grünet so der Hofnung Zweig / auch unter Tränen Dir' "), um zu verdeutlichen, daß dieser Trost als innerpsychologische Erkenntnis artikuliert wird. Es spricht hier sozusagen Quelle/Tränen/Seelenspiegel, also alter ego, zum lyrischen Ich, oder dem konkreten, sich im Wasser bespiegelnden Individuum.

Eine Wiederholung, beziehungsweise eine Weiterführung einiger der Motive in obigem Gedicht findet sich in "Strebet muthig, meine Geister," welches in einen Brief an Clemens eingefügt ist, den Amelung mit dem 10. Oktober 1803 datiert:

Strebet muthig, meine Geister,
noch ist nicht die Höh erreicht!
wer noch nicht des Lebens Meister
ringe, bis er sie ersteigt!

Will die Zeit doch wieder kommen,
wo das Herz in Freude schwimmt
alles Leid ist dem entnommen,
den die Liebe zu sich nimmt.

Schon in meinen neuen Spiegel
stralt mir eine Welt voll Lust,
und das Leben regt die Flügel
mächtiglich in meiner Brust.

Zweige wehn wie Freudenfahnen,
Morgenroth ist Liebesschein,
und der Vögel süßes Mahnen
kehrt in meinen Busen ein.

Wieder will ich Lieder singen,
Leben, wieder Dich verstehn,
und auf Deinen leichten Schwingen
durch die grünen Thäler gehn! (BM II, 26-27).

Wie bei "In Tränen geh ich nun allein" findet sich das lyrische Ich auch hier an einem Wendepunkt, am Rande einer persönlichen Krise, die es zu überwinden gilt. Das negative Erlebnis, welches die Störung der Lebensfreude auslöste, wird nicht erwähnt. Lediglich die Sicht auf eine positivere Zukunft erlaubt den Rückschluß auf die unbefriedigende Vergangenheit. Der Impetus für die Veränderung der negativen Lebenssituation geht vom Ich aus. Ergriff im vorigen Gedicht das Ich die Initiative, indem es Trost suchte, so findet es hier die Kraft zum Kampf mit dem Schicksal bereits in sich selbst ("Strebet muthig, meine Geister, [. . .] wer noch nicht des Lebens Meister / ringe"). Mit dem Imperativ "ringe" spricht sich das Ich selbst Mut zu, ähnlich wie in den Schlußversen von "In Tränen geh ich nun allein" die Trostworte vom alter ego kommen. Gleichzeitig wird das Ich im Kampf mit dem Schicksal durch die Idee unterstützt, daß die Umwelt die Regeneration der Lebensfreude für das Individuum befürwortet: "Will die Zeit doch wieder kommen, / wo das Herz in Freude schwimmt;" und "Schon in meinen neuen Spiegel / stralt mir eine Welt voll Lust." Das Spiegelmotiv wird hier anders ausgewertet, als in obigem Gedicht. Dort wurde die Symbolik des Seelenspiegels noch im konkreten Bild des Bächleins verankert. Hier ist der "neue Spiegel" bloße Abstraktion und meint die neue, positive Lebenssicht, zu der sich das lyrische Ich durch eigene Kraft durchgerungen hat. Ja, es ist eigentlich diese neue Perspektive selbst, die die Umwelt in einem neuen Schöpfungsakt ins Positive verändert. Auf diese Art entsteht ein reziprokes Verhältnis zwischen Individuum und Umwelt: diese bedingt die Regeneration im Ich ("und das Leben regt die Flügel / mächtiglich in meiner Brust") durch den Wunsch der Erneuerung ("Will die Zeit doch wieder kommen"), während hernach das belebte Ich seinerseits die Umwelt regeneriert ("Zweige wehn wie Freudenfahnen, / Morgenroth ist Liebesschein, / und der Vögel süßes Mahnen / kehrt in meinen Busen ein"). Die Szenensetzung mit Singvögeln, Zweigen und Morgenrot erinnert stark an den *locus amoenus* der mittelalterlichen Epik. Auch wird das Morgenrot—Sinnbild des anbrechenden Tages und der neuen Zeit—als "Liebesschein" bezeichnet. Neben der eigenen Kraft und der ermutigenden Natur ist es nämlich die Liebe, die eine negative Lebenssicht ins Positive zu gestalten vermag ("alles Leid ist dem entnommen, / den die Liebe zu sich nimmt"). Die letzte Strophe bezeichnet die endgültige Überwindung der Krisensituation und, ähnlich wie im vorher besprochenen Gedicht, den Anbruch neuer Hoffnung. Die positive Perspektive wird dabei als Gesundung verstanden, bzw. als Rückkehr zum Glückseligkeitszustand, der vor der Krise herrschte: "*Wieder* will ich Lieder singen, / Leben, *wieder* Dich verstehn"). Gleichzeitig greift das lyrische Ich personifiziert die Naturbilder auf, die in der vorhergehenden Strophe das Idyll bezeichneten: das

Singen und die Leichtbeschwingtheit ziehen die Parallele zu den Vögeln, die grünen Täler zum Gezweig in der *locus amoenus*-Strophe. Formal weicht das Gedicht nicht von den vierfüßigen Trochäen ab, zeigt aber unreine Reime in der ersten (erreicht/ersteigt) und dritten Strophe (Spiegel/Flügel). Auch dieses Gedicht weist die für die spätere Lyrik Mereaus kennzeichnenden Merkmale auf: eine Vernachlässigung klassisch straffer Form zugunsten des volksliedhaften Tons; eine Vermischung des gedanklichen und symbolischen Aspekts in der Lyrik, anstelle der früheren Trennung von empirischer Erkenntnis und Reflexion; und eine sprachliche Anpassung an deutsches Kulturgut bei gleichzeitiger Omission von Vorbildern aus der klassischen Antike.[39] Hierin darf nicht bloß eine Anpassung an romantische Strömungen gesehen werden. Es ist vielmehr Ausdruck einer persönlichen Reife, die sich in Mereau vollzieht. Neben den äußeren Anzeichen einer Wandlung in ihrer Lyrik findet sich nämlich auch eine Änderung der Weltsicht. Das passiv Elegische ihrer frühen Produktion, das bereits Schiller aufgefallen war, schlägt in ein aktives Eingreifen des lyrischen Ich in die gegebene Situation über. Die Umwelt wird nicht mehr empirisch zergliedert und eine reflektierte Moral daraus gezogen, sondern ihr Zustand wird kraft dieses Ich schöpferisch ab- und umgewandelt. Das Gegebene wird nicht beklagt, sondern geändert.

Parallel zu dieser lebensperspektivischen Wandlung läuft auch die Tendenz in Mereaus Prosaarbeiten. Ihr erstes Werk, *Das Blüthenalter der Empfindung,*[40] ist noch ganz ein Abbild jener empfindsam-zarten Dichtung, die die Gesellschaft als weiblichen Erguß poetischen Gefühls duldete, den Frauen und Töchtern empfahl, und prompt vergaß. Die *Briefe von Amanda und Eduard* sind in zwei Fassungen erhalten: die erste in den drei Fortsetzungen, die in Schillers *Horen* erschienen,[41] die zweite und vollständige in der Ausgabe von 1803.[42] Mereaus Umarbeitung der *Horen*-Fassung ist extensiv und umfaßt sowohl eine Umstellung der Briefsequenz (also eine Änderung des Handlungsablaufs), wie auch stilistische Änderungen, Weglassungen und Einschübe bei der Neufassung. Eine Gegenüberstellung der *Horen*-Fassung mit dem Roman zeigt folgendes Bild:

| Romanfassung | *Horen*-Fassung |
|---|---|
| 1. Brief, Amanda an Julien ("Ich habe den geliebten, vaterländischen Boden wieder betreten") | 3. Brief, Amanda an Julien ("Ich bin dir nun wieder um vieles näher") |
| 2. Eduard an Barton ("Seitdem du mich verlassen") | 1. Brief, Eduard an Barton ("Seit du mich verlassen") |
| 3. Eduard an Barton ("Liegt es in meiner gegenwärtigen Stimmung") | 2. Brief, Eduard an Barton ("Ist es meine gegenwärtige Stimmung") |

| | |
|---|---|
| 4. Amanda an Julien ("Dein Brief hat mich angenehm gerührt") | 6. Brief, Amanda an Julien ("Dein Brief hat mich angenehm gerührt") |
| 5. Amanda an Julien ("Dies kleine, niedliche Städtchen") | 5. Brief, Amanda an Julien ("Dies kleine fröhliche Städtchen") |
| 6. Eduard an Barton ("Nicht immer, mein Freund, fühle ich mich so glücklich") | 4. Brief, Eduard an Barton ("Nicht immer, mein Barton") |
| 7. Amanda an Julien ("Ein guter Genius") | 7. Brief, Amanda an Julien ("Ein guter Genius") |
| 8. Amanda an Julien ("Meine Julie, ich habe heute traurige Stunden verlebt") | ——— |
| 9. Eduard an Barton ("Ich schreibe Dir nur, um Dir dein langes Schweigen vorzuwerfen") | ——— |
| 10. Amanda an Julien ("Ich komme eben aus dem Garten") | 8. Brief, Amanda an Julien ("Ich komme eben aus dem Garten") |

Die Versetzung des dritten *Horen*-Briefes an die erste Stelle im Roman bewirkt die sofortige Einführung des Sujets, das den ganzen Roman durchzieht: die Notwendigkeit des Individuums, sein Glück ungefesselt durch eheliche Verträge zu suchen.[43] Dieser erste Brief, der im Roman die Seiten 3-19 einnimmt, beschreibt den Auftritt zwischen Albret (Amandas Gatten) und dem Markese, der von Albret überrascht wird, als er Amanda seine Liebe erklärt. Diese Situation stellt die eheliche Krise an die Spitze des Romans:

> Ich suchte Albret auf seinem Zimmer; ich wünschte so sehnlich, ihm den wahren Zusammenhang dieser Szene entdecken zu können. Er war nicht da, und als ich ihn am andern Morgen wieder sah, blickte er mich so kalt und entfernend an, daß es unmöglich war, diese Scheidewand hinwegzuschieben. Er war noch bei mir, als man uns die Nachricht brachte, der Markese sei am vorigen Abend, nicht weit von unserm Garten, ermordet gefunden worden. Todesschauer überfiel mich bei dieser Nachricht und ein gräßlicher Argwohn zuckte mir wie ein Dolchstich durch die Seele. [. . .] Unsre Abreise erfolgte bald darauf (Romanfassung, 16-17).

Durch die Vorwegnahme der Tatsache, daß das eheliche Vertrauen und der Respekt zwischen den Gatten gestört ist, wird die Einführung Eduards als

Amandas Geliebter weitaus besser motiviert, als in der *Horen*-Fassung. Diese endet mit der Bekanntschaft Amandas mit Eduard bei einer Musikaufführung im Garten Nanettes, wo Eduard für die Gesellschaft singt. Amandas Begeisterung über seine Stimme beschließt das Fragment.[44] Die Briefe zwischen dem Tod des Markese und Amandas Entzücken über Eduard setzen die Szene für das neue Verhältnis, das Amanda eingeht. Vor allem im vierten und fünften Brief des Romans wird die Betonung des Gefühls über die Ratio und das Recht der Frau auf eigenständiges Glück exponiert: "Glücklich ist der Mensch nur in seinem Gefühl," behauptet Amanda, und erklärt: "zu lange habe ich unter den Freuden des Lebens mit kalter Ueberlegung gewählt, ich möchte nicht mehr wählen, ich möchte hingerissen sein" (44, 45). Das Trügerische einer Vernunftehe, wie sie sie mit Albret eingegangen ist, wird ebenfalls dargestellt. Die Gründe, die ihr Vater vorbringt, um sie vom Vorteil dieser Verbindung zu überzeugen, haben retrospektiv bloß Scheinwert: "er [Albret] wird dir ein heitres, genußvolles Leben, deinem Vater ein sichres, sorgenfreies Auskommen verschaffen. Du wirst von Einem Menschen abhängen, aber in übrigen frei sein. Bedenke, wie selten Liebe allein eine eheliche Verbindung schließt, wie selten vorzüglich ein Weib in ihrer abhängigen Lage darauf Anspruch machen kann!" (53). Genuß und Freiheit im ehelichen Leben haben sich für Amanda nicht bewahrheitet, wohl aber die Abhängigkeit vom Manne. Der frühe Tod des Vaters erübrigte seine Versorgung, und somit den letzten Vorteil, den Amanda aus dieser Ehe hätte ziehen können. Da der väterliche Rat irreführend war, beschließt Amanda, nach eigenem Gutdünken zu handeln: "Ja, ich will allein sein, meine Julie!—ist es denn so unmöglich, daß ein Weib sich selbst genug sein kann?" (65). Mit dieser Unabhängigkeitserklärung, mit dieser physischen Emanzipation, reift auch das Verlangen nach geistiger Bildung: "Ich habe bis jetzt wenig gelesen; in frühen Jahren lernte ich nur wenige, meist unterrichtende Bücher kennen. [. . .] Jetzt lese ich, unter andern, für mich neue Schriften, auch zum erstenmal Rouseau's Briefe zweier Liebenden. Was ich empfinde bei manchem von Juliens Briefen—denn nur sie, *sie* nur liebt, nicht St. Preux—vermag ich nicht, Dir zu beschreiben. So, denke ich, könnte ich auch lieben, und seufze über das Geschick, das mir Alles gab, ausser dem Einen und in dem Einen mir alles versagte" (72-73). Gerade an diesem Zitat zeigt die *Horen*-Fassung, wie sehr sich Mereaus Perspektive gewandelt hatte. Die Erstfassung betont nämlich nicht den Wert der Bildung (des Lesens) und nimmt auch nicht kritisch zu Rousseaus Liebespaar Stellung, sondern versinkt ins süßlich Sentimentale.[45]

Amandas Reife zum unabhängigen, selbstbewußten Menschen wird im Roman sowohl gefühls-, wie handlungsmäßig ausgedrückt. Ihre innere Ausgeglichenheit spricht aus den Worten, "Ich fühlte mich an Körper und Geist unaussprechlich wohl, und empfänglich für jeden Eindruck" (113). Aufnahmefähigkeit des Neuen und Fremden, bei körperlichem und geistigem Wohlbefinden, sind die Merkmale ihres neuen Ich. Gleichzeitig wird Amandas "altes" Leben symbolisch mit dem Tod ihres Gatten abgeschlossen, von dessen Ableben im ersten Brief des zweiten Teils berichtet wird. Ihre neuen seelischen Bindungen zum männlichen Geschlecht beschränken sich auf Eduard, einen talentierten Sänger, und auf Antonio, den dichterisch Begabten. Im Gegensatz zu Albret also, dem sie sich vornehmlich aus materiellen Gründen verband, sind ihre neuen Verehrer Repräsentanten von Kunst und Kultur: "O! Julie, dieser Antonio ist mir sehr viel geworden! [. . .] Durch Antonio werde ich mit den schönsten Erzeugnissen der Poesie bekannt, die mir bis jetzt meist fremd geblieben sind" (II, 78-79). Die Bildung, die Möglichkeit für die "neue" Frau, ihre Kenntnisse und ihren Horizont zu erweitern, werden hier wieder als positive Elemente hervorgehoben. Parallel dazu wird versucht, alte Vorurteile zu diskreditieren. So äußert Eduard: "[. . .] schon oft sind mir die meisten Urtheile der Männer über Weiber recht herzlich zuwider gewesen. Fast ein jeder hat sein System, und hält nun, wie an einer Silberprobe jedes weibliche Geschöpf, das ihm im Leben begegnet; er künstelt an dem unschuldigen Wesen, um es in sein System zu passen, und nennt es dann verschroben, wann es seiner Eigenthümlichkeit nach anders ist, als er sich es dachte" (II, 74). Das Schablonendenken, welches die Frau auf ihren Stereotyp reduziert, und sie damit ihrer Eigenexistenz beraubt und zur Nonperson stempelt, wird hier angegriffen. Am radikalsten weicht Mereau aber von der gesellschaftlich akzeptierten Verhaltensnorm ab, wenn sie die sexuelle Emanzipation der Frau verlangt. Über Antonio sagt Amanda: "Ich fühle, daß ich diesen Mann anbeten und lieben muß, und warum sollte ich nicht?—Die Behauptung, daß wir nur Einmal, nur Einen einzigen Gegenstand[46] lieben können, ist ein phantastischer, ja schädlicher Irrthum. Wir begegnen im Leben mehrern Wesen, zu denen uns die Neigung hinzieht, und die wir lieben *könnten,* wenn die Mächte des Schicksals die zarte Blume zur Reife brächten, denn diese Neigung allein ist *nicht* Liebe zu nennen" (II, 190-91). Die Fähigkeit, mehrere Menschen im Leben lieben zu können, wird als positiver Persönlichkeitsaspekt hervorgehoben, der nicht durch gesellschaftliche Vorurteile eingeschränkt werden sollte. Tatsächlich ist im Roman auch eine mögliche Wiederholung des Liebestrios Amanda/Albret/Eduard angelegt, indem Amandas heftige Neigung zu Antonio kurz vor ihrer Heirat mit Eduard betont wird. Allerdings verhindert Amandas jäher Tod bald nach der Heirat das Nachvollziehen der Problematik des ersten Teils. Die Aussage des Romans ist aber deutlich: der Frau muß das Recht zuerkannt werden, sich zu bilden und nach ihren Neigungen zu leben; und sie muß sich aus der geistigen und materiellen Abhängigkeit vom Mann emanzipieren, um dies verwirklichen zu können.

Peter Schmidt stellt im Nachwort zu seiner Neuausgabe des *Kalathiskos* fest, daß Mereau "selbst bereit ist, sexuelle Freiheit in einem auch für ihre Zeit nicht selbstverständlichen Maß zu praktizieren"[47] und begründet damit ihre langjährige Beschäftigung mit dem Thema der Ninon de L'Enclos. In beschränktem Sinne stimmt dies sicherlich. Aber damals gehörte nicht viel dazu, eine Frau in zweideutigen Ruf zu bringen. Ihre Beziehungen zu Kipp und Schmidt, die Scheidung von Mereau und ihr Verhältnis mit Brentano vor der Ehe genügten, um sie als "emanzipierte" Frau im volkstümlich negativen Sinne zu stempeln. Dazu kam, daß sie als geistreiche und attraktive Dame in Gesellschaften beliebt war, von den Männern umschwärmt und verehrt wurde und sich schriftstellerisch betätigte.[48] Auch die Thematik von *Amanda und Eduard* trug sicherlich dazu bei, daß man meinte, sie nehme es mit der ehelichen Treue nicht so ernst.[49] Ihren Lebenswandel aber mit jenem der historischen L'Enclos zu vergleichen, ist sicherlich ungerecht. Vielmehr ging es Mereau um das Prinzip der weiblichen Gleichberechtigung und um das Bestimmungsrecht der Frau über ihre eigene Person und ihr eigenes Leben; und dies ist auch das Grundthema des Aufsatzes über Ninon.

Bereits 1797 erschienen in W. G. Beckers *Erholungen* ihre "Briefe der Ninon von Lenclos,"[50] aber erst in ihrem Journal *Kalathiskos,* um der damaligen Bezeichnung des Sammelbandes zu folgen, setzt sie sich eingehend mit der Persönlichkeit der oft als Hetäre bezeichneten Französin auseinander. Mereau schreibt den Aufsatz "Ninon de Lenclos. Nach mehrern französischen Schriftstellern"[51] aus engagierter, aber auch gut recherchierter Sicht. Vorangestellt ist der Spruch Saint-Evremonds, Ninons langjährigem Freund: "Ihr gab die gütige Natur / ein Herz voll Wahrheit; ew'ge Jugend, / den heitern Sinn des Epikur, / und eines Cato strenge Tugend" (II, 52). Dieser Vergleich enthält bereits die Tendenz des Aufsatzes. Ninons Lebensweise ist nicht Resultat einer leichtfertigen Gesinnung oder eines Mangels an Selbstdisziplin, sondern wohlüberlegte, philosophische Erkenntnis.[52] Mereau versucht, den Leser durch eine rationale Auseinandersetzung mit dem Phänomen Ninon zu überzeugen: "So bekannt dieser Name ist, so wenig ist es doch im Allgemeinen die Person, die ihn führte," beginnt sie, und benutzt absichtlich den Terminus Person statt Frau. Sie will hier über einen Menschen berichten und nicht über das Mitglied eines bestimmten Geschlechts. "Viele halten sie für ein bloß sinnliches, leichtfertiges Wesen; berühmte Schriftsteller nennen sie das Meisterstück der Natur, das hohe Weisheit und Tugend mit der liebenswürdigsten Anmuth in sich vereinte," fährt Mereau fort. Dies ist das Janusbild, welches die Nachwelt von Ninon hat.[53] Demgegenüber meint Mereau, "doch sie selbst, die im Laufe von 90 Jahren [. . .] die Schätzung der gebildetsten Menschen ihrer Zeit besaß, sie mußte doch wohl etwas in sich tragen, was mehr als Gestalt und Sinnlichkeit war, und einer nähern Bekanntschaft werth ist?" (II, 52-53).

Um Ninons Wesen dem Leser verständlich zu machen, greift sie auf deren frühe Erziehung zurück und auf die Rolle, die man der Frau im 17. Jahrhundert beimaß. "Das Leben dieser berühmten Französinn fällt in die Zeit, wo in der Liebe noch der Odem des Rittergeistes lebte" (II, 53).[54] Diesen "romantischen Ideen von Liebe" (II, 62) konnte sich Ninon nicht anschließen. Von der Mutter schon früh zu religiösen Übungen angehalten, vom Vater den intellektuellen und gesellschaftlichen Genüssen zugeführt, neigte Ninon zur selbständigen Betrachtung und zur Verachtung von Konventionen. Es ist bezeichnend für Mereaus Perspektive, daß sie Ninons Leben auf die Basis eines Emanzipationsstrebens der Französin stellt: "Bald lenkte ihr Hang zur Betrachtung, ihre Blicke auch auf die festgesetzten Verhältnisse der beiden Geschlechter. Sie fühlte die Ungerechtigkeit derselben, und konnte sie nicht ertragen. Ich sehe, sagte sie zu einem ihrer Freunde, daß man an uns die leersten und schaalsten Forderungen thut, und daß die Männer sich das Recht vorbehalten haben, nach dem Würdigsten und Belohnendsten zu streben, und von diesem Augenblicke an werde ich Mann" (II, 60). Mereau hebt die wesentlich ungünstigere Position der Frau in der französischen Gesellschaft des 17. Jahrhunderts vor allem deshalb hervor, weil sie selbst eine ähnliche Benachteiligung im zeitgenössischen Deutschland empfindet. Ninon ist als beispielhaftes Vorbild gut gewählt, da sie sich in einer finanziell und gesellschaftlich ähnlichen Situation befand wie viele der gebildeten Frauen der Goethezeit.[55] Der Vater Ninons, Henri de L'Enclos, floh wegen der Folgen seiner Affaire mit Lucréce de Gouges (Mme. de Riberolles) ins Exil und ließ seine Familie in schwierigen finanziellen Umständen zurück.[56] Für die mitgiftlose und durch den faux-pas ihres Vaters sozial degradierte Ninon war eine gute Heirat fast unmöglich geworden, und sie war nach dem Tod ihrer Mutter (1642) vollkommen auf sich selbst gestellt. Die Karriere eines Mannes war ihr versagt und ebenso versagten die konventionellen Schutzmechanismen für die Frau.[57] Ninon entschied sich, sowohl aus philosophischen Gründen, wie aus der Notwendigkeit ihrer Lage, die Freiheiten eines Mannes für sich zu beanspruchen. Mereau läßt in ihrer Darstellung jedoch das Element der sexuellen Emanzipation der Frau vom konventionellen Betragen hervortreten: "Nach dieser Aeußerung [von diesem Augenblicke an werde ich Mann], nicht als ein Weib, die von tausend Rücksichten des Gebrauchs und der Meinung bestimmt wird, muß Ninon beurtheilt werden. Ihre Moral hatte sie mit den rechtlichsten Männern ihrer Zeit gemein, und blieb ihr treu. Sie fühlte sich für Unabhängigkeit geboren, und nie konnte irgend eine Aussicht, auch auf das glänzendste Glück, sie bewegen, ihr mit ihrer ruhigen Philosophie ein Opfer zu bringen" (60-61). Es ist offensichtlich, daß es Mereau hier um den doppelten moralischen Standard zwischen Mann und Frau geht, der dem Mann jede sexuelle Freiheit erlaubt, der Frau jedoch diesbezüglich die äußerste Einschränkung auferlegt.

Mereaus Aufsatz ist im wesentlichen faktisch und für den damaligen Stand des Wissens um Ninons Lebensumstände erstaunlich gut informiert. Selbst die umfangreichsten Untersuchungen neuester Zeit bringen kaum zusätzliches fundiertes Material. Es ist die Perspektive der Ninon, die Mereau sacht manipuliert, und die ihre eigenen Interessen verrät. Nicht nur die sexuelle Gleichberechtigung der Frau wird in der Ninonfigur vertreten, sondern das Recht des Menschen überhaupt auf Befriedigung des Triebes durch mehr als einen Partner oder Gatten. Mereau propagiert jedoch keine gewöhnliche Lustmoral. Vielmehr wird Ninon als auch im konventionellen Sinne höchst moralisches Wesen dargestellt und zwar auf folgender Basis: ihr Betragen fundiert auf der gut durchdachten Wahl des epikuräischen Lebensprizips,[58] dessen Anhänger auch ihr Vater war. "Denn unter dem Namen Philosophie verstand" Ninons Vater "nichts anders, als die Kunst, in die Bedürfnisse und Wünsche des menschlichen Gemüths, ein sicheres System zu bringen, und mit dem ruhigsten und ausgebreitetsten Sinnengenusse, zugleich die Forderungen des Gefühls und der Rechtlichkeit, zu vereinigen. Diesem Plane gemäß, ordnete er ihren Unterricht" (54). Der Lebensgenuß schließt aber nicht menschliche Verantwortlichkeit und Pflichtbewußtsein aus. Wird auch das Glückseligkeitsstreben als höchstes individuelles Recht propagiert, so steht ihm die Pflicht gegen die als wahr erkannten ethischen Prinzipien gegenüber. Mereau schreibt: "Ihren Grundsätzen über die Liebe getreu, folgte sie stets ihrer Neigung, und knüpfte, oder zerriß ein Band, so wie es ihr Vergnügen gebot" (76). Dies setzte jedoch voraus, daß sie für die Ehe ungeeignet war: "Sie fühlte, daß die Ehe nicht für sie, und sie nicht für die Ehe gemacht sey" (86)—eine Idee, die Cohen ebenfalls unterstreicht: "Another of Ninon's objections to marriage stems from her honesty, an honesty which later became proverbial. Ninon disliked the way married couples deceived each other. She had nothing against promiscuity, but she bridled at taking oaths of fidelity and then making a mockery of them" (41). Vor allem aber mußte die persönliche Ehrenhaftigkeit geschlechtslos sein: "Sie sey gewiß, sagte sie laut, daß die beiden Geschlechter in der Liebe gleiche Pflichten hätten; von ihr sey in diesem Puncte nicht mehr zu erwarten, als von den Männern, und alles Hohe, Wahre, Treue, dessen ihr Herz fähig sey, weihte sie einem reinem, bessern Gefühle, der Freundschaft" (62).

Diese freundschaftliche Treue verschenkte sie nicht nur an Persönlichkeiten wie Saint-Evremond, Scarron, und Charleval, sondern auch an ihre Eltern. Mereau hebt die zärtliche Pflege hervor, die Ninon ihrer kranken Mutter zuteil werden ließ, und die kindliche Liebe, die ihr Vater noch am Totenbett erfuhr (72 und 84f). Eines der berühmtesten Atteste ihrer Ehrenhaftigkeit, von Cohen mit fast den nämlichen Worten wie bei Mereau erzählt, betrifft Jean Hérault Gourville, der die Hälfte seines Vermögens bei einem Geistlichen, die andere Hälfte bei Ninon zurückließ, als er ins Exil mußte. Während der Priester bei Gourvilles Rückkehr vorgab, vom Geld nichts zu wissen, erklärte Ninon zwar, sie habe inzwischen aufgehört, ihn zu lieben, aber des bei ihr verwahrten Vermögens erinnere sie sich wohl: "Nehmen Sie Ihr mir anvertrautes Geld wieder in Empfang, aber fordern Sie die Zärtlichkeit nicht mehr von mir, die ich Ihnen nun einmal nicht mehr gewähren kann. Die aufrichtigste Freundschaft ist alles, was ich für Sie habe" (91). Cohen schreibt, "She became a legend for integrity in her own lifetime" (201).

Mereaus Darstellung ist insofern tendenziös, als sie Ninons positive Charakterzüge hervorhebt, und die weniger ehrenhaften Seiten ihres Lebens übergeht. Der unglückliche Verlauf ihrer ersten Liebe wird abgeschwächt, wie Ninon überhaupt nur als höchst erfolgreiche Liebhaberin dargestellt wird. In Mereaus

Sicht ist vor allem Ninon diejenige, die ein Verhältnis abbricht, ihre Liebhaber diejenigen, die der Verlust schmerzt. Tatsache ist natürlich, daß Ninon etliche Enttäuschungen erleben mußte. Mereau hebt hervor, daß Ninon immer auf der Wahl ihrer Partner bestand, und oft wichtige Persönlichkeiten abwies. Von den "payeurs," die zu ihrem Unterhalt beitrugen, wird wenig gesagt. Allerdings ist es richtig, daß sich Ninon auch bei den zahlenden Freunden nicht verpflichtet fühlte, ihnen ihre Gunst zuzuwenden. Überhaupt wird das Ausschweifende in Ninons Charakter zugunsten ihrer persönlichen Ehrenhaftigkeit bedeutend abgeschwächt. Mereau berichtet zum Beispiel: "Ninon sagte einst zu Saint Evremond, einem ihrer wärmsten Freunde: sie dankte Gott alle Abende für ihren Geist, und bäte ihn jeden Morgen, sie gegen die Thorheiten ihres Herzens zu schützen" (95-96). Das zweite Gebet lautet im Original etwas pikanter: "Faites de moi un honnête homme et n'en fait jamais une honnête femme."[59]

In dem Aufsatz geht es Mereau aber hauptsächlich um drei Hauptthesen. Erstens soll das Beispiel Ninons zeigen, daß die Gleichberechtigung der Frau nicht nur ein abstraktes Desideratum und eine ethische Verpflichtung der Menschheit ist, sondern daß sie nützlich für *beide* Geschlechter ist. Mereau hebt hervor, und der Leser bezweifelt es nicht, daß Ninons Lebensweise auch bei den Männern vollen Anklang und Beifall fand. Überzeugen soll die Aufzählung ihrer männlichen und weiblichen Verehrer, unter denen sich die gebildetsten und mächtigsten ihrer Zeit befanden. All das ist Tatsache. Dieses Faktum nimmt den meisten konventionell-moralischen Einwänden gegen Ninons Lebenswandel den Stachel; denn was für den männlichen Teil der Menschheit recht ist, sollte für den weiblichen Teil billig sein. Eine solche moralische Sicht erleichtert nicht nur das Los der Frau, sondern auch das des Mannes. Er darf sich der Beschützer- und Verpflegerrolle, die er traditionsgemäß der Frau gegenüber hat, offiziell entledigen. Insofern er diesen Rollen inoffiziell sowieso sehr oft aus diversen Gründen nicht nachkommt (Beispiel: Ninons Vater), wird eines der hypokritischen gesellschaftlichen Elemente zwischen der Geschlechtern beseitigt. Neben dieser allgemeinen Nützlichkeitsthese dient Ninons Beispiel der Ansicht, daß der denkenden Frau die persönliche Freiheit gewahrt bleiben muß. Sie ist nicht dem Vieh gleichzusetzen, dessen Besitz erworben werden kann. Für Ninon bedeutet dies die Ehelosigkeit, denn es ist vor allem dieser Vertrag, der dem Mann jedes persönliche und finanzielle Recht über die Frau gesetzlich überträgt. In Mereaus Aufsatz wird die Ehe zwar nicht inhärent als etwas Negatives behandelt, aber sie wird entweder als Verbindung zweier unvereinbarer Persönlichkeiten (Ninons Eltern), oder als Konvenienzehe dargestellt. Auf jeden Fall ist die Ehe da, um gebrochen zu werden. Auf diese Weise wird diese Stütze der Gesellschaft als Konvention dargestellt, die das Unglück der Individuen sowie den moralischen Zerfall der Allgemeinheit fördert. Mereau zeigt, daß auch die Erziehung von Kindern (Ninons Söhne) eine Ehe nicht notwendig machen: Ninon läßt sie von den Vätern versorgen. Wenn dieses Bild unrealistisch anmutet, so ist die Alternative schrecklich. Die an Konvention gebundene Frau verliert nicht nur jegliches Recht über die eigene Person durch die Ehe, sondern sie ist an das Schicksal ihres Mannes gebunden. Für Frau L'Enclos bedeutete dies u.a. den Verlust des eigenen Vermögens, das mit dem ihres Mannes konfisziert wurde. Wenn der Mann die Beschützerrolle nicht übernimmt oder nicht übernehmen kann, sind Frau und Kinder einer ärgeren Situation ausgesetzt, als wenn sie ungebunden geblieben wären. Außerdem sind es in Mereaus Darstellung bloß die auf sich selbst gestellten Frauen, die Witz und Intellekt bewahren und den Männern ebenbürtige und interessante Gefährtinnen sind. Die dritte These des Aufsatzes ist schließlich jene, daß individuelle Freiheit und weibliche Gleichberechtigung nicht gleichbedeutend sind mit einem unmoralischen oder ausschweifenden Lebenswandel. Aus diesem Grunde betont Mereau Ninons positive Charakterzüge, ihre Moralphilosophie und die Beispiele ihrer Freundschafts- und Treuebezeugungen.

Der Aufsatz ist unkonventionell, aber nur bedingt feministisch. Es geht Mereau nicht lediglich um die Emanzipation der Frau, obwohl diese Sicht vertreten ist, sondern um die Befreiung beider Geschlechter aus dem Zwang der ihnen von der Gesellschaft aufgezwungenen Rollen. Diese Thematik ist es, die den Aufsatz mit den *Spanischen und Italienischen Novellen* verbindet, die Sophie Mereau Brentano als Übersetzerin nennen.[60] Es ist seit Steigs Veröffentlichung der Arnim-Brentano-Briefe üblich, diese Arbeit als Werk Clemens' zu bezeichnen. Steig druckt einen Teil von Clemens Brentanos Brief an Arnim vom Dezember 1805, wo er schreibt: "Der Band ist nun endlich da, dabei meines Verlegers Klage über schlechten Abgang, weswegen ich in die elegante Zeitung eine Anzeige gesendet, weiß doch nicht, ob sie aufgenommen. Ich hoffe, sie werden Dich angenehmer unterhalten als die ersten. Denn ich habe sie freier gehalten, die erste sogar hie und da mit einiger Liebe behandelt" (Steig I, 158). Hierzu Steig: "Auf dem Titel des Buches steht zwar, die Novellen seien 'herausgegeben' von Sophie Brentano, was im engsten Wortsinne richtig sein mag. Die eigentliche Arbeit aber hat Clemens Brentano gethan, dessen Kunst sich auch in den prächtigen Gedichten zeigt, die der Novelle vom gewarnten Betrogenen, der ersten des zweiten Bandes, eingefügt sind" (I, 158). In seiner Fußnote zu dieser Bemerkung gibt Steig zu, daß ihm der erste Band der Novellen nicht zugänglich war, und daß in der "Zeitung für die elegante Welt" die von Brentano erwähnte Anzeige nicht erschien. Auf die Information, daß Sophie im Oktober 1803 Clemens um die Mitteilung eines ausgefallenen dreisilbigen spanischen Frauennamens gebeten habe, gründet Steig seine Ansicht, daß er "jetzt mit Sicherheit sagen" könne, die Novellen seien "von Clemens verfaßt und von Sophie nur 'herausgegeben.' " Brentano werde "seine Gründe gehabt haben, warum er die Novellen nicht unter seinem Namen erscheinen ließ. Künftig aber sind sie unter den Werken Clemens, nicht Sophie Brentanos, aufzuführen" (I, 356). Dies wurde auch von Goedeke und allen folgenden Kritikern und Bibliographen brav befolgt, wenngleich

Schmidt meint, "die Novellen sind vermutlich von Brentano übersetzt und bearbeitet; die Mitwirkung der Mereau kann jedoch keinesfalls ausgeschlossen werden" (39).

Ich habe bereits erwähnt, daß Steigs Urteil über die Novellenübersetzung auf einer vollkommenen Unkenntnis der Tatsachen beruht. Ein Vergleich der Mereauschen Übersetzung mit dem Original zeigt nämlich in beiden Bänden eine außerordentlich enge Anlehnung an den spanischen Text. Wenn Steig schreibt, Brentanos Kunst zeige sich "in den prächtigen Gedichten," die in der Novelle des "Gewarnten Betrogenen" eingefügt sind, so beweist dies lediglich, daß er nicht einmal das Original hinzuzog. Diese Gedicht sind nämlich mit einer einzigen Ausnahme sämtlich aus dem spanischen Text übernommen und mit viel Geschick nahezu wörtlich ins Deutsche übertragen. Sie können nicht Brentanos Schaffen zugeeignet werden. Das einzige Gedicht, welches nicht im Original erscheint ist folgendes: "St. Georg der schlanke, / St. Georg der blanke, / St. Georg der kranke / Sei all mein Gedanke; / St. Georg den wilden, / St. Georg den milden, / St. Georg mit Schilden / Will ich mir einbilden" (II, 104). Sicherlich kann dieses "prächtige Gedicht" nicht als Zeugnis von Brentanos Kunst gelten.[61] Diese acht Gedichtzeilen sind übrigens die einzigen in beiden Bänden, die nicht im spanischen Text vorhanden sind. Dagegen sind einige der spanischen Gedichte in der deutschen Übertragung weggelassen, oder wesentlich gekürzt. Die Übersetzung Clemens' auf eine angenommene Unkenntnis Sophies des Spanischen basieren zu wollen, wie Steig dies tut, ist ebenfalls unzulässig. Mereau übersetzte sowohl aus dem Englischen, wie aus dem Italienischen ("Fiametta"), aus dem Französischen, wie aus dem Spanischen.[62] Außerdem sind anscheinend für das Jahr 1804 keine anderen Arbeiten von ihr herausgekommen. Schon aus diesen Gründen können die *Spanischen und Italienischen Novellen* nicht ohne weiteres Brentanos Schaffen zugeschrieben werden.

Gegen Brentanos Verfasserschaft spricht jedoch ein weitaus wichtigeres Indiz, und das ist die Thematik der Novellen. Es wurde bereits oben angedeutet, daß ein großer Teil der ehelichen Problematik zwischen Clemens und Sophie auf Sophies Unvermögen beruhte, sich Clemens völlig unterzuordnen und ihre persönliche Freiheit einzuschränken. Clemens verbot ihr das Reiten, das Schminken, wollte sie ganz vom gesellschaftlichen Umgang ausschließen und sah ihre schriftstellerische Tätigkeit ungern. Von dieser Perspektive gesehen ist es höchst unwahrscheinlich, daß Clemens sich die Mühe genommen hätte, Novellen zu übersetzen, die sich in hohem Grade die Frauenemanzipation zum Ziel setzen. In vieler Hinsicht ist die Novellenübersetzung ein ähnlicher Versuch wie der Ninon-Aufsatz, das Mißverhältnis zwischen den Geschlechtern im 17. Jahrhundert aufzudecken und durch die Analogie zum zeitgenössischen Deutschland die Gegenwart didaktisch zu beeinflussen. Ich gehe deshalb im folgenden von der Annahme aus, daß das Werk vor allem ein Projekt Mereaus ist, wenngleich die Kollaboration zwischen Ehegatten niemals vollkommen auszuschließen ist.

Die zwei von Mereau herausgegebenen Bände der Novellen umfassen die ersten acht Erzählungen, sowie die einleitende Rahmenhandlung der *Novelas Exemplares y Amorosas* von Doña Maria de Zayas y Sotomayor[63] in der Reihenfolge der spanischen Ausgabe. Im September 1803 hatte Sophie an Clemens geschrieben: "Ich habe dem Buchhändler Dienemann in Penig, der etwas von mir verlegen wollte, *spanische und italienische Novellen* angeboten, die ich herausgeben wollte. Er hat es angenommen und zahlt 1 Louisdor für den Bogen. [. . .] das erste Bändchen kömmt zu Ostern, und das ganze kann mehrere Jahre fortdauern" (BM I, 178).[64] Der Abbruch der Novellen mit der achten Geschichte ist also wohl darauf zurückzuführen, daß die Fortsetzung durch Mereaus Tod unterblieb. Damit fehlt auch die Fortsetzung der Rahmenhandlung, die nach der 10. Novelle den ersten Teil beschließt, und in der Einleitung zum zweiten Teil die "Desengaño"-Novellen motiviert. Es sind aber gerade diese Zwischenteile, die das "lehrreiche" Element der Sammlung beinhalten, bzw. Motivierung und Intention der Novellen beider Teile erklären. Es ist daher notwendig, auf das spanische Original zurückzugreifen, um das fragmentarische Werk Mereaus zu verstehen.[65]

Nachdem bereits in der von Mereau übersetzten Einleitung des ersten Teils die Rahmenhandlung Intrigen und Liebeshändel zum Thema hat, macht Maria de Zayas in der Einleitung des zweiten Teils das Ziel ihrer Darlegungen deutlich. Die prävalenten Vorurteile über die Frau sollen beseitigt werden, die üble Nachrede, die die Männer über sie verbreiten, die Frauenfeindlichkeit der Literatur soll der Leserschaft bewußt gemacht werden. Mit kämpferischem Feminismus fordert Zayas die Frauen auf, für die eigenen Rechte einzutreten: die Beispielerzählung dient dazu, "para que las Damas se avisen de los engaños y cautelas de los hombres, para que vuelvan por su fama, en tiempo que la tienen tan perdida, que en ninguna ocasion hablan, ni sienten de ellas bien; siendo su mayor entretenimiento decir mal de ellas; pues ni comedia se representa, ni Libro se imprime, que no sea todo en ofensa de las mugeres" (232). Es ist eines der wesentlichen Verdienste Mereaus, bereits früh den emanzipatorischen Charakter der Novellen erkannt, und den Versuch gemacht zu haben, durch die Übersetzung die Ideen der Spanierin auch in Deutschland zu verbreiten. Ebenso wie Ninon de L'Enclos erhebt Maria de Zayas die Forderung für die Gleichberechtigung der Frau: das Ziel ist dasselbe, wenngleich die Methoden sehr verschieden sind— Ninon *lebt* das Beispiel, Zayas erzählt es. So vordergründig die Didaktik der Novellen ist, ist sie dennoch lange unerkannt geblieben. Noch Ludwig Pfandl meint in seiner *Geschichte der spanischen Nationalliteratur in ihrer Blütezeit,*[66] daß es "etwas Gewöhnlicheres und Unvornehmeres, etwas Unästhetischeres und Abstoßenderes als ein Weib, das lüsterne, unsaubere, sadistisch angehauchte, moralisch faule Geschichten" erzähle, kaum gebe (334). Dagegen macht die amerikanische Hispanistin Lena Sylvania in ihrem Aufsatz von 1922 besonders auf die frauenrechtlerischen Tendenzen der Novellen aufmerksam.[67] Einen ausgezeichneten Überblick über die

Forschungslage und über Charakteristik und Tendenz der Novellen bringt die neue Arbeit Hans Feltens.[68] Um zu erläutern, warum gerade diese Novellen für Mereau von Interesse waren, soll einiges aus dem von ihr übersetzten Teil besprochen werden.

Die erste Novelle heißt in Mereaus Übersetzung "Wer sich wagt geht zu Grund" ("Aventurarse perdiendo"). Es geht um eine Frau, die durch den Versuch, aktiv in ihr Liebesleben einzugreifen, ins Unglück gestürzt wird. Einsam und verlassen wird sie im Wald von Fabio gefunden und der Welt glücklich wieder zugeführt, nachdem sie sich seinem Schutz anvertraut hat. Die offensichtlich scheinende Moral der Geschichte (Frau, bleib auf deinem dir angewiesenen Platz) ist zweideutig, weil sie durchgehend durch Erläuterungen relativiert wird, die die Unmöglichkeit und Ungerechtigkeit jener Forderung darlegen. Auf diese Weise wird erklärt, daß die der Frau von der Gesellschaft auferlegte Verhaltensweise misogynen Konzepten entspringt und für sie nicht akzeptierbar ist.

Die Benachteiligung der Frau erfolgt schon in ihrem Elternhaus, wie aus dem Bericht Hiazinthas hervorgeht: "Ich verlohr meine Mutter in dem traurigsten Zeitpuncte, und es war kein kleiner Verlust, denn ihre Gesellschaft, ihre Erziehung und Wachsamkeit waren wichtiger für meine Ehre, als die Sorglosigkeit meines Vaters, der sich die Mühe nicht nahm, mich zu beobachten, oder mir einen Stand zu geben; denn er liebte nur meinen Bruder zärtlich, der seine ganze Aufmerksamkeit hatte, ohne daß ich ihm doch zu allem diesen die mindeste Veranlaßung gegeben hätte."[69] Daß der Vater den Bruder vorzieht, wird von Hiazintha (Jacinta) besonders schwerwiegend empfunden, weil ihr die Mutterliebe versagt ist und weil sie ein feinfühliges, intelligentes Mädchen ist. Gerade diese Empfindsamkeit wird als großes Unglück gesehen, weil ein stumpferes, tierisches Wesen die Ungerechtigkeiten nicht empfinden würde: "so ist die Schwachheit, zu der wir Weiber geschaffen sind, denn auf unsere Stärke ist nicht zu bauen, weil wir sehend sind und wären wir blind geboren, würde die Welt weniger Unfälle sehen, denn wir würden ohne betrogen zu werden ruhig leben."[70]

Hiazinthas weiteres Verhalten in Liebessachen wird mit dieser früh versagten väterlichen Liebe psychologisch motiviert und in vor-Freudschen Erkenntnissen projiziert Zayas Hiazinthas Liebesverlangen in den Traum. Der Sechzehnjährigen erscheint ein Mann mit verhülltem Gesicht im Traum für den sie sofort Liebe empfindet. "Mit verliebter Schüchternheit versuchte ich es, ihm den Schleier wegzunehmen, und kaum hatte ich es gethan, als er einen Dolch zog, und mir einen so grausamen Stich durch das Herz versetzte, daß mir der Schmerz einen tiefen Schrei entriß" (32-33).[71] Die Identifizierung des verhüllten Mannes mit der Vaterfigur und der schmerzhafte Dolchstich, der sowohl an das ihr vom Vater zugefügte Leid erinnert, wie auch sexuelle Mitschwingungen hat, ist vordergründig. Für die Novelle tonangebend ist jedoch Hiazinthas Versuch, die Figur zu entschleiern. Das Motiv des Schleiers und der Entschleierung ist in der Literatur oft vertreten, in der deutschen am eindrucksvollsten durch die versuchte Entschleierung der göttlichen Isisfigur (Novalis, Schiller). Die Idee der Suche nach Wahrheit wird hier mit der geschlechtlichen Erkenntnis verbunden, mit der Nachvollziehung des Sündenfalls, der Entjungferung der Geliebten, usw., und ist fast stets ein männlicher Akt (im Novalismärchen ist der Protagonist auch Hyazinth genannt). Hiazinthas Initiative in der versuchten Entschleierung des Mannes wird als unweiblich empfunden und sofort bestraft. Damit wird schon ganz zu Anfang der Novelle der Titel als sexuelles Wagnis begründet, das der Frau nicht gestattet ist.

Hiazintha fällt jedoch weiterhin aus der ihr vorgeschriebenen Rolle. Beim Erscheinen eines Fremden in der Stadt ist sie sicher, daß es jener Mann ihres Traumes ist (dessen Gesicht sie ja kaum gesehen hatte) und übernimmt die Werbung. Die verwickelte Liebesgeschichte endet notwendig in ihrer gesellschaftlichen Degradierung, insofern ihr Geliebter stirbt, bevor das Verhältnis legitimiert werden kann. Sie ist jedoch nicht nur in erotischen Dingen aggressiv, sondern hat Verstand, Witz und Talent, und läßt sich in poetische Wettkämpfe mit Männern ein. Dieser Charakterzug—der Wunsch, auch intellektuell aktiv sein zu dürfen und der Glaube an die Ebenbürtigkeit der Geschlechter—verstrickt sie in die Liebschaft mit Celio, durch den sie schließlich vollends erniedrigt wird. Celio zeigt in vieler Hinsicht Züge von Brentano in seinem Verhältnis zu Mereau, und es mag dieser Zufall gewesen sein, der Mereaus Interesse an den Übersetzungen ursprünglich erweckte. Während Celio die Damen umwirbt, brüstet er sich nachher öffentlich seiner Erfolge und bringt sie damit in schlechten Ruf. Hiazintha gewinnt Interesse an ihm wegen seines Talents: "da ich auch Verse machte, so wetteiferte er mit mir, und bewunderte die meinigen nicht, weil ich sie machte; (denn wäre dies Talent in einem Weibe zu bewundern, da sie keine andern Seelen als die Männer besitzen,) sondern weil ich sie mit einiger Geschicklichkeit verfertigte" (86).[72] Die Idee der Gleichberechtigung der Geschlechter tritt im Sängerkrieg der beiden hervor und auch in Hiazinthas Bemerkung, ihr Talent sei nicht weiter verwunderlich, da ja Frauen "keine andern Seelen" hätten als Männer. Eine solche Einstellung ist aber in einer Gesellschaft, die die starke Rollentrennung der Geschlechter bewahrt hat, nicht selbstverständlich: Intellekt, Geltungsdrang, Kampflust und Wettbewerb sind männliche Attribute. Hiazinthas Auftreten erscheint unweiblich.

Während Hiazintha meint, in Celio einen Mann gefunden zu haben, der vorurteilslos den Intellekt einer Frau zu schätzen weiß, während sie durch sein Lob ermuntert ihn immer liebenswürdiger findet, bleibt die Angelegenheit für Celio bloßes Spiel, an dessen Ende er ihr erklärt, er habe nie die geringste Absicht gehabt, sie zu heiraten. Hiazinthas aktive, ja aggressive Lebensführung schreckt auch Celio ab und er findet darin bloß die Bestätigung für seine negative Bewertung der Frauen im allgemeinen und Gewissensberuhigung für seine Behandlung Hiazinthas im besonderen. Über den Beginn dieser enttäuschenden Episode in Hiazinthas Leben berichtet sie:

> Nie blickte ich nach Celio, um ihn zu lieben, doch bewog mich auch nichts ihn zu hassen, wenn ich seine Liebenswürdigkeit anerkannte, so fürchtete ich auch seinen Hohn, den er uns selbst eingestand. Vorzüglich erzählte er uns eines Tags, wie er von einem Weibe geliebt werde, die er eben so heftig verschmähe, als sie ihn liebe, hiebey rühmte er sich der Schmähungen, mit denen er ihr tausend Zärtlichkeiten belohne. Wer hätte gedacht, Fabio, daß dieser meine Ruhe stören sollte, nicht weil ich ihn liebte, nur weil ich ihm mehr Aufmerksamkeit schenkte als recht war (86-87).[73]

Das Verhältnis zwischen Mereau und Brentano mag in sehr ähnlichen Bahnen verlaufen sein. Im Dezember 1802 schreibt sie Clemens: "Ich erhielt diesen Sommer einige Lieder mit Ihren Namen bezeichnet. Sie waren schön; ich erkannte das ausgezeichnete Talent, das jeder in Ihnen anerkennen mus" (BM I, 38). Clemens' Brief an Sophie vom 26. September 1804 enthält die Zeilen: "Deine Muse wird gewiß wieder neue schönere Zweige treiben als je, denn wer solchen Sinn für das Vortrefliche in der Kunst hat, den wird auch das Vortrefliche wieder lieben" (BM II, 145-46). Dagegen aber am 10. Januar 1803: "da erschrak ich immer, wenn ich etwas Gedruktes von Ihnen sah, und nichts war mir quälender, als etwas von Ihnen zu leßen, nicht als wenn es mir zu schlecht sei, oder gut genug, nein es kam mir so unnatürlich vor" (BM I, 48). Darauf im September desselben Jahres: "Du warst ein artiges Weib, aber kein vortrefliches Weib, und mustest es doch eigentlich sein. Daß ich Recht habe, kann Dir leicht daraus begreiflich werden, daß Dir auf Erden noch Nichts gelungen ist, keine Liebe, keine Freundschaft, keine Mütterlichkeit, keine Kunst, keine Andacht" (BM I, 149-50). Schließlich beklagt sich Sophie einige Tage später über seine Hohngespräche, mit denen er sie unter den gemeinsamen Bekannten herabsetzte:

> Das ist nun auch vorbei, schriebst Du Deiner Schwester, ich habe die M geliebt, ich liebe sie nicht mehr; an Heurath ist gar nicht zu dencken, aber sie will meine *Freundin*—dies Wort zweideutig unterstrichen—sein, und sie wird mir durch die ganze Welt nachlaufen. [. . .] mich hingeopfert zu sehen für *Alle,* ein Triumpf für alle die mich beneideten, das Ziel schmähsüchtiger Reden, die nun sagen: seht! sie hat sich ihm an den Hals geworfen, und er verschmäht sie—sie verfolgt ihn mit ihrer Liebe, die er verachtet (BM I, 171).

Die Parallelen zwischen der Liebesverbindung Mereau/Brentano und Hiazintha/Celio sind durchgreifend. Insofern Celio in der Novelle als negativer Charakter auftritt, ist es nicht wahrscheinlich, daß Brentano den nötigen Enthusiasmus zur Übersetzungsarbeit aufbrachte. Auch dies ist ein Grund, die von Steig behauptete Autorschaft Brentanos zu bezweifeln.

Zayas' Apologie der Frau[74] nimmt eine kämpferisch-feministische Dimension in der zweiten Novelle an. Ihre Thematik negiert die Behauptung der ersten, daß die Frau, die es wagt, aus der ihr bestimmten Rolle zu treten, zugrunde geht. Auch hierdurch wird die scheinbare Moral der ersten Novelle relativiert. Hiazintha handelte, von Zayas psychologisch motiviert, unter dem zwiefachen Zwang einer ungelösten ödipalen Bindung und dem für sie unvermeidlichen Konflikt zwischen ihrem aktiven Glückseligkeitsstreben und der ihr von den Rollenerwartungen vorgeschriebenen Passivität.[75] Wurde in der ersten Novelle das weibliche Handeln begründet, bzw. das Recht der Frau, ganz wie der Mann ihr eigenes Glück zu suchen, so lehrt das Beispiel der Heldin der zweiten Novelle, daß sie Handlung und Verantwortung für das eigene Glück selbst übernehmen muß. In "Die betrogne Aminta, und die Ehrenwache" ("La burlada Aminta, y venganza del honor") führt Aminta den Racheakt für die verlorene Ehre selbst aus und verläßt sich nicht, wie Hiazintha, auf die Hilfe eines Mannes zur Wiedererlangung ihrer gesellschaftlichen Stellung.

Die Hauptcharaktere der Novelle sind Aminta, die als 14-jährige Waise auf sich selbst gestellt ist, und der gewissenlose Verführer Jazinto, dem kein Mittel schändlich genug ist, das unerfahrene Mädchen zu betrügen. Die moralische Schwarz-Weißzeichnung verlegt das Interesse der Handlung durchwegs auf das Wie von Amintas Reaktion und entschuldigt die Grausamkeit der Rache. Die Vierzehnjährige wird als wahrer Unschuldsengel in die Novelle eingeführt: "So sehr glich sie einem unschuldigen Kinde, das nichts von der süßen Freiheit der Liebe, nur von der frommen Pflicht des Gehorsams gegen seine Vorgesetzten weiß" (116).[76] Ähnlich wie das Fräulein von Sternheim in Sophie Laroches Roman wird Aminta durch eine falsche Heirat die Geliebte Jazintos, denn, wie seine Komplizin Flora erklärt: "Keine Schlinge ist dem Weibe so gefährlich, als die Ehe, zeige dich ihr in deinem vollen Glanze, und du wirst sehen, wie sie in die Schlinge geht" (124-25).[77] Die Heirat, von einem Priester vollzogen, der die beiden nicht kennt, ist ungültig, weil Jazinto bereits verheiratet ist. Über seine Gattin wird gesagt: "Er ging von ihr in Madrit, und sie war um so unglücklicher, da sie immer schön und treu gewesen war" (119).[78] Beide Frauen sind an ihrem Unglück durchaus unschuldig und es wird damit gezeigt, daß selbst für die ehrbare Frau in einer Gesellschaft, die dem Mann jede Freiheit gewährt, der Frau aber die höchste persönliche und intellektuelle Einschränkung auferlegt, kein Schutz vor dem ehrlosen und verbrecherischen Element gewährt wird. Zayas unterscheidet hier nicht nach Geschlechtern: auch Jazintos Komplizin, Flora, und die bestechliche Doña Elena gehören zu den zwielichtigen Figuren. Bei der Verführung Amintas wird Jazinto von der Boshaftigkeit (Flora), der Habsucht (Doña Elena) und der Kirche (dem unverantwortlichen Pfarrer) unterstützt. Über Flora wird überdies ausgesagt: "So ist es denn wahr, daß ein boshaftes Weib in ihrer Kunst alle Männer übertrift" (148).[79] Der misogyne Zeitgeist soll nicht durch Männerhaß ersetzt werden; stattdessen soll die Unzulänglichkeit des "Schutzsystems" gezeigt werden, mit dem die Einschränkung weiblicher Freiheiten unterstützt und entschuldigt wird.

Da Jazintos Intrige bloß auf kurzfristigen Genuß angelegt war, findet sich die vermeintliche Gattin schnell verlassen. Ihre erste Reaktion ist rollengetreu: sie wünscht die Rache ihres nächsten männlichen Verwandten (ihres Vetters) an

Jazinto. Jener ist jedoch abwesend und unerreichbar, und ihr zweiter Gedanke ist ebenfalls passiv—der der Verzweiflung und Selbstvernichtung.[80] Der spanische Text geht hier etwas weiter als die Übersetzung, indem Amintas "Tapferkeit" verzeichnet wird—ein Charakterzug, der meist Männern zugesprochen wird. Sobald Aminta jedoch Zeit zur Reflexion hat (Don Martin verhindert den Selbstmordversuch), zeigt sie den Unternehmungsgeist und die Tatkraft, die in dem Satz "habe ich keine Hände, um meinem Leben eine Bahn zu brechen?" ausgedrückt werden; sie setzt sich aktiv ein Ziel. Zunächst bestätigt sie ihr wiedererlangtes Selbstbewußtsein: "denket nicht, ich höre auf zu seyn, wer ich bin, weil ihr mich hier so verloren findet;" und verkündet das Beispielhafte ihres Erlebnisses: "und ihr irrt euch, wenn ihr glaubt, ein Bösewicht habe mir meine Ehre rauben können, denn was mir begegnet ist, konnte dem klügsten und edelsten Weibe begegnen" (168).[81] Zayas widerlegt hier, was der Leser insgeheim denkt: die unerfahrene Vierzehnjährige war leichte Beute für den dreißigjährigen Jazinto. Vielmehr wird ausgesagt, daß eine gesellschaftliche Ordnung der Veränderung bedarf, in der von so jungen und absichtlich unerfahren erzogenen Mädchen verlangt wird, in entscheidenden Situationen altklug und weltweise zu wählen. Es ist dieselbe Anklage, die Laroche im Beispiel Fräulein von Sternheims erhoben hat. Aminta bleibt aber nicht rollengetreu wie jene, sondern ergreift kurzerhand die Zügel ihres eigenen Schicksals. Ihre Handlungen können in diesem Sinne als beispielhaft belehrend interpretiert werden. Aminta verliert wenig Zeit mit weiteren emotionellen Erwägungen. Don Martins Heiratsantrag "empfing sie gern, denn es war hier keine Zeit, zu wählen" (170).[82] Der Grund hierfür ist, daß sie einen männlichen Reisebegleiter braucht: "Meine Rache ist nicht so, wie ihr glaubt, sagte Aminta, nicht ihr, ich bin beleidigt, und ich muß mich rächen, auch würde ich nie ruhig seyn, wenn meine Hände mir nicht wieder geben sollten, was mein Unglück verscherzte" (171).[83] Zayas will das Prinzip so deutlich machen, daß sie es Aminta nochmals aussprechen läßt: "Ich bin es, die diese Ehre leichtsinnig verlor, und so muß ich es auch seyn, die sie in seinem Blute wieder gewinnt" (175).[84] So wird verneint, daß die Frau weder die Verantwortung für eigene Taten, noch die Richtigstellung erlittenen Unrechts übernehmen kann. Aminta will ihr Leben selbst leben, leiten und bestimmen und entledigt sich damit der männlichen Vormundschaft. Nichts weniger als das Selbstbestimmungsrecht über die eigene Person wird gefordert. Symbolisch wird dies ausgedrückt, indem Aminta Männerkleidung anzieht und diese bis zur Vollendung ihrer Rache nicht ablegt.

Was Mereau im Aufsatz über Ninon in die Worte kleidete, "von diesem Augenblicke an werde ich Mann," findet hier durch die Verkleidung statt. Die in und seit der Romantik in der deutschen literarischen Tradition so häufig vorkommenden Verkleidungsszenen hängen mit dem zunehmenden Drang der Frau nach Emanzipation zusammen: männlich handeln kann nur der männlich Gekleidete, und dies aus durchaus praktischen Gründen. Lange, weite Röcke, zahlreiche Unterröcke, Mieder, Korsett, Schnürleib waren für sportliche oder anstrengende körperliche Tätigkeit ungeeignet.[85] In diesem Sinne ist auch die Kleidung Instrument und Ausdruck des Rollenzwangs, und Aminta streift ihn ab. Zayas betont es mehrmals. Aminta reist ihrem falschen Ehemann nach, "erkannte ihn auf den ersten Blick, und wahrscheinlich verursachte der Muth, den die männliche Kleidung ihr gab, daß ihre Bestürzung ihre innre Wuth verbergen half" (176).[86] Aminta berichtigt Donna Flora, die die Verkleidung vermutet: "ich bin mehr Mann, als mein Bart es verheißt" und sie erklärt, es werde "doch ein Tag kommen, wo ich Mann seyn werde, zum Schrecken des Schurken, der mir mein bestes Vermögen gestohlen" (183).[87] Mit der Männerkleidung vereinigen sich in Aminta männliche Attribute wie Entschlußkraft, Mut, Rachsucht, aber auch die Gabe der Dichtkunst. Bevor sie den Racheakt ausübt, führt sie Flora und Jazinto noch mit Gesang das Vergehen vor: "Ach! warum dann, Hiazinto, / Quelle meines ew'gen Elends, / Mordetest du, Liebe lügend, / Meiner Unschuld junges Leben?" (182).[88] Den Höhepunkt der Novelle bildet der blutige Doppelmord, der absichtlich in seiner ganzen Grausamkeit geschildert wird: "Aminta [. . .] stieß ihm den Dolch zwischen den Fingern durch tief in die Brust, indem sie laut ausschrie: Fahre hin, du hast gelogen. Flora erwachte durch das Geschrei, und wollte um Hülfe rufen, aber Aminta gab ihr drei Stiche durch die Kehle, indem sie ihr deutlich ins Ohr sprach: ich bin Aminta, sey ruhig, dann wendete sie dieselbe um, und öfnete ihrer Seele noch mehrere Pforten, der ihres Geliebten zu folgen" (196).[89] Nach der Tat zieht sie sich wieder Frauenkleidung an und wird Don Martins Ehegattin.

Die Novelle zeigt weniger die Schlechtigkeit der Männer, als vielmehr eine reformbedürftige Gesellschaftsordnung. In dieser Welt, wo die Schutzmoral kläglich versagt und selbst die Ehe die Frau nicht sichert, kann nur die Selbstbestimmung der Frau und ihr Entzug aus männlicher Vormundschaft ein adäquates moralisches Gegengewicht zu den Anfechtungen bieten, denen sie ausgesetzt ist. Eine Umerziehung der Frau und eine Neuorientierung der Gesellschaft ist vonnöten. Felten meint, mit "der Auswahl gerade dieser weiblichen Aktivitätsmotive aus dem Traditionsmaterial und mit ihrer Ausgestaltung arbeitet die Zayas an der Zerstörung des konventionellen Frauenbildes" (67). Man habe aber "den besonderen Formen dieses Feminismus, der sowohl ein defensiver als auch ein aktiver ist und dessen aktive Komponente sich keineswegs im bloßen Suffragettentum erschöpft, nicht genügend Aufmerksamkeit geschenkt" (77). Es ist sicher richtig, daß das Kernanliegen sowohl bei Zayas wie auch bei Mereau nicht lediglich frauenrechtlerisch ist. Spricht doch Aminta, wenn sie erklärt, Jazinto habe ihr ihr "bestes Vermögen gestohlen," weder von materiellen Gütern, noch von ihrer ehemaligen Jungfernschaft, sondern von der Desillusionierung über die bestehende Ordnung, an die sie bis dahin geglaubt hatte. Das geht am deutlichsten aus ihrem Gesang hervor, wo sie von "ew'gem Elend" und Mord an der Unschuld ihres "jungen Lebens" spricht. Die Schande der vorehelichen Entjungferung ist durch die Heirat mit Don Martin schnellstens behoben, aber der Verlust des kindlich-gläubigen Gemüts ist ein Diebstahl von unwiderbringlichem Gut. Damit wird die sexuelle Intrige auf die Ebene des philosophischen und ethisch zwischenmenschlichen Bereichs erhoben.

Die beiden besprochenen Novellen sind repräsentativ für Thematik und Tendenz des von Mereau übersetzten Teils und die geringfügige Abweichung vom Original läßt darauf schließen, daß es Mereau weniger um eine Um- oder Nachschöpfung ging, sondern vor allem um eine Bekanntmachung des Sujets in deutscher Sprache. Die Novellenübersetzung fügt sich hierin aber außerordentlich eng an die Thematik der Ninonarbeiten Mereaus an, und an jenes Streben nach Emanzipation und Freiheit, das auch in einigen ihrer Gedichte, sowie in *Amanda und Eduard* und in der Materialwahl der von ihr herausgegebenen *Bunten Reihe kleiner Schriften* (1805) zum Ausdruck kommt. Es zeigt sich hier ein gesinnungsmäßig recht einheitliches Bild in Mereaus Schaffen, das leitmotivisch ihre Lyrik, Prosa- und Übersetzungsarbeiten durchzieht.[90] Die *Bunte Reihe* enthält mehrere Erzählungen, Übersetzungen und Nachbildungen, die in Tendenz und Didaxe an Laroches Erstlingssroman erinnern. Besonders deutlich wird dies in der Erzählung "Der Mann von vier Weibern," wo in der Darstellung der ehelichen Verhältnisse die juristische und soziale Rechtlosigkeit des weiblichen Geschlechts angeprangert wird: selbst eine Frau, die sich den gesellschaftlichen Rollenerwartungen fügt, sich nichts weiter zuschulden kommen läßt, als verheiratet leben zu wollen, und dies auf rechtmäßige Art verwirklicht, findet weder gesellschaftlichen noch gesetzmäßigen Schutz vor Betrug, Erniedrigung, Mißhandlung und finanzieller Ausbeutung. Hier, wie im *Fräulein von Sternheim,* versagt die Schutzmoral aufs Kläglichste. Es mag diese von Mereau erkannte perspektivische Parallele zwischen dem Roman und der Orientierung ihrer Auswahl in der *Bunten Reihe* sein, die sie veranlaßte, den Sammelband Laroche zu widmen. Sie überreiche Laroche die Beiträge "als Kinder," schreibt sie in der Vorrede, "das heißt, als solche Wesen, denen von Gott und der Unschuld verliehen ist, das Unaussprechliche zu sagen, und dieses ist meine innige, aufrichtige Verehrung, die Ihrem Herzen durch Ihr Wohlwollen gern so verwandt seyn möchte, wie sie es Ihrem Blut durch die Verbindung mit Ihrer Familie geworden ist." Geistesverwandtschaft mit Laroche sieht Mereau im Versuch beider, "das Unaussprechliche zu sagen." Wenn man, wie dies bisher geschehen ist, Laroches Roman als Tugendspiegel interpretiert, ist eine ideologische Schwesternschaft der beiden kaum denkbar. Die oben besprochenen Arbeiten Mereaus zeigen aber deutlich mehrere Berührungspunkte der beiden in Tendenz und Thematik. Für Mereaus Entwicklung ist entscheidend, daß sich das prävalente Freiheitsstreben, das sich nach ihrer Scheidung in ihren Werken zeigt, nach ihrer Wiederverheiratung mit Brentano in eine literarische Beschreibung der weiblichen Knechtschaft verwandelt. Insofern sich ihre Stoffwahl damit tendenziös jener von Laroche nähert, kann die in der *Bunten Reihe* getroffene Auswahl historisch regressiv genannt werden.

Caroline von Günderrode, Anonymer Stich;
Archiv für Kunst und Geschichte, Berlin.

# 4

# Zwischen den Welten. Ambivalenz und Existentialproblematik im Werk Caroline von Günderrodes

MIT DEM WERK Caroline von Günderrodes, dem in Einzelstücken der Terminus genial nicht versagt werden kann, hat die Literaturgeschichte bisher wenig anzufangen gewußt. Bereits Goethes Urteil über Günderrodes Gedichte drückt Konsternation aus: "Diese Gedichte sind wirklich eine seltsame Erscheinung," schreibt er am 28. April 1804 an Eichstädt.[1] Die Bemerkung beinhaltet sowohl verhaltenes Lob wie auch Erstaunen über die Produktion der Dichterin, und die betroffene Ratlosigkeit spiegelt sich im Urteil ihrer Kritiker auch in der Nachfolge wider.[2] Wie war dem Schaffen dieser Frau kritisch beizukommen, deren Namen man nicht einmal richtig schreiben konnte,[3] deren poetische Eigenwilligkeit sich stilistisch und thematisch weder in die klassische, noch in die romantische Schule einreihen ließ, die Sujets behandelte, welche der weiblichen Sphäre ihrer Zeit durchaus fern lagen, und die dennoch eines Grades poetischer Vollkommenkeit fähig war, der schon bei oberflächlicher Lektüre offensichtlich ist? Die Lösung des Dilemmas wurde bisher meist in dem Versuch angestrebt, ihre gesamte Dichtung mit dem bekannten tragischen Ausgang ihres Verhältnisses zu dem Philologen Friedrich Creuzer in Verbindung zu bringen.[4] Unbekümmert wurden ihre unglückliche Liebe und ihr Selbstmord, das melancholische Gemüt, das man in der Vollzieherin einer solchen Tat unbedenklich voraussetzen zu dürfen glaubte, als Triebkräfte ihres Wesens auch auf ihr Werk übertragen: "Es schmilzt alles zusammen: Sehnsucht nach dem Tode und Liebestod und Aufgehen im All. Man kann den Tod aus Günderrodes Leben und Dichtung nicht mehr hinwegdenken, er ist der dunkle, geheimnisvolle Hintergrund, zu dem der Weg führt, den man will, da man ihm entgegenreift," schreibt Walther Rehm,[5] und Friedhelm Kemp echot 1947: "Er, Eros, ist der unsichtbar geheime Gott im Heiligtum dieses Herzens, und ihm als dem Allwaltenden bringt es sich schließlich, seine letzte Einsamkeit zerbrechend, zum Opfer dar."[6] Erst Max Preitz schreibt objektiver: "Es erscheint jedoch unstatthaft, die bittere Wirklichkeit als Konsequenz philosophischer Ideen anzusehen und bei der Günderrode eine Einheit zwischen Todesideal und Tod zu behaupten."[7] Von den gängigen Vorurteilen bei der Bewertung ihres Schaffens soll hier Abstand genommen werden. Statt dessen wird versucht, ihr Werk unabhängig von rollenperspektivischen und ausschließlich biographisch orientierten Maßstäben zu werten.

Notwendig ist es hierbei auch, Günderrodes Schaffen von jenen Interpretationen abzugrenzen, die sie jeweils als romantische,[8] beziehungsweise klassische Dichterin erkennen. Ebenso wie das Werk vieler Romantiker wurde auch Günderrodes Dichtung lange an den Maßstäben klassizistischen Schaffens gemessen und entsprechend abgewertet, weil es sich dieser künstlich aufgestellten Norm nicht fügte.[9] Indem Büsing Günderrodes Arbeiten an jenen Goethes mißt, kommt er zu dem Schluß, daß "Karolinens Schale, wie die unzähliger Vor-, Mit- und Nachgeborenen, leicht in die Luft" steigt.[10] Ebenso verfehlt ist es aber, wenn Ludwig Pigenot (wenig originell) die "deutsche Sappho" als Klassikerin darstellt. Er meint, man dürfe sie "überhaupt keinen romantischen Menschen nennen," sondern sie entspreche einem "in der hellenischen Welt groß dargelegten Typus [. . .] in der Gesamtstruktur ihres Wesens."[11] Günderrode paßt wie Hölderlin, Jean Paul, Kleist und der junge Goethe nicht eindeutig in die von den Literarhistorikern aufgestellten Kategorien. Mit solchen, auf einseitigen Kriterien beruhenden Beurteilungen, kann man Günderrodes Werk nicht gerecht werden.[12] Den Gründen für ihre formale und thematische Sonderstellung nachzugehen, wäre spekulativ. Sie könnten aber u.a. ihre Basis in der Zurückgezogenheit ihres Lebens haben, die ihren Umgang mit zeitgenössischen Dichtern weitgehend beschränkte und sie so dem regen Gedankenaustausch, den ihre männlichen Kollegen genossen, bzw. den sich damals bildenden "Schulen," entzog. Ebenso wäre es denkbar, daß sie, die keine formale höhere Bildung erhielt, sondern sich ihre Kenntnisse der Metrik und der damals allgemeingültigen ästhetischen Grundlagen durch Privatunterricht, Lektüre und kritische Bemerkungen ihrer Freunde erwarb, sich den Regeln der Kunstrichter nicht verpflichtet fühlte.[13] Ihre solcherart erworbenen Einsichten in das Wesen der Dichtung beruhen deshalb hauptsächlich auf eigener Reflexion und sind originell, was sie nicht weniger wertvoll macht. Dazu kam ihr persönlicher Ehrgeiz und ihr Wunsch, etwas künstlerisch Bleibendes zu schaffen. An Clemens Brentano schrieb sie 1804, dem Jahr, in welchem ihr Band *Gedichte und Phantasien* unter dem Pseudonym "Tian" erschien:[14]

> Wie ich auf den Gedanken gekommen bin meine Gedichte drukken zu lassen, wollen Sie wissen? Ich habe stets eine dunkle Neigung dazu gehabt, warum? u wozu? frage ich mich selten; ich freute mich sehr als sich jemand fand der es übernahm mich bei dem Buchhändler zu vertretten, leicht u unwissend was ich that, habe ich so die Schranke zerbrochen die mein innerstes Gemüth von der Welt schied; u noch hab ich es nicht bereut, denn imer rein u lebendig ist die Sehnsucht in

> mir mein Leben in einer bleibenden Form auszusprechen, in einer Gestalt die würdig sei zu den vortreflichsten hinzutretten sie zu grüßen u Gemeinschaft mit ihnen zu haben. Ja nach dieser Gemeinschaft hat mir stets gelüstet, dies ist die Kirche nach der mein Geist stets walfartet auf Erden.[15]

Brentanos Frage und Günderrodes Rechtfertigung ihres Wunsches, ihr Werk veröffentlicht zu sehen, bespiegeln wieder die Ambivalenz und die Voreingenommenheit, mit der die Gesellschaft das Kuriosum der schreibenden Frau betrachtet.[16] Günderrode verwendete das Pseudonym "Tian" oder "Tiann," worunter viele ihrer Zeitgenossen einen männlichen Verfasser vermuteten. Bereits 1799 hatte sie sich mit der Bitte an Sophie Laroche gewendet, sie "wünsche mit vieler Bescheidenheit, neben einigen Ihrer Ideen in der Lesewelt zu erscheinen" (Hirschberg II, 221), und diese veröffentlichte dann auch 1805 Günderrodes "Geschichte eines Braminen" in ihren *Herbsttagen.*[17] Wie viele ihrer Zeitgenossinnen publizierte Günderrode ihre Werke zunächst auch mit der Unterstützung und unter dem Schutz männlicher Bekannter, um der üblichen Kritik der "Sittenlosigkeit" und "Unweiblichkeit" möglichst zuvorzukommen. "Drumb wünsche nicht, daß die, so vorsteht deinem Hause, / Mit Versen sich bemüh' und in Poeten mause [. . .] Zuletzt kein Männerwitz hat bey den Weibern Art / Den Männern nur gehört die Feder und der Bart," hatte Joachim Rachel 1664 geschrieben,[18] und noch 1910 ist in Leo Bergs Werk *Das sexuelle Problem in Kunst und Leben*[19] die Meinung zu lesen: "Eine Frau, die schreibt, malt, meisselt und in die Öffentlichkeit tritt, hat schon ihre zarteste Scham und Keuschheit verloren."[20]

Für Günderrode wurde es zur tiefen Lebensproblematik, daß sie einerseits den ununterdrückbaren Drang nach höherer Bildung und Selbstverwirklichung verspürte, andererseits sich wegen dieser "unweiblichen" Wünsche schuldig fühlte. Am 11. August 1801 schrieb sie an Gunda Brentano: "Diese Unwissenheit ist mir der unerträglichste Mangel, der gröste Wiederspruch. Und ich meine wenn wir die Gränze eines zweiten Lebens wirklich betretten, so müßte es eine unsrer ersten innern Erscheinungen sein, daß sich unser Bewustsein vergrösere und verdeutlichere; den es wäre unerträglich, diese Schranke in ein zweites Leben zu schleppen" (*JbFDH* 64, 168). Die Suche nach Wissen und Wahrheit ist auch ein Thema, das sich in ihren Gedichten, Prosaschriften und Dramen immer wieder dichterisch gestaltet. Ebenso erscheinen darin oft Frauen, die außerordentlich starke geistige und seelische Kräfte zeigen und die in ihrer Heldenhaftigkeit an Brünhilde oder Kriemhilde, die Rächerin, erinnern. Am deutlichsten wird Günderrodes Ambivalenzgefühl in ihren Zeilen an Gunda vom 29. August 1801:

> der alte Wunsch einen Heldentod zu sterben ergrif mich mit groser Heftigkeit; unleidlich war es mir noch zu leben, unleidlicher ruhig und gemein zu sterben. Schon oft hatte ich den unweiblichen Wunsch mich in ein wildes Schlachtgetümmel zu werfen, zu sterben, Warum ward ich kein Mann! ich habe keinen Sinn für

> weibliche Tugenden, für Weiberglükseeligkeit. Nur das wilde Grose, Glänzende gefällt mir. Es ist ein unseliges aber unverbesserliches Misverhältniß in meiner Seele; und es wird und muß so bleiben, denn ich bin ein Weib, und habe Begierden wie ein Mann, ohne Männerkraft. Darum bin ich so wechselnd, und so uneins mit mir (*JbFDH* 64, 170-71).

Mut hatte dieses schüchterne, zurückgezogen lebende Stiftsfräulein, die wie Karsch mit dem Schicksal haderte, das sie zur Frau gemacht hatte. Schon ihre Todesart hätte ihn bewiesen,[21] auch wenn sie es nicht eindeutig selbst erklärt hätte: "Ich bin wie ein kühner Schiffer, ich vertraue mich der stürmischen See" (*JbFDH* 64, 175). Dennoch litt sie unter Minderwertigkeitsgefühlen, die sich in Äußerungen wie den folgenden manifestieren: "mir scheint es so süß von ausgezeichneten Menschen geliebt zu sein; es ist mir der schmeichelhafteste Beweis meines eignen Werthes. [. . .] Und fände ich auch den Freund der alles wäre was ich wünschte, so würde ich mich seiner Unwerth finden; und die Seeligkeit selbst hätte Dornen für mich" (*JbFDH* 64, 174, 175). Mit welchem Eifer sie versuchte, die Bildungslücken zu beheben, die der mangelhaften Erziehung entsprangen, welche selbst Mädchen aus adligem oder reichem Haus zuteil wurde, zeigt das erst vor einigen Jahren veröffentlichte Studienbuch Günderrodes.[22] Es enthält Notizen gelesener philosophischer und poetischer Werke, historisch-geographische Aufstellungen, Notizen über indische Mythen, metrische und grammatische Aufzeichnungen, lateinische Flexionsübungen, chemische, bzw. physikalische Notizen, Bemerkungen über das Religionswesen der Ägypter, Perser, Chinesen, usw. Überhaupt ist ihr "Dictionair Philosophique" Novalis' "Allgemeinem Brouillon" in Inhalt und Materialfülle sehr ähnlich, wenngleich weniger umfangreich. Neben dem Privatunterricht, den ihr der am Frankfurter Gymnasium lehrende Theologe Christian Wilhelm Julius Mosche erteilte, nahm sie gern auch Anweisungen von ihren Freunden Savigny und Friedrich Creuzer an. Im Briefwechsel mit letzterem benutzte sie öfters das griechische Alphabet, um die Entzifferung des Geschriebenen durch ihre Freundin Susanne von Heyden und Creuzers Frau zu verhindern. Aufgrund dieses erst in neuerer Zeit bekannt gewordenen Materials aus dem Nachlaß werden die in der bisherigen Forschung immer wieder geäußerten Urteile entkräftet, die Günderrode Kenntnisse der Metrik und Grammatik absprechen. Trotz solcher Einwände von seiten ihrer Kritiker ist sie vorzüglich als lyrisches Talent gesehen worden. Die meisten der ohnehin spärlichen Interpretationen ihrer Werke beschäftigen sich daher mit ihren Gedichten. Doch sind es gerade ihre Dramen und zum Teil auch ihre wenigen Prosaerzählungen, die die Fülle ihres Talents und die Reife ihres Geistes am besten bezeugen. Die folgende Besprechung einzelner Arbeiten Günderrodes setzt sich deshalb vor allem mit dem weniger Bekannten der Dichterin auseinander. Um den Zusammenhang zum Gesamtschaffen zu verdeutlichen, wird nicht bloß ein bestimmtes Genre analysiert, sondern die Thematik des Einzelwerks mit seiner Explikation an anderen Stellen im Günderrodeschen Opus in Verbindung gebracht. Auf erzähltechnische, bzw.

poetische Eigenheiten wird bei Erörterung des Einzelwerks ebenfalls hingewiesen.

Eines der Themen, das von Günderrode öfters bearbeitet wird, ist der menschliche Drang, der Natur ihre Geheimnisse abzufordern und in das Wesen der Schöpfung einzudringen. Es ist ein Thema, das um die Jahrhundertwende, wo die Wissenschaft bedeutende Fortschritte machte,[23] fast alle Bereiche menschlichen Wissens und Forschens beschäftigte. Die Frage nach dem Verhältnis des Individuums zu seiner Umwelt, welche Rolle der Einzelne im Ganzen spiele, und wie eine solche Kenntnis vorteilhaft benützt werden könne,[24] gab Anstoß zu physikalischen, medizinischen, philologischen und philosophischen Untersuchungen. Dazu gehören Ritters und Arnims Studien über Elektrizität und Galvanismus, Mesmers Konzept des tierischen Magnetismus, Johann Arnold Kannes und Grimms philologische und linguistische Untersuchungen, Herders Ideen zur Geschichte der Menschheit, Fichtes *Wissenschaftslehre* und Schellings Konzept der Weltseele.[25] In der Literatur sind die vielen Bearbeitungen und Variationen des Faustmotivs, die Wiederentdeckung des Orients als "Urheimat" und die Symbolik der Isis-Figur Beispiele für die dichterische Einkleidung dieses allenthalben spürbaren Wissensdurstes der Menschheit.

Günderrodes Gedicht "Der Adept" verbindet alle drei der obengenannten Bildbereiche mit jenem des Ahasverusmotivs. Wie Faust ist der Adept "Ein Weiser, der schon viel erforschet, / Doch nie des Forschens müde war."[26] Er ist ein Scholast in der ursprünglichen Bedeutung des Wortes, ein unermüdlicher Lehrling auf der Suche nach Wissen und Wahrheit. Anders als Faust, aber ähnlich wie Schillers und Novalis' Lehrlinge ("Das Götterbild zu Sais;" *Die Lehrlinge zu Sais*) sucht der Adept Valus das Wissen in der Religion. Günderrode verlegt den Schauplatz nicht nach Sais in Ägypten, sondern nach Indien: "Die Priester dieses Landes rühmen / Sich viel geheimer Wissenschaft, / Sie wissen Sein und Schein zu trennen / Und kennen aller Dinge Kraft." Fokus des menschlichen Strebens in diesem religiösen Geheimorden ("Zum Schüler läßt sich Valus weihen, / Verbindet sich durch einen Eid, / Geheimnißvoll, zu diesem Orden, / Wie es der Priester ihm gebeut") ist es, passiv zur Erkenntnis des Waltens der Naturkräfte zu gelangen.[27] Dies unterstreichen auch die Verben. Der Adept "sieht," "belauscht," und "schaut" bloß die Natur, die sich selbst "erbaut:" er "Sieht den Naturgeist immer neu / Und immer alt im ew'gen Wandel, / Wie er in allen Formen sei." Der Natur wird hier kein geistig schöpferisches Element zugesprochen, sie ist nicht Ausfluß eines allwissenden und allmächtigen Geistes, wie dies in der Weltanschauung der Aufklärung und auch in Goethes *Faust* der Fall war, sondern sie ist brutale und unbewußte Urkraft: "Jetzt kann er die Natur belauschen, / Er kann ihr tiefstes Wirken schau'n, / Weiß, wie die Stoffe sich vermählen / Und wie die Erden sich erbau'n." Diese Urkraft zu beherrschen, heißt göttergleich zu sein. Der Adept erhält diese "dritte Weihe, / Ein Vorzug wen'ger Weisen nur; / Denn sie, die alles sonst durchschauten, / Beherrschen jetzo die Natur." Der Übergang vom passiven Schauen zum aktiven Beherrschen, mit dem Goethe später auch *Faust II* beendete, ist bei Günderrode eine Transzendenz vom irdischen in den ewigen Bereich: Valus ist nun "Geschieden von der Menschheit Bahn," die Menschen "sind nicht sein Geschlecht." Der zeitliche Wandel ist in ihm aufgehoben: "Viel Zeiten geh'n an ihm vorüber, / Er siehet die Geschlechter flieh'n, / Und bleibt allein in allem Wandel, / Indeß die Dinge kommen, zieh'n." Halb Mensch, halb Gott, ist Valus in dem ewigen Kreislauf gefangen; ohne dem Wandel zu unterliegen, kann er sich ihm dennoch nicht entziehen: "Geleert hat er des Lebens Becher / Und lebet immer, immer fort. / Er kann dem Meere nicht entsteigen / Und hat gelandet doch im Port." Valus hat die Grenze des Menschenmöglichen erreicht, ohne wirklich göttlich zu sein—ein Schicksal, das dem des Schillerschen Lehrlings gleicht, der die Göttin entschleiert. Das Wissen um das Wesen der Dinge ist zerstörerisch für den Menschen: "Weh' dem! ruft er: der auf dem Gipfel / Des Daseins also stille steht, / Nicht Ew'ges kann der Mensch ertragen, / Und wohl ihm, wenn er auch vergeht." Der Wunsch, göttergleich zu sein, wird hier, ähnlich wie beim Ahasverusmotiv, zum Fluch der ewigen Existenz. Sie verurteilt ihn zur immerwährenden "objektiven" Teilnahme an einem Kreislauf, an dem er als Wesen nicht mehr teil hat und in dem er nicht mehr aufgehen oder durch den Tod erlöst werden kann. Als Zwitterfigur ist er weder Mensch noch Gott, und die dem Menschen höchstmögliche Erkenntnis wird ihm gleichzeitig zur Verdammnis.

Eine zweite Möglichkeit, das Wesen der Dinge zu ergründen, ergibt sich in der Wissenschaft. Suchte Valus seine Naturkenntnisse durch die Religion, bzw. seine Weisheit von den Priestern zu erwerben, so begibt sich der "Wanderer" symbolisch ins Innere der Erde, um dort ihre Geheimnisse zu erfahren. Die Motive in "Des Wanderers Niederfahrt" (Götz, 11-12) kreisen um die Gegensätze von Tag und Nacht, Geburt und Tod, Bewußtsein und Traum. Diese Zeitlichkeit bedingt den Menschen, diesen Gegensätzen ist er unterworfen. Der Wanderer sucht deshalb seinen Führer unter jenen Wesen, die nicht-zeitlich sind und in denen sich die Gegensätze aufheben. Wie Valus ist auch dieser Protagonist ein Wanderer (was überhaupt als Zeichen der menschlichen Existenz gesehen werden kann) und Lehrling: "Dies ist,—hat mich der Meister nicht betrogen—/ Des Westes Meer, in dem der Nachtwind braust. / Dies ist der Untergang, von Gold umzogen, / Und dies die Grotte, wo mein Führer haust.—." Bereits die Handlung wird hier also in den Grenzbereich der Existenz verlegt: nicht zum Anfang, zum Osten, zur Sonne, oder zur Geburt zieht es den Wanderer, sondern zum Ende, zum Westen, zum "Nachtwind" und zum vergoldeten "Untergang" der Sonne. Als Führer soll dem Wanderer ein Wesen dienen, das beiden Bereichen (Tag und Nacht, Ober- und Unterwelt) angehört, und das ihm Aufklärung über das Dunkle, Ungewisse geben soll: "Bist du es nicht, den Tag und Nacht geboren," spricht er den Führer an, "Deß Scheitel freundlich Abendröthe küßt? / In dem sein Leben Helios verloren / Und dessen Gürtel schon die Nacht umfließt. / Herold der Nacht! bist du's, der zu ihr führet, / Der Sohn, den sie dem Sonnengott gebieret?" Naumann hat auf die Schwierigkeit einer Deutung dieser Figur nach mythologischem Vorbild hingewiesen;[28] eine solche Identifizierung ist aber unnötig. "Poesie ist verwandlen der Ideen in Leiber, Einbildung des Id[ealen] ins Reale," schreibt Günderrode im "Dictionair Philosophique" (*JbFDH* 75, 289). Der Führer ist hier Repräsentant der Ganzheit, Sohn sowohl des Lichts wie der Dunkelheit, und in ihm vereinigen sich Tod, bzw. Wiederauferstehung ("In dem sein Leben Helios verloren" und "Der Sohn, den sie dem Sonnengott gebieret"). Hier sind die Eintragungen in Günderrodes Studienbuch wieder aufschlußreich. Unter der Überschrift "Religion der Chineser" findet sich der Satz: "Sie bestand auch in Anbetung der Theile der Körperwelt; das *Ganze,* oder das höchste Wesen nanten sie Tien."[29] Ihre Notizen über Schellings Naturphilosophie weisen die Zeilen auf: "Dies Absolute (die höchste Einheit) ist ein ewiger, thätiger Erkenntnißakt, dessen Begriff auch zugleich ein erschaffen ist, d h dessen Wesen es ist daß sein Gedanke auch zugleich wirklich, ein *Sein* sei."[30] Dieses "Eins und Alles" führt den Wanderer in den Bereich des Dunklen, Unfaßlichen, wo Licht nicht mehr gleichbedeutend mit Wahrheit oder Erkenntnis ist. "Ungeblendet von irdischen Sonnen," unabhängig von allem Zeit- und Ortgebundenen wohnen hier "in seliger Eintracht" die Götter, "Ewig streng und gerecht."

Der Abstieg in die Unterwelt ist ein Übertreten der Schranken, die dem Menschen gesetzt sind. Bildlich und sprachlich wird die Gefährlichkeit dieses Unternehmens mehrfach ausgedrückt. Die Worte des Führers selbst, im Gegensatz zu den fünffüßigen Jamben der ersten Strophen, sind in beschwörende, zauberformelhafte Trochäen gekleidet. Die Kürze der Verse—je zwei vierfüßige Trochäen gefolgt von einem dreifüßigen—bewirkt eine Beschleunigung, die jedoch beim dritten Vers jeweils einem vollkommenen Stillstand erliegt: "Ja, du bist an dessen Grotte, / Der dem starken Sonnengotte / In die Zügel fiel. / Der die Rosse westwärts lenket, / Daß sich hin der Wagen senket, / An des Tages Ziel," usw. Dabei drücken gerade die Kurzzeilen ein Element des Todes aus: das Licht wird gelöscht (das Gespann des Sonnengotts wird angehalten), der Tag geht zu Ende, der Sonnengott "scheidet" ("Und es sendet mir noch Blicke, / Liebevoll der Gott zurücke, / Scheidend küßt er mich"). Selbst der Führer trauert und "erbleicht:" "Und ich seh' es, weine Thränen, / Und ein süßes, stilles Sehnen / Färbet bleicher mich;" dieses Erbleichen rückt bis zur vollkommenen Dunkelheit vor: "Bleicher, bis mich hat umschlungen, / Sie, aus der ich halb entsprungen, / Die verhüllte Nacht." Im fortschreitenden Entzug des Lichtes vergeht zunächst das farbig Lebendige und schließlich wird auch noch der letzte Rest von Licht "verschlungen:" "Den Dämmerschein verschlingt schon Mitternacht." Gerade im Moment der totalen Existenzaufgabe, im schwindenden Licht symbolisiert, erfolgt aber die Wiedergeburt; denn Mitternacht bedeutet nicht nur "mitten im Dunkel der Nacht," sondern sie ist auch der Beginn des neuen Tages, also zugleich Ende und Anfang. Mitternacht ist ein Grenzbereich, der Moment an dem sich Tag und Nacht berühren, wo die Gegensätze aufgehoben sind. Hier gelingt Günderrode ein dichterisch genialer Übergang vom Bereich des Zeitlichen ins

Räumliche. Mitternacht, der Augenblick der zeitlichen Aufhebung, wird zum "Reich" oder Ort der Mitternacht ohne Dauer. Der Moment wird zur Ewigkeit im räumlichen Aspekt—eine Synthese, die rational nicht mehr faßlich ist. "O führe mich! du kennest wohl die Pfade, / In's alte Reich der dunklen Mitternacht," verlangt der Wanderer. Die folgenden Verse führen die Motive des Dunkels und des Todes fort. Licht und Leben werden als Blendwerk und "trügerischer Flimmer" entlarvt, als wandelbare Flüchtlinge, denen gerne entsagt wird. Ihre Gegensätze, Dunkelheit und Tod, werden im Bild der Nacht gepriesen. Anspielungen an das Chaos, welches "dies schwankende Gebild" des Lichts und Lebens erzeugt hat, und an den Schoß der Erde, der "In dunkle Schleier züchtig sich verhüllt," vereinigen Grundideen aus Novalis' "Hymnen an die Nacht," aus Goethes *Faust* und aus Schillers Isisgedicht. Der Kampf zwischen Licht und Dunkelheit, bereits zu Anfang des Gedichts in den antiken Mythos und das Bild des Sonnenwagens gekleidet, erfährt hier eine Abwandlung ins stark Erotische: "Drum führe mich zum Kreis der stillen Mächte, / In deren tiefem Schooß das Chaos schlief, / Eh', aus dem Dunkel ew'ger Mitternächte, / Der Lichtgeist es herauf zum Leben rief. / Dort, wo der Erde Schooß noch unbezwungen / In dunkle Schleier züchtig sich verhüllt, / Wo er, vom frechen Lichte nicht durchdrungen, / Noch nicht erzeugt dies schwankende Gebild."

Ähnlich wie das *tertium comparationis,* die Mitternacht, zur Aufhebung der Gegensätze beziehungsweise zur Relativierung der Begriffe von Zeit und Raum diente, wird nun die Figur des Führers vom Symbol der Ganzheit zu eben jener Einheit, die es darstellt. Den Führer taucht "die Nacht in ihre Schatten" und er geht in seiner Umgebung auf. Der Wanderer "sah ihn blässer, immer blässer werden" und erkennt, "Daß ich ohne Führer bin." Naumanns Deduktion, daß der "Weg zur Erkenntnis. [. . .] ohne 'Führer' bestanden werden" muß (56), ist, glaube ich, ein Fehlschluß. Auch im Märchen von Hyazinth und Rosenblütchen in Novalis' *Lehrlingen* geben dem Suchenden Naturkräfte und -erscheinungen (personifizierte Quelle und Blumen) Hinweise auf den Weg zur Erkenntnis.[31] Bei Günderrode vollzieht sich der umgekehrte Prozeß: die Natur wird nicht personifiziert wie bei Novalis, sondern die Person (der Führer) wird zur Naturkraft. Das bedeutet, daß dieses Symbol des "Eins und Alles," das Objekt oder die Form, wie sie in ihren Aufzeichnungen erklärt, sich wieder in sein Subjekt oder sein Wesen auflöst: "in dem dritten Akt" entsteht "wieder ein Absolutes, d h eine Einheit des Objektes und des Subjekts, der Form und des Wesens." Der Gedanke, in Gestalt des Führers, *ist* auch zugleich. Die folgenden Zeilen bestätigen dies, indem der Wanderer seine Umgebung beschreibt: Gegensätzliches vereinigt sich, ebenso wie der Führer die Synthese von Tag und Nacht darstellte: "In Wasserfluthen hör' ich Feuer zischen, / Seh', wie sich brausend Elemente mischen, / Wie, was die Ordnung trennet, sich vereint. / Ich seh', wie Ost und West sich hier umfangen, / [. . .] Das Feindliche umarmet seinen Feind." In der Gestalt des Führers, der aus der Koinzidenz der Gegensätze von Tag und Nacht geboren ist, sich wieder subjektiviert ("sich wieder auflöst in das Wesen, das Allgemeine oder

Unendliche") und schließlich wieder die Einheit von Form und Wesen bildet, schafft Günderrode eine Darstellung von Schellings naturphilosophischem Konzept, wie sie es versteht. Dieses "Absolute in seiner höchsten Einheit," das "ein ewiger Erkentnißakt welcher sich selbst Stoff und Form ist", ist nämlich Basis jener "drei Akte des Absoluten": "1) das Objektiviren des Subjektiven, 2) das Subjektiviren des Objektiven, u. 3) die Indiferenz beider (die Absolutheit)" (*JbFDH* 75, 296-97).

Auch der Weg zur Erkenntnis durch die Philosophie scheitert jedoch. Im folgenden Gespräch des Wanderers mit den Erdgeistern, denen er gesteht, daß er gekommen ist, um "die Wahrheit zu ergründen" und sie bittet: "Enthüllt, enthüllt euch mir!", wird ihm die Unmöglichkeit der Erfüllung seines Wunsches offenbart. Der Grund hierfür ist die Endlichkeit des Menschen, der durch seine Existenz von dem noch Ungeborenen unüberbrückbar getrennt ist. Ebenso wie das "Ursein, das hier unten rastet" an seine Existenzphase gebunden ist, fehlt dem Menschen durch seine Sinnengebundenheit sogar die Möglichkeit der Kommunikation und des Verständnisses jenes Urseins: "So wiss'!" erläutern die Erdgeister, "es ruht die ew'ge Lebensfülle / Gebunden hier noch in des Grabes Hülle / Und lebt und regt sich kaum; / Sie hat nicht Lippen, um sich auszusprechen, / Noch kann sie nicht des Schweigens Siegel brechen, / Ihr Dasein ist noch Traum; / Und wir, wir sorgen, daß noch Schlaf sie decke, / Daß sie nicht wache, eh' die Zeit sie wecke." Weder der Priester (die Religion) noch der Zauberer vermögen das Geheimnis zu ergründen: "Opfer nicht und Zauberworte / Dringen durch der Erde Pforte, / Erhörung ist nicht hier. / Das Ungebor'ne ruhet hier verhüllet / Geheimnißvoll, bis seine Zeit erfüllet." Eine Rückkehr in diesen Urgrund ist für den Wanderer ebenfalls unmöglich, denn der Vorgang ist ein beständiges Werden und kann weder aufgehalten noch rückgängig gemacht werden. Auch der Tod ist nicht ein Ende oder eine Rückkehr "zum Mutterschooße," sondern ein Anfang neuen Werdens. Deshalb kann das Angebot des Wanderers, freiwillig zu sterben, an den Tatsachen nichts ändern: "Ich trete freudig aus des Lebens Reih'n. / Laßt wieder mich zum Mutterschooße sinken," schlägt er vor. Doch die Erdgeister erwidern: "Zu spät! du bist dem Tage schon geboren; / Geschieden aus dem Lebenselement. / Dem Werden können wir, und nicht dem Sein gebieten, / Und du bist schon vom Mutterschooß geschieden, / Durch dein Bewußtsein schon vom Traum getrennt." Gerade die dem Menschen gegebene Möglichkeit des Lernens durch sinnliches Erfahrungssammeln verhindert hier die reine Erkenntnis. Bewußtsein trennt ihn von der nicht sinnlich erkennbaren, nicht rational faßlichen "Traum"-Existenz des Urseins. Dagegen bleibt ihm eine Möglichkeit der Erforschung dieser Wesenswelt: "Doch schau' hinab, in deiner Seele Gründen, / Was du hier suchest, wirst du dorten finden, / Des Weltalls seh'nder Spiegel bist du nur. / Auch dort sind Mitternächte, die einst tagen, / Auch dort sind Kräfte, die vom Schlaf erwachen, / Auch dort ist eine Werkstatt der Natur." Mit dieser Sentenz, wie die Anfangszeilen durch den anaphorischen Bau fast beschwörungsartig eindrücklich gemacht, verweisen die Erdgeister den Wanderer endgültig in seine irdischen Schranken zurück. In der Welt der Gegensätze, aus der der Lebende nicht entfliehen kann, ist das Ganze in den Teilen zu finden: dem Bewußtsein steht das Unterbewußtsein gegenüber. Naumann hat bereits auf die gedanklichen Parallelen zu Novalis' Blütenstaubfragment[32] und in den *Lehrlingen* hingewiesen. Es ist aber darin weniger eine Abhängigkeit Günderrodes von Novalis', Schellings, Schillers Gedankenwelt zu erkennen, als ihre rege Anteilnahme an den Problemen, mit denen sich die Gebildeten jener Zeit auseinandersetzten. Die erkenntnistheoretischen Betrachtungen Kants, Fichtes und (nach Günderrodes Tod) Schopenhauers, die naturphilosophischen Schellings, die wissenschaftlichen und pseudowissenschaftlichen medizinischen und psychologischen Erkenntnisse spiegeln sich in der Literatur der Epoche in so scheinbar entgegengesetzten Geistern wie Goethe und Hoffmann, Schiller und Mörike. Günderrodes Antwort auf die Frage nach dem Mittel zum Ziel der Erkenntnis ist zunächst negativ: weder durch die Religion, noch durch die Wissenschaft, noch auf philosophischem Wege lassen sich die Geheimnisse des Universums ergründen. Dies liegt daran, daß sich das eigentliche Wesen, jenes Nicht-Endliche unserer Existenz, mit endlichen Mitteln (mit der Vernunft, den Sinneseindrücken und sich daraus ergebenden rationalen Deduktionen) nicht erfassen läßt. Aus diesem Grunde ist es auch unangebracht, von Günderrodes "philosophischen" Gedichten zu sprechen, weil sie sich in ihren Arbeiten immer wieder gerade gegen diese Form der Erkenntnissuche ausspricht.[33]

Besonders deutlich wird dies in der kurzen Erzählung "Geschichte eines Braminen," die erstmals in Sophie von Laroches *Herbsttagen* veröffentlicht wurde. Das Prosastück entstand allerdings schon etliche Jahre vorher, wie Briefe Günderrodes an Sophie Laroche aus dem Jahr 1799 nachweisen.[34] Formal wird die Erzählung durch den Dialog eines "Lehrlings" und eines "Meisters" bestimmt, wobei allerdings die wenigen Fragen des "Suchenden" fortlaufend in die Rede Almors eingeflochten sind, sodaß kein Bruch entsteht. Almor, dessen Name aus der Umkehrung der Wortteile in "Moral" besteht, versucht dem jungen Lubar "die heilige Bildsäule der Isis zu Sais [...] zu entschleiern."[35] Die Dialogform war ein damals beliebtes Mittel der Explikation verschiedener Gesichtspunkte, dagegen ist der Inhalt der Lehre, die Günderrode hier darlegt, ein Appell zur Änderung der herrschenden Verhältnisse im gesellschaftlichen Umgang und Erziehungswesen und wendet sich vor allem gegen die im *Wilhelm Meister* als gültig anerkannten Lebens- und Bildungsprinzipien. Almor ist der Sohn eines französischen Kaufmanns, der sich aus kommerziellen Gründen im Orient niedergelassen hatte. Die Erziehung, die er als Kind und Jüngling genießt, ist an den Nützlichkeitsprinzipien der Aufklärung orientiert. Wohlstand, Einfügung in die Gesellschaft und ein angenehmes Leben in bürgerlichen Verhältnissen (die Ziele also, um die es im Grunde genommen im *Wilhelm Meister* geht) hat Almors Vater erreicht. Die Goethesche und Schillersche Sicht kommt auch in der Bemerkung des Vaters zum Ausdruck, "Religionen seyen zwar nützliche politische Einrichtungen, allein für den einzelnen Aufgeklärten höchst überflüssig" (II, 69). Für Günderrode ist eine solche Existenz nicht Ziel, sondern Anfang des zurückzulegenden Bildungsweges, und deshalb beginnt auch Almors Lebenserfahrung mit dieser Stufe.

Wie Almor später erklärt, "lebt der Mensch dreyfach: thierisch, dies ist sein Verhältniß zur Erde; menschlich, dies ist seine Beziehung zur Menschheit; geistig, dies ist seine Beziehung zum Unendlichen, Göttlichen" (II, 81). Obwohl es dem Individuum möglich ist, diese drei Bereiche existentiell zu vereinigen, lebt der Mensch meist einseitig, das heißt, er vernachlässigt die eine oder andere der drei Möglichkeiten zugunsten der dritten. Almor verbringt Kindheit und Jugend auf der "tierischen" Stufe. Sie ist dem materiellen Vorteil und körperlichen Wohlbehagen gewidmet. Bereits auf dieser Ebene macht sich aber die Diskrepanz zwischen der "Natur," dem eigentlichen Wesen des Individuums, und der Außenwelt bemerkbar. Die Gesellschaft beängstigt die Kinder, meint Almor, und seine Erziehung fördert eine "Ungeschicklichkeit im gesellschaftlichen Leben, [. . .] weil unsere Lebensart sehr ungesellig ist" (II, 70). Geborgenheit und Isolierung im bürgerlichen und häuslichen Leben werden als "ungewohnte Schranken" (II, 69) für die natürliche Entfaltung des Individuums empfunden und bald erwacht Almors "Geist aus seinem Schlummer"(70).

Die zweite Stufe seiner Entwicklung, jene in der er eine "Beziehung zur Menschheit" faßt, beginnt mit der Frage nach dem *summum bonum:* "Sind denn Reichthümer und Vergnügen der Sinne die einzigen wünschenswerthen Güter?" (71). In der rhetorischen Frage ist bereits die Verneinung enthalten und Almor macht den entscheidenden Schritt aus der "tierischen" Stufe des Materialismus in die Gemeinschaft des Menschtums: die "moralische Welt enthüllte sich" (71). Seine Suche nach einem wahren, bleibenden, nicht materiellen Gut beginnt und er erstrebt eine "Gemeinschaft der Geister, ein Reich von Wirkung und Gegenwirkung, eine unsichtbare Harmonie, einen Zweck des menschlichen Strebens und ein wahres Gut" (71). Das "Reich von Wirkung und Gegenwirkung" ist der Bereich des Irdischen und Menschlichen, und in diesem Bereich eine "Gemeinschaft der Geister" zu erzielen, war auch Günderrodes Wunsch.[36] Almors Ziel ist es nun, als Mensch die höchste Vervollkommnung zu erreichen. Weisheit und Tugend, Beherrschung der Sinnlichkeit und der Leidenschaften, das heißt Unterwerfung dem moralischen Erziehungsideal der Aufklärung, sind auf dieser Stufe die erstrebenswerten menschlichen Eigenschaften. Das mechanische, "tierische" Leben wird als Kerker empfunden und Almor will "aus dem engen Kreis zugemessener täglicher Arbeiten in die freye Thätigkeit eines denkenden Wesens" treten (72). Dieses Vernunftethos beherrscht ihn und nimmt überhand. Wieder sträubt sich seine "Natur" gegen die Forderungen dieser moralisch-gesellschaftlichen Existenz: "Diese Forderung verwickelte mich natürlich in beständige Zwistigkeiten mit mir selbst und der Welt" (72), denn eine solche Tugendhaftigkeit ist dem Menschen nicht "natürlich," sondern sie ist vernunftgeboten und anerzogen und seinem eigentlichen Wesen fremd. Tugendhaft sein, meint Almor, heißt auf den Ruinen des eignen Geistes stehen (73), bedeutet sich einem naturwidrigen Zwang unterwerfen.

Auch die dritte Entwicklungsstufe, die der "Beziehung zum Unendlichen Göttlichen," wird durch den Zweifel, beziehungsweise durch eine erneute Fragestellung eingeleitet: Was ist eigentlich Natur, und was ist Erziehung? (73). Inwiefern muß sich der Mensch vom anerzogenen Ethos befreien, um seiner wahren gottähnlichen Natur gerecht zu werden? Almor kommt zu dem Schluß, daß die Welt und die menschliche Gemeinschaft ihn seinem eigentlichen Wesen entfremdet und daß es notwendig ist, seine Seele von allem Fremden zu reinigen. Sein Schüler Lubar erkennt, daß dies eine Abtötung des "Menschlichen" in Almor bedeutet, ein Zurückziehen aus der Gesellschaft, das er dem Selbstmord vergleicht: "Ich kann, unterbrach Lubar den Erzähler, diesen Schritt eben so wenig gut heißen, als den Selbstmord; beide sind für die menschliche Gesellschaft gleich nachtheilig, und was würde aus ihr werden, wenn sich jeder erlauben wollte, sich für sie zu tödten?" Es ist dies die Skepsis, mit der die Gesellschaft dem Einsiedler, dem Asketen, dem Märtyrer und dem Heiligen begegnet. "Junger Freund! erwiderte Almor, es kann und wird nicht jeder thun was ich that, und nicht jedem ziemt es" (74-75). Er erklärt, daß ihm das gesellschaftliche Leben stets bloß zwangsläufiger Kompromiß war, geburtsbedingte Einfügung in gegebene Verhältnisse: "Ganz anders ist es mit mir [als mit Lubar]," meint er, "ich war nie von den Ihrigen [den Geschöpfen der Welt], es war gleichsam nur eine Übereinkunft, nach welcher sie mir gab, was mir von ihren Gütern unentbehrlich war, nach welcher ich ihr gab was ich konnte. Diese Übereinkunft ist zu Ende" (75). Ähnlich wie in Novalis' *Lehrlingen* wird also auch bei Günderrode das Element des Individuellen hervorgehoben. Jeder muß seinen eigenen Weg finden und gehen. Für Almor ist die zweite Stufe der Entwicklung, das Menschsein in der Gesellschaft, bloß ein Übergang zu höherer Gemeinschaft. Das Weltliche ist ein steter Kampf zwischen dem Einzelnen und dem Ganzen, die beide ihr Recht verlangen. Gesetz und Sittlichkeit, die Basis der bürgerlichen, bzw. menschlichen Gesellschaft, bedingen gleichzeitig eine Einschränkung des Individuums: die Freiheit des Einzelnen, seine Eigenheiten, seine moralischen Erkenntnisse werden durch Gesetze und Gebote zum Nutzen der Allgemeinheit beschränkt. Damit wird die Natur oder die Wesenheit des Individuums unterdrückt, sein natürliches Wachstum und seine Entfaltung behindert. Almor zieht sich also von der Gesellschaft zurück, um einer höheren Harmonie, jener Einheit von Irdischem und Kosmischem, Menschlichem und Göttlichem, nachzuforschen. Syrien wird als das mystische Land bezeichnet, in dessen Einsamkeit sich Almor dem Studium des Wesens aller Dinge widmet.

Er befindet sich nun auf einer ähnlichen Stufe wie der "Wanderer" und wie der Adept: er verspürt seine unsichtbare Verbindung mit etwas, "das ich noch nicht kannte, und dem ich gerne Gestalt und Namen gegeben hätte" (76). Es ist dieselbe Kraft, die im "Wanderer" als Führer personifiziert, oder abstrakt als "Ursein" bezeichnet wurde. Almor kommt zur Erkenntnis, "daß es eine Grundkraft gäbe, in welcher Alle, Sichtbare und Unsichtbare, verbunden seyen. Ich nannte diese Kraft das Urleben, und suchte mein Bewußtseyn in Verbindung mit ihr zu bringen" (76-77). Bei der Frage nach der Methode stößt er wie Valus zunächst auf die Religion, die ihm der Weg zu sein scheint. Er durchsucht die Lehren des Islam, Asiens, der Juden und der Christen ("Mahomed," "Zoroaster," "Confutsee," "Moses," "Christus"—77-78) und findet darin *einen* Weltgeist. Auch hier zeigt sich die Ganzheit also in der Zersplitterung, das Alles in seinen Teilen. Zum Ziel führt die Religion ebensowenig wie die Wissenschaft und die Philosophie, die Methode welche der Wanderer wählte: "Verhaßt ist mir nun die Philosophie geworden, die jeden Einzelnen als Mittel für das Ganze betrachtet, das doch nur aus Einzelnen besteht, die immer fragt, was dies oder jenes nütze für die Andern?" (79). Es ist offensichtlich, daß Almor die Philosophie als Erziehungsethos betrachtet und ihr lediglich die zweite Stufe der Erkenntnis in den Entwicklungsmöglichkeiten des Menschen einräumt: "Wie dem blos thierischen Leben Gesundheit, Erhaltung, Fortpflanzung das Höchste sind, so ist Humanität im weitesten Sinne des Worts (nach welchem es Sittlichkeit und Kultur mit begreift) das Höchste für den Menschen als Menschen; als solcher hat er die Menschheit zum Gegenstand" (80). Aber das Studium der Humanität, die Philosophie, pflanzt "die verschiedensten Naturen in einen Garten [. . .], und den Eichbaum und die Rose" will sie "nach einer Regel ziehen" (79). Philosophie und Religion sind beide Mittel zur Beschränkung der individuellen Freiheit und des persönlichen moralischen Wachstums; sie versuchen, Geist und Handlungen des Einzelnen in vorgeschriebene Bahnen zu leiten, und wer Religion braucht, lebt nicht moralisch "rein" (80).

Schließlich erklärt Almor dem Jüngling, wie er auf Reisen in Indien den greisen Brahmanen kennengelernt und sich bei ihm niedergelassen habe. Der Alte schien ein "zwiefaches Leben" (84) zu haben: er lebte als Individuum und gleichzeitig als Teil des Ganzen. Erkenntnis und Vollzug dieser Lebensmöglichkeit ist das Geheimnis, welches dem Isissymbol innewohnt. "Er lehrte mich," meint Almor,

> wie in jedem Theile des unendlichen Naturgeistes die Anlage zu ewiger Vervollkommnung läge, wie die Kräfte wanderten durch alle Formen hindurch, bis sich Bewußtseyn und Gedanke im Menschen entwickelten; wie von dem Menschen an, eine unendliche Reihe von Wanderungen, die immer zu höherer Vollkommenheit führten, der Seelen warteten; wie sie endlich auf geheimnißvolle Weise sich alle vereinigten mit der Urkraft, von der sie ausgegangen, und Eins mit ihr würden, und doch zugleich sie selbst blieben, und so die Göttlichkeit und Universalität des Schöpfers mit der Individualität des Geschöpfes vereinigten. Er lehrte mich, wie eine Gemeinschaft bestehe zwischen den Menschen, denen der innere Sinn aufgegangen sey, und dem Weltgeiste (83).

In diesem Credo löst sich der Symbolgehalt der Bilder, die Günderrode immer wieder im Schaffen und in ihren Briefen benützt.[37] Die Wanderung des Menschen als Symbol nicht nur des Lebensweges sondern auch der Bildung, in den Lehr-und Wanderjahren Wilhelm Meisters, aber auch in den vielen Reiseromanen der Ära ausgedrückt, wird in den besprochenen Arbeiten Günderrodes gleichzeitig zu einer Suche nach Vervollkommnung, die mit bürgerlichen Bildungsidealen nichts mehr gemein hat. Das Wandern wird zur Suche nach der Antwort auf die Frage des Existenzzweckes überhaupt. Philosophische Konzepte Spinozas, sowie Anklänge an Leibniz' Monadenlehre und Schellings Begriff der Weltseele[38] sind in der Darlegung Almors ebenso vertreten wie mystisch-religiöse der Seelenwanderung, oder geschichts-philosophische Herders.[39] Dabei wird jedoch jede dogmatische Auffassung philosophischer oder religiöser Natur durchaus abgelehnt. Die höchste Vervollkommnung einer moralischen Existenz besteht in der Entfernung alles Anerzogenen und daher dem Individuum Wesensfremden, und dies gilt auch für jene rechtlichen und sittlichen Gesetze, die die Gesellschaft für das Wohl der Gesamtheit geschaffen hat. Die Nützlichkeitslehre der Aufklärung wird kategorisch abgelehnt. Ob das Individuum der Gesellschaft nützlich ist oder nicht, ist für den Wert des Einzelnen von keinerlei Bedeutung. Solche bürgerliche Auffassungen von Moralität und Bildung bleiben auf der "tierischen," beziehungsweise "menschlichen" (humanistischen, gesellschaftlichen) Stufe haften. Das dem Menschen in seiner Endlichkeit höchstmögliche Ziel ist es, ganz Mensch in seiner "reinen" Eigentümlichkeit zu sein, und gleichzeitig ein Teil jener Urkraft schöpferischen Gestaltens, die immer sowohl im Werden ist und im Sein besteht.[40] Die Ebene der "geistigen" Gemeinschaft, die der Mensch sowohl mit seinesgleichen teilen kann und die ihn gleichzeitig mit dem Prinzip des Göttlichen verbindet, ist jene "Kirche nach der mein Geist stets walfartet auf Erden." Sie kann weder durch angelernte Regeln der Moral, noch durch dogmatisches Festhalten an religiösen oder philosophischen Prinzipien erreicht werden. Es ist ein Weg, den jeder Einzelne selbst zurücklegen muß und bedingt eine Erkenntnis, die nicht von andern erlernt werden kann.

Das erzählende Ich in Günderrodes "Ein apokalyptisches Fragment" erklärt die mystische Erfahrung, zugleich Eins und Alles zu sein, beim Anblick des Mittelmeers: "14. Erlöset war ich von den engen Schranken meines Wesens und kein einzelner Tropfen mehr, ich war Allem wiedergegeben und Alles gehörte mir mit an; ich dachte und fühlte, wogte im Meer, glänzte in der Sonne, kreiste mit den Sternen; ich fühlte mich in Allem und genoß Alles in mir. 15. Drum, wer Ohren hat zu hören, der höre! Es ist nicht zwei, nicht drei, nicht Tausende, es ist Eins und Alles; es ist nicht Körper und Geist geschieden, daß das eine der Zeit, das andere der Ewigkeit angehöre, es ist Eins, gehört sich selbst und ist Zeit und Ewigkeit zugleich, und sichtbar und unsichtbar, bleibend im Wandel, ein unendliches Leben" (Götz, 27). Günderrode legt in 15 Punkten die Entwicklung der Erkenntnis dieses Ich, welches nicht näher in seiner Persönlichkeit beschrieben wird, als ein der Natur abgelauschtes Geheimnis dar. Kein Mittler belehrt dieses

Ich, keine Methode oder Theorie gewährt ihm Anleitung. Die Erfahrung selbst bringt die Erkenntnis.

Neben den Möglichkeiten, dem Geheimnis des Daseins durch Religion, Wissenschaft und Philosophie beizukommen, hat der Mensch auch oft versucht, seinem Schicksal durch Zauberkraft einen künstlichen Weg zu bahnen. Auch die Magie ist eine "erlernte" Fähigkeit, und auch sie versucht, in den natürlichen Gang des irdischen und kosmischen Geschehens einzugreifen. In dem Lesedrama "Magie und Schicksal" verdeutlicht Günderrode, daß auch auf diese Weise dem Individuum die Erfüllung versagt bleiben muß. Erich Regen meint in seiner Dissertation von 1910, das Stück, das "zum bewußten Vorbild für das Thema des Brudermordes die 'Braut von Messina'" habe, verfalle "der Unart sogenannter Schicksalstragödien."[41] Der Titel darf aber nicht zu solchen Fehlschlüssen verleiten. Vielmehr ist der Dreiakter auf dem klassischen Konzept von Exposition, Höhepunkt der vollbrachten Tat und Denouement aufgebaut. Auch die Namen der Handelnden entstammen dem Bereich des klassischen Antiken;[42] die Einheiten bleiben grundsätzlich gewahrt und das Dramolet ist durchgehend in Versen abgefaßt. Inhaltlich behandelt es allerdings wieder das Faustmotiv, das heißt, das Streben nach dem Wissen um das Wesen der Dinge. Wie schon bei den anderen besprochenen Arbeiten Günderrodes, wird die Thematik auch hier durch weitere wesensverwandte Motive angereichert: der Kampf zwischen Wissenschaft (hier die Kunst der Magie) und den Kräften der Natur (hier die Macht des Schicksals), das Zauberlehrlingsmotiv und das Isis-Thema geben dem Stück ein durchaus unklassisches Gepräge. Ebenfalls unklassisch, und man könnte fast sagen amoralisch, ist das Ende des Stücks, das den Brudermörder von jeglicher Verantwortung für seine Tat mit den Worten freispricht: "Doch fluch' mir nicht; es hat mich zum Verbrechen / Des Schicksals Wille deutlich selbst geführt, / Und seine Winke hab' ich nur vollzogen: / Drum denke, daß ich's nur gezwungen that" (Götz, 56). Dies ist jedoch nicht gleichbedeutend mit dem Schicksalszwang in Schicksalstragödien, sondern es ist Ausdruck des Günderrodeschen Begriffs von der Freiheit des Individuums, das "naturgemäß" und nicht nach festgelegten moralischen Forderungen handelt. Eine ähnliche Behandlung des Verstoßes gegen die Gesellschaft (ein Königsmord) findet sich auch in "Nikator." Hier wie dort zeigt sich auch ein ins Negative verzerrtes Bild der Liebe als zwangvoller, zerstörerischer, erotischer Drang, wie er in der Literatur der Zeit relativ selten auftritt, in der zeitgenössischen gesellschaftlichen Liebesauffassung jedoch gängig ist.[43] Günderrode gestaltet ihre Werke wenngleich nicht in Unkenntnis, so doch in Unabhängigkeit von Vorbildern und ohne sich einer literarischen Schule der Zeit direkt oder indirekt anzuschließen. Regens Behauptung, im "Leben wie im Dichten, in der subjektiven Lebensauffassung und im Ueberwiegen des Gefühls über den Verstand wie in der jugendlichen Begeisterung für die Poesie, der schwärmerischen Hingebung an die Natur und der pantheistischen Weltanschauung" sei Günderrode "ein echtes Kind der Romantik" (Regen, 7), wie seine spätere Feststellung über ihre "sklavische Abhängigkeit" (22) ihren Quellen gegenüber, sind durchaus verfehlt. Wenige Schriftsteller haben Eigenständigeres geschaffen.

Der Magier in "Magie und Schicksal" ist im Gegensatz zum Brahmanen eine unvollendete Persönlichkeit. Zwar hat er sich ein umfassendes Wissen über das Wirken der Natur erworben, aber er ist bei der Erkenntnis der Polarität alles Geschaffenen stehengeblieben. Die Grenze des Irdischen, deren Überschreitung dem Wanderer letztlich die Einheit der Elemente in ihrer Vielfalt zeigte ("In Wasserfluthen hör' ich Feuer zischen, / Seh', wie sich brausend Elemente mischen, / Wie, was die Ordnung trennet, sich vereint"), ist dem Magier Alkmenes eine unüberwindliche Schranke. Anders als dem Wanderer ist ihm auch die Nacht etwas Grauenvolles, während er den Tag, die Sonne, das Leben, herbeisehnt: "Sei mir gegrüßet, segensvoller Morgen, / Heilbringend Licht, das aus dem Osten dringt; / Die Nacht ist schauervoll dem, der geweihet / In ihres tiefen Schlundes Gährung schaut; / Da regen sich und dehnen sich die Kräfte, / Und brausen, heben und bekämpfen sich, / Als wollte sich der Dinge Ordnung lösen" (Götz, 45). Die Dunkelheit wird von ihm als Mantel für die Schrecken der Nacht dargestellt, in der das Lebendige mit dem Toten kämpft: "So ringen sie chaotisch wider sich. / Als sei im Todeskampfe alles Leben, / So sträubt sich's zwischen Dasein und Vergehn. / Entsetzlich so ist Nachts der Dinge Schwanken, / Daß Lebende den Todten ähnlich sind." Aus diesem Grunde "hüllt die Nacht in Schatten weislich sich" (45). Substantive und Adjektive, die zur Beschreibung der Nacht gewählt werden, sind durchweg nagativ: Chaos, Todeskampf, Vergehen, Schwanken, Entsetzlichkeit, usw. Dagegen bringt der Morgen "süßes Leben," "Eintracht," Erwachen aus "schweren Träumen," und Lächeln: "Da kommt der Morgen, da gießt süßes Leben / Und Eintracht hin sich über die Natur, / Und sie erwachet wie aus schweren Träumen / Und lächelt, und in ihren Augen stehn / Die Tränen, die die Angst des Traums erpreßte; / Doch alle küßt sie ihr die Sonne weg" (45). Mit dem "segensvollen Licht" wird der "blinde Eifer" der Elemente "gesühnt," so daß hier auch das Element der Sünde, die den Tod nach sich zieht, mit dem Bild der Nacht vereinigt wird. Die Erkenntnis, die die Wissenschaft dem Magier vermittelt hat, ist unheilvoll und zerstörerisch wie jene im Schillergedicht. Er verweigert deshalb auch seinem Sohn, der in die Künste des Vaters eingeweiht werden möchte, den Unterricht: "Wohlthätig ist dem Sterblichen die Hülle, / Die die Natur auf ihre Tiefen legt," belehrt er Ligares, und fügt hinzu:"Weh dem! es rächt die Göttin schrecklich sich / Am Unglücksel'gen, der sie überraschet." Aktäon habe dies erfahren: "Er sah sie, doch verwandelt war er ganz, / Ein Ungeheuer, das man nicht erkannte, / Deß Sprache Allen unverständlich ward; / So fiel er durch der heil'gen Isis Strenge, / Weil hüllenlos die Göttin er gesehen." Ligares bittet also seinen Vater, ihm "rechte Weihen" zu geben, "Daß ich ihr ohne Zagen nahen darf." Mit dieser Forderung beginnt der Vater-Sohn-Konflikt. Alkmenes ist sich der Unzulänglichkeit seiner Wissenschaft zur Ergründung der Dinge wohl bewußt, aber er gibt dies seinem Sohn gegenüber nicht zu. Vielmehr benutzt er diverse Vorwände, um seinem Sohn die Einweihung in sein Können und Wissen zu verweigern: es gehöre eine besondere Erwähltheit dazu, die Ligares nicht besitze: "Es drängen viele sich zum Heiligthume, / Und Alle geizen nach der Göttin Gunst; / Doch von den Tausenden, die zu ihr wollen, / Hebt Einer wohl den dichten Schleier kaum" (45). Alkmenes, der selbst die Schöpfung bloß in ihrer Zersplitterung und Antinomie zu erkennen fähig ist, der sich vor Nacht und Tod als etwas Greulichem fürchtet, schützt eine apriorische Ganzheit vor, die der Lehrling besitzen müsse, um erfolgreich zu sein: "Denn es erheischt ein ungetheiltes Leben / Die strenge Isis; wer mit fremdem Dienst / Und andern Wünschen ihrem Tempel nahet, / Den straft sie für den Frevel fürchterlich." Es ist damit nicht bloß das unablässige Streben nach einem einzigen Ziel gemeint; diese Forderung hätte Alkmenes ja erfüllt. Sondern das "ungetheilte Leben" ist die Unabhängigkeit und der Friede, die jenen erfüllen, der sich der Zugehörigkeit zum Ganzen bewußt ist. Dieses Ziel hat Alkmenes nie erreicht und er will daher seinen Sohn davor bewahren, den gleichen erfolglosen Weg einzuschlagen. "Und doch ist's schwer, sich gänzlich hinzugeben," erklärt er. Selbst die göttliche Seherin, die Priesterin und Sibylle, sei unfrei: "Die Priesterin Apoll's zu Delphi selbst / Wird oft zum Dreifuß mit Gewalt gerissen, / Gezwungen dann verkündiget ihr Mund / Was ihr Apoll, der Bebenden, vertrauet; / Und wie die Welt auch ihre Weisheit ehrt, / So zagt sie doch, dem Gotte sich zu geben" (45). Wieder wird hier die ungeheure Kluft bestätigt, die Alkmenes' Meinung nach zwischen Gott und Mensch, zwischen dem Einzelnen und dem All besteht. Selbst in dieser Vervollkommnung ist der Mensch nicht frei, erläutert er, und zur Erklärung der Unfähigkeit des Einzelnen, trotz treuen Strebens und Suchens die Wahrheit zu erkennen, schützt er die Macht des Schicksals vor—einer dem Menschen unzugänglichen und für ihn unüberwindlichen Kraft, die ihn zum willenlosen Werkzeug der namenlosen und unerklärlichen Gestirne macht, denen er untertan ist. Ligares, dem es nicht verborgen bleibt, daß der Vater Ausflüchte gebraucht, fragt: "Was sollen, Vater! diese Reden doch?" und Alkmenes erklärt kurzerhand: "Daß sich die Sterne Dich nicht ausersehen" (45). Die Bahn des Menschen sei bereits unweigerlich vorgezeichnet und er müsse sich darein fügen. Diese fatalistische Ansicht teilt Ligares nicht, der von jugendlichem Tatendrang und Erfolgsstreben durchdrungen ist. "Entscheiden sollten Sterne, was ich darf? / Und über meinen Werth und Unwerth richten? / Nur darum gingen sie den Riesenschritt, / Nur darum wären sie in Licht gekleidet, / Dem Menschen anzudeuten sein Geschick?" (45). Ligares bestätigt hier den Unglauben an das christliche Ethos, daß der Mensch der Mittelpunkt der Schöpfung sei. Es ist eine demütige Erkenntnis, und gleichzeitig eine, die dem Individuum das freie Handeln nicht apriori versagt. Und trotz des Vaters Einwand, "Nicht weil die Menschen handeln, kreisen Sterne: / Die Menschen wandeln nach der Sterne Lauf" (46), erklärt Ligares: "Ich fühle frei mich ganz in meinem Herzen, / Von der Gestirne Einfluß unberührt." Der Wille des Menschen ist eine Kraft, die auch vom Schicksal nicht oft überwunden wird: "Und Vieles werd' ich können, weil ich will" meint er, und spricht damit zweifellos die Ideen eines tatkräftigen Jünglings aus, wie auch der Vater sie einmal gehabt hatte. Ligares will sich "selber fühlen als des Schicksals Herr; / Mich nicht entnerven durch ein feiges Wähnen, / Als sei ich fremden Mächten unterthan" (46). Auch erkennt er den Mißerfolg des Vaters und die Tatsache, daß es nicht zum Ziel führen würde, ihm nachzueifern: "Mein Vater hat der Sterne Lauf gemessen, / Der Erde Tiefen hat sein Aug' durchforscht, / Doch meinen Busen hat er nie durchschauet; / Wenn er beschwört, gehorcht der Geist ihm nicht" (46). In den beiden offenbart sich ein ähnlicher Gegensatz wie in Faust und Wagner: beide sind Streber, aber das knechtische Wesen Alkmenes und Wagners verurteilt sie letztlich zum Mißerfolg, während Ligares und Faust trotz Irrungen und Fehlschlägen schließlich siegreich bleiben. Ligares kennt sich selbst, er hat, ähnlich wie die Erdgeister dies dem Wanderer rieten, in seiner "Seele Gründen" hinabgeschaut, die "des Weltalls seh'nder Spiegel" sind (12). Alkmenes dagegen ist es nicht einmal gelungen, das Wesen des Sohnes zu ergründen. Ligares erkennt den bösen "Dämon, der in meinem Herzen, / Ein gierig Raubthier, sich und mich verzehrt," die Leidenschaft, die in seiner Seele wütet (46). Das Ziel Ligares' ist es daher, diesen Kampf der Kräfte in seiner Seele, die dem Wüten der kosmischen Mächte gegeneinander entsprechen, wie dies Alkmenes zu Anfang des Stücks im Kampf zwischen Tag und Nacht darlegte, zu beschwichtigen.

Der Rest des Dramas ist folglich der Lösung des Dilemmas gewidmet, das sich aus Ligares' unerwiderter Liebe zu Ladikä ergibt. Diese soll Timandras heiraten, der Ligares' Stiefbruder ist. Ligares, der in Timandras nur den Nebenbuhler sieht, kennt den wahren Sachverhalt nicht: er ist der außerehelich gezeugte Sohn von Cassandra (der Mutter Timandras') und Alkmenes. Ligares befindet sich in einer Schlüsselstellung zwischen sich widerstreitenden Mächten: äußerlich waltet ein unabänderliches Schicksal im antiken Sinne, dem er zum Opfer fallen wird und muß. Dies vollzieht sich auch, indem er Timandras, seinen Bruder und Nebenbuhler, tötet. Die Magie, eine Macht, die zwar das Dämonische zu bezwingen hofft, der aber, wie Ligares bereits einsah, der Geist nicht gehorcht, wird zum Werkzeug des Schicksals: das magische Szepter, vom sterbenden Zauberer unschädlich gemacht geglaubt, wird Ligares' Waffe gegen Timandras. Die Ohnmacht der Magie erkennt Alkmenes bereits vor seinem Tod. Zwar "ahnt" er, was die Zukunft bringen wird, "Doch zur Gewißheit kann ich es nicht bringen, / Denn schwer ergründlich ist der Sterne Lauf. / Die Zeichen wanken, Linien betrügen, / Gezeichnet in des Menschen eigne Hand" (47). Auf Zenos, seines Helfers Frage, "Kann so am Ziel die Wissenschaft noch trügen, / Der du dein Leben hingegeben hast?" erwidert Alkmenes: "Das ist die Täuschung, der wir unterliegen, / Als sei erreichbar, was doch ewig ist" (47). Aus diesem Grund vernichtet er seine Aufzeichnungen und verlangt von Zeno, "Daß diesen Zepter du verbergen willst—/ Und so, daß Keiner, Keiner je ihn finde—/ Denn seine Wirkung, weiß ich, kennt mein Sohn; / Verderblich, fürcht' ich, würd' er ihn mißbrauchen" (50).

Der Unterschied zwischen Alkmenes und Ligares wird nirgends deutlicher als in der relativen Position, die sie der Macht des Schicksals zubilligen. Alkmenes meint, "Denn Fäden sind wir doch nur im Gewebe" des Schicksals (49), während Ligares sein Schicksal durch eigene Tatkraft zu bestimmen sucht. Er bedient sich der magischen Waffe und fühlt sich dadurch von jeder Schuld befreit. Was Alkmenes als entsetzlichen Kampf der Natur in der Nacht vor seinem Tod empfindet, ist Ligares etwas durchaus Natürliches. Der Lebenskampf muß bestanden werden: "Es hebt die Brust sich heiter mir und freier, / Des Mordgefährten Reue fühl' ich nicht," erklärt er nach Timandras' Tod. "Besteht in ew'gem Kampfe nicht die Welt? / Muß Leben raubend Leben sich nicht nähren? / Ich habe was Gemeines[44] nur gethan—/ Es wird die That den Schlummer mir nicht rauben" (53). Hier wird Darwins Theorie bereits literarisch vorweggenommen, die in der pseudowissenschaftlichen Literatur des Monismus in den Sechzigerjahren des vorigen Jahrhunderts und deren Folge in einer Rassentheorie ausartete.[45] Die These, daß die Hoffnung, eine passive Empfindung, weniger wünschenswert sei als der tatsächliche, durch aktive Handlung gewonnene Besitz, wird übringens auch von Ladikä, der Verlobten Timandras', ausgesprochen: "Schön ist es zwar, ersehnen, hoffen, träumen, / Doch seliger ein ruhiger Besitz" (54). Ligares kämpft für sein Glück und wenn er auch sein Ziel nicht erreicht, wenn er auch Ladikäs Liebe nicht gewinnt, so empfindet er doch sogar den Brudermord durch das Selbstbehauptungsethos verzeihlich. Der Brudermord, ein beliebtes Thema der Antike, des Sturm und Drangs und der Klassik, dürfte sich hier auf die Idee des Nächsten als Bruder ausweiten, sodaß also der Mord überhaupt gerechtfertigt wird, insofern er der Selbstbehauptung zuträglich ist. Seine Worte am Ende des Stücks, "Doch fluch' mir nicht," bestätigen seine Reuelosigkeit; und seine Behauptung, das Leben selbst habe ihn hart und kämpferisch gemacht, ist zu seiner Entschuldigung bestimmt: "Ich ward verstoßen, ward verschmäht, vermieden, / Und mußt' erdulden, was das Schwerste ist: / Ich mußte einer fremden Liebe weichen, / Die frech sich in mein Eigenthum gedrängt. / Noch mehr: die Mutter selbst hat mich verrathen, / Verlassend ihren Sohn, als Säugling noch; / Verrathen ihren Gatten, der sie liebte, / Hat sie zum fremden Manne sich gewandt. / Entsetzlich ist mein Schicksal so gewesen" (56). Ligares wird in ähnlichem Sinne als positiver Held gezeichnet wie Faust später im zweiten Teil, der trotz seiner Untaten letzten Endes erlöst wird. Mit Ligares stellt Günderrode also einen Helden dar, der sich, allen damaligen ethisch-religiösen Ansichten zum Trotz, als strebender, tatkräftiger, an traditionelle moralisch-sittliche Regeln nicht gebundener Kämpfer für die Emanzipation des Ich entpuppt. Seiner Lebenssicht wird das *Faust*-Zitat gerecht: "Mir hilft der Geist! auf einmal seh ich Rat / Und schreibe getrost: Im Anfang war die *Tat!*" Ligares' illegitime Geburt, zu Günderrodes Zeit ein fast unüberwindliches Schandmal, die Tatsache, daß er von der Mutter und der Geliebten verschmäht, vom Vater nicht verstanden wird, machen ihn zu einem von Schicksal und Gesellschaft verstoßenen Helden, der in seinem Kampf um die jedem Individuum zustehende Daseinsberechtigung positiv wirkt. Das Stück endet offen: von Ligares' weiterem Schicksal wird nichts angedeutet. Nachdem er seiner Mutter Cassandra seine Lebensumstände enthüllt, verläßt er den Schauplatz und das Dramolet ist beendet. Doch sein Abgang ist, unbeeinflußt von Motiven der Schuld und Reue, positiv und auf die noch zu bewältigende Zukunft gerichtet. In diesem Sinne kann Ligares als ein Entwurf für die Figur des Nikator gesehen werden, der in dem gleichnamigen Stück den Typ des tatkräftigen, sein Schicksal selbst steuernden Helden rein herauskristallisiert.

"Nikator" ist in vieler Hinsicht das beste der Günderrodeschen Schauspiele. Dem kurzen Dreiakter, den Günderrode eine "dramatische Skizze" nennt, fehlt es nicht an dramatischer Steigerung, straffer Handlung, klar herausgebildeten Charakteren und Schönheit der Sprache. Die Einheiten bleiben gewahrt und das Stück ließe sich zweifellos erfolgreich aufführen, wenn damit nicht ein ganzer Abend ausgefüllt werden soll. Der Konflikt ist anders angelegt als in "Magie und Schicksal." Hier geht es nicht um den Einfluß zweier abstrakter Mächte auf das Individuum, der "irdischen" der Magie und der "kosmischen" des Schicksals, sondern um das Recht des Einzelnen auf Selbstbehauptung und Selbstbestimmung gegenüber der Staatsgewalt. Diese wird durch den König Egestis versinnbildlicht, dessen Machthunger, Egoismus und Eigensinn Existenz und Lebensglück der drei anderen Hauptfiguren gefährdet. Es handelt sich also grundsätzlich um einen sozialen Konflikt, wobei die Sparsamkeit der Figuration wesentlich zur geradlinigen Führung der Handlung beiträgt. Günderrode bringt bloß sechs handelnde Personen auf die Bühne, von denen zwei eine untergeordnete, stützende Funktion haben. Das soziale Dilemma erstreckt sich auf die zwei Ebenen der herrschenden und der untergebenen Personen (König Egestis und seiner—namenlosen— Königin; Nikator, dem Feldherrn des Königs, und Adonia, der Tochter des geschlagenen Bruders von Egestis). Jeder Charakter steht jedoch mit seinem Partner und gleichzeitig mit den Charakteren des zweiten Paars in einem beziehungsreichen Verhältnis. Auf diese Weise entsteht ein außerordentlich dichtes Gewebe von individuellen Ansprüchen und Leistungen, die die Handlung zu einem festen Ganzen fügt. Die eheliche Verbindung des Königs hat ihren Gegenpol in der Liebe zwischen Nikator und Adonia. Egestis durchbricht die Schranken seiner Ebene durch sein Verhältnis zu Adonia, die er leidenschaftlich liebt. Durch die Unterwerfung seines Bruders gerät Adonia, jung genug um seine Tochter zu sein, in seine Gewalt, die er auszuüben gewillt ist. Wie Adonia ist ihm auch Nikator untergeben. Aufgrund ihrer gemeinsamen Liebe zu Adonia, und weil Egestis die politische, Nikator aber die militärische Macht besitzt, kommt es zwischen den beiden zu einem Machtkampf. Wie zwischen Egestis und Nikator besteht auch zwischen der Königin und Adonia die Rivalität um den Geliebten, während die Königin mit Nikator dessen Rolle als Beschützer verbindet. Graphisch lassen sich Personen und soziale Ebenen, sowie die äußere und emotionelle Abhängigkeit aller voneinander auf folgende Weise darstellen:

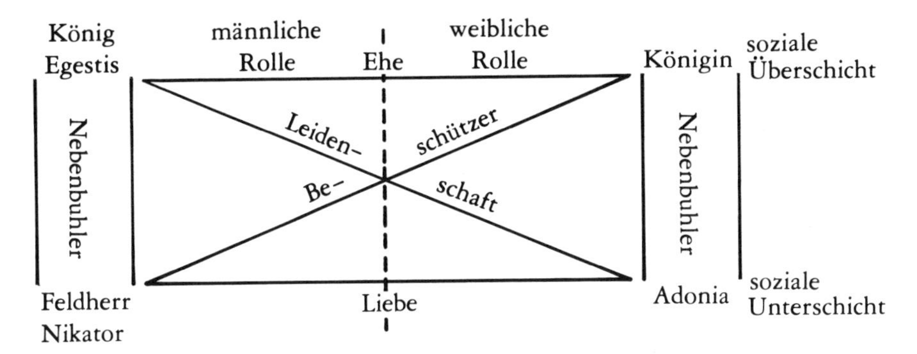


Gleichzeitig wird das Problem der sozialen Unterdrückung der Frau auf beiden Ebenen aufgeworfen, denn weder die Königin noch Adonia können irgendwelche rechtliche oder moralische Ansprüche dem König gegenüber geltend machen, und beide übernehmen auch Nikator gegenüber eine untergeordnete Rolle. Die leitmotivische Verwebung aller dieser Konfliktaspekte bis zur endgültigen gewaltsamen Lösung dieses gordischen Knotens durch Nikators Schwert macht dieses Stück zu einem Vorläufer von Wagners Text- und Musikgestaltung.

Bereits der erste Akt berührt in der Exposition alle wichtigen Themen der vierfachen Konfrontation. Nikator, vom Sieg über den Bruder des Königs zurückgekehrt, erkennt, daß er damit Adonia in Egestis' Gewalt gebracht hat: "Des Königs Bruder fiel in meine Hände, / Er unterwarf sich meinem Siegerschwert, / Und seine Tochter, frevelhaftes Siegen! / Das sie zu ihres Oheims Sklavin macht" (Hirschberg II, 186). Gleichzeitig bestätigt er die Umkehrung der äußerlichen Machtverhältnisse im subjektiven, emotionellen Bereich, wo Adonia, seine Gefangene, "mich zum Sklaven / Auf ewig ihrer süßen Schönheit macht./Der Vater rächt sich in der Tochter Blicke, / Und meine Siege endigt alle sie./Ja, die Gefangene hat mich gefangen,/Die Überwundene hat mich besiegt" (186). Da er aber der Erwiederung seiner Neigung bei Adonia gewiß ist, ermutigt ihn der Höfling Esla: "So hoff' auf sie, vertraue ihrem Herzen,/Auf Deine Macht stütz' Dich bei unserm Herrn" (187).

Beim Staatsempfang, den das Königspaar dem siegreichen Feldherrn gewährt, stellt sich aber sofort heraus, daß Nikator vom König den gewünschten Lohn (Adonia) nicht erhalten wird. Adonia wirft sich zu Egestis' Füßen und bittet um Gnade für ihren Vater. Egestis erklärt, seinem Bruder sei alles verziehen: "Mich freut der Sieg, weil er Dich mir gegeben,/Und klagen möcht' ich, daß er Dich geschmerzt/ [. . .] Ihm sei verziehn, und alle Siegesfrüchte, / Ich gebe gern und willig sie zurück; / Ein Kleinod nur muß er an mich verlieren, / Ein Kleinod, mehr als alle Kronen werth. / Adonia bleibt, er hat sie mir gegeben, / Ja, seine holde Tochter ist nun mein" (189-90). Die Königin merkt, daß hier mehr als väterliche Liebe eröffnet wird: "Und mir verbarg der König diese Freude? / Er theilet sparsam seiner Gattin zu" (190). Auch Nikator ist betroffen: "Du schweigst! Du senkest trüb die Augen nieder" (191), bemerkt der König, nachdem er ihm geboten hat, Adonia königlich geschmückt in den Palast zu seiner Frau zu bringen. Während aber Egestis der Königin gebietend und abweisend antwortet und diese keinen weiteren Einwurf wagt, beschließt Nikator, für seine Liebe zu kämpfen. Er erklärt dem König seinen Wunsch, Adonia für sich zu behalten, und so entspinnt sich der Machtkampf zwischen Egestis und Nikator. "Ein Kluger sendet Pfeile, welche treffen, / Nur Knaben schicken sie den Wolken nach" (191) meint der König geringschätzig, indem er Nikator seine Vermessenheit vorhält, besitzen zu wollen, was der König selbst begehrt. Nikator steigert den Zwist, indem er droht, sein Amt als Heerführer niederzulegen. Egestis bringt nun Bedenken gegen eine solche unstandesgemäße Heirat vor: "Besinne Dich, kann wol die Königstochter, / Der Krone Erbin, Deine Gattin seyn? / Des Mannes Tochter, den Du überwunden, / In niedere Fesseln ihn, den Herrscher, schlugst? / Besinne Dich, du mußt es selber sehen, / Die Sitte: ja, und das Gesetz, spricht: nein" (192). Stand, Sitte, Gesetz sind einer solchen Verbindung entgegen. Es sind Einwände, die auch zu Günderrodes Zeit gültig waren und einleuchtend scheinen; aber es ist klar, daß Egestis sich des Vorwands der gesellschaftlichen Schranken bloß bedient, um seinen eigenen Vorteil zu gewinnen. Nikator übertritt nun auch die Schranken guten Benehmens, wenn er entgegnet: "Fluchwürd'ger Irrthum, einem König dienen" (192) und alle materiellen Dankesbezeigungen des Königs wütend ausschlägt. Egestis, vor seinem Hof beschämt, macht nun seine Position deutlich: Nikator hat auf Grund seiner sozialen Stellung zu gehorchen: "O unerträglich, widrig, freches Trotzen! / Ein Unterthan spricht so zu seinem Herrn? / Muß ich des Zornes wilden Ausbruch dulden? / Erschrecken, wenn ein Sklav den Boden stampft? / [...] Ich duld' ihn nicht, hätt' er auch alle Reiche / Der Erde unterworfen meinem Schwert" (193). Gleichzeitig verliert Egestis selbst so sehr die Fassung, daß er, fast besinnungslos vor Wut, das Ausmaß seiner Leidenschaft preisgibt: "Adonia, die holde Himmelsblume, / Die sollte werden des Soldaten Sold? / Dem Knechte, den ich heben kann und stürzen, / Dem Taggeschöpfe meiner Königshuld, / Dem sollte sie der Liebe Wonne schenken, / Und mit ihm theilen sein armselig Loos? / [...] Ich sollte sie, die Herrliche, vermählen / Dem frechen Staub, der ihre Sohlen küßt? / Ich würde sie dem Donnergott mißgönnen, / Erniedrigt glauben in Herakles Arm. Und dieser denkt und hofft sie zu besitzen? / Nur der Gedanke schon verdient den Tod" (193-94). Der Bruch zwischen Nikator und Egestis ist vollzogen und kann nicht mehr geheilt werden. Der König pocht auf sein Standesrecht und verlangt die ihm gebührende Unterordnung von Nikator. Esla bringt nun sittliche, beziehungsweise moralische Bedenken vor: "Sie scheinet über alles Maß Dir werth" (194), meint er. Günderrode verweist hier auf die Konzepte von "zuht" und "mâze," die aus der Literatur des Mittelalters bis ins Zeitalter der Aufklärung als Kennzeichen "höfischen" Benehmens und der Gelassenheit der Gebildeten bekannt sind. Das Stück wird dadurch zeitlich relativiert und aus dem Bereich der Antike in ein zeitgenössisches Milieu versetzt. Auch das Thema der sinnlichen, leidenschaftlichen Liebe Egestis' im Gegensatz zur "wahren" Liebe Nikators, ein Kontrast, der in der zeitgenössischen Literatur vielfach vertreten ist,[46] trägt dazu bei, den negativen Charakter des Königs zu verdeutlichen. Es ist dies als Standeskritik umso gewichtiger, da es zur Zeit trotz einiger Ausnahmen durchaus noch nicht fraglos üblich war, den Untertan als sittlich und moralisch dem Herrscher überlegen darzustellen. Egestis beruft sich wieder auf seine Machtstellung, die alle anderen Einwände entschärft: "Wer fürchtet, mag die inn're Neigung bergen, / Die Macht erhebt mich über jede Furcht; / Du magst es laut auf allen Straßen rufen, / Daß ich sie liebe ohne Maaß und Ziel. / Wer darf in mir des Herzens Wünsche richten? / Hoch steh' ich über Tadel, oder Lob" (194). Er bestätigt das Recht des absoluten Monarchen, mit dem sich seit Jahrhunderten die Herrscher über Moral und Gesetze hinwegsetzten, die für die Untertanen bindend waren.[47]

Die Rolle, welche diese Gesellschaft der Frau zugeteilt hat, wird ebenfalls bereits im ersten Akt berührt, und dann im zweiten und dritten in den Personen Adonias und der Königin weiter verdeutlicht. Esla macht dem König gegenüber kurz den Einwand: "Vergieb, daß ich der Königin gedenke; / Ich fühle wol, ich wag' ein kühnes Wort" (194). Egestis erwidert: "Sie ist mein eigen, was mir angehöret, / Das reiß' ich fort in meiner eignen Bahn; / Ich spende Glück und Gunst nach Wohlgefallen, / Denn mein Geschöpf ist alles um mich her." Die Frau, selbst jene, die allen anderen Frauen des Landes vorsteht, ist Eigentum ihres Mannes und besitzt selbst keinerlei Rechte, als Gunst oder Mißgunst "nach Wohlgefallen" ihres Gatten hinzunehmen. Sie hat keine Individualität, sondern ist dem Willen und Schicksal ihres Mannes ausgeliefert. Jede eigenständige Existenz wird ihr abgesprochen: sie ist "mein Geschöpf," sagt Egestis; also etwas von ihm Geschaffenes, das auch wieder von ihm zerstört werden kann. Kein Sklavendasein ist weniger frei. Egestis fühlt sich daher durchaus nicht verpflichtet, seiner Gattin Rede und Antwort über seine neugefaßte Neigung zu Adonia zu stehen, sondern verlangt: "Ich will Gehorsam sehn im ganzen Sinn" (195). Eingangs des dritten Akts, in dem sich die Königin entschließt, Nikator um Hilfe und Schutz zu ersuchen, betont sie die vollkommene Abhängigkeit von Egestis, die sie ins Verderben stürzt: "O jammervolles Loos, das mir beschieden! / Grausamer Schritt! vom Thron zur Niedrigkeit! / Wir steigen leicht empor zur Götter Nähe, / Doch tief gebeuget, sinken wir zum Staub" (204). Das "wir" in diesen Zeilen bezieht sich vor allem auf die Stellung der Frau, wie ihre nächsten Worte verdeutlichen: "Du kommst, o Freund! zu meiner Abschiedsstunde, / Was ich besitze, trennt sich jetzt von mir. / Ich bin von meinem Könige verstoßen, / Von seinem Herzen, und von seinem Thron; / Verbannet hat er mich in ferne Städte, / Denn nimmermehr will mich sein Auge sehn" (204). Alles was dem Menschen wert ist, gesellschaftliche Stellung, Eigentum, Heimat, wird ihr durch die plötzlich gewandelte Neigung des Gatten entzogen. Die Frau wird hier zum bloßen Genußobjekt des Gatten, deren einzige Existenzmöglichkeit darin besteht, diese Funktion so lange wie möglich beizubehalten. Sobald sie diese nicht mehr erfüllt oder an eine andere abgeben muß, sobald sie also "Von seinem Herzen" verstoßen ist, bleibt ihr selbst sogar als Königin nichts anderes übrig, als das Los der niedrigsten ihrer vormaligen Untertanen zu teilen. Jugend, Schönheit, Geist und Reiz sind die einzigen, doch vergänglichen Waffen dieses Geschlechts. Dermaßen waffenlos, sucht die Königin Schutz bei jenem Mann, dessen Waffen tauglicher und dessen Kräfte durch die frische Schönheit ihrer Rivalin gestärkt werden. Geschickt benutzt sie seine Eifersucht auf den König, um diesmal in der "eignen Bahn" Nikators mitgerissen zu werden. Als Nikator von der Verstoßung der Königin erfährt und ausruft: "mein Geist kann es nicht fassen, / Denn zu abscheulich schwarz wär' diese That" (204), erwidert die Königin:

> O fasse Dich! denn auch Du wirst vernehmen,
> Was Dir zerreißen wird Dein liebend Herz.
> Sie, die Du liebest, wird zum Thron' geschleppet,
> Zum Throne, den ich fallend räumen muß.
> Sieh' mich nicht an mit diesem wilden Blicke!
> Dein Unglück, wie das meine, ist gewiß.
> Adonia wird Deinem Herrn vermählet,
> Um ihres Busens Stimme nicht befragt;
> Sein unerbittlich Herz hat es beschlossen,
> Er will es, und sie muß das Opfer seyn (205).

Die Königin ist eine im Grunde genommen passive Figur, die sich den Ungerechtigkeiten ihres Schicksals unterwirft, und sich in ihre Rolle als Frau fügt, die ihr in der Gesellschaft eingeräumt wird. Wenn sich Hilfe für sie zeigt, dann immer bloß in der Person eines gerechteren Mannes als des ihren, der sich ihrer Sache annimmt. Selbst in ihr Schicksal einzugreifen, fällt ihr nicht ein, wenngleich sie psychologische Momente zu verwerten weiß, um Nikator die Notwendigkeit seiner Beschützerrolle eindringlich darzustellen: er handelt im Sinne des eigenen Vorteils, indem er sich ihrer annimmt. Günderrode zeichnet hier nicht die Frau der Antike, sondern die zeitgenössische Rolle des weiblichen Geschlechts: Schönheit, Schwachheit und Gehorsam sind die Waffen der jungen, Klugkeit und List die der alternden Frau im Lebenskampf, den sie niemals durch direktes Eingreifen in ihr Schicksal besteht, sondern durch die Großmut eines männlichen Helfers.

Anders stellt Günderrode Adonia dar. Diese gehört einem neuen, energischeren, selbstbewußteren Geschlecht an, das sein eigenes Schicksal beherrschen will. Sie ist Nikator geistig verwandt, der schwört: "Eh' mag ich Königen die Treue brechen, / Als der Natur, die mir im Herzen spricht" (200). Derjenige, der seine "Natur" veleugnet, "ist ein Sklave, der sich selbst verliert." Deshalb besteht Adonia darauf, ihre Sache selbst beim König zu vertreten, statt sich durch Nikator verteidigen zu lassen: "Nicht also; nein, so darf sich's nicht entscheiden. / Die Liebe siege, nicht die blut'ge Macht. / Ich dulde nicht, daß Du mich so behauptest, / Denn hassenswerth soll unser Bund nicht seyn. / Ich geh' zum König, was das Schicksal sinne; / Ich bleibe Dein, vertraue meinem Muth" (200). Ihr Mut wird von Egestis auf die härteste Probe gestellt, denn der König läßt alle Rücksicht fallen und erklärt ihr unverblümt seiner "Liebe Wallung" (202). Adonia versucht zunächst, sich ihm gegenüber hinter den Schranken von Sitte, Moral, vorgetäuschter Naivität und gesellschaftlich gängigen Prinzipien zu verschanzen: "Ich weiß, mein Oheim, daß mit Vaterliebe / Und väterlicher Zärtlichkeit Du mein gedacht," beginnt sie. Doch Egestis wehrt sofort ab: "Von Vaterliebe borg' ich nicht den Namen, / Mein Lieben gleicht nicht Eltern-Zärtlichkeit." Adonia, von seiner Dringlichkeit überrascht, meint: "So weiß ich keinen Namen, der ihr zieme," und bittet ihn, zu gehen. Aber Egestis, gewohnt zu herrschen und zu siegen, geht geradewegs zum Angriff über:

> Du willst den Namen nicht? Wohl! so vergönne,
> Daß ich beschreibe, wie mein Lieben sei:
> Es ist ein ew'ger Durst nach Deinen Küssen,
> Verzehren möcht' ich Deiner Wangen Roth,
> Ich möchte Deines Blutes Purpur trinken,
> Und schlürfen Deines Mundes reinen Hauch;
> Es ist ein rastlos, zehrendes Verlangen,
> Zu drücken Dich an dieses glüh'nde Herz.
> Ich hungere nach Dir, ich durst' und rase
> Nach Deiner Schönheit seligem Beschau'n (202).

Die Wahl seiner Worte—"Durst," "Verzehren," Blut trinken, Atem schlürfen, hungern und dursten—machen den physischen Aspekt seines Begehrens hinlänglich deutlich, während von einer geistigen Bindung, wie sie zwischen Nikator und Adonia besteht, keine Rede ist. Egestis' Liebe hat alle Kennzeichen jenes negativen Wütens der Leidenschaft, die ihr Opfer verzehrt und sich nach Stillung der Begierde des Gegenstands wieder entledigt. Es ist ein ähnliches Verlangen, wie es Ligares gegenüber Ladikä empfand.[48] Noch zögert Adonia: "Halt' ein, mein Oheim, denn die Unschuld sollte / Nicht sehen der Begierde wilde Gluth!" (202). Doch da Egestis sie weiterhin bedrängt, tritt sie ihm mit eigner Kraft entgegen: "Eh' wird die freche Flamme, die Du nährest, / Hinunterbrennen in die Unterwelt; / Eh' wird Dein Lieben Pluto's Weib besiegen, / Eh' Du Adonien die Deine nennst. / Nimm Eid für Eid. Ihr Götter hört mein Schwören, / Und rettet mich vor seiner Liebe Wuth" (203). Im anaphorischen Bau der Verse wird wieder jenes bei Günderrode so häufige Element der Beschwörung deutlich, die der Rede Adonias jene Eindringlichkeit verleiht, die Egestis durch die Wortwahl erzielt.

Rebellion gegen die bestehenden politischen und sozialen Mächte (König / Soldat, Mann/Frau), Auflehnung gegen die Gewalt des Schicksals und Überwindung der Unterdrückung zur Erlangung der Rechte des Individuums sind die Themen dieses Stücks. Wie in "Magie und Schicksal" soll auch hier die Methode (die Ermordung des Königs) durch den Zweck geheiligt werden. Während aber Ligares bloß aus egoistischen Gründen tötet (um den Nebenbuhler aus dem Weg zu räumen), handelt Nikator aus höheren Beweggründen: er verteidigt die rein menschlichen Rechte Adonias und der Königin. Schließlich tötet er Egestis auch in Verteidigung seines eigenen Lebens, denn der König intrigiert, um ihn des Hochverrats beschuldigen zu können, und will ihn heimlich ermorden lassen. Dieses Ende des Machtkampfs zwischen Egestis und Nikator bildet zugleich Höhepunkt und Abschluß des letzten Aktes. Der König erklärt bezüglich Adonia: "Denn sie ist mein, Du aber gehst zum Tod'; / Zum Throne sie, und Du zum Blutgerüste, / In dieser Stunde noch wird es geschehn" (209). Nikator gibt ihm zu bedenken, daß die Soldaten ihrem Feldherrn helfen werden: "Und unbewiesen schickst Du mich zum Tode? / Und fürchtest Deines Heeres Murren nicht?" Aber Egestis erwidert: "Das Heer vernimmt die That, wann sie geschehen; / Und in's Gescheh'ne füget sich der Mensch" (209). Um dem Schicksal zu entgehen, welches ihm Egestis vorausbestimmt hat, übertritt Nikator wieder die Schranken der Moral, des Gesetzes und seines Standes, indem er den König niedersticht. Der hereineilenden Leibwache des Königs entgegnet er: "fodert ihr mein Haupt / Für diese That? Ich bin bereit zu sterben, / Denn was ich wollte, hab' ich nun erreicht" (211). Es wird hier deutlich, daß Nikator nicht *nur* aus Notwehr mordet, sondern um sein Ziel zu erreichen, das heißt, Adonia zu bekommen. Nikator macht sein eigenes Schicksal seinem Ziel und Zweck gefügig. Seine Worte zur Wache bestätigen dies: "Ich wollte nicht durch Mord dem Tod' entgehn, / Ein größ'res Unheil mußt' ich von mir wenden, / Das dieser Todte frevelnd auf mich lud" (211). Dieser neue Mensch ist nicht mehr dem Schicksal hilflos ausgeliefert. Er ist nicht Spielball unverständlicher, irrationaler Mächte. Günderrode sagt hier aus, daß das Schicksal des Menschen von Menschen bestimmt wird und daß das Individuum das Recht und die Pflicht hat, dieses Schicksal zu ändern, beziehungsweise seinen Lauf selbst zu bestimmen. Wie in "Magie und Schicksal" bleibt der Schluß offen. Ob Nikator freigesprochen werden wird, ist nicht sicher. Aber der Ruf der Soldaten, "Er lebe! bis wir ihn vernommen haben" und "Er lebe! wenn er sich rechtfert'gen kann" (211), der das Stück beschließt, ist so optimistisch und positiv, daß der Ausgang kaum bezweifelt werden kann. Nikator hat sein Schicksal bezwungen und die Worte des Königs "Und in's Gescheh'ne füget sich der Mensch" zu seinen Gunsten umgekehrt.

Die Triebkraft Nikators und Ligares', nämlich der Wunsch, das eigene Schicksal zu gestalten, wird in dem Dramolet "Hildgund"[49] deutlich auch als Recht der Frau anerkannt. War Adonia im Gegensatz zur Königin bereits bereit, ihren Willen dem König gegenüber durchzusetzen, so zeichnet Günderrode in Hildgund eine Kämpferin im Sinne Brünhildes oder eine Rächerin analog zu Kriemhilde. Der Unterschied zwischen Hildgund und ihren sagenhaften Vorläuferinnen besteht darin, daß Hildgund eine durchweg positive Figur ist, während die Heldinnen aus dem *Nibelungenlied* und der *Klage* als unweibliche, amazonenhafte und verabscheuungswürdige Wesen dargestellt werden. Es ist ein interessantes, in der deutschen Literatur noch zu untersuchendes Phänomen, daß die heldenhaft kühnen Taten weiblicher Figuren umso negativer dargestellt werden, je femininer ihr Äußeres ist. Solange die Frau eine gut gekennzeichnete Rolle spielt, wird ihr männliches Auftreten verziehen. Viele Beispiele finden sich von weiblichene Figuren, die sich männlicher Kleidung bedienen, um am Kriegsgeschehen teilzunehmen, oder ihrem Geliebten nahe sein zu können.[50] In dieser Aufmachung ist sie fast durchwegs ein asexuelles Wesen. Auch Brünhilde behält ihre kriegerische Haltung und Stärke nur als *Jungfrau* bei. Sobald sie mit Siegfrieds Hilfe im Ehebett "besiegt" wird, übernimmt sie eine durchaus negative Rolle: die einer Frau, die zwar ihre physische Übermacht verloren hat, geistig aber noch "männlich" ist. Weder Leser noch Kritiker haben für die Demütigungen und Erniedrigungen Sympathie gehabt, die dieser verheirateten Amazone zugefügt und zugemutet wurden. Sie ist eine Zwitterfigur: unweiblich im Gemüt und doch spielt sie nicht mehr die männliche "Rolle". Bei Kriemhild vollzieht sich eine umgekehrte Entwicklung: das weiblichste aller Wesen wird zur dämonischen Rächerin; und auch dieser Figur wird der Racheakt als abscheuliche Tat angerechnet. Sie handelt wie ein Mann gehandelt haben würde, ja, wie es für einen Mann im Kontext der damaligen Zeit ein sittlicher und moralischer Pflichtakt gewesen wäre. Aber Kriemhild spielt psychisch und physisch die weibliche "Rolle," und indem sie sich zur "männlichen" Rachetat durchringt, verzerrt sich ihre Handlung ins Negative. Wie bei Brünhilde befinden sich das Äußere (Kleidung, Handeln) und das Innere (Gesinnung, Rollenerlebnis) nicht mehr im Einklang.[51]

In Günderrodes "Hildgund" wird ein solcher Racheakt (die Ermordung Attilas) gerechtfertigt und positiv dargestellt. "Wie herrlich ist der Mann, sein Schicksal bildet er," meint Hildgund, "Nur eigener Kräfte Maß ist sein Gesetz am Ziele, / Des Weibes Schicksal, ach! ruht nicht in eig'ner Hand! / Bald folget sie der Noth, bald strenger Sitte Wille, / Kann man sich dem entzieh'n, was Uebermacht befiehlt?" (Götz, 35). Hildgund spricht hier das aus, was das Handeln der Königin in "Nikator" bestimmt: die Frau kann und darf nicht über ihr eigenes Schicksal bestimmen. Sie wird durch die gesetzten gesellschaftlichen Regeln gezwungen, sich willenlos unterzuordnen.

Hildgund ist aber ein Tatenmensch. Mit ihrem Verlobten Walther dem Hof König Attilas entflohen, will sie dorthin zurückkehren, um Attila zu töten und dadurch die Verheerung ihres Vaterlandes durch den Hunnenkönig zu verhindern. Walther meint, sie solle auf seine Stärke vertrauen: "Trau' nur auf dieses Schwert, trau' auf des Armes Stärke, / Die Liebe siegt durch mich, der Tod für sie ist süß. / Ich kenne die Gefahr, und jener Hunnen Kriege—/ Hab' ich nicht Tausende zu Ruhm und Sieg geführt?" (35). Aber Hildgund hat beschlossen, Attila, der ihr geneigt ist, durch List zu Fall zu bringen: "In meines Herzens tiefsten Gründen reifet / Die größte That, die je ein Weib gethan" (35). Walther kann ihre Gesinnung jedoch nicht verstehen. Sie erscheint ihm plötzlich vollkommen unweiblich und er sagt sich von ihr los: "Verlassen will ich dich, du hast ja selbst gewählet, / Spar' dir des Grübelns Reu', ich kann es dir verzeih'n" (36). Hildgund aber zieht zielbewußt dem Hofe Attilas entgegen: "Mord! Ha! der Name nur entsetzet, / Die That ist recht und kühn und groß, / Der Völker Schicksal ruht in meinem Busen, / Ich werde sie, ich werde mich befrei'n. / Verbannt sei Furcht und kindisch Zagen, / Ein kühner Kämpfer nur ersiegt ein großes Ziel" (36). Obwohl auch dieses Dramolet offen bleibt, obwohl also der Ausgang nicht direkt bestätigt wird, lassen Hildgunds Worte an der Seite Attilas, zu dem sie rachsüchtig zurückgekehrt ist, wenig Zweifel über die erfolgreiche Ausführung ihres Plans: "Ich folge meinem Herrn! (für sich) Ha! fei're nur, Tyrann, / Des letzten Tages schnell entfloh'ne Stunden" (36). Wie Nikator wird auch Hildgund den Despoten besiegen.

In den hier behandelten Werken Günderrodes läßt sich eine geistige Entwicklung feststellen, die sich allerdings nicht unbedingt mit den Entstehungsdaten der einzelnen Gedichte und Dramen deckt.[52] Die ursprüngliche Frage nach dem Wesen der Schöpfung, oft in das Bild des Lehrlings gefaßt und mit dem Sais-, bzw. Isismotiv verknüpft, weitet sich auf die Frage nach der Rolle des Schicksals im menschlichen Leben aus. Inwieweit ist der Mensch überhaupt frei, nach eigenen Prinzipien zu lernen, zu leben und zu schaffen, und inwieweit ist seine Existenz unabänderlich vorbestimmt? Günderrode setzt apriori zwei sich bekämpfende Mächte: die der Außenwelt, unter der sie alles vom Individuum nicht Bestimmbare versteht (die Naturkräfte in "Der Adept" und in "Wanderers Niederfahrt," der Schicksalsbegriff Alkmenes' in "Magie und Schicksal," die weltliche Macht, in "Nikator" durch Egestis, in "Hildgund" durch Attila dargestellt), und die dem Individuum inhärente Kraft. Soll der Mensch nicht willenlos den Mächten der Außenwelt zum Opfer fallen, so muß er sich ihnen gegenüber tatkräftig behaupten. Die Suche nach einer angemessenen Widerstandskraft ist embryonisch im "Wanderer" angedeutet, dem die Erdgeister empfehlen, "hinab, in deiner Seele Gründen" zu schauen. Dort ist ebenfalls eine "Werkstatt der Natur," eine schlummernde Riesenkraft. Ligares lehnt es bereits ab, sich einem vorgezeichneten Schicksal im antiken Sinne, beziehungsweise einer dämonischen Macht (der Magie) zu unterwerfen. Statt dessen benutzt er diese "äußeren" Mächte, um sein eigenes Schicksal zu gestalten. Allerdings ist Ligares nur bedingt erfolgreich, insofern er seiner unerwiderten Leidenschaft (einer "inneren" Kraft) nicht Herr werden kann. Voller Erfolg in der Beherrschung des eigenen Seins wird dem Mann in "Nikator," der Frau in "Hildgund" zugestanden. Beide bekämpfen erfolgreich die ihnen durch "äußere" Mächte in den Weg gestellten Hindernisse durch individuelle, "innere" Kräfte wie Mut, Zielbewußtsein, Tatendrang, usw. Während die "Lehrlingsfiguren" das göttliche Prinzip (Freiheit, selbst zu schaffen und zu walten) noch im Spiegelbild der Natur suchen, erkennt Hildgund: "Der Gott, der mich befreit, wohnt in dem eig'nen Herzen" (34). Einem durch eigene Kraft emanzipierten Individuum, sei es männlichen oder weiblichen Geschlechts, können irdische (politische) oder überirdische (magische) Schicksalsmächte nichts mehr anhaben. "Wer seiner Stimme traut," meint Hildgund, indem sie sich auf den Gott im eigenen Herzen bezieht, "dem ist die Rettung nah'; / Uns folgte schnell die Noth mit ihrem ernsten Tritte, / Doch unser Muth verlachte sie" (34). In allen drei besprochenen Dramatisierungen bildet die Nähe der Rettung den positiven Abschluß. Es genügt in Günderrodes Sicht, die Herrschaft des Individuums über sein Geschick zu verdeutlichen. Ist sie verwirklicht, so wird das Leben des Einzelnen den selbstgewollten Lauf nehmen. Die offene Form der Dramen ist deshalb von zweifacher Notwendigkeit: erstens, um die Stücke auf einer positiven, nicht-tragischen Note enden zu lassen; und zweitens, um darzustellen, daß mit dem Erreichen des Ziels zwar ein Höhepunkt, doch kein Abschluß erreicht wird. Der Sieg über das Schicksal muß ein sich immer wieder vollziehender Akt im Leben des Einzelnen sein.

Durch ihren frühen Tod wurde der deutschen Dichtung nicht nur eine außerordentlich frei schaffende, von Kunstrichtungen und -urteilen der Zeit unabhängige Poetin genommen, sondern ihr geistiges Erbe wurde auch sofort ihren leiblichen Resten nachgeschickt. Die sich bei ihrem Ableben im Druck befindliche "Melete" wurde supprimiert,[53] und die "Poesie," wie Creuzer seine Freundin Caroline nannte, wurde des Skandals wegen lange Zeit totgeschwiegen. Eine unvollständige "Gesamtausgabe" ihrer Werke wurde erst über 50 Jahre nach ihrem Tod von Friedrich Götz gedruckt; eine ausführliche und erstmals objektive Darlegung ihrer Lebensumstände brachte 1878 Karl Schwartz. Seither sind mehrere immer wieder unvollständige Ausgaben ihres Schaffens erschienen, die jedoch im Text, in der Rechtschreibung und Interpunktion stark voneinander abweichen. Eine zu Günderrodes 150. Todestag von der Wissenschaftlichen Buchgesellschaft Darmstadt geplante Gesamtausgabe mit unbekannten Schriften und Studien wurde nicht verwirklicht. Dagegen erschienen Teile des noch unbekannten Briefwechsals Caroline von Günderrodes mit Savigny und anderen, sowie Teile ihrer Arbeitshefte und Studienbücher, die sich im Freien Deutschen Hochstift befinden, im Jahrbuch dieses Archivs. Dem populärwissenschaftlichen Bereich gehört die neuere Arbeit Christa Wolfs an,[54] die auch eine poetisierte Neusicht der Dichterin in einem fiktiven Treffen mit Kleist herausarbeitete.[55] Die derzeitige Forschungslage ist immer noch derart primitv, daß jede Interpretation von Günderrodes Schaffen (abgesehen von der relativen Unzugänglichkeit der bisher erschienenen Gesamt- und Briefausgaben) bis zum Erscheinen einer vollständigen Werkausgabe notwendigerweise den Charakter eines Versuchs behalten muß.

# 5

# "Der eine Weg der Ergebung." Louise Reichardts musikalisches Schaffen und Wirken im kulturellen Leben Hamburgs

NOCH PROBLEMATISCHER als bei den bisher erörterten künstlerisch tätigen Frauen ist der Forschungsstand über Louise Reichardt. Die Tochter des bekannten Kapellmeisters Johann Friedrich Reichardt und dessen erster Frau Juliane Benda wurde am 11. April 1779 in Berlin geboren, verlor bereits 1783 ihre Mutter und wuchs mit ihren zahlreichen Geschwistern im Schatten ihres berühmten Vaters auf.[1] Mit den bisher besprochenen Dichterinnen hatte sie die enge Bekanntschaft mit dem Arnim-Brentano-Kreis und die Notwendigkeit, sich ihren eigenen Unterhalt zu verdienen, gemein,[2] mit Karsch auch die frühe Verantwortung für die Pflege der Geschwister.[3] Da so wenig über Louises Leben bekannt ist, sollen einige der wichtigsten Punkte hier zusammengefaßt werden.

Louise erkrankte noch vor dem Tod ihrer Mutter an Pocken und blieb im Gesicht verunstaltet. Es spricht für ihre Persönlichkeit, daß sie dennoch umworben war. Ihre erste Verlobung mit dem Dichter F. A. Eschen endete, als der Jüngling in der Schweiz bei einer Bergbesteigung tödlich verunglückte. Ihr zweiter Verlobter, der Maler F. Gareis, erkrankte und starb bei einem Aufenthalt in Florenz. Auch Brentano erklärte ihr anscheinend noch vor der offiziellen Trennung von seiner zweiten Frau (Auguste Bußmann) seine Liebe, da Louises undatierte Antwort auf seinen Brief Hinweise auf Arnims *Einsiedlerzeitung* (1808) enthält: "Ihre Versicherung dass Sie mich lieb haben, ist mir sehr rührend," schreibt sie; "aber sagen Sie mir es nicht wieder, ich habe diese Worte nicht zu gern gehört als dass sie mir nicht noch jetzt das innerste Herz erschüttern sollten und diese Erschütterung verträgt sich nicht mit der ruhigen Fassung aus welcher ich nicht kommen darf um mein Schicksal mit Ergebung zu tragen."[4] Ihr

Schwager Henrik Steffens schreibt in seinen Lebenserinnerungen: "Die älteste Stieftochter war die durch ihre Liederkompositionen bekannte Louise Reichardt." Trotz der Pockennarben

> zog sie von allen Töchtern des Hauses, die sich alle durch Schönheit auszeichneten, die größte Aufmerksamkeit auf sich, so wie sie auch im Hause eine große Gewalt ausübte. [. . .] sie sang schön und trug die Lieder ihres Vaters und die eigenen mit außerordentlicher Zartheit vor. Das musikalische Talent war den Reichardtschen Töchtern mehr oder weniger angeboren; auch gute Stimmen besaßen sie alle: Louise war die einzige, die dieses Talent des Gesanges wie der Komposition ernsthaft ausbildete. Die von ihr komponierten Lieder hatten etwas durchaus Eigentümliches und waren keineswegs als Nachklänge der väterlichen zu betrachten, und daß sie vorzüglich Lieder der jüngeren Dichter, wie der Vater die Goetheschen, komponierte, war natürlich. So wählte sie die von Tieck, Arnim und Brentano, Dichter, die mit der Familie vetraut waren. Viele ihrer Kompositionen fanden durch ihre eigentümliche Tiefe einen allgemeinen Eingang und sind populärer geworden als die Reichardtschen; wahre Volksgesänge, so daß man sie wohl, ihrer großen Zartheit ungeachtet, auf den Straßen von Dienst- und Bauernmädchen singen hörte, und selbst jetzt sind sie kaum ganz vergessen. So die Melodie zu dem Tieckschen Liede: "Geliebter, wo zaudert dein irrender Fuß?" und die von dem Brentanoschen: "In Sevilla, in Sevilla usw."[5]

Heute ist Louises Werk allerdings so gut wie vergessen. Eine Neuausgabe einiger ihrer Kompositionen erschien 1922 unter dem Titel *Louise Reichardt. Ausgewählte Lieder;*[6] Renate Moering bespricht im Zusammenhang mit Arnims Roman *Gräfin Dolores* kurz Louises Vertonung "Unruhiger Schlaf" aus der Musikbeilage;[7] und von Nancy Reich erschien 1981 eine Auswahl von Louises Liedern bei Da Capo Press.[8] Die Musiklexika verzeichnen zwar ihre Existenz mit Worten wie "in Gsg. und Kl. geübte Musikliebhaberin mit schöpferischen Fähigkeiten. Sie schuf für den Hausgebrauch etliche Gsge. von dauerhaftem Wert. Ihre Lieder wurden bereits nach 1800 stark beachtet,"[9] aber auch sie verzeichnen keinerlei Literatur über Louise, die ihrem Schaffen gerecht würde. Hier sollen die drei Gebiete erörtert werden, auf denen Louise ihre Lebensarbeit leistete: ihre Vertonungen von Gedichten zeitgenössischer Romantiker, die religiösen Kompositionen und ihre Tätigkeit als Gründerin einer Musikschule und eines Musikvereins.

Louises Vater, der vielbeschäftigt und oft abwesend war, förderte das Talent seiner Tochter nur ungenügend. Dies ist in ihren Kompositionen besonders auf theoretischem Gebiet stark bemerkbar, wo die Begleitung deutlich zeigt, daß Louise nach dem Gehör und nicht nach musikalischen Prinzipien arbeitete.[10] Sie besaß eine umfangreiche, aber zarte Sopranstimme, die Reichardt durch seine Anleitung ausbilden half; öffentlich jedoch "ließ sie der Vater indeß niemals als Sängerin auftreten, und ihr Wirkungskreis beschränkte sich daher auf die Kirche und zahlreiche Privatzirkel."[11] Der Sittenkodex jener Zeit, der zwischen einem in der Öffentlichkeit stehenden Mädchen und einem öffentlichen Mädchen wenig Unterschied machte,[12] behinderte somit weitgehend die Ausübung ihres Talents. Anders als Sophie Mereau und Günderrode hatte Louise aber auch wenig Geltungsdrang, oder wenn sie ihn hatte, so wußte sie ihn stets zu unterdrücken. Ihre Briefe zeigen dies deutlich. Am 2. Januar 1820 schreibt sie z.B. an Wilhelm Benecke in England: "Die Noth hat mich nämlich noch einmal zum Autoren gemacht, denn es war mein Vorsatz, nach dem Tode meines Vaters nichts wieder herauszugeben" (Brandt, 99); und an dessen Frau schrieb sie am 1. April 1819, "Daß ich dort [in England] den Geschmack verbessern sollte, meine liebe Freundin, ist eine zu kühne Idee; dazu muß man ganz anders sich geltend zu machen wissen. Ich kann nur im Stillen wirken, und wie viel empfängliche Gemüther mir zufällig in den Weg kommen, davon hängt das Gelingen meiner Bestrebungen ab" (Brandt, 86).

Diese Passivität, die, wenn sie anerzogen war,[13] eine psychologische Basis für ihre spätere Migräne, ihre "weibliche" Hilflosigkeit und extreme Kränklichkeit bilden mochte, wurde schon früh gefördert: Louises Kompositionen erschienen öfter ohne ihren Namen in den Liedersammlungen des Vaters. Dies erschwert es der heutigen Forschung, den Umfang ihres Opus festzustellen. Auch Reichardts Arbeiten sind nicht mehr allgemein und vollständig zugänglich, was die Recherchen um ein weiteres erschwert. Unter ihrem eigenen Namen finden sich ihre Lieder erst nach 1804 häufiger. In Nr. 80 der *Berlinischen Musikalischen Zeitung* von 1805 weist eine Rezension von Reichardts *Liederspielen* z.B. darauf hin, daß im zweiten Liederspiel "acht Melodien (zum Theil mit Chor) von Reichardt und zwei von dessen Tochter Louise" komponiert seien (317).[14] In Nr. 39 des zweiten Jahrgangs seiner Zeitung kündigt Reichardt selbst die Ausgabe von Louises "XII. deutsche[n] und italiänische[n] Gesänge[n]" an,[15] von denen er sagt: "Diese, dem reinsten, zartesten Gefühl entquollenen Gesänge werden andre Blätter und die Freunde des ausdrucksvollen Gesanges selbst nach ihrem wahren Werthe zu würdigen wissen; hier mögen nur die schönen, gefühlvollen Gedichte genannt werden, die sie componirt enthalten, und allenfalls mag eine der kürzesten Melodien, als Beilage zur Probe erscheinen" (BMZ 1806, 156). Beilage IV enthält das "Lied aus Ariels Offenbarungen" von "F.A.v.Arnim mit Musik von Louise Reichardt." Es ist Nr. 9 des Liederbändchens ("Lilie, sieh' mich, Thau umblinkt dich"), das noch zwei aus Arnims *Ariel,*[16] zwei von Novalis,[17] zwei aus Tiecks "Verkehrter Welt,"[18] drei von Metastasio,[19] eines aus Tiecks "Schöner Magelone,"[20] und eines aus seiner "Genoveva"[21] enthält.

Arnims Beziehung zu den Reichardts geht auf die Intendantur seines Vaters am königlichen Schauspielhaus in Berlin zurück, wo dieser mit dem Kapellmeister eng zusammenarbeitete.[22] Die Freundschaft der Väter übertrug sich bis zu einem gewissen Grad auf die Kinder, und Arnim verbrachte seit seinen Studententagen in Halle öfters angenehme Tage im Reichardtschen Haus in Giebichenstein. Zu Weihnachten 1805 schreibt er an Brentano: "Auch mir wurde bescheert; Luise, die älteste Tochter, gab mir in einer gehöhlten Nuß mit einem rothen Bande gebunden eine zierlich fein geschriebene Musik zu einem Liede des

Ariel, sie hat noch drei daraus überaus schön componirt. Mir war die Nuß wie eine Weltkugel im Planetario; wo die Frucht sonst ruht, da war die Blüthe" (Steig I, 154).

Es handelt sich vermutlich um das oben genannte "Lied aus Ariels Offenbarungen." Die beiden Fassungen der *BMZ* und der *XII deutschen und italiänischen romantischen Gesänge* (Seite 16) sind mit Ausnahme eines 26 Takte umfassenden Nachtrags in B-Dur identisch, der zwar in die *BMZ,* nicht aber in den Liederband aufgenommen wurde. Louises Komposition in F-Dur ist, dem Text angepaßt, von großer Einfachheit und dennoch künstlerisch anspruchsvoll. Arnims Text spielt mit dem Gegensatz von Freuden und Leiden, der symbolisch in den beiden Blumen Lilie und Rose ausgedrückt ist: "Lilie sieh' mich, Thau umblinkt dich, du bist traurig, bei dir fühl' ich Leiden!" Die Wörter "traurig" und "Leiden" werden durch das Bild der Tautropfen unterstrichen, das an Tränen erinnert. Überdies ist die Lilie wegen ihrer weißen Farbe nicht bloß Symbol der Unschuld und Reinheit, sondern wird in christlicher Überlieferung auch mit Christi Auferstehung (Ostern, aber daher auch Tod und Leiden) verbunden. Den Kontrast bildet die Rose: "ich bin fröhlich, Rose kenn mich, dufte selig, bei dir fühl' ich Freuden." Wenngleich die Farbe der Rose nicht direkt angegeben ist, so wird doch auf das sinnliche Element (Duft, Freude) verwiesen, und im Gegensatz zur Lilie ist die Farbe Rot (Liebe) implizite enthalten. Der Rest des Liedes bestätigt den Kontrast der beiden Blumen, die beide einem Kranz entgegenblühen: "Rosen, Lilien, Freude, Leiden blühen beide meinem Kranze beide." In der Aussage, daß beide Werte (Freude und Leid) "meinem Kranze" blühen, bezieht das lyrische Ich die Symbolik auf sich. Die Syntax erlaubt bloß eine Auslegung für die Zukunft; also nicht "in meinem Kranz," sondern "für meinen Kranz." Das Wort Kranz selbst ist aber ebenfalls doppeldeutig. Es kann ein Freudenkranz sein, wie er zum Schmuck aus Blumen geflochten wird, oder es kann der Totenkranz fürs Grab damit angedeutet werden. In diesen wenigen Worten ist also ein ganzer Lebensinhalt, Freude, Leid, Liebe, Trauer und Tod ausgedrückt. Auf diese allumfassende Simplizität, auf diese täuschende Einfachheit mag Arnim mit der "Weltkugel im Planetario" angespielt haben, denn Louises Vertonung hat eben diese Qualität der gewollten Unscheinbarkeit beibehalten, ohne anspruchslos zu werden.

Das Lied behält durchweg dieselbe Tonart (F-Dur), mit überaus einfachem, einstimmigem Baß und orthodoxer Stimmführung. Die Akkorde bewegen sich mit wenigen Ausnahmen zwischen Tonika und Dominante oder Dominantseptakkord, manchmal in erster Umkehrung. Ausnahmen sind z.B. die Progression $I\text{-}ii_6\text{-}I^6_4\text{-}V$ bei der ersten Halbkadenz ("Thau umblinkt dich"), und die Folge $ii_6\text{-}I_6\text{-}vii^0_6\text{-}V^7$ in Takt 13 und 14. Gerade diese Simplizität betont die drei Interessenspunkte des kurzen Liedes. Der erste ist rhythmisch in der beschleunigten Halbkadenz im vierten Takt. Das Moment der Überraschung ergibt sich aus dem plötzlichen rhythmischen Wechsel mit dem auf der Kadenz $I^6_4\text{-}V$, die ja eigentlich einen Ruhepunkt darstellen soll, die Silben (um) "blinkt dich" je auf eine bloße

Achtelnote fallen, während jede Silbe der drei vorangehenden Takte eine Viertelnote beanspruchte. Auch in der Singstimme fällt in den ersten drei Takten jede Silbe trotz der Verzierungen auf den Wert einer Viertel-, bzw. zwei Achtelnoten. Die unerwartete Beschleunigung gerade auf der Silbe "blinkt" hebt die Symbolik des Textes besonders hervor, insofern das Blinken als Augenbewegung auf den Tau als Träne verweist. Der zweite interessante Punkt des Liedes ist harmonischer Natur. In der sonst fast simplizistischen Akkordfolge erscheint im sechsten Takt zwischen zwei Dominanten ein sekundärer Leittonakkord. Es ist ein verminderter Septakkord auf der erhöhten Quarte, der ähnlich wie die Progression vii$^{o}_{7}$-I auf die folgende Dominante agiert. Dieselbe Konstellation wird im achten Takt sofort nochmals gebracht, wobei hier durch die Verzögerung der Auflösung der #iv$^{o}_{7}$-Akkord noch besonders betont wird.[23] Der Effekt dieses Septakkords ist der jähe Einschub eines elegischen Moments, das der verminderte Dreiklang auf den Worten "traurig" und "Leiden" zwischen den hellen Tönen der Dominante erzeugt. Der dritte, die Aufmerksamkeit erregende Wechsel im Lied liegt in der Stimmführung. Angefangen mit den Worten "ich bin fröhlich" lösen sich die einzelnen Akkordfolgen in Arpeggien auf; die bisher in mittlerer Lage und bei Viertel- und Achtelnoten gehaltene Singstimme erhebt sich ebenfalls in einem plötzlichen Arpeggio von Sechzehntelnoten aufs hohe a. Größere Sprünge, Synkopierung und melodische Verzierungen drücken ebenfalls die im Text angedeutete Heiterkeit bei der Beschreibung der Rose an. Text und Musik formen in diesem Lied ein vollkommenes Ganzes, das bei aller Kürze und Einfachheit ein durchaus hohes künstlerisches Niveau erreicht.

Louises freundschaftliches Verhältnis zu Arnim blieb produktiv. Am 12. Juli 1806 schrieb Arnim an Bettina Brentano: "Louise (Reichardt) sang mir meine Lieder, neuere als Sie kennen, so klockenhell vor, daß ich mich für einen unwissenden Handlanger in einer Goldküche hielt" (Steig II, 34). Auch über ihre Fertigkeit im Lautenschlagen und über ihre Vertonung einiger Lieder aus dem *Wunderhorn* berichtet er:

> Louise hat, in der Zwischenzeit ich sie nicht gesehen, das kunstreiche Geheimniß der alten Laute aufgelöst, worüber die Allerweltsnoten nichts vermögen, die nach der Tabulatur gespielt wird. Für jeden Ton muß sie umgestimmt werden, daher sie wie ein bestimmtes Gemüth jeden Tag rein und allein aus seinem Tone klingt. Mit meinem letzten Briefe schickte ich Ihnen Louisens gedruckte Lieder, mit mir selbst werde ich einige der geschriebenen Ihnen bringen, besonders schön sind ihr einige aus dem Wunderhorn gelungen; es wird dies Jahr eine schöne Weinlese geben.[24]

Louise nahm *Wunderhorn*-Lieder in mehrere ihrer Liedersammlungen auf, darunter eines ("Volkslied. Zu Koblenz auf der Brücke") in ihre *Zwölf Gesänge mit Begleitung des Forte-Piano Componirt und Ihrer geliebten Schwester Friederika zugeeignet.*[25] Dieses Heft enthält auch das ursprünglich in der Musikbeilage zur *Gräfin Dolores* gedruckte vertonte Arnimgedicht "Unruhiger Schlaf" und die Vertonung von "Ein recht Gemüth," ein Gedicht Arnims, das unter dem Titel

"Kritik" in Nr. 2 (6. April 1808) der *Zeitung für Einsiedler* erschien. Das Liederheft *XII Gesaenge mit Begleitung des Fortepiano's Componirt und ihrer jungen Freundinn und Schülerinn Demlle Louise Sillem zugeeignet*[26] enthält folgende Kompositionen Louises zu *Wunderhorn*-Liedern: Nr. 1. Frühlingsblumen ("Herzlich thut mich erfreuen"); Nr. 4. Wachtelwacht ("Hört wie die Wachtel im Grünen schön schlagt"); Nr. 5. Betteley der Voegel ("Es ist kommen es ist kommen"); Nr. 6. Kriegslied des Mays ("Wenn des Frühlings Wachen ziehen"); Nr. 8. Kaeuzlein ("Ich armes Käuzlein kleine"); Nr. 9. Hier liegt ein Spielmann begraben ("Guten Morgen Spielmann"); Nr. 10. Der Mond ("Weidet meine Schäflein"). In diesem Band findet sich auch das Arnimgedicht "Der traurige Wanderer" vertont ("Der Blinde schleicht am Wanderstabe"), das Arnim ebenfalls in seiner *Zeitung für Einsiedler* (Nr. 2; 6. April 1808) auf Seite 11 unter dem Titel "Freundschaft" veröffentlichte.

Inzwischen hatte sich Louise auch als Gesangslehrerin betätigt, eine Arbeit, mit der sie später ihren Lebensunterhalt verdienen sollte. Am 6. August 1807 schreibt Arnim wieder an Bettina und schlägt vor, sie solle nach Giebichenstein reisen, um "einen Singechor von vierzehn Stimmen zu vermehren, das die Louise Reichardt in ihrer schönen Thätigkeit aus nichts gebildet hat, wenn man anders schöne Mädchen, die noch nicht singen konnten, für etwas rechnen kann, Mädchen, die zum Theil in das Haus gegeben, weil die Eltern in Geschäften abwesend. Wie würde sich Louise Ihrer Kunstfertigkeit gefreut haben, von deren Fortschritten mir Clemens so viel schreibt, sie ist ohne Eifersucht und Eitelkeit in der Kunst" (Steig II, 59). Es war dies bereits eine Zeit, in der Louise und ihre Geschwister durch die Kriegswirren und die Abgeschnittenheit vom Vater, der in Königsberg war, großen Mangel am Nötigsten litten.[27] Das musikalische Talent wurde ihr auf diese Weise zum Broterwerb. Gerade das Beispiel Louises zeigt, wie sauer das Leben für Frauen jener Zeit wurde, die, durch Erziehung ganz auf die Abhängigkeit vom Mann angewiesen, sich plötzlich ohne dessen Schutz fanden. Noch am 16. März 1809 schreibt Arnim aus Berlin an Bettina: "Louise will, um ihre Familie unterstützen zu können, nach irgend einem Orte ziehen und Singunterricht geben. Hätte ich irgend etwas über meine dringendste Nothdurft, so suchte ich diesen guten Leuten zu helfen; es ist aber diese Bestimmung ihren Neigungen und Beschäftigungen angemessen, ich möchte es ihr möglichst erleichtern. Hier ist nichts für sie zu machen in diesem Jahre, es denkt kein Mensch ans Singen, viel weniger Geld dafür zu geben." Er fragt dann, ob Louise in Frankfurt ihren Unterhalt verdienen könnte: "ich meine selbst, daß sie an guter Methode und Kenntniß die Singmeister dort übertrifft. Weißt Du niemand, bei dem sie dort wohnen könnte, wem Du sie empfehlen könntest? [...] Kann sie wohl zwei fl. für die Stunde fordern? Sie spielt Guitarre, Laute, Clavier mit Fertigkeit" (Steig II, 270). Am 25. März schreibt er ihr nochmals: "Ich habe Dich in meinem letzten Briefe um einige Nachrichten gebeten von Frankfurt wegen Louise Reichardt, aber vergessen, Dir das Geheimniß darüber aufzuerlegen. Es ist bis jetzt noch völlig ihr eigner Einfall, der Vater weiß nichts davon, dem es übrigens in Wien wohlergeht, da seine neucomponirte Oper Beifall findet" (Steig II, 274). Das Stigma, das den Unterhaltserwerb für Frauen der gehobeneren Klassen begleitete, wird in diesen Zeilen deutlich: zwar leidet die Familie Not, der Vater darf aber nichts davon wissen, daß sich Louise mit dem Gedanken trägt, ihr Los selbstständig zu verbessern. Das Versagen der Schutzmoral und des finanziellen doppelten Standards für die Geschlechter in der Rollentrennung wird kaum je deutlicher als in Zeiten politischer Krisen. Bettina, die mit Louise noch immer nicht persönlich bekannt war,[28] erwiderte am 5. April 1809: "Der Preis, die Stunde zu 2 fl., ist nichts; alle dortigen Singmeister, selbst die besten, nehmen nur 1 fl., es müßte denn sein, daß man sie dann aus Luxus und nicht aus Einsicht ihrer Kunst befördere, so würde der höhere Preis allenfalls dazu auch etwas beitragen, doch ist dies sehr dem Zufall unterworfen" (Steig II, 276).

Aus der Zeit um 1808 mögen zwei Kompositionen Louises stammen, die sie später in ihre Liederheftchen aufnahm. Es sind die Melodien zu zwei Gedichten Arnims, die er in die zweite Nummer der *Zeitung für Einsiedler* (6. April 1808) unter den Titeln "Freundschaft" (S. 11) und "Kritik" (S. 10) aufgenommen hatte, und von denen er auf Seite 15 versprach: "Die Melodien dieser Lieder von [. . .] D. Louise Reichardt erscheinen in der Folge." Allerdings wurden die Melodien dort nicht gedruckt. Dagegen gab Louise das erste ("Freundschaft") unter dem Titel "Der traurige Wanderer" in dem Frl. Sillem gewidmeten Heft heraus.[29] Das zweite ("Kritik") erschien in den *Zwölf Gesängen,* die sie ihrer Schwester widmete, unter dem Titel "Ein recht Gemüth" (S. 10). Es soll hier kurz besprochen werden. Der Text weicht an einigen Stellen vom Erstdruck ab, auch läßt Louise die letzte Strophe weg. Das Gedicht gewinnt somit zwei verschiedene Bedeutungen, weshalb beide Fassungen hier wiedergegeben werden:

| *Einsiedlerzeitung* | *Louise Reichardt-Fassung* |
|---|---|
| Kritik. | Ein recht Gemüth. |
| Ein recht Gemüth | Ein recht Gemüth |
| Springt mit den Nachtigallen | springt mit den Nachtigallen |
| Auf jede Blüth, | auf manche Blüth' |
| Und freuet sich an allen: | und freuet sich an allen; |
| Von diesem Zweig | von einem Zweig |
| Will Jener einzeln schallen, | will manche einzeln schallen, |
| Nicht allzugleich | nicht all zu gleich |
| Wie Saat der Menschen wallen. | wie Saat der Menschen wallen. |
| | |
| Doch was vermag | Doch, was vermag |
| Ihr wallend Herz zu stören? | Ein wallend Herz zu stöhren! |
| Nicht Trommelschlag! | Nicht Trommelschlag, |
| Zum Trotz sie schlägt in Chören. | Zum trotz sie schlägt in Chören; |

Nicht Kukuksruf,
Von Kindern oft befraget,
Kein Schlag vom Huf,
Der über Wiesen jaget.

Nichts störet sie,
Nur heller muß sie singen,
Da höret sie
Den Wiederhall erklingen;
Ist voll das Herz
So geht der Mund wohl über,
Und Lust und Schmerz
Wird da unendlich lieber.

Und nur zu bald
Vergißt sie sich im Schlagen,
Sich und den Wald,
Fort kann der Falk sie tragen;
Doch sieh den Falk,
Er hört ihr zu betroffen,
Der lose Schalk,
Und hält den Schnabel offen.

Nicht Kuku[k]s Ruf,
Von Kindern oft befraget,
Kein Schlag vom Huf,
Der über Wiesen jaget.

Nichts stöhret sie,
Nur heller muß sie singen,
Da höret sie
Den Wiederhall erklingen;
Ist voll das Herz,
So geht der Mund wohl über,
Und Lust und Schmerz,
Wird da unendlich lieber.

————————

Arnims Gedicht richtet sich offensichtlich gegen die Kritiker, die sich kurz nach Publikationsbeginn seiner *Einsiedlerzeitung,* die zum Organ der Heidelberger Romantiker wurde, hören ließen. Schon vor dem Erscheinen der ersten Nummer am 1. April 1808 hatte Voß eine sarkastische Anzeige im *Morgenblatt* verfaßt und Arnim hatte als Antwort hierauf geschrieben, er rette "sich aus den neidischen Miscellenverfolgungen eines geehrten Morgenblattes (1808 Seite 228)" und trete "vor den Richterstuhl eines geehrten Publikums" (Steig I, 248). Auch das Publikum blieb jedoch aus und die Zeitung stellte die Publikation schon nach wenigen Monaten ein. Bereits der Titel des Blattes zeigte aber an, daß der *Einsiedler* nicht das Gewöhnliche an Tagesneuigkeiten und Klatsch zu bringen gedachte.[30] Hierauf bezieht sich auch das Gedicht mit den Worten "Von diesem Zweig / Will Jener einzeln schallen, / Nicht allzugleich / Wie Saat der Menschen wallen." Der Vergleich dieses Einzelgängers mit der Nachtigall, die sich "an allen" Blüten freut (nicht nur an den klassischen, sondern auch an den romantischen), wird in den folgenden Strophen weitergeführt. Wer etwas zu sagen hat (wer ein "wallend Herz" besitzt), läßt sich vom Treiben der Außenwelt (Trommelschlag, Kuckucksschrei, Reiterei) nicht bei seiner Aufgabe stören. Auch Luthers Bibelwort wird paraphrasiert ("Ist voll das Herz / So geht der Mund wohl über"), um zu zeigen, daß auch abfällige Kritik (der "Wiederhall") das Unternehmen nicht beeinträchtigen kann. Die letzte Strophe, die von Louise weggelassen wurde, bezieht sich überhaupt bloß auf die Verwundbarkeit dessen, der im heiligen Eifer der Sache eigene Wege geht (die Nachtigall "vergißt" sich beim Singen und wird leichte Beute des Raubvogels). Dem Kritiker bleibt aber vor Staunen der Mund offen (der Falke könnte die Nachtigall töten, er ist aber von ihrem Lied so betroffen, daß ihm der Schnabel offen bleibt). Mit dem Wort "Falk" mag Arnim aber auch den damals berühmten Satiriker und Kritiker Johann Daniel Falk gemeint haben, der in seinem *Taschenbuch* und in Rezensionen mit seinem gefürchteten beißenden Witz "den Schnabel offen" hatte.

Die wenigen Änderungen in Louises Fassung nehmen dem Gedicht den Bezug auf die Kritik, weshalb auch der Titel geändert wurde. Die Anspielung auf Falk wird vollkommen ausgelassen, und wo Arnim von "Jenem" spricht, der "einzeln schallen" will (dem *Einsiedler*), spricht die vertonte Version lediglich von der zurückgezogenen Nachtigall. Es bleibt die Idee, daß ein "recht Gemüth" wie die Nachtigall ist, deren übervolles Herz unberührt von der Welt sich in herrlichen Tönen ergießt. Die harmonische Gestaltung ist etwas komplizierter als in dem einige Jahre vorher entstandenen *Ariel*-Lied, wenngleich sowohl Singstimme wie Begleitung denkbar einfach gehalten sind. Erstere geht über den Umfang einer Oktave kaum hinaus (e′-f″) und bewegt sich meist stufenweise mit keinerlei anspruchsvollen Sprüngen oder rhythmischen Anforderungen. Die Begleitung zeigt im Bass mit Ausnahme der Takte, wo Modulationen stattfinden, durchweg jeweils zwei halbe Noten per Takt, die meist gleichzeitig den Grundton des gebrochenen Akkords bilden, den die rechte Hand spielt. Das Lied ist in F-Dur und beginnt mit einer Akkordfolge von Tonika, Dominante und Dominantseptakkorden in der ersten Periode. Der helle, freundliche Dur-Klang komplementiert somit die Verben des Texts (springen, freuen). Den Einsatz des Kontrasts ("freut sich an allen" / "von einem Zweig will manche einzeln schallen"), also die Gegenüberstellung im Text von Allgemeinem und Besonderem, drückt die Musik mit einem Wechsel in die Paralleltonart d-Moll aus. Louise benützt hierzu den chromatischen Anstieg im Bass von C ($V^7$ in F-Dur) zu Cis (d: $V^6_5$) zur neuen Tonika d. Solang im Text das elegische Einzelgängertum ausgedrückt wird ("von einem Zweig will manche einzeln schallen, nicht all zu gleich") bleibt das Lied in d-Moll. Beginnend mit den Worten "wie Saat der Menschen" moduliert die Melodie durch die chromatische Veränderung Fis im achten Takt von d: $I^4_2$ (gleichzeitig g: $V^4_2$) zur g-Moll Tonika (g: i = F: ii) zu einer volltönenden Kadenz im neunten und letzten Takt in F-Dur zurück (F: $I^6_4$-V-I). Daß in der Folge von drei Baßnoten die Modulation von d-Moll über g-Moll zu F-Dur gelingt ohne unbeholfen zu wirken, zeugt von Louises Fortschritt in der harmonischen Handhabung der Begleitung.

Aus der gleichen Zeit stammen auch zwei Vertonungen Louises aus Novalis' "Geistlichen Liedern" und Shakespeares "Heinrich VIII." Arnim hatte am 15. Dezember 1808 aus Kassel, wo auch Reichardts wohnten, an Bettina geschrieben: "Aus Berlin schicke ich Dir ein paar neue Melodieen von Louise Reichardt, es sind treffliche Leute voll ruhigen Daseins und darin ohne Trägheit oder Stillestand. Den halben Tag bin ich hier bei alten Büchern [bei Grimms], die andre Hälfte bei ihnen" (Steig II, 239). In Berlin angekommen sandte er Bettina am 30. Dezember 1808 ein Notenblatt mit den Kompositionen von Louises Hand, das Steig im 2. Band des Briefwechsels auf Seite 245 druckte.[31] Von den beiden Kompositionen ist das Novalis-Lied das harmonisch weitaus anspruchsvollere. Die Musik ist vierstimmig zur Nr. 15 der "Geistlichen Lieder" gesetzt.

Das Lied beginnt in E-Dur und ist außer der flüchtigen Modulation im zweiten und dritten Takt harmonisch unauffällig. Man könnte eine wirkliche Modulation im zweiten Takt übrigens bezweifeln (die Akkordfolge läßt sich auch in E-Dur analysieren, wenngleich die Progression ungewöhnlich ist), wenn nicht der Wechsel zu Moll dem Ohr so deutlich wäre. Sofort nach Etablierung der Tonika im ersten Takt steigt der Bass mit chromatischer Veränderung zu eis und fis an. Der veränderte Akkord agiert als Schnittpunkt (E: $\#VI_6$ = fis: $V_6$) zur Modulation nach fis-Moll, wobei die folgende Durchgangsnote im Sopran (h′) das Gefühl des Dominantseptakkords zur neuen Tonika noch steigert. Mit dem Grundton im Bass und Sopran wird fis-Moll auch ziemlich deutlich etabliert, geht aber sofort zu einem wieder veränderten $II^9$-Akkord über. Louise arbeitet in diesem Lied stark mit Vorhalt und Durchgangsnote, um eine geschmeidige Stimmführung zu erzielen, wodurch gerade die hohen Noten im Sopran und im Tenor (der im 6. Takt auf e′ einsetzt, um dann stufenweise langsam abzufallen) an Dramatik bedeutend gewinnen.

Das zweite Lied ist aus Akt III, Szene 1 der Shakespearetragödie "Henry VIII," wo gleich am Szenenbeginn eine Zofe Katharinas zur Laute singt, um die Königin zu zerstreuen. Louise hat die Begleitung hier in wenigen Grundakkorden gesetzt (durchwegs I, IV, V, $V^7$), so daß anzunehmen ist, daß auch hier das Begleitinstrument die Laute sein sollte. Die Einfachheit der Begleitung geht so weit, daß im vierten/fünften Takt bei der Akkordfolge $IV^6_4$-$V^7$-I (C-Dur) im Bass das c im Dominantseptakkord als harmoniefremder Ton beibehalten wird (Orgelpunkt). Die resultierende Eintönigkeit richtet die volle Aufmerksamkeit auf die Singstimme, die sich gerade hier ornamentierend zu "der Bäume Wipfel" emporrankt. Steig schreibt das erste Wort ("Orpheussang") zusammen, was soviel wie Orpheusgesang bedeuten würde. Das ist aber syntaktischer Nonsense. Vermutlich sollte es "Orpheus sang" heißen, da der englische Text "he did sing" lautet. Der vierte Vers ist im Englischen zweideutig, die deutsche Version interpretiert aber eindeutig:

| King Henry VIII<br>Akt III, Szene 1 | Text zu Louises Musik<br>(Steig II, 245) |
|---|---|
| Orpheus with his lute made trees,<br>And the mountain-tops that freeze,<br>Bow themselves, when he did sing: | 1. Orpheussang, der Bäume Wipfel<br>und der Berge starre Gipfel<br>beugten seiner Laute Macht. |

| | |
|---|---|
| To his music plants and flowers<br>Ever sprung; as sun and showers<br>There had made a lasting spring. | 2. Pflanz und Blum entsproß vor Wonne,<br>als hätt Regenguß und Sonne<br>ewgen Lenz hervorgebracht. |
| Everything that heard him play,<br>Even the billows of the sea,<br>Hung their heads and then lay by. | 3. Jedes Wesen ward Gehör,<br>selbst die wilde Welt im Meer<br>hing das Haupt und neigte sich. |
| In sweet music is such art:<br>Killing care and grief of heart<br>Fall asleep, or, hearing, die. | 4. Tonkunst, deine Zauberein<br>hört der Gram und schlummert ein,<br>hört dich fort und stirbt durch dich. |

Daß in der Musik die Kunst liegt, Gram und Herzeleid zu töten, ist im englischen Text deutlich. Ob aber die letzte Zeile ein Imperativ an die Königin ist, oder sich auf das Einschlafen, Hören und Sterben des Grams bezieht, ist nicht klar. Letzterer würde in diesem Falle einer Personifikation unterzogen ("care" und "grief" schlafen ein, oder sterben hörend). Da das Lied die Königin beruhigen soll, ist es wahrscheinlicher, daß sich der Vers auf diese bezieht.

In dem Heft *XII Gesaenge mit Begleitung des Fortepiano's,* welches Louise Sillem zugeeignet ist, findet sich neben Liedern aus dem *Wunderhorn* auch das "Kriegslied des Mays" (Nr. 6, S. 12-13). Es ist eine Vertonung des Gedichts, welches Arnim unter der Überschrift "Sechste Stimme. Bund" im "Freyen Dichtergarten" des ersten Stücks seiner *Einsiedlerzeitung* (Sp. 8) gedruckt hatte. Die Vertonung Louises weicht im Text stark vom Erstdruck ab und zeigt einen Marschrhythmus, den wenige ihrer Lieder aufweisen. Die Blumenpracht des Frühlings wird in diesem Gedicht mit dem Aufmarsch von Soldaten verglichen. Die zweite Strophe lautet z.B. bei Louise: "Wie die Waffen helle blinken, / Helle Knospen brechen auf, / Und die Federbüsche winken / Von Kastanien oben auf; / Blühen, duften, wehen, fallen, / Und ich muß so lockend schallen" (S. 13).[32] Das Lied ist von Interesse, weil Arnim einen ähnlichen Vergleich des Frühlings mit der Kriegskunst in seiner Erzählung "Juvenis" verwendet.[33] Dort spricht der Offizier, der von der winterlichen Außenwelt in das künstliche Klima des Treibhauses eintritt: "Draußen ist noch alles auf Urlaub, bei Ihnen ist schon große Parade; alles steht in Reih und Glied und feuert seine Wohlgerüche in die Luft. Wie kann so wenig Erde solche himmelströmende Federbüsche tragen; [. . .] Kragen, Patten und Aufschläge sind alle in rechtem Maß fest angenäht, alles ist reinlich zur himmlischen Heerschau ausgerüstet."[34] Die Idee des martialischen Aufmarsches drückt Louise musikalisch in der ersten Periode des Liedes aus.

Dasselbe Heft enthält auch die Vertonung des *Wunderhorn*-Gedichts "Kaeuzlein." Diese Komposition in g-Moll zeigt eine harmonisch recht interessante Akkordfolge vor der endgültigen Rückkehr aus Modulationen zur Anfangstonart, die Louises Fortschritte in der harmonischen Gestaltung ihrer Arbeiten verdeutlicht. Die Begleitung besteht aus einzelnen Baßnoten oder Akkorden in der linken Hand, Arpeggien in der rechten. Sie ist mit der für Louise typischen Einfachheit gestaltet. Auch die harmonische Folge ist zunächst unbedeutend. Nach der Etablierung der Tonart (g: i-iv$^6_4$-i-iv$_6$-ii$^{\circ 6}_5$) erfolgt über die chromatisch veränderte II$^6_5$ eine flüchtige Modulation zur Dominante (g: II$^6_5$ = D: V$^6_5$), die aber sofort zur Ausgangstonart zurückkehrt. Im siebenten Takt moduliert Louise über den Leitton zu B-Dur (g: VII$^7$ = B: V$^7$), eine bei ihr beliebte Akkordfolge. Nach der Etablierung von B-Dur geht sie auf den Worten "Eulen Ungestalt" im neunten und zehnten Takt über folgende Progression zu g-Moll zurück:

Dem verminderten Leittonakkord folgt ein sekundärer Dominantseptakkord zur Dominante in g-Moll. Die gutkonstruierte Akkordfolge, die eine wohlklingende und problemlose Modulation ergibt, verdeutlicht den inzwischen von Louise erreichten theoretischen Grad musikalischer Könnerschaft.

Louises Übersiedlung nach Hamburg und ihre dortige Tätigkeit als Gesangslehrerin und Gründerin einer Musikschule wird mit verschiedenen Datierungen angegeben. Walter Salmen in *Musik in Geschichte und Gegenwart* behauptet: "1813 ließ sie sich als Gsg.-Lehrerin in Hamburg nieder, wo sie sich bemühte, die vernachlässigte mus. Ausbildung nachzuholen. Ihr Lehrer war J. H. Clasing;" und die fünfte Ausgabe von *Grove's Dictionary of Music and Musicians* konstatiert noch, Louise habe ihren Vater auf seinen Reisen begleitet und "after his death, in 1814, settled at Hamburg and opened a vocal academy with Clasing."[35] Brandts Veröffentlichung der Korrespondenz Louises beginnt mit Briefen aus dem Jahr 1814, die bereits aus Hamburg geschrieben sind.[36] Louise reiste aber schon sehr viel früher nach Hamburg. Wilhelm Grimm schrieb nämlich bereits am 2. März 1809 aus Kassel an Arnim:

> Reichardts sind mit Packen beschäftigt, in etlichen Wochen werden sie abreisen. Er ist doch sehr leichtsinnig, so daß sie jetzt in wirklicher Geldverlegenheit sind, durch mancherlei Schulden die er gemacht. [...] Louise, die diesem Unheil kein Ende, und die Schulden jährlich größer werden sieht, hat den Entschluß gefaßt, durch Unterricht im Singen und Musik und ein Concert jährlich, in Zeit von 10-12 Jahren so viel

> zu verdienen, um diese zu bezahlen und Giebichstein zu erhalten. Sie denkt deshalb nach Hamburg oder Frankfurt zu gehn, zwölf Schülerinnen zu erhalten, die jede Stunde mit 1 Thaler bezahlen, und täglich 4 Stunden zu geben, so wäre ihr schon eine Einnahme von 1200 Thalern gesichert. Ich zweifle nicht bei ihrem festen Charakter, daß sie es durchsetzen, und glaube auch, daß sie leicht viele für sich interessiren wird, nur ob es ihr glücken wird gleich Anfangs so viele Schülerinnen zu erhalten, weiß ich nicht; dann ist das dabei, daß sie in der Familie ganz unentbehrlich, die sie eigentlich allein zusammenhält, und er es schwerlich zugeben wird. Am wenigsten gefällt mir, daß sie den (jüngsten Bruder) Fritz mitnehmen will; wenn es ihm auch für zwei oder drei Jahre gut ist bei ihr und unter ihrer Zucht zu sein, so verdirbt er doch ganz sicher, wenn er dann nicht unter Buben und Männer kommt, und zusammengestoßen wird; er ist über die Maßen weichlich, und das muß in etlichen Jahren ganz unleidlich sein. Solang er bei der Mutter und Louise zugleich ist, wird es nie gut gehn, weil jene oft in weniger Zeit verdirbt, was diese mit Mühe und durch eine consequente Behandlung desselben aufgebaut hat, überhaupt erkennt sie Louisens Vortreffliches nie recht an, eben jenen Entschluß, der doch als ein reines Opfer geachtet zu werden verdient (Steig III, 23-24).

Louise ist bald danach nach Hamburg gereist. Den Bruder hat sie mitgenommen. Mehrere Umstände verweisen hierauf. Zunächst intensiviert sich der Briefwechsel zwischen Arnim und Louise in der Zeit nach Arnims Anfrage bei Bettina wegen Louises möglicher Unterkunft in Frankfurt (siehe oben) und Wilhelm Grimms Nachricht über den Aufbruch der Reichardtschen Familie. Die erst vor kurzem gedruckten Exzerpte von unveröffentlichten Briefen Arnims zeigen an, daß er am 1. und 18. April 1809 und am 25. Juni 1809 an Louise schrieb, wobei er im ersten der Exzerpte ihren Bruder "Fritz der Kastanienkanonier"[37] erwähnt. Vorher sind Arnims Briefe an die Familie fast ausschließlich an den Vater gerichtet; von nun an finden sich Eintragungen von Briefen an den Vater und an Louise separat. Sie mag deshalb schon sehr bald mit Fritz nach Hamburg gereist sein. Kurz vor seiner Heirat mit Bettina schreibt er Louise wieder am 12. Januar 1811 und nach der Verehelichung am 4. Mai 1811. Letzteres Exzerpt beginnt mit den Worten "Ihr Wunsch aus eignem Leiden für mich so voll und herzlich hat mich tief berührt, als wär ich erst ein Par Tage aus Ihrer Nähe" (Burwick, 375). Es mag die Antwort auf Louises Brief an Arnim sein, in dem sie schreibt: "Ich kann Ihnen nicht ausdrücken wie mich die Nachricht von Ihrer Verbindung mit Bettine erschüttert hat, ich habe gefühlt wie lieb Sie mir sind [...] Gott segne Sie u. Bettine, die mir durch Liebe verwandt ist. [...] Es soll ein sehr ähnliches Bild [Bettines] von Runge in Dresden seyn, er hat es bey seinem Freund Klinkowströhm gemacht [. . .] nach Aussage der Familie [. . .] das Einzige ganz ähnliche" (Henrici Katalog 149, S. 35). Mit dem in Hamburg lebenden Maler Philipp Otto Runge und dessen Familie war sie befreundet. Schon am 27. 12. 1809 schreibt Runge an Clemens Brentano und meldet "sehr viel Grüße von Louise R(eichard)."[38] Clemens erfuhr von Louise im Juni 1810, daß Runge erkrankt war: "Auf indirectem Wege hatte ich den Tag vor dem Erhalt Ihres Schreibens durch Louisen Reichard die Nachricht von Ihrer Krankheit und daß man für Ihr Leben fürchte, erfahren."[39] Runge starb wenige Monate später. Auch die Randbemerkung der Schwester zu Brandts Aussage, Louise habe ihren Vater vor seinem Tod (1914) nicht mehr gesehen, da er ihren Wunsch, ihn in der ersten Hälfte des Jahres 1814 zu besuchen, ausgeschlagen hätte, bestätigt ihre frühe Übersiedlung nach Hamburg. Frau von Raumers Kommentar: "Louise besuchte ihren Vater i.J. 1811 im Sommer." Ihre Niederlassung in Hamburg mit dem Bruder Friedrich ist also ziemlich sicher mit dem Jahr 1809 anzusetzen.[40]

Louise zog in die Vaterstadt ihrer Stiefmutter, wahrscheinlich um die dortigen Beziehungen Frau Reichardts ausnützen zu können. Henrich Steffens' Beschreibung seiner Schwiegermutter zeigt, warum Louise ihren jüngsten Bruder mitnahm:

> Meine Schwiegermutter war gewohnt, bei der Kindererziehung, bei der Haushaltung von Schwestern unterstützt zu werden. Sie lebte fortdauernd in bequemer Ruhe, alles Unangenehme wurde ihr verschwiegen. Die mannigfaltigen Verdrießlichkeiten und Verwicklungen, in welche Reichardt nicht selten geriet, wußte er seiner Frau meist zu verbergen. Selbst wenn er von Gläubigern gequält ward, lebte sie völlig sorglos. Ein Sohn ertrank als Gymnasiast in Magdeburg beim Schlittschuhlaufen, aber selbst diese Todesart, die so erschütternd war, wußte man zu verheimlichen; man ließ den Sohn erkranken, die Krankheit zunehmen und zuletzt in einer mildern Form den Tod herbeiführen. Erst mehrere Jahre später erfuhr sie, wie sie das Kind verloren hatte (230).

Diese Frau lebte stets beschützt, stets bloß auf Haus und Garten beschränkt,[41] in einem Zustand, den wir heute als lebensunfähig bezeichnen würden. "Nun kann man sich denken, wie unvorbereitet diese Frau in eine stürmische Zeit hineingerissen wurde, in welcher sie aller gewohnten Bequemlichkeit beraubt war," fährt Steffens fort. Bei notwendigen Besuchen

> stand ihr jetzt keine Equipage zu Gebote. Ich führte sie und habe noch nie eine ungeschicktere und ängstlichere Fußgängerin gekannt. [. . .] Mit sehr kleinen furchtsamen Schritten ging sie fort; ein jedes Wagengerassel, selbst in der Ferne, setzte sie in Schrecken; und als sie einigemal durch die Straße gegangen war, in der ich wohnte, konnte sie, sowie wir nur aus der Türe traten, lange Klagen anstimmen über die bedenkliche Lage, in welche sie geraten würde, wenn sie in der Ferne eine Gosse erreichte, welche die Straße durchschnitt und die überschritten werden müßte (231-32).

Für die Erziehung Friedrichs war die Mutter anscheinend vollkommen ungeeignet: "Sie hatte in einem ungewöhnlich hohen Alter einen Knaben geboren, der damals sechs Jahre alt war." Obwohl sie mehrere gesunde Kinder zur Welt gebracht hatte und selbst rüstig war, hatte sie stets die Erziehung der Kleinen anderen Personen überlassen können. "Jetzt, obgleich von Schwiegersöhnen und Töchtern beherrscht, war sie von einer grenzenlosen Ängstlichkeit ergriffen. Wir stellten ihr vor, daß der Knabe eine Schule besuchen müsse, diese lag in derselben Straße, wenige Häuser von uns entfernt; die Mutter verzweifelte, wenn sie bedachte, daß der sechsjährige Knabe einige Stunden hindurch unter fremder Aufsicht sein solle. Voll Angst sah sie ihn über die Straße gehen und weinte, als er verschwand" (232-33). Diese Erhellungen der häuslichen Situation und Grimms Bestätigung, daß Friedrich eine zu verweichlichte Erziehung genoß, erklären Louises Entschluß, ihren Bruder in andere Verhältnisse zu bringen.

Louise erwähnt Friedrich mehrmals in ihrer Korrespondenz mit einer Fürsorge, die an jene einer Mutter erinnert. Beim Planen ihrer Reise nach London schreibt sie am 26. Oktober 1818 an die dortige Familie Benecke:

> Ganz ohne etwas zu erwerben, darf ich leider meines Bruders wegen nicht sein; aber 4 oder 5 Stunden an jedem der beiden Wochentage, wo Ihre Geschäfte Sie nach London rufen, würden, glaube ich, mich bestimmen, dies allen den verschiedenen Einladungen, mit welchen ich in dieser Zeit bestürmt werde, nach Kiel, Lübeck, Berlin und Weimar, wo ich allenthalben eine angenehme Landwohnung haben sollte, aber nicht so wie ich es mir in Ihrem Hause denke, vorzuziehen, denn ich möchte nicht blos nehmen, sondern auch geben, und doch recht viel Zeit zum ruhigen Arbeiten für mich haben (Brandt, 82).

Am 2. Januar 1820 schreibt sie wieder an Wilhelm Benecke:

> Mein guter Schwager Raumer hat unser altes Haus in Giebichenstein nun bezogen, doch ist seine ökonomische Lage ganz gegen mein Erwarten keineswegs wünschenswerth, und er wird den Bruder auch nicht zu sich nehmen. Dieser bleibt ganz gegen meinen Wunsch noch bis Michaelis im Bergwerk, blos körperlich beschäftigt; es werden somit aus dem einen Lehrjahr, welches vorgeschrieben, dritthalb Jahre, ohne daß er, was noch mein Trost dabei ist, weder zu Unzufriedenheit mit ihm noch mit seiner Arbeit Anlaß dazu gibt; durch eine abermalige Versetzung wird er mir dies Jahr weit kostbarer als selbst hier in Hamburg. Dies Alles kann nur in der mangelhaften Einrichtung des Ganzen liegen. Mein guter Schwager beantwortet meine Briefe nicht, also ist auch hier nur der eine Weg der Ergebung einzuschlagen (Brandt, 98).

Offensichtlich bestritt Louise alle Kosten der Erziehung des Knaben und erhielt von den Verwandten keinerlei Hilfe. Im gleichen Brief erwähnt sie auch ihre "6 Lieder von Novalis [. . .]die gerade frisch aus der Presse kamen. [. . .] Die Noth hat mich nämlich noch einmal zum Autoren gemacht" (Brandt, 98-99). Beneckes Antwort soll beruhigend auf sie wirken, ohne jedoch tätige Hilfe anzubieten:

> Ueber das Schicksal Ihres Bruders seien Sie ja unbekümmert, darum bitte ich Sie recht sehr. Gott hat Ihnen das süße Geschäft bis dahin auferlegt, für ihn zu sorgen, und Sie haben es mit Freuden gethan. Sollte Er es beschlossen haben, daß Sie nicht mehr, oder nicht ganz wie Sie wünschen, dies ferner thun können, so wird Er es einem Andern übertragen. Das ist ganz gewiß. Daß Ihr Bruder viel länger in einer untergeordneten Lage bleiben muß, als es anfangs schien, wird ohne Zweifel zu

seinem Besten gereichen (Brandt, 101).

Wenngleich sich Louise aus ihren finanziellen Sorgen und körperlichen Beschwerden mehr und mehr in eine tief religiöse Ergebenheit flüchtete, blieb sie in Sachen ihres Bruders realistisch. Sie empfand stark das Desinteresse, mit dem man von Seiten der Familie und der Freunde ihren Sorgen um Friedrich begegnete, froh, daß sie die Verantwortung übernommen hatte. An Benecke schreibt sie am 27. September 1821: "In der Sache meines Bruders hat sich nichts verändert, und so fest mein Vertrauen auf die göttliche Vorsehung steht, daß sie am Ende Alles wohl machen wird, so ist mein Herz voll Trauerns über den Bruder" (Brandt, 124). Fünf Monate später läßt sich ihre Ungehaltenheit über das Verhalten der Verwandten leicht aus dem Brief an Frau Benecke erkennen:

> Der arme Fritz muß in diesem Jahr, wenn er anders sich in Preußen wieder will sehen lassen, sein Dienstjahr leisten, und da Keiner sich seiner annimmt, bin ich genöthigt, es ihn in Magdeburg machen zu lassen. Gott wolle ihn beschützen; beten Sie für mich, daß ich diese Prüfung noch bestehe, denn ich fürchte sehr, daß er Militär bleiben wird, was auch wohl die Absicht seiner Verwandten ist, indem sie seinen billigen Wunsch, das Dienstjahr wie Andere auf einer Universität zu nehmen, wo sie diese Unannehmlichkeit mit gebildeten jungen Leuten theilen und ihre Studien damit verbinden, verweigern (Brandt, 126).

Die mit dem Studium verbundenen Kosten wollte niemand übernehmen und Louise war finanziell nicht in der Lage, es ihm zu ermöglichen. Öfters spricht sie auch davon, daß ihre ganze Freizeit mit der Betreuung des Bruders in Anspruch genommen wird. Schließlich berichtet sie im April 1823 an Frau Benecke: "Raumer hat seinen Abschied gefordert und ist als Lehrer an ein Privat-Institut nach Nürnberg gegangen, meine Mutter mit der jüngsten Schwester nach Berlin zurückgekehrt, wohin mein guter Bruder ihr Ende dieses Monats, wo sein Dienstjahr zu Ende ist, folgen wird, um noch eine kleine Zeit in ihrer Nähe die nöthigen Kenntnisse zu einer militärischen Anstellung hier in Hamburg zu sammeln" (Brandt, 129-30). Erst ungefähr ein Jahr vor ihrem Tod konnte sie sich der Verantwortung für ihren Bruder entziehen: "Mein guter Bruder," schreibt sie im Juni 1825 an die Freundin, "sieht in einigen Monaten seinem letzten, schweren Examen entgegen, welches ihm hoffentlich eine gute Anstellung verschaffen wird. Er entwickelt sich nun ganz nach meinen Wünschen, ist allgemein beliebt, geachtet von seinen Lehrern wegen seines unermüdeten Fleißes, und von seinen Schwägern seines ganz tadellosen Wandels wegen geliebt. Ich habe seitdem jeden Plan, noch viel Geld zu verdienen, fahren lassen, begnüge mich mit einer kleinen Anzahl lieber Schülerinnen" (Brandt, 157). Es ist, als hätte ihr die auferlegte Pflicht die nötige Kraft zur Erfüllung gegeben, denn mit der Sorge um den Bruder schwinden auch Lebens- und Arbeitsgeister. Ihre letzten Briefe zeigen, daß sie von allen verlassen und in größter Armut und Mangel starb. Ironisch ist, daß sie die Leibrente—eine Summe von 1000 Talern, die ihr ihre Gönnerin

Mme. Sillem ausgesetzt hatte—noch hätte genießen können, wenn das Geld nicht "auf den Rath ihrer Freunde und um sie bei ihrer großen Wohlthätigkeit ihr zu sichern, bei einer Londoner Societät zu 7 Procent untergebracht" worden wäre. Die Summe sei, schreibt Pastor Hübbe, "mit ihrem Tode verfallen" (Brandt, 213).

Ihre berufliche Tätigkeit in Hamburg nahm drei Richtungen: durch Lehrstunden im Singen verdiente sie sich den nötigsten Unterhalt; von Zeit zu Zeit gab sie Liedersammlungen heraus, die sich z.T. auf bereits früher geleistete Arbeit stützten, und die durch Subskription und Verlegervorschüsse zusätzliche Einnahmen brachten; für ihre Musikschule, bzw. den Gesangverein brachte sie Choralbearbeitungen und Klavierauszüge von Werken Händels, Hasses, Grauns, ihres Vaters, u.a. heraus. Über ihre Lehrtätigkeit ist das wenigste bekannt, und dennoch ist diese Arbeit ihre Hauptfunktion gewesen. Der Grund hierfür liegt sicherlich im Wetteifer der Persönlichkeiten in der nach den Kriegswirren sich langsam auf musikalischem Gebiet durchringenden Stadt. Zweimal wird auf den Konkurrenzkampf der Musiker bei Brandt und Sittard angespielt, und auch Louise selber erwähnt in ihren Briefen mehrmals den Kampf um Prestige und um zahlende Schüler. Den Ehrgeizigen gegenüber konnte sich Louise nicht durchsetzen, insofern sie sich selbst sehr zurückhaltend verhielt. Ein Beispiel hierfür ist die Gründung des Hamburger Gesangvereins am 25. November 1819, der später (ab 1868) die Bezeichnung "Sing- Akademie" führte. Seine Entstehung verdankte der Gesangverein dem von Louise Reichardt und Johann Georg Clasing veranstalteten Reformationsfest, dessen dritte Säkularfeier 1817 in der Waisenhauskirche stattfand. "Ein Hauptverdienst gebührt hier dem Fräulein Louise Reichardt," schreibt Josef Sittard in seinem Geschichtsband.

> Der unermüdlichen Thätigkeit der ersteren sowie ihrem sorgfältigen Unterricht und ihrer Uneigennützigkeit gelangen es, einen Chor zu bilden, der unter ihrer und Clasing's Leitung zu wirklich künstlerischer Bedeutung heranwuchs. Zur Feier des Reformationsfestes führten sie in der Waisenhaus-Kirche den 100. Psalm von Händel, sowie Chöre aus Judas Macabäus vor und nach der Predigt auf. Zu gleicher Zeit hatten sich in Bremen und Lübeck ähnliche Vereine gebildet, die am 11. November 1817 mit jenen aus Hamburg, Wismar und Ludwigslust in der Marienkirche zu Lübeck Händel's Messias aufführten. Nun wurden auch in Hamburg die Geister und Gemüther rege. Fräulein Reichardt sowie die Herren Clasing und Wilhelm Grund traten zusammen, um eine ähnliche Aufführung in ihrer Vaterstadt zu ermöglichen. Ihrem vereinten und einträchtigen Zusammenwirken gelang es, über 500 Mitwirkende zu vereinigen, und in den Tagen des 7. und 9. September 1818 in der großen St. Michaeliskirche Händel's Messias und das Requiem von Mozart zur gelungensten Ausführung zu bringen (Sittard, 291-92).

Die beiden Konzerte brachten pro Tag mehr als 5000 Besucher. Louise schreibt darüber am 26. Oktober 1818 an die Familie Benecke; "Von unsrer Aufführung des Messias haben Sie vielleicht in den Zeitungen gelesen. Leider wird der fromme Künstler immer weniger befriedigt, je mehr Antheil er selbst an der Sache genommen, und so haben auf mich der unerwartet allgemeine Beifall des Publikums sowohl als manches wirklich Gelungene der Musik über all' dabei laut gewordene Menschlichkeiten nicht trösten können" (Brandt, 81-82). Diese "Menschlichkeiten" bestanden zum Teil aus dem von Mitwirkenden sofort ausgesprochenen Wunsch, der ein Jahr später formell zu Protokoll gegeben wurde, eine "entsprechende Gelegenheit für Uebung ihres Talents" in der Formierung eines von Reichardt und Clasing unabhängigen Gesangvereins zu suchen. Sittard bemerkt, daß das erste Protokoll der neuen Schule mit seiner Behauptung, es gäbe in Hamburg keine bestehenden Gesangvereine für Anspruchsvolle, "eine große Ungerechtigkeit gegenüber den Bestrebungen des Fräulein Reichardt und des Herrn Clasing" enthält, "deren Initiative und langjährigen Bemühungen die Sing-Akademie doch eigentlich ihre Entstehung zu verdanken hat. Ein Wort der Anerkennung wäre hier wohl am Platze gewesen. Es war aber auch eine Ungerechtigkeit gegenüber dem unter Fräulein Reichardt und Herrn Clasing noch im Jahre 1826 bestehenden Verein, dessen Aufführungen in der Leipziger Allgem. Musik. Zeitung stets ein warmes Lob fanden" (Sittard, 293). Sittard zitiert die von 500 Personen besuchte Aufführung des Oratoriums "Belsazar" von Clasing, die zwar "nicht öffentlich" stattfand, aber von einem 60 Stimmen zählenden Chor und ebenso großem Orchester bestritten wurde. "Die Solopartien wurden von kunstgeübten Dilettanten gesungen" und "sämmtliche vorzügliche Künstler Hamburgs" waren im Orchester bereitwillig vertreten (Sittard, 293-94). Menschliche Schwäche zeigte auch jener Ungenannte, der die vorgesehene Ehrung nach Louises Tod nicht ausführte: "man beabsichtigte, ihr ein Denkmal zu setzen und übertrug die Veranstaltung dazu einem Manne, der sich mit großem Eifer dazu drängte, hernach aber in unschöner Weise sich aus der Sache herausgezogen hat. Der Platz, an welchem sie ruht, ist leider nicht mehr bekannt" (Brandt, 67). Die Schwierigkeiten des Unternehmens, nach Jahren das Ausmaß und die Verdienste Louises um das öffentliche Musikleben in Hamburg feststellen zu wollen, geht nicht zuletzt auf jene Rivalitäten zurück, derentwegen "der Parteigeist den wahren Thatbestand zu verdunkeln" suchte (Sittard, 207).

Für Louise hatte der Konkurrenzkampf aber außer dem Verlust der gebührenden Anerkennung von der Nachwelt den für sie wichtigeren Verlust der Existenzgrundlage zu ihren Lebzeiten. Die Kombination eines Berufes, der sie zwang, in der Öffentlichkeit aufzutreten, und einer Erziehung, die die Frau in den Bereich der Häuslichkeit verwies, zusammen mit einer religiösen Gesinnung, die von ihr Demut und Zurückhaltung forderte, machten Louise zu jener charakteristischen Gestalt, in der sich—und das wird in allen Beschreibungen von ihr deutlich—sowohl Stärke wie Schwäche, Stolz und Demut, Trotz und Ergebenheit zeigen. Die *Allgemeine Musikalische Zeitung*[42] gibt folgende Beschreibung von Louise während der Zeit ihrer Lehrtätigkeit:

> Die schlanke Gestalt, die sich mit so feinem Anstande und so vieler Bescheidenheit

> erhob, das durchaus ungemeine, todtenbleiche, stille Antlitz mit den starken Augen voll Licht, der nicht allein ansprechende, sondern auch anredende gütige Ton der Stimme, die sich auf's willigste dem, was sie sagen wollte, anbequemte, die gemessene Haltung bei behendester Leichtigkeit, ihr leises Auftreten, der fast nicht hörbare Gang, das ganze gelassene Verhalten, ja Kleidung und Kopfhülle, gaben ihrer Erscheinung etwas Eigenes, etwas Nonnenhaftes, man möchte sagen Geisterartiges. Der Gedanke an ein Gelübde ließ sich nicht abweisen, daß sie mitten in der Welt wie in einem Kloster leben wolle, als eines jener barmherzigen Wesen, die sich nur zeigen, um wohl zu thun. Wer jedoch ein Auge für sie hatte, zweifelte wohl nicht an dem Abschiede, den das merkwürdige Weib von der Welt genommen, mochte indeß an eine ursprüngliche, so große Klösterlichkeit ihres Herzens nicht allzu ernste glauben, sondern vielmehr in dem stillen Gesichte von ehemaligen großen Erschütterungen lesen, von harten Kämpfen und schweren Entsagungen. Sie hatte die Bildung unserer Zeit, kannte die Werke unserer Meister gar wohl, ja sie kannte die meisten unserer bedeutenden Männer persönlich, die in dem Hause ihres berühmten Vaters viel verkehrten. Die Meister ihrer eigenen Kunst hatten sie am tiefsten ergriffen; von allen am meisten Händel, den sie unbeschreiblich liebte. Das Element der heiligen, der geistlichen Musik war ihr eigentliches Heim.

Die Kämpfe und Entsagungen werden in ihren Briefen aus der Zeit von 1814-1826 deutlich genug. An ihre Stiefschwester Minna schreibt sie im Mai 1814, sie habe nach überstandenen großen Schwierigkeiten "nun wieder ein recht gutes Fortkommen. [. . .] Ich habe mich durch diesen Winter in den Stand gesetzt, auch auf dem Fortepiano zu unterrichten und habe schon mehrere Schülerinnen, und viele von meinen liebsten Schülerinnen kommen im Juni wieder; auch habe ich die Altonaer alle behalten" (Brandt, 70). Sie gedenke daher, ihren kranken Vater in Giebichenstein zu besuchen. Reichardt wollte hiervon nichts wissen, und sie blieb in Hamburg. Der Brief zeigt aber deutlich, daß Louise zu diesem Zeitpunkt bereits längere Zeit in Hamburg unterrichtet haben mußte, insofern sie vom "Wiederkommen" ihrer Lieblingsschülerinnen und dem "Behalten" der Altonaer spricht.[43] Im gleichen Brief berichtet sie aber auch von der kriegsbedingten Enthaltsamkeit: "Für mich haben indeß meine wenigen Freunde und Schülerinnen sehr gut gesorgt. [. . .] Einige Theelöffel frische Milch brachte mir Runge [der Bruder des Verstorbenen] jeden Abend zum Thee mit" (Brandt, 71). Madame Sillem, die Louise zunächst aufgenommen hatte und die bei den Ausplünderungen "ungeheuer verloren" hatte, mußte Louise ebenfalls die Unterkunft aufkündigen, wenngleich sie sie später wieder aufnahm: "Eine nette Frau, die Fr. M., die gern ein Zimmer vermiethen wollte, hat mich gebeten, mich bei kleinen Bürgersleuten zu erkundigen, und wofür ich da ein kleines Zimmer und Mittagstisch bekommen könnte, dafür wollte sie es mir auch geben; und so habe ich denn beides für 100 Thlr. jährlich und komme wieder in eine gute Familie" (Brandt, 73).

Bis zur Einrichtung des Altonaer Gesangvereins und der fast gleichzeitigen Absplitterung der Hamburger Akademie von der Reichardt-Clasing Schule, scheint Louise genügend Arbeit gehabt zu haben. Noch im Oktober 1818 spricht sie von einer Schülerin aus England ("eine Oppenheimer, welche sich einige Monate hier aufgehalten") und von ihrer musikalisch-literarischen Tätigkeit für Singschule und Kirche: "Ich habe bereits dem Alt und den Arien [von Händels *Jephta*], die von meiner kleinen Behnke ganz lieblich gesungen werden, deutsche Texte untergelegt und denke mit Gottes Beistand und mit Hülfe der Bibel das ganze Oratorium so zu bearbeiten." Außerdem hätte sie während des Sommers "den alten lateinischen Messen die herrlichen Psalmen unserer lutherischen Bibel ohne Abänderung einer Zeile" untergelegt, "so daß ich bald im Stande sein werde, die herrlichen, dieser Gegend völlig unbekannten Schöpfungen unserer deutschen Komponisten, Hasse, Graun,[44] Fasch, Romberg etc. deutsch in der Kirche singen zu lassen" (Brandt, 81). Fräulein Behnke war bereits am 25. November 1819 bei der ersten Singübung der neuen Konkurrenzakademie als Solistin tätig (Sittard, 295). Im Dezember 1818 sah Louise ihre Situation jedoch noch äußerst optimistisch: "Meine Singschule, die diesen Winter besonders glücklichen Fortgang hat, kann ich vor Ostern auf keinen Fall schließen, indem ich der beträchtlichen Kosten wegen mich dazu verstanden habe, Beiträge anzunehmen" (Brandt, 83). Sofort nach Ostern plant sie jedoch, nach England zu reisen, und erwartet dort gleichen Erfolg in ihrer Lehrtätigkeit. Den Beneckes schreibt sie: "Zwölf Stunden die Woche wäre das Höchste, was ich für die ersten Monate annehmen möchte." Ihre frühere Studentin, Fräulein Oppenheimer, erwartet sie zurück, ebenso wie einige von deren Freundinnen. "Auch sie rieth mir, den Preis einer halben Guinée nicht zu übersteigen, und gab mir die Hoffnung, daß die jungen Damen, wie sie es hier, ohnerachtet ihrer entlegenen Wohnung, gethan, zu mir kommen würden." Schließlich fügt sie hinzu, Beneckes mögen für sie doch "keine ganz talentlose Schülerin" annehmen, "da es Grundsatz bei mir ist, solche nicht zu behalten, weil ich finde, daß die Kunst nur zu sehr darunter gelitten hat, daß eine Jede jetzt singen will" (Brandt, 84). Als Nachschrift betont Louise, sie "spreche und lese und schreibe fleißig Englisch, um jeder Verlegenheit vorzubeugen" (Brandt, 85).

Die Reise nach England hatte schwerwiegende Folgen. Erstens verwirklichten sich Louises Erwartungen eines reichlichen Zulaufs englischer Schülerinnen nicht und zweitens verlor sie einen Großteil ihrer Schülerschaft in Hamburg an andere Lehrer während ihrer Abwesenheit. Die Reise, für den 18. oder 20. April 1819 angesetzt, verzögerte sich zunächst, da der Schiffskapitän, mit dem sie Arrangements wegen ihres Gepäcks und der Einschiffung gemacht hatte, nicht verabredungsgemäß eintraf. "Die letzte Zeit wird hier recht schwer durch meine anhaltende Kränklichkeit und die Anhänglichkeit meiner süßen Schülerinnen, denen ich täglich wiederholen muß, daß der Winter uns wieder vereinigen soll, um sie zu beruhigen" (Brandt, 85), schreibt sie Beneckes am 1. April 1819. Drei Wochen später, am 23. April, berichtet sie ihnen: "Leider läßt mein guter Schiffskapitän, der sich, wenn ich nicht irre, Maughem schreibt, sich noch immer erwarten." Sie plant daher, mit einem von zwei anderen Schiffen "in nächster Woche" die

Überfahrt. Diese Verzögerung hatte anscheinend einen großen Einfluß auf die mögliche Verwirklichung des Gesangsunterrichts in London: "Diese Verspätung und der ungünstige Zeitpunkt werden es wohl gerathener machen, die Idee, in London Stunden zu geben, für diesmal ganz aufzugeben." Sie fügt hinzu, daß sie die Reise trotz des für sie nothwendigen Gelderwerbs in diesem Falle als Urlaub ansehen werde: "Mein Arzt meint, daß zwei Monate vollkommene Ruhe mich ganz gesund machen können, und um diesen Preis würde kein Opfer zu groß sein. Wie ich mich auf diese Ruhe freue, kann nur der empfinden, der 9 Jahre hindurch in ein so schweres Joch gespannt war; einmal wieder 4-5 Monate ganz ohne irdisches Interesse leben zu können, ist fast mehr, als der freudige Dulder sagen kann, und ich kann mein Glück noch kaum fassen" (Brandt, 88-89). Der Zeitbezug (9 Jahre) verweist auf den Anfang ihrer Lehrtätigkeit im Frühjahr 1810—wieder ein Indiz, daß sie schon lange vor 1814 in Hamburg wirkte.[45] Von ihrer Rückreise in der ersten Septemberwoche berichtet sie lediglich Schlechtes. Wegen der herrschenden Hitze sei auf dem Schiff an Lebensmitteln "schon nach wenig Tagen Alles, was auf dem Schiffe war, unschmackhaft" gewesen, der Kapitän habe "vom Gentleman [. . .] nur den Rock" gehabt, und ein Sturm habe alle seekrank gemacht und für ihr Leben fürchten lassen: "An diesem Tage hatten wir einen heftigen Sturm, ein Mast brach, Alles hielt sich auf dem Verdeck [. . .] und während ich entsetzlich litt und das Wasser mir mehrere Mal in das kleine Fenster, welches ich zu meiner Erleichterung geöffnet hatte, hereinstürzte, dankte ich Gott unter stillen Thränen, daß er mir vergönnte, in diesem großen Augenblick allein zu sein" (Brandt, 91).

Auch in Hamburg hatten sich die Dinge seit ihrer Abreise geändert. Am 2. Januar 1820 schreibt sie an Benecke: "dieser Winter fordert große Opfer von mir. Mein Geschäft liegt zu Zeiten ganz, ich sehe meine kleine Heerde sich zerstreuen, ohne es hindern zu können. Die neu errichtete Sing-Akademie von Grund und Reinfeld raubt mir mehrere meiner liebsten Theilnehmer und Schülerinnen" (Brandt, 97). Brandt schreibt hier wahrscheinlich aufgrund eines Lesefehlers "Reinfeld." Der Mitgründer der neuen Akademie hieß aber Jacob Steinfeldt. Wilhelm Grund hatte zusammen mit Clasing und Louise Reichardt die Händel / Mozart-Aufführung von 1818 organisiert und das Orchester geleitet. Auch Steinfeldt hatte mitgewirkt. Die persönlichkeitsbedingten Spannungen zwischen Clasing und Grund ("der jugendliche Feuereifer des Herrn Grund, und die gemüthliche Besonnenheit des Herrn Clasing"—Sittard, 292-93) führte zur Absplitterung und Gründung der neuen Schule mit Grund und Steinfeldt in den Rollen Clasings und Reichardts des alten Gesangvereins. Durch Louises Abwesenheit gingen einige ihrer besten Schülerinnen zur Konkurrenz über. "Mein Liebling, die kleine Behnke, liegt schwer krank an der Gicht, die seit einigen Tagen ihr in die Brust getreten und Alles für sie fürchten läßt. Ich habe sie Ihnen seit meiner Rückkehr nicht genannt, weil ich sie gleich sehr verändert fand, und es mir selbst nicht eingestehen wollte," schreibt Louise weiter an Wilhelm

Benecke. "Ein stiller Gram hatte ihre Seele umzogen; die Stimme hatte verloren, Niemand konnte mir erklären, wie es gekommen. [...] An die Stelle ihrer himmlischen Sanftmuth ist eine kränkliche Heftigkeit getreten; sie, die mir so herzlich ergeben war, will mich jetzt nicht sehen" (Brandt, 97). Offensichtlich fand es das Fräulein schwierig, die alte Lehrerin von ihrer neuen Wahl zu unterrichten.

Die Briefe der kommenden Monate bezeugen eine persönliche Krise für Louise. Finanzielle Notlage (die Herausgabe der Novalislieder 1819 sollten dem abhelfen), psychische Instabilität und körperliche Schwäche bildeten die dreifache Offensive gegen Louises Lebenskraft. Sie flüchtete in tief religiöse Ergebenheit und zu Beruhigungsmitteln; "Ich pflege mich nicht durch körperliche Leiden niederdrücken zu lassen, aber dies Mal ist der tiefe Schmerz in meinem Innern Folge eines zweiten heftigen Blutverlustes, ohne daß ich es helfen kann" schreibt sie am 18. April 1820 nach England: "dieser Zusand hemmt alle meine Kräfte. Ich gebrauche *valeriana,* die, ich erkenne es mit Dank gegen Gott, mir jetzt nicht mehr zuwider ist, nun ich sie so nöthig habe" (Brandt, 103). Einen Monat später bemerkt sie: "Meine Phantasie hat mich in der letzten Zeit so oft getäuscht, daß ich am Ende das Wahre vom Falschen kaum mehr unterscheiden konnte, und recht schwer gelitten habe, am meisten dadurch, daß ich es für Pflicht hielt, dagegen anzugehen" (Brandt, 111). Die Korrelation zwischen beruflichem Erfolg, das heißt zwischen ihrer Gesuchtheit als Lehrerin, und ihrem körperlichen und seelischen Wohlbefinden ist erstaunlich. Sicherlich ist dies nicht lediglich auf finanzielle Gründe zurückzuführen, sondern auf ein gehobenes Selbstbewußtsein, das sich mit den zwischenmenschlichen Beziehungen und den Erfolgen ihrer Schülerinnen einstellte. Im August 1820 schreibt sie aus ihrem Sommeraufenthaltsort:

> Ich hatte Mittwoch einen recht schönen Tag. Meine 4 Lieblingsschülerinnen besuchten mich, und Gott gab mir die lang ersehnte Freude, ihnen in der kleinen hübschen Kirche hier den schönen 51. Psalm, den Hasse für 4 weibliche Stimmen gar herrlich komponirt hat, selbst mit der Orgel begleiten zu können. [. . .] Die Damen mußten uns dann noch alle ihre Solo aus dem Messias singen. [...] Die lieben Mädchen überraschten mich zum Beschluß noch mit meinem Liede von Novalis: "Wenn ich ihn nur habe," welches sie ganz ohne Begleitung, köstlich rein, 4stimmig sangen. Dieser Abend wird mir ewig unvergeßlich bleiben (Brandt, 115).

Der Nachsatz lautet: "meine Gesundheit stärkt sich mehr und mehr."

Inzwischen stieß auch die neue Singakademie auf Schwierigkeiten. Der anfängliche Gesangseifer dauerte bloß kurze Zeit und auch finanzielle Probleme stellten sich ein. "Die erste Wiederholung des Stiftungstages sollte durch eine große Aufführung mit Orchesterbegleitung, aber nur im engeren Kreise gefeiert werden; da aber die finanziellen Mittel zu gering waren, um die dadurch entstehenden Kosten zu decken, so kam man von dem Gedanken, der sich erst nach 25 Jahren realisiren sollte, wieder zurück" (Sittard, 296). Die beiden ersten Konzerte der neuen Akademie gelangten erst Ende 1823 zur Aufführung. Louises Talente wurden wieder in Anspruch genommen. Ihr Brief an Wilhelm Benecke vom 7. November 1820 ist voll Enthusiasmus für die bevorstehenden musikalischen Darbietungen und enthält kein Wort von Krankheit und Leiden. "Die Vorbereitungen zu einer Aufführung des Saul von Händel, dem ich selbst mit vieler Mühe deutschen Text untergelegt, haben mir mehrere Wochen so meine ganze Muße geraubt" (Brandt, 115). Ihre Aufzählung der Teilnehmer zeigt die Mitarbeit mehrerer "Singakademiker:"

> David, der als Knabe auftritt, und mit Harfenspiel und süßen Liedern Sauls Wuth besänftigt, und die bösen Geister des Neides verbannt, singt meine kleine Behnke ganz unübertreffbar. Michal, die Geliebte Davids, habe ich unter Mad. Liebmann und eine liebe Tochter Bernhard Rombergs, die jetzt meine Schülerin ist, theilen müssen, weil die Parthie zu hoch liegt und für *eine* zu angreifend sein würde. [...] Merob, die ältere Tochter Sauls, singt meine kleine Coopmann die in Hinsicht des Vortrags meine beste Schülerin ist. Den Oberpriester [St]einfeld, den Feldherrn Abner [St]ockfleth,[46] und den Geist Samuels Wagner, lauter schöne Stimmen, die alle mit Geist und Liebe bei der Sache sind. Jonathan, ein ganz lieblicher Charakter, ist der einzige, den ich noch nicht zu besetzen weiß, da es uns an einem guten Tenor ganz fehlt. Die kleine Grund hat ihn bis zu besseren Zeiten übernommen und mit vieler Innigkeit vorgetragen. Die Chöre sind unvergleichlich, auch viel schöne Instrumental Musik, woran mein Clasing besondere Freude hat. Es hat uns beiden dies köstliche Werk einen reichen Herbst gegeben. Nächsten Montag soll es auf Bitten Aller noch einmal gesungen werden. Nachdem wiederholen wir Samson, der noch vom vorigen Winter in den Herzen Aller lebendig ist (Brandt, 116-17).

Die "liebe Tochter Bernhard Rombergs" ist die 1803 geborene Bernhardine. Sittards Aufzeichnungen berichten: "In einem Concert des Bernhard Romberg vom 18. November 1820 im Apollo-Saale, trat seine Tochter Bernhardine als Sängerin und sein neunjähriger Sohn Carl als Cellist auf" (Sittard, 142). Vermutlich handelt es sich um dieselbe Aufführung, von der Louise spricht. Die Familien Romberg und Grund stehen im Mittelpunkt der Hamburger Musikgeschichte. Bernhard und sein Vetter Andreas Romberg (die beiden sind auf Programmen stets als "Brüder" bezeichnet) entstammten selbst Künstlerfamilien und traten erstmals im Dezember 1793 in Hamburg auf. Bernhard spielte Violoncell, Andreas Violine. Auch Bernhards Geschwister gaben Konzerte: Anton spielte Fagott, Angelika war Pianistin und sang—ebenso wie Andreas' Schwester Therese. Daß Romberg seine Tochter in Louises Schule gab, spricht für das Ansehen, welches sie in dortigen Künstlerkreisen genoß. Auch die Familie Grund war bereits lange in Hamburg musikalisch tätig. Der Vater des Gründers der Singakademie, Georg Friedrich Grund, war laut einer Kritik in Nr. 30 der *Speyerschen Musikalischen Correspondenz* ein "geschickter und sehr brauchbarer Mann auf verschiedenen Instrumenten, besonders des Fagotts." Seine Tochter trat 1791 als achtjährige Pianistin erstmals im Schauspielhaus auf. Von 1795 an trat sie auch als Sängerin auf. Ihr 1791 geborener Bruder und späterer Gründer der Singakademie und der Philharmonischen Gesellschaft, gab sein erstes Konzert 1803. Im ganzen waren es 11 Geschwister, von denen die meisten musikalisch tätig waren. Wessen Tochter die "kleine Grund" ist, von der Louise spricht, ist schwer festzustellen.[47]

Im gleichen Brief bittet Louise um Beschaffung der "Oratorien Debora, Esther, und besonders die Trauermusik auf die Königin Karolina. [. . .] Der deutsche Text thut dieser herrlichen Musik den größten Schaden, und ich möchte gerne, wie ich mit 'Israel in Aegypten,' welcher ebenfalls aus lauter biblischen Sprüchen besteht, zu thun bemüht bin, eine wörtlich reine biblische Uebersetzung zu der neuen Auflage, die hoffentlich bald erforderlich sein wird, machen" (Brandt, 117). Von ihrer Teilnahme am gesellschaftlich-musikalischen Leben Hamburgs zeugt folgender Verweis:

> Den größten musikalischen Genuß habe ich in dem Hause von Bernhard Romberg, der sich ganz hier angesiedelt hat, und der mir, wenn er, umgeben von seinen guten Kindern, die von seiner Liebe zu leben scheinen, seine schönen Schöpfungen vorträgt, weit größer erscheint, als wenn wir ihn im Konzert bewundern. Clasing und ich haben auch sehr glückliche Tage mit Maria v. Weber, der mit seiner lieben Frau hier war, verlebt. Er wird Ihnen als Liederkomponist ohne Zweifel bekannt sein. Er ist einer der geistreichsten Klavierspieler, die ich kenne, und hat uns auch eine sehr schöne geistliche Musik hören lassen. Uebrigens ein gebildeter, frommer, trefflicher Mann. [. . .] der auch Clasings Werth so ganz anerkennt. [. . .] Mit Romberg und Clasing will es noch nicht recht gehen; auch kann es das nie werden, doch zweifle ich nicht, auch diese in kurzer Zeit einander näher zu bringen (Brandt, 118-19).

Carl Maria von Weber, der Ende Oktober 1802 ein Konzert im deutschen Schauspielhaus gegeben hatte, konzertierte nach seiner Rückkehr aus Kopenhagen am 21. Oktober 1820 zum zweiten Mal in Hamburg. Sittard schreibt: "In Hamburg verlebten der Meister und seine Lina trauliche Tage und Stunden im Verkehr mit den Familien Oeser, Godefroy, Schröder, Fräulein Louise Reichardt[48] und Andreas Romberg. Das zweite Concert trug ihm 119 Thaler, 17 Gr., 7 Pf. ein. Das Programm haben wir nicht aufgefunden" (144).

Im Mai und Juni 1821 besuchte Louise ihre Familie in Giebichenstein, kehrte aber bald wieder nach Hamburg zurück, wohin ihre englischen Freunde die Tochter Mathilde zu Louise brachten. Das Mädchen zeigte wenig Interesse am Gesangstudium. Schon am 17. August 1821 berichtet Louise an Beneckes: "Sie müssen sich daher von ihren [Mathildes] Fortschritten in der Musik auch nicht zu viel versprechen; der rechte Eifer ist nicht da, und ich glaube auch nicht, daß diesen irgend Jemand ihr geben kann, außer der gütige Gott selbst" (Brandt, 122). Einen Monat später spricht sie von Mathildes Bemühungen, den Wünschen der Eltern nachzukommen, bzw. sich "in der freudigen Stimmung zu erhalten die zum glücklichen Beisammensein uns so nöthig ist" (Brandt, 124). Beneckes unterstützten sie zu diesem Zeitpunkt finanziell mit einem reichlichen Geschenk, für welches sie sich gleichzeitig bedankt: "warum sollte ich mich schämen, von Jemand, der mir theuer ist, und der aus liebendem Herzen gibt, das, was ich wirklich nöthig habe, anzunehmen? und so empfange ich es als ein freies Geschenk Ihrer wohlwollenden Güte" (Brandt, 124).

In den nächsten Jahren, in denen sich die Konkurrenz mit eigenen Aufführungen stärker bemerkbar machte (seit dem Winter 1823 gab die neue Singakademie eigene Konzerte), wurde Louises finanzielle Situation zunehmend kritisch. Enthusiasmus zeigt sie beim Unterricht einer neuen Schülerin, Sophie Linsky, der sie auch noch Deutsch beibringen mußte. Der Vater des Mädchens war Pole, die Mutter Französin, aber ihr Talent und ihre Stimme begeisterten Louise: "Eine köstliche reine Kehle, drittehalb Octaven ganz egale Töne; Gefühl, Gedächtniß, eine vortreffliche Sprache. Bei der größten Lebendigkeit schon ganz Mina Behnke, ihre schöne Ruhe des Vortrags. Wir haben 8 Tage vor Weihnachten mit den allerersten Anfangsgründen angefangen," schreibt sie am 14. April 1823, "und schon hat sie weit mehr Biegsamkeit und ganz den reinen Triller in allen Tönen wie Jakobine Coopmann. [. . .] Irre ich nicht, so muß sie eine der ersten Sängerinnen werden. Sie spielt mit großer Fertigkeit die Guitarre und hat für dies Instrument so wunderschöne Kompositionen, daß unsere besten Quartettspieler sich darum streiten, der kleinen süßen Seele zu accompagniren" (Brandt, 127-28). Sie gab Sophie Linsky den Unterricht auf Französisch, bis diese anfing, besser Deutsch zu sprechen. Von dieser 19-Jährigen und Hortense Rainville, der Tochter eines französischen Emigranten, spricht Louise noch öfter in ihren Briefen. Mit Linsky plante sie 1824 nach England zu reisen, eine Idee, die wegen Louises Kränklichkeit und Sophies Konzertplänen nicht zur Ausführung gelangte. Im Juli 1824 nennt sie sich "fast ganz unbeschäftigt" (Brandt, 140) und der Verlust ihrer Lieblingsschülerin traf sie umso härter:

> Nun ist wieder ein schlimmer Monat vor mir, indem meine liebe Sophie nun wirklich weg muß und vorher noch ein Konzert geben soll. Ich habe, da die Eltern den Plan, eine Sängerin aus ihr zu machen, nicht aufgeben, ihr in Kopenhagen, wo eben kein guter Lehrer ist, so Alles vorbereitet, daß sie dort gleich Stunden bekommen wird, und da beide Hofsängerinnen diesen Winter abwesend sind, wahrscheinlich in den Hofkonzerten singen wird, weßhalb sie auch vor Weihnachten dort sein muß. Sie ist hier so allgemein geachtet, daß sie ein sehr gutes Konzert machen wird; noch hat Niemand unter 12 Billete unterschrieben, und Jérome [Sillem], der eben hier ist, sogar 50. Der Vater kommt zum Konzert her und geht dann gleich mit ihr nach Rendsburg und Schleswig, wo sie an beiden Orten Konzerte geben und dann gerade nach Kopenhagen gehen wird (Brandt, 144-45).

Für Sophie Linsky setzte sie sich auch nach deren Rückkehr weiterhin ein. Am 22. Februar 1826 schreibt sie ihrer Schwester Sophie: "Meiner Sophie geht es in Dresden sehr gut. Tiecks nehmen sich ihrer freundlich an, und sie logirt bei einer Tochter Hamanns, die sich so herzlich freut, einer Tochter Reichardts gefällig zu sein, indem Malchen Sophie als meine Pflegetochter dort eingeführt hat" (Brandt, 176).

Zu diesem Zeitpunkt, wenige Monate vor ihrem Tod und physisch schwach, fand sich Louise in ihren schwierigsten finanziellen Umständen. Ihr Brief an die Schwester spricht von einer allgemeinen Krise und daß beim Unterricht der Mädchen immer der Anfang gemacht werde, "wenn Jemand sparen will."

> Wenn sich nicht Schülerinnen, die bezahlen, wieder einfinden, so werde ich nicht in Hamburg bleiben. [. . .] Sillems scheinen auch zu wünschen, daß ich weggehe, weil ich nicht genug habe, um in Hamburg zu leben, und ihnen im Fall der Noth doch zur Last fallen müßte, und diese Noth ist so nahe, daß ich diese Woche angefangen habe, unnütze Sachen, als Silberzeug zu verkaufen, weil ich schon über 8 Tage keinen Schilling hatte. [. . .] Dazu ist die Bevölkerung nie stärker gewesen in Hamburg als jetzt, wodurch die Wohnungen so unmäßig im Preise gestiegen, daß [. . .] die nur eben ein Zimmer entbehren können, dies vermiethen, sonst würde sich wohl Jemand erboten haben, mich in's Haus zu nehmen von meinen Bekannten. Eine hätte es gethan, aber die ist selbst so arm, daß wir zusammen betteln müßten (Brandt, 177-78).

In der Verzweiflung nahm sie eine Ludwigsburgerin namens Molly als Schülerin auf, über die sie in einem Brief an ihre Stiefmutter vom 31. Mai 1826 klagt: "meine Schülerin ist äußerlich ebenso kolossal als ihre Stimme es ist, zu meinem größten Leidwesen—da ich die Möglichkeit noch nicht einsehe, sie in meinen kleinen niedrigen Stübchen zu unterrichten. Dazu ist die wirklich schöne Stimme auf eine Weise durch zu frühen schlechten Unterricht verpfuscht, daß mir die Angst ankommt, wenn ich das Mädchen nur von fern erblicke. [. . .] Uebrigens scheint es ein gutmüthiges Wesen, aber bis jetzt ohne menschliche Empfindung für Musik" (Brandt, 180). Ein weiterer desperater Versuch Louises war, die Weihnachtskantilene ihres Vaters neu herausgeben zu lassen. Ihre Familie, von der sie erwartet hatte, daß sie sie durch Subskriptionen unterstützen würde, ließ sie ebenfalls im Stich. Im Brief an die Stiefmutter vom 11. Juli 1826 meint sie:

> Daß Ihr aber nichts thun wollt, ist mir sehr leid; warum nicht einen Bogen cirkuliren lassen? Ich habe es hier so gemacht, habe zwar noch keine 50, wenn aber jeder Ort so viel hätte, käme doch schon was zusammen. Es braucht blos darauf zu stehen: Subscriptionsbogen zu einem neuen Klavierauszug der Weihnachtscantilene von Claudius mit Musik von Joh. Friedr. Reichardt. Subscriptionspreis 1 Thlr. preuß. Dann müssen ein paar Gute anfangen; meine haben Clasing und Besser, jeder mit 6 Exempl., eröffnet; es schickt ihn gewiß Niemand zurück; wenn er auch, wie es mir hier auch geht, nur 1 Exempl. unterschreibt, so kommt doch immer was zusammen. [. . .] Ich habe dies Mal so recht auf Euch Alle gerechnet. Cranz ist fast fertig damit (Brandt, 187-88).

Sechs Wochen vor ihrem Tod schrieb Louise an Mutter und Schwester, daß ihr der Verleger Cranz statt des erhofften Honorars eine Rechnung für die Ausgabe gesandt habe. Weder Verwandte, noch Bekannte hatten zum Verkauf der Kantilene beigetragen, und Louise hatte mehrmals ihren Wohnsitz wechseln müssen und aß bloß jeden zweiten Tag. Am 4. Oktober 1826 schreibt sie der Mutter und Sophie:

> Ich hoffte auf ein gutes Honorar für meine liebe Weihnachtscantilene, nun aber sind noch gar keine Subscribenten eingegangen, als die kleine Anzahl, die ich hier habe. 300 Exemplare sind bereits abgedruckt und C. hat die unbeschreibliche Unart, mir zu schreiben, daß er nicht die Punkte wüßte, wo das Werk anzubringen wäre; so fragt er hiemit an, wo er mir die 300 Exemplare hinschicken sollte und legt eine Rechnung von 150 Thlr. für seine Arbeit daran bei. Dies in des guten Clasing, meines einzigen Rathgebers Abwesenheit, der in Wismar krank liegt, hat mich einen Tag recht angegriffen, da ich C. für einen guten Menschen halte, den wahrscheinlich eine augenblickliche Geldnoth dazu getrieben, indem wir fest verabredet haben, daß ich dies Werk nicht umsonst hingeben wollte, ihm auch schon den ganzen bedeutenden Vortheil von den christlichen Liedern allein gelassen hatte. So muß er nun nicht hinterher sagen, daß er die Verbreitung nicht übernehmen kann. [. . .] so viel ist klar, daß ich wieder bedeutend daran verlieren werde, statt zu gewinnen, wenn nicht besondere Hülfe von auswärts kommt (Brandt, 200-01).

Nochmals bittet sie die Verwandten um Unterstützung beim Verkauf des Werkchens und bietet Sophie Tee an, der gerade zu günstigem Preis zu haben sei ("es hängt ja ganz von Dir ab, wenn Du ihn lieber bezahlen willst"—Brandt, 202). Noch ihr letzter Brief an die beiden vom 1. November 1826 ist fast ganz dem Verkauf der Kantilene gewidmet. Weder Alberti noch Zelter hätten ein Exemplar angefordert und von Raumers hätte sie einen Brief erhalten, in dem ihr mitgeteilt wird, daß diese "eigentlich an Niemand schreiben mögen, indem seine Vocation immer noch nicht in seinen Händen ist" (Brandt, 205-06). Als Weihnachtsgeschenk kündigt sie der Schwester ein Exemplar des Heftchens an: "eines für Dich ist schon geheftet, das soll Dein Weihnachten sein und der Mutter schicke ich dann Thee" (Brandt, 206).

Zu diesem Zeitpunkt wohnte sie in einem Zimmerchen mit Aussicht auf den Friedhof, der ihr "von guter Vorbedeutung" ist (Brandt, 200). Nachdem ihre Gönnerin gestorben war und sie in den ersten Monaten des Jahres 1826 aus dem Sillemschen Hause weg mußte, lebte sie einige Zeit bei einer Familie namens Setzer. Der Mann verlor jedoch seine Stellung und bekam ein Arbeitsangebot aus Mexiko. Der Mutter schreibt sie am 1. August, ihr Arzt hätte schon zu Ostern angefragt, ob sie in seinem Hause wohnen und seiner Tochter Klavierunterricht geben wolle: "Birkenstock ist ganz der Mann, von dem ich ohne Bedenken, wenn ich einmal nicht mehr mit Stundengeben verdienen kann und ihm in seinem Hause nützlich wäre, ein Zimmer unentgeldlich annehmen würde" (Brandt, 195). Dies stellte sich jedoch als ein unzuverlässiges Angebot heraus. Anfang Oktober schreibt sie der Mutter, sie habe "Setzers Haus schon seit 14 Tagen verlassen müssen." Außerdem sei aber ihr Zimmer so außerordentlich kalt gewesen, "daß ich mehr mal bei den Stunden, die ich doch geben muß, ohnmächtig wurde, und dann mehrere Tage ohne alle Bedienung da oben ganz allein liegen mußte."

Dies allein hätte ein Verbleiben während des Winters unmöglich gemacht, "überstiege nicht auch die Miethe von 300 Mark meine Kräfte. Dazu kommt, daß Madame Nönnchen [...] schon Mitte dieses Monats hineinziehen will und es an Platz mangelt. So sind wir denn in herzlicher Liebe von einander geschieden. Zu Birkenstock zu ziehen, ist jetzt auch nicht der Augenblick; er wohnt sehr enge und kann seinem Kontrakte nach noch nicht umziehen" (Brandt, 199). Die letzten Wochen verbrachte sie in einer kleinen Schlafkammer im Haus eines Tapezierers, wo sie am 15. November zusammenbrach und zwei Tage in einem starrkrampfartigen, komatosen Zustand verbrachte. Sie starb am 17. November 1826 und erhielt ein Armenbegräbnis, "wobei jedoch den Wünschen der Freunde möglichst freie Hand gelassen" wurde. Nach Angaben des Pastors begleiteten 50-60 "Freunde, Freundinnen und Schülerinnen" den Sarg. Letztere sangen zusammen mit Mitgliedern des Gesangvereins die Choräle "Alle Menschen müssen sterben" (zu dem sie eine neue Melodie komponiert hatte) und "Freu dich sehr, o meine Seele," den sie kurz vorher mehrstimmig bearbeitet hatte. In ihrem Nachlaß fand man ein Gemälde, von ihrem ehemaligen Verlobten angefertigt, "das viele Liebhaber unter ihren Freunden finden würde." Louise wünschte jedoch, daß es in der Familie bleibe.[49] "Ihr Nachlaß enthält, obgleich sie mehrere musikalische Meisterwerke verkauft, wie auch Silber-Pretiosen, doch noch herrliche musikalische Werke" (Brandt, 212-14).

Mehrere ihrer Lied- und Choralkompositionen wurden bei verschiedenen Verlegern ohne Angabe des Erscheinungsjahrs veröffentlicht, was die genaue Datierung ihrer Arbeiten erheblich erschwert. Die im Brief vom 4. Oktober 1826 erwähnten "christlichen Lieder," vermutlich die bei Cranz gedruckten "Christlichen lieblichen Lieder," gehören sicherlich zu ihren späten Werken. Ebenfalls in die Spätphase einzuordnen sind die "Sechs geistlichen Lieder," die 1823 ebenfalls bei Cranz in Hamburg erschienen.[50] Sie sollen auszugsweise hier abschließend besprochen werden.

Das Heftchen enthält Vertonungen für je zwei Alt- und Sopranstimmen mit Klavierbegleitung von folgenden Gedichten: 1. "Dem Herrn," von J. G. (Des-Dur); 2. "Buß-Lied," von Stolberg (e-Moll); 3. "Morgenlied," von Lavater (B-Dur); 4. "Fürbitte für Sterbende," von Klopstock (d-Moll); 5. "Weihnachtslied," von Stolberg (F-Dur); und 6. "Tiefe Andacht," von Klopstock (in den relativen Tonarten e-Moll/G-Dur). Das einleitende Lied ist den bisher besprochenen in harmonischer Bearbeitung (Akkordfolge, Modulation) sehr ähnlich. Die beiden inneren Stimmen (Sopran II, Alt I) bewegen sich fast ausschließlich stufenweise und auch die äußeren Stimmen (Sopran I, Alt II) zeigen keinerlei anspruchsvolle Intervalle. Wie fast immer, zeigt Louise auch hier großes Verständnis für die Verbindung von Text und Musik. Der natürlichen Melodik des Wortes wird nirgends Zwang angetan: betonte Silben fallen auf betonte Noten, auf dem Wort "nieder" erfolgt ein melodischer Abstieg, usw. Rhythmisches Interesse gewinnt das Lied durch den Wechsel der Betonung in einigen Takten, indem sie die sonst durchgehend wenigstens halben Noten des ersten Taktschlags im 3., 4., 5. und 11. Takt durch Viertelnoten und ♩. ♪ ersetzt. Den restlichen Takt füllen in allen Fällen zwei halbe Noten aus. Die Wirkung ist beschleunigend und gibt der Komposition eigentlich erst das Element des Liedhaften und Fröhlichen. Die Tempobelebung erfolgt auch auf jenen Worten des Textes, die Leben und Lebenslust betonen, nämlich auf "tönen," "Lieder," "Herzenslust," und "ew'ges Leben."

Im Gegensatz zu "Dem Herrn" ist die folgende Komposition, das "Buß-Lied" von Stolberg, ein vierstimmiger, leicht kontrapunktisch angelegter Choral. Die Kompositionen dieses Heftchens verwenden den Generalbaß, und die Begleitung im "Buß-Lied" besteht lediglich aus der Zusammenstellung der vier separaten Stimmen mit einem bezifferten Baß, um eine weitläufigere Instrumentalbegleitung zu ermöglichen. Vermutlich sollten die Lieder a capella gesungen werden. Diese Art ihrer Kompositionen steht in Thematik, Stil und Ausführung in scharfem Kontrast zu den früheren, weitaus regel- und fesselsprengenderen Arbeiten ihrer Vertonungen romantischer Lyrik.[51]

Das "Buß-Lied" ist eine Mischung des aus ihrem Frühwerk bekannten "romantischen" Stils und der traditionelleren Choraltechnik. Louise bleibt weiterhin dem Gebrauch des Leittons stark verpflichtet, über den ihre Modulationen meistens erfolgen. Im 12./13. Takt führt z.B. der verminderte $vii^{4}_{3}$-Akkord durch Auflösung des Kreuzes zum $VII^{4}_{3}$ in e-Moll, der gleichzeitig zur invertierten $V^{7}$ in G-Dur wird. Die Rückkehr zu e-Moll erfolgt im 27./28. Takt durch den ähnlichen Vorgang G: I-vi-$\#v^{0}_{7}$ = e: $\#vii^{0}_{7}$-i. Die Möglichkeiten verschiedener Interpretationen dieses Septakkordes als Dominante ohne Grundton oder als Leitton werden von Louise hier wie früher in ihrer Kariere voll und oft ausgewertet. Der Leittonakkord in verschiedener Gestalt tritt in diesem kurzen Stück insgesamt sechsmal auf. Wenn Manfred Wagner behauptet, die "deutsche Musiktheorie ist eine pluralistisch verzweigte, abhängig von Anstellungen und Beschäftigungsorten, von Funktionen und Möglichkeiten, von Einsatz und Vorliegen" (148), so trifft dies für Louise in den Werken dieses Heftchens zweifellos zu. Die Akkordfolgen des "Buß-Lieds" zeigen eine weitaus größere Variation als in den früheren Liedern. Außer dem Leittonakkord, Dominantseptakkord und dem Sekundenakkord, die sie auch in früheren Liedern häufig verwendet, erscheint hier auch der Akkord auf der vierten und sechsten Stufe, wenngleich nie in der Kadenz. Wenn Wagners Interpretation der Zeittendenzen stimmt, so zeigt sich in Louises musikalischer Entwicklung eine Regression: "Die Reduktion auf wenige Akkorde," schreibt Wagner über die deutsche Musiklehre der ersten Hälfte des 19. Jahrhunderts, "die von den fortschrittlichen Theoretikern angestrebt und auf verschiedene Weise verwirklicht worden war, muß nicht unbedingt zu einer Verarmung der Harmonik führen, wie es verschiedentlich behauptet wurde. Die intensivere Konzentration auf das Melodische konnte vieles von dem wettmachen, was durch die statische Bauweise mit ihren zahlreichen Akkorden geboten worden war" (173). Bei Louise scheint sich eher eine entgegengesetzte Entwicklung harmonischen Verständnisses zu zeigen, das sich, angefangen mit den einfachsten Akkordfolgen (I-V) in den frühesten Liedern zu einer reichhaltigeren harmonischen Gestaltung im späteren Werk ausweitet. Ob als Grund hierfür der väterliche, der Wiener Schule verwandte Stil als nachahmenswertes Vorbild ihrer Jugendjahre, und Clasings Unterricht als klassizistischer Gegenpol der späteren Epoche ihres Schaffens zu sehen ist, oder ob sich mit ihrer zunehmenden persönlichen Religiosität eine schaffensparallele Hinwendung zu den Kompositionsprinzipien der kirchlichen Schule offenbart, ist kaum feststellbar. Auf jeden Fall vertreten die "Geistlichen Lieder" eine Stufe ihrer Ausbildung, wo harmonische Kenntnisse ihrem natürlichen Talent für effektive Ausarbeitung des melodischen Elements die Waage halten.

Das vierte Lied, "Fürbitte für Sterbende" von Klopstock, ist weniger kontrapunktisch ausgearbeitet als das "Buß-Lied." Die Melodie wird vom Sopran I getragen, und die anderen Stimmen füllen mit wenigen Ausnahmen lediglich die harmonische Gestaltung aus. Ansätze zu einer fugenartigen Stimmführung sind verdeckt. Melodisch interessant ist die für diese sonst im Stil des barockschen Chorals gehaltene sehr auffällige Betonung des Tritonus im 13. Takt durch den Sopran I. Um die verminderte Quint (von d″ zu gis′) leichter sangbar zu machen, läßt Louise das gis einen Taktschlag vorher im Sopran II ertönen. Hier erzwingt die harmonische Folge eine Auflösung des gis nach unten, während der Sopran I normal vom gis′ zum a′ fortschreitet. Dies komplementiert den Text, insofern die Resolution des Tritonus auf das Wort "befreyt" fällt und somit das oft als dissonant empfundene Intervall melodisch durch die Progression zum a′ "befreit." Louise befreit sich hier auch bewußt von klassizistischen Harmonielehren, die den Tritonus lediglich mit Vorsicht verwendet wissen wollen.

Der Tritonus wird prominent auch in dem letzten der Lieder, in "Tiefe Andacht" von Klopstock, verwendet. Diese Komposition ist die längste in dem Heftchen, beginnt in e-Moll und endet auf einer Plagialkadenz in G-Dur. Das Lied ist durchkomponiert und zeigt viele von Louises Eigenarten des kompositorischen Stils: flüchtige Modulationen, die wegen der reichhaltigen Variation der Septakkorde die jeweilige Tonart unbestimmt erscheinen lassen; häufigen Gebrauch von Leittonakkorden, die oft als Dominantseptakkord ohne Grundton fungieren; chromatische Änderungen, durch den oftmaligen Wechsel der Tonart bedingt, bringen mit Synkopen, durchgehenden und Nebentönen ein harmonisches Gebilde von außerordentlicher Flexibilität zustande; Takte, in denen lediglich der Dominantseptakkord in diversen Umkehrungen abgewandelt wird (z.B. im 12. und 13. Takt), wechseln mit Takten von rasch aufeinanderfolgenden, komplizierten Harmonien; und schließlich erscheinen in diesem Lied auch einige Ungewöhnlichkeiten. Zu letzteren gehören das häufige Fehlen der Terz in den Dreiklängen, was den Charakter der Tonalität verwischt, die ungleiche Tonart von Anfang und Ende der Komposition, der prominente Gebrauch des

Tritonus, und die Verwendung einer italienischen Sext.[52]

Das Fehlen der dritten Stufe im Dreiklang ergibt interessante Kombinations- und Interpretationsmöglichkeiten. Im vierten Takt erscheint folgende Progression: wird das d im Sopran als Synkope angesehen, so ergibt sich ein Septakkord auf der Supratonika, der sich allerdings weder als Dur-, noch als Mollklang legitimiert. Erst der folgende Akkord lautet das cis, verliert aber gleichzeitig den Grundton a, sodaß er hier als verminderter Akkord auf der Subdominante in erster Umkehrung erscheint. Dieser geht sofort durch die chromatische Veränderung von cis zu c und von e zu es in den Leittonakkord mit der Sept als Grundton über, der sich folgerichtig in die Tonika ($I^6_4$) auflöst. Die verminderten und Septakkorde ergeben einen dissonanten, reichhaltigen Klang, ohne die Tonart eindeutig zu definieren. Geschickt verwertet ist dieselbe Taktik im 10. Takt, wo der d-Moll Akkord ohne Quinte zu einem Septakkord auf f übergeht, dem ebenfalls das a fehlt. Dieser Dreiklang (f-c-es) ohne Terz bildet gleichzeitig den Dominantseptakkord zur Modulation nach B-Dur.[53]

Die Relativierung der Tonalität durch die fehlende Terz ist jedoch bloß eine Fortsetzung desselben Gedankens, mit dem das Lied in e-Moll eingeleitet wird. E-Moll wird nämlich schon im zweiten Takt zu G-Dur moduliert, in der die Komposition auch endet. Man wäre versucht, die einleitenden Akkorde als Untermediante von G-Dur auszulegen, wenn nicht der verminderte Leittonakkord (dis-fis-c, die Quinte fehlt) den vorhergehenden und folgenden Dreiklang der e-Moll Tonika als Anfangstonart legitimierte. Die bewußte Verwischung der Tonart durch häufige chromatische Veränderungen, durch die harmonische Ambiguität der fehlenden Terzen, und durch die Mehrdeutigkeit der verwendeten verminderten und Septakkorde tendiert zur Erweiterung, bzw. Sprengung der traditionellen Tonmechanik.

Den Tritonus verwendet Louise zur Akzentuierung des Wortes "Todesschweiß" bei der Kadenz im 15. Takt. Die Tonart, seit dem 11. Takt B-Dur, gewinnt im 14. Takt an Ambiguität. Nimmt man eine Weiterführung von B-Dur in den 15. Takt an, so zeigt der erste Taktschlag einen Durakkord auf der Subdominante (es-g-b) mit einem g″ im Sopran, das im nächsten Akkord die verminderte Quinte zum cis″ überleitet. Der Dreiklang, der sich durch diesen Sprung ergibt, ist eine italienische Sext (cis-es-g), die das Intervall der übermäßigen Sext (es-cis) in den äußeren Stimmen zeigt (Sopran I und Alt II). Der Akkord löst sich folgerichtig von cis nach d im Sopran, von es nach d im Alt zu einem Durakkord auf d auf. Dieser Dreiklang bildet die Kadenz, wobei im Sopran die Übergangsnote c dem Akkord den Effekt einer $V^7$ gibt, die zur neuen Tonika in G-Dur führt. Es zeigt sich, daß Louises harmonisches Verständnis zu diesem Zeitpunkt bereits soweit fortgeschritten war, daß sie auch komplexe harmonische Konfigurationen mühelos bewältigte.

Zusammenfassend läßt sich über Louise Reichardts Schaffen bemerken, daß ihre frühen kompositorischen Bemühungen vor allem den Vertonungen von

Gedichten der ihr zum Teil persönlich bekannten Dichtergeneration der Romantik gewidmet sind. Auch ihre heute unbekannte Vertonung von Goethes "Schäfers Klagelied,"[54] die bei Böhme in Hamburg verlegt wurde, scheint ihrer frühen Schaffensperiode anzugehören. Der gewollten Einfachheit der Texte schließt sie sich musikalisch mit ebensolcher Simplizität der Stimmführung und harmonischen Gestaltung an, wobei ihr interpretatives Einfühlungsvermögen dem Wort durch den Ton eine definitiv akzentuierte Wirkungsdimension verleiht. Progressive Einflüsse in ihrer Harmonik mögen dem Unterricht, bzw. den berufsbedingten musikalischen Voreingenommenheiten ihres Vaters entstammen. Ihre Kompositionen erfuhren wegen ihrer Sangbarkeit bereits früh allgemeinen Beifall. Mit ihrer Übersiedlung nach Hamburg und dem gleichzeitigen Beginn ihrer Karriere als Musiklehrerin und Gründerin einer Singschule zeigt sich eine fortschreitende persönliche und musikalische Hinwendung zum Religiösen. Ihre Liedausgaben basieren zum Großteil auf Veröffentlichungen von früher komponiertem Material und die Neuschöpfungen der Hamburger Zeit sind vielfach choralartige Gesänge und Lieder geistlichen Inhalts. Gleichzeitig beschäftigt sie sich mit Verdeutschungen und Klavierauszügen von Oratorien (besonders Händel) und von Werken Hasses, Grauns und ihres Vaters. Eine Zusammenstellung und Analyse ihrer Verdeutschungen, die bisher nicht geleistet worden ist, wäre ein ergiebiges und interessantes wissenschaftliches Projekt. Ihr grundlegendes Interesse bei diesen Arbeiten gehörte dabei der Verwertung des Materials bei Aufführungen ihres Gesangvereins oder für Studienzwecke bei Heranbildung von Solistinnen. Ihrer Lehrtätigkeit gewann sie nicht nur ihre Lebenskostendeckung, sondern einen echt karriereorientierten Enthusiasmus ab. Dem Musik-und Gesangswesen Hamburgs gab sie bedeutenden Aufschwung. Durch ihre persönliche Unaufdringlichkeit, Zurückgezogenheit und Kränklichkeit gewannen jedoch die ursprünglich durch sie geförderten musikfreundlichen Persönlichkeiten größere öffentliche Anerkennung und Studentenzulauf, was zum Teil für ihre Verarmung in den letzten Lebensjahren verantwortlich war. Wenige Monate nach dem Tod ihrer Gönnerin, in deren Haus sie langjährige Zuflucht gefunden hatte, starb sie, nachdem sie durch mehrmaliges Übersiedeln, unzureichende Verköstigung und körperliche Schwächung ihren Unterricht krankheitshalber fast gänzlich aufgegeben hatte. Ihr religiöses kompositorisches Spätwerk[55] zeugt von ihrem ausgezeichneten Verständnis kompositorischer Prinzipien auch der klassischen Schulrichtung, bei deren Anwendung sie jedoch den eigenen, früh angelernten progressiv-romantischen Stil in Einzelheiten nie ganz aufgab.

Louise Seidler. Selbstbildnis; Nationale Forschungs- und Gedenkstätten d. klass. dt. Lit., Weimar.

# 6

# Pinsel und Feder. Zur Karriere- und Lebensproblematik der Künstlerin in der ersten Hälfte des 19. Jahrhunderts, gesehen aus der Perspektive Louise Seidlers

MEHR NOCH, als in der Literatur, ist der Beitrag von Frauen in den übrigen Künsten eine Unbekannte, denn nicht nur die Feder war, wie der Bart, Kennzeichen männlicher Produktion und Autonomie, auch der Taktstock und der Pinsel gehörten zu den Symbolen männlichen Zeugens und Schaffens. In der Musik wurde den Frauen die karriereorientierte Ausübung ihres Talents sowohl in der weltlichen wie in der sakralen Sphäre erschwert. In ersterer wegen der herrschenden sittlich-moralischen Anschauungen, die das öffentliche Auftreten und Wirken der Frau verpönte und deshalb ein ungewöhnliches Maß an Mut und Willensstärke vom Individuum verlangte, und in letzterer, weil im kirchlichen Zeremoniell die Frau stets eine untergeordnete Stellung innehatte und ihr jede öffentliche Anerkennung weitgehend versagt wurde. Gänzlich in den Hintergrund traten die Frauen in der Malerei und in den bildenden Künsten. Wer unter den Allgemeingebildeten, die ohne viel nachzudenken ein halbes Dutzend bekannter Maler jedes Jahrhunderts aufzuzählen wissen, könnte diese Reihe mit jeweils bloß einer Malerin oder Bildhauerin vervollständigen? Die allgemeine Annahme, daß es unter den Frauen eben keine ausgezeichneten Talente auf diesem Gebiet gab, ist unrichtig und sollte endlich korrigiert werden, wenngleich es nachträglich schwierig ist, das seit Jahrhunderten unterdrückte Zeugnis weiblichen Schaffens aufzuspüren und öffentlich zu machen.

Das Beispiel Louise Seidlers mag in diesem Kapitel zeigen, welche künstlerische Fertigkeit und bedingte öffentliche Anerkennung die Frau in der klassisch-romantischen Epoche zu gewinnen vermochte. Gleichzeitig werden auch die Hindernisse deutlich, die der künstlerischen Karriere der Frau, wenngleich in subtiler, so doch ungemein wirksamer Form, entgegengestellt wurden. Eine höchst erfolgreiche Art der Unterdrückung jeden Talents war das Totschweigen ihrer Existenz auch dann, wenn das Kunstprodukt öffentliche Anerkennung erfuhr. Ein Beispiel mag hier die Vielzahl solcher Vergehen verdeutlichen. Louise Seidler hatte nach einer Anregung Goethes und nach einer Zeichnung Johann Heinrich Meyers in stark abgewandelter Form ein Gemälde des heiligen Rochus fertiggestellt, das gut gelungen war. Goethe ließ einen verkleinerten Stich davon im zweiten Heft von *Ueber Kunst und Alterthum in den Rhein- und Mayn-Gegenden*[1] drucken. Am 24. Juni 1816 schreibt er an Sulpiz Boisserée: "Ein Bild des heil. Rochus, welches gar nicht übel, aber doch allenfalls noch von der Art ist, daß es Wunder thun kann, gelangt hoffentlich nach Bingen, um an dem großen Tage die Gläubigen zu erbauen. Es ist wunderlich entstanden. Die Skizze ist von mir, der Carton vom Hofrath Meyer, und eine zarte, liebe Künstlerin hat es ausgeführt."[2] Der Name der Künstlerin, die das eigentliche Verdienst an diesem Gemälde hat, wird nicht erwähnt; wohl aber betont Goethe seinen eigenen und Meyers Anteil daran, der vergleichsweise verschwindend klein ist. Dieses Verschweigen des Namens, wenn das Kunstwerk von einer Frau stammt, ist durchaus kein Einzelfall, sondern die Norm. Wenn schon der Urheber genannt wird, dann oft bloß mit dem Initial des Vornamens (L. Seidler), womit wieder die weibliche Identität des Künstlers unterdrückt wird. Sehr oft wurden Seidlers Gemälde auch anderen Malern unterschoben.[3]

Eine zweite Methode, die künstlerischen Produkte von Frauen der öffentlichen Anerkennung zu entziehen, ist die Bagatellisierung und Geringschätzung weiblichen Schaffens und ihrer schöpferischen Existenz. Louise Seidlers eigenen Aufzeichnungen ist der folgende Absatz über ihren Lehrer Gerhard von Kügelgen entnommen:

> [N]ur aus Gefälligkeit unterrichtete er— theilweise in seinem Atelier und theilweise in der Gallerie—mich und ein anderes junges Mädchen, Caroline Bardua, eine tüchtige Portraitmalerin, deren Verstand und Treuherzigkeit ihre Häßlichkeit ausglich. Sie pflegte ihren Enthusiasmus für Kügelgens Schöpfungen lebhaft auszusprechen, wodurch der für solche Huldigungen sehr empfängliche Künstler bewogen ward, unseren Arbeiten mehr Aufmerksamkeit zu widmen, als es außerdem geschehen sein würde. Er meinte nämlich, uns Frauen wäre es doch kein Ernst mit der Kunst (Seidler, 63-64).

Die Notwendigkeit, dem männlichen Ehrgeiz zu schmeicheln, um selbst die Aufmerksamkeit und den erwünschten Unterricht des Gönners zu erhalten, zeigt, daß sich seit Louise Karschs Zeiten wenig geändert hatte, um der Frau die theoretisch zugesprochene Gleichberechtigung praktisch zu gewähren. Auch die Kritik, so verhaßt und so grundsätzlich notwendig für den Erfolg des Künstlers, trifft die Mitschuld an der Verbreitung von Fehlurteilen und Unwahrheiten über weibliche Künstler. Ein recht typisches Beispiel einer Rezension ist Herman Grimms Aufsatz über die von Uhde herausgegebenen Memoiren Louise Seidlers, der im selben Jahr wie die Erstausgabe der Lebenserinnerungen der Malerin erschien.[4] Obwohl Grimm das Leben Seidlers zu besprechen vorgibt, nimmt die Huldigung Goethes bei weitem den meisten Raum dieser Rezension ein, während Seidler aufs Unverschämteste herabgewürdigt wird. "So voll umlagert sehen wir Goethe's Existenz von geringeren Existenzen, daß kaum noch Platz übrig erscheint" (45), und dennoch läßt sich der Dichterkönig zu einer Seidler herab. "Dies ist der Gesichtspunkt, aus dem wir Luise Seidlers Verkehr mit Goethe ansehen. Sie brachte ihr Leben als Großherzoglich sächsische Hofmalerin auf achtzig Jahre und hat bis zuletzt, wo sie erblindete, immer gearbeitet, ohne daß die Kunstgeschichte sich irgend mit ihrer Person beschäftigt hätte *und zu beschäftigen brauchte*" (46; meine Hervorhebung). Wie ist es möglich, daß es eine Frau zu solchem Ansehen gebracht hatte, von Staatsgeldern für Bildungsreisen ins Ausland unterstützt wurde, am Hof eine gehobene Stellung vertrat, von den Reichen und Angesehenen als Portraitistin gesucht war und dennoch eine "indifferente Persönlichkeit" (46) war? Grimms Bagatellisierung dieser Frau geht so weit, sie mit einem Kind zu vergleichen: "Wie alle anspruchslos erzählten Kindergeschichten hat auch die Luisens ihren mythischen Reiz. Kinder sehen die Dinge größer, einfacher und in schärferem Lichte" (47). Die wenigen Zeilen, die Grimm vom Lobpreis Goethes für dessen uneigennützige Förderung der Malerin für Louise selbst abzweigt, sind den ersten paar Seiten der Biographie entnommen. Nicht, daß er sich hier wenigstens mit ihrer Arbeit beschäftigte, sondern Louises Verlobung und der Tod des jungen Mannes wird erörtert: "Nach langen Zweifeln und Aengsten endlich die Nachricht vom Tode des Geliebten in Spanien. Nun völlige Verzweiflung, nichts, wohin sich retten mit den Gedanken, planloses Sich wenden von dahin nach dorthin. [. . .] Und so sehen wir aus einem Kinde ein Mädchen, eine Braut, ein verlassenes hülfloses Wesen und zum Abschluß eine auf ihre eigne Kraft sich zurückziehende Künstlerin werden. All dies vollzog sich auf die günstigste Weise" (49). All dies ist aber schändlich verzerrt und unwahr. Wer sich die Mühe nimmt, ein Exemplar dieser Lebenserinnerungen in verstaubten Archiven aufzuspüren und selbst darin nachzulesen, findet ein wesentlich anderes Lebensbild, als das von Grimm gezeichnete. In Grimms Aufsatz aber dreht sich Louises Leben ausschließlich um Goethe, der ihr zu unverdientem Ruhm verhilft:

> Sie copirt in Oel und in Pastell. Sie portraitirt leidlich. Sie ist strebsam, bescheiden und gern gesehen: was giebt ihr ein Recht, sich in solchem Maaße zur Herzenspensionärin Goethe's aufzuschwingen, daß soviel für sie gethan wird? Hat sie jemals große Erwartungen erregt? [. . .] Konnte Goethe nicht etwas Besseres thun, als seine Protection an solche schöne Mädchen verschwenden, während wirklichen Talenten vielleicht Förderung versagt und Geldmittel vorweg genommen wurden? (51).

In diesem Essay wird Seidler von Grimm noch eine "mittelmäßige Natur," ein "anspruchsloses Talent" (53), eine "anspruchslose Persönlichkeit" (56) von "schwachen Fähigkeiten" (57) genannt, die "sich überall an die arbeitenden Männer" hält, "die sich ihre Gesellschaft gern gefallen lassen" (55). Grimm schließt den Aufsatz in väterlichem Tone mit den Worten:

> So finden wir öfter, daß Menschen, deren originaler Gehalt gering oder Null war, die beim schließlichen Hineinfallen in den Strom der Zeit auch nicht den leisesten Plumps machten oder den kleinsten Tropfen in die Höhe springen ließen, ein Leben hinter sich haben, das wie ein von Meisterhand geformtes Stilleben den freundlichsten Anblick gewährt. Wir betrachten es wie zarte, völlig ungestört ausgebildete Moose, die unter dem Microscop sich zu glänzenden Aesten ausbreiten (56).

Damit wird die Künstlerin endgültig zu "Gemüse" reduziert.

Grimm meinte, eine durchaus positive Rezension geliefert zu haben—war er doch selbst im Besitz des ausgezeichneten Pastellgemäldes, das Louise Seidler 1811 von Goethe verfertigt hatte.[5] In seiner Rezension erwähnt Grimm auch beiläufig Seidlers Mitschülerin bei Kügelgen, Caroline Bardua, von der er sagt, daß sie es "noch weiter als die Seidler" gebracht habe. "Ein fester, fast männlicher Charakter ließ sie überall activer auftreten. Ihre Copien nach Gemälden Raphaels, Murillo's und anderer Meister die sie im Louvre anfertigte, sind vortreffliche Arbeiten, und Bestellungen auf Portraits waren immer in Fülle da. Eigne Compositionen liefen mit unter, wurden aber niemals als Hauptsache angesehen" (54). Diese Erwähnung im Aufsatz über Goethe und Seidler mag der Hinweis auf eine Arbeit Herman Grimms über "Die Malerin Caroline Bardua. Berlin 1874" sein, der sich hartnäckig in den Bibliographien der Künstlerlexika aufrecht erhält, ohne jemals aufgefunden worden zu sein.[6] An Literatur über die beiden Malerinnen fehlt noch das Grundlegendste, wie überhaupt auch die anderen Künstlerinnen dieser Zeit stillschweigend in historischen Werken übergangen werden.[7] Zarnckes Verzeichnis der Goethebildnisse nennt u.a. noch Charlotte Bauer, Charlotte Buff, Gräfin Julie v. Egloffstein, Adele Schopenhauer, Caroline Tischbein, Gräfin Werthern, Angelika Kauffmann und Angelika Facius. Von diesen ist Angelika Kauffmann in Laienkreisen vielleicht die bekannteste. Angelika Facius erhielt gemäß Seidlers Wunsch den Auftrag für deren Grabmonument und lieferte u.a. auch das Goetherelief im Weimarer Museum. Vollkommen unerwähnt bleibt Louise Seidler in E. Lehmanns Aufsatz, "Goethe's Bildnisse und die Zarncke'sche Sammlung,"[8] der auch Caroline Bardua bloß vorübergehend aufzählt und unter den zahlreichen Abbildungen keines von weiblicher Hand bringt. Lehmann schreibt, daß die Antike "damals mit Ausnahme einiger Zeichner alle in Fesseln geschlagen" habe und zählt zu den Ausnahmen "das zweite Bild der Caroline Bardua" und "einige Bilder von Angelika Kauffmann, die halb Klassicismus, halb Rokoko atmen" (252). Während er nun aber die antikisierenden Gemälde männlicher Künstler abschätzend bewertet ("Ja, wenn die deutschen Künstler es ihren englischen Genossen Reynolds und Romney gleich zu thun verstanden hätten"—253), geht er auf jene der Malerinnen überhaupt nicht ein. Diesbezügliche ungenügende Recherchen führen auch bei ihm zu Ungenauigkeiten der Aussage. Lehmann schreibt: "so musste eines der schönsten und bekanntesten Bildnisse unseres Dichters, das Ölgemälde von May aus dem Jahre 1779, lange Zeit im Dunkel eines Trödlerladens harren, bevor es 1835 von August Lewald entdeckt wurde, von dem es in den Besitz von Cotta überging. Wie es den Weg aus den Gemächern der Herzogin Elisabeth von Württemberg, der Nichte Friedrich's des Großen, bis zu jenem Trödler gefunden hat, bleibt ein Rätsel" (276). Da Louise Seidler 1825 auf Wunsch Frau von Steins eine Bleistiftkopie eben jenes Gemäldes von Georg Oswald May gemacht hatte, kann es so lange nicht verschollen gewesen sein. Die Nichtbeachtung und Nichtachtung der Arbeiten jener Künstlerinnen wird auch dadurch bescheinigt, daß Caroline Barduas Goethebildnis von 1805, mit dem der Dichter selbst durchaus zufrieden war,[9] "im Anfang der Achtziger Jahre in Legefeld, einem Dorfe zwischen Weimar und Berka a.d. Ilm" aufgefunden wurde, "wo es eine Zeit lang auf dem Hühnerboden gelegen hatte" (Lehmann, 284). Wenn Bardua und Seidler überhaupt in der Literatur genannt werden, dann meist im Zusammenhang mit Goethe und seinem Kreis. Das Bändchen *Goethes Leben und Werk in Daten und Bildern*[10] bringt im Bildteil Barduas Ölgemälde, das Johanna Schopenhauer als Malerin mit deren Tochter zeigt, und mehrere Hinweise in Goethes Lebenschronik über Louise Seidler. Von letzterer enthält der Bildteil auch vier Portraits: ein Selbstbildnis und drei Pastellgemälde von Silvie von Ziegesar,[11] und Goethes Enkelkindern Walther und Alma. Abgesehen von dem biographischen Material[12] und kurzen Eintragungen in Künstlerlexika[13] sind noch die zahlreichen kunstkritischen Kommentare über Seidlers Werk im Tagebuch des Malers Johann Caspar Schinz zu erwähnen, zu dem sie jahrelang freundschaftliche Beziehungen aufrechterhielt, und der sie auch nach Italien begleitete. Kommentare und Abbildungen von Seidlers Niebuhrportraits bieten B. Rathgen und A. Schulten in ihrem Aufsatz "B.G. Niebuhr in seinen Bildnissen."[14] Bemerkenswert ist auch der Aufsatz Johann Heinrich Meyers, "Neuere bildende Kunst. Weimarische Ausstellung," in der von Goethe herausgegebenen Reihe *Ueber Kunst und Alterthum*,[15] der auf Seite 20-21 zwei von Seidler aus Italien gesandte Kopien bespricht. Diese Rezension ist deshalb wichtig, weil sie neben kunstkritischen Bemerkungen über Seidlers Arbeiten auch noch das Werk mehrerer anderer zeitgenössischer Malerinnen hervorhebt. "Die diesjährige Ausstellung," schreibt Meyer, "unterschied sich von andern durch Gemälde mehrerer Frauenzimmer, von so achtenswerther Beschaffenheit, daß wir es für Pflicht halten, den Kunstfreunden etwas näheren Bericht von denselben zu geben."[16] Außer Seidlers Kopien von Raphaels Madonna del Cardellino und Peruginos Erzengel Michael bespricht Meyer noch Werke von Henriette Hosse (S. 22), Gräfin Julie von Egloffstein (S. 23), Julie Seidel (S. 23-24) und Emilie Martini (S. 24-25).

Zweifellos zu den wichtigsten Arbeiten über Louise Seidler gehört ein Aufsatz von Hermann Uhde in der *Zeitschrift für bildende Kunst*, der den Namen der

Künstlerin nicht einmal im Titel erwähnt. Es ist der Essay "Goethe und der Sächsische Kunstverein,"[17] in dem Louise Seidlers Initiative besprochen wird, den damals neugegründeten Sächsischen Kunstverein dahingehend zu beeinflussen, auch die Förderung Weimarer Künstler zu berücksichtigen. Der Aufsatz zeigt die zwiespältige, teils charakterbedingt aktive, teils notgedrungen passive Rolle, die Seidler im zeitgenössischen Kunstleben spielte. In Dresden war zu Ehren des dreihundertsten Todestags Dürers am 7. April 1828 der "Sächsische Verein zur Beförderung der bildenden Kunst und Ermutigung der Künstler" gegründet worden, der dem Kunstfreund und -schriftsteller Johann G. von Quandt die Geschäftsführung übertrug. Louise Seidler, die mit Herrn von Quandt seit Jahren bekannt war und nebst anderen Künstlern bereits bei ihrem Aufenthalt in Rom dessen freundlichste Unterstützung erhalten hatte, fragte deshalb brieflich bei ihm an, "ob man bei Ankauf von Kunstgegenständen nicht auch auf Weimarische Künstler Rücksicht nehmen könne" (Uhde, 277). Quandt brachte den Vorschlag Seidlers bei der Ausschußsitzung am 1. September 1828 zur Sprache und es wurde beschlossen, "auch Weimarische Künstler anzufeuern und zu unterstützen," falls sich zahlreiche Vereinsmitglieder in Weimar anwerben ließen (Uhde, 277). Quandt sandte Seidler einen ausführlichen brieflichen Bericht über die Dresdner Vereinsbeschlüsse. In Deutschland war aber die Zeit noch nicht reif, wichtige Verhandlungen auf dem Gebiet von Kunst und Kultur einer Frau zu überlassen. Goethe, mit dem Seidler die Angelegenheit besprochen hatte, schrieb Quandt am 9. November 1828 selbst:[18] "Demoiselle Seidler gab, im Vertrauen auf Ew. Hochwohlgeb. Geneigtheit die erste Anregung; nun aber, da der Vorschlag günstigen Eingang gefunden, halte es für meine Schuldigkeit, mich der Sache anzunehmen und mit Ew. Hochwohlgeb. unmittelbar in Verhältniß zu treten. Da ich denn bitte, das weiter zu Verfügende an mich gelangen zu lassen" (Uhde, 278). Alle weiteren Verfügungen zwischen der Dresdner und Weimarer Gruppe, Subskriptionen, Verlosungen, usw., wurden auch in der Folge unter Goethes Aufsicht beschlossen.

Seidlers ursprüngliche Bitte um Unterstützung Weimarer Künstler war aber durchaus nicht selbstlos gewesen. Vielmehr hatte sie sicherlich auch auf eigene Förderung gehofft. Erst am 7. Juli 1830 aber schreibt Goethe an Quandt, daß "in diesen Tagen ein Gemälde der Demoiselle Seidler nach Dresden abgeht; sie wünscht nur die Ehre und Freude, es dort ausgestellt zu sehen. Unsere Frau Großherzogin hat es freygebig honorirt" (Uhde, 345). Dieser Bitte folgte ein Jahr später eine zweite. Goethe schrieb Quandt am 6. Mai 1831, er "empfehle ein von Fräulein Seidler nachzusendendes Bild, worauf die gute Künstlerin viel Fleiß und ihr ganzes Talent aufgewendet" habe (Uhde, 348). Dieses Gemälde war zwar von Goethe angeregt, aber nicht honoriert worden, und Seidler erhoffte diesmal von den Dresdner Kunstfreunden mehr als die bloße Ausstellung des Werkes. Bei dieser Unterhandlung überließ Goethe der Malerin selbst das Wort. Seidler schrieb Quandt am 19. Mai 1831: "Mein neues Bild denke ich nun in 14 Tagen vom Stapel laufen zu lassen. Es ist die Aufgabe von Goethe: *Poesie und Kunst, in der Hinsicht aufgefaßt, daß das Flüchtige und Bleibende damit ausgedrückt würde.*" Gleichzeitig erläutert sie ihre kompositorische Idee: "Ich wußte mir nun nicht anders zu helfen, als es so zu nehmen:. Wie die Poesie der Kunst die Gedanken eingiebt" (Uhde, 349). Ein solches Verfahren basiert auf einem aus der literarischen Romantik bekannten Grundgedanken, insofern es eine Vermischung, bzw. gegenseitige Befruchtung verschiedener Kunstformen allegorisch darzustellen sucht.[19] "Es ist mir sehr schwer geworden wegen der vielen Beywerke und der Harmonie des Ganzen, wo der Begriff des Gegenstandes mich immer auf Unausführbarkeiten führt," fährt Seidler fort. "Z.B. wünschte ich die Herrlichkeit von diesen beyden Gefährtinnen auch im Ton auszudrücken. Möchten Sie diesem Bilde einen Platz aufheben, der ihm günstig; das Licht kommt von der rechten Seite. Ich bin so ängstlich, indem ich dieses neue Kind der Fremde übergebe, daß ich keinen Vortheil, der ihm werden könnte, aufgeben möchte" (Uhde, 349). Es ist offensichtlich, daß Louise, die zu diesem Zeitpunkt bereits über beträchtliche technische Fertigkeit verfügte und einen weitreichenden künstlerischen Ruf besaß, dieses Bild sehr schätzte. Quandts nicht mehr erhaltenes Rückschreiben ging u.a. auch auf den anzusetzenden Preis ein. Seidler antwortete am 27. Juni 1831, bemüht, dem Wert des Gemäldes gerechte Anerkennung zu verschaffen:

> [L]ieb ist es mir, daß das Comité selbst den Preis des Bildes zu übernehmen pflegt, wenn es der Künstler wünscht. Ich werde dadurch aus einer wahren Verlegenkeit gezogen, und bitte also darum. Ich übersende Ihnen die mühseligste, schwerste aller meiner Arbeiten, an der ich gewissenhaft, die Störungen abgerechnet, 10 Monate gearbeitet, und nicht cavalièrement um mit Baron Rumohr[20] zu reden, sondern 6-8 Stunden täglich. Nur die stete Angst, daß Goethe bey seinem immerwährenden Kranksein (seit dem Blutsturz diesen Winter) sterben könnte, und mir nicht die Freude werden könnte, ihm seinen Auftrag vollenden zu können, gab mir Kräfte zu dieser Anstrengung. Jetzt endlich bey der Vollendung fühle ich, daß ich ganz erschöpft davon bin und nicht so fortfahren dürfte. Rechnet man nun Modells und dergleichen, so wußte ich kaum, was ich bestimmen sollte; daher ist mir's lieb, wenn einsichtsvolle Männer den Werth der Sache schlechtweg beurtheilen (Uhde, 349).

Seidler wußte, daß Quandt ihre Arbeiten schätzte. Leider hatte er aber trotz seines Amtes als Vorstand des Vereins wenig Einfluß auf die endgültigen Beschlüsse betreffend den Ankauf von Gemälden. Nepotismus und Cliquenwesen hatten früh die diesbezüglichen Bestimmungen des Vereins untergraben. Das Protokoll der Sitzung, bei der Seidlers Bild dem Komitee vorgestellt wurde, enthält folgende Vermerke: "Die Aufmerksamkeit lenkte sich auf das von Dm. Seidler aus Weimar eingesandte große allegorische Gemälde, die bildende Kunst, von der Poesie begeistert, darstellend. Man beschaute es mit großem Interesse, und fand manches Schätzbare und Anziehende darin, dabei aber doch, besonders in der Richtigkeit der Zeichnung, so vieles Mangelhafte, daß man allgemein dahin übereinkam, wie sich dasselbe in der vorliegenden Gestaltung nicht zum Ankaufe für den Kunstverein eignen dürfte" (Uhde, 349). Diese Kritik, vor allem die der Verzeichnung, ist vernichtend und ließe eine überaus dilettantische Arbeit vermuten. Quandt, dem die unangenehme Pflicht überlassen wurde, Goethe und Seidler von den Ansichten des Komitees zu unterrichten, war anderer Meinung. Sein am 18. Juli 1831 geschriebener Brief an Goethe enthält die Zeilen:

> Das Gemälde meiner werthen Freundin, der Seidler, hat viel Anziehendes durch eine zartsinnige Darstellung eines bedeutenden Gedankens. Es mag schwierig sein, in der Erscheinung selbst den Unterschied und doch auch die Verwandtschaft der bildenden Kunst und der Poesie auszudrücken, und das Verharrende, Unwandelbare der einen, und das sich in fortschreitender Verwandlung erst recht Entfaltende der andern anschaulich zu machen, und doch ist es der Künstlerin gelungen. Die Köpfe in diesem Bilde sind von ungemeiner Schönheit und sehr seelenvoll. Die Tinten in diesen Köpfen sehr klar und reizend (Uhde, 350).

Um das Bild zu retten, vertagte er die Abstimmung über sein Schicksal. Er schlug vor, Seidler das Gemälde nach Wunsch des Komitees "verbessern" zu lassen. Goethe gegenüber drückt er dies apologetisch aus: "Sieht man doch an den Bildern der größten Meister Verbesserungen, welche sogar als Kennzeichen der Originalität in spätern Zeiten hochgeschätzt werden, und so steigt das Bild der Seidler dadurch an Werth, und nach Jahrhunderten vielleicht im Preise" (Uhde, 350). Die Ungerechtigkeit des Komitees in seiner Beurteilung des Gemäldes ist sicher auf mehrere Gründe zurückzuführen. Sie mag zum Teil auf der von Uhde vermuteten Praxis einzelner Mitglieder beruhen, eigene Protegés zu begünstigen. Zumindest ein Mitglied des Komitees war aber ein vormaliger Lehrer Seidlers, Professor Vogel. Vor allem aber hatte Seidler mit diesem Bild die "Grenzen der Weiblichkeit" überschritten. Als Portraitmalerin und Kopistin war sie, wenngleich gesucht und gut bezahlt, stets eine Künstlerin zweiten oder dritten Ranges, d.h., eine gute Handwerkerin. Eine eigene Komposition setzte Originalität voraus: hier wurde nicht der Natur oder einem Vorbild nachgemalt, sondern das Werk erforderte Phantasie, Innovation, gedankliche Auseinandersetzung mit einem Abstraktum und dessen Verdinglichung und räumliche Dimensionierung auf Leinwand mit Licht und Farbe. Die Geringschätzung des Komitees war eine der vielen Demütigungen, die Seidler trotz (oder vielleicht wegen) der ihr von Goethe, dem Großherzog und vielen anderen hochgestellten Persönlichkeiten zuteilgewordenen Anerkennung um jene Zeit erfahren mußte. Selbst eine so zuvorkommende Frau wie Seidler rebellierte gegen die Ungerechtigkeit; war sie als 46-Jährige doch längst keine Anfängerin mehr. Seit Jahren erteilte sie selbst Unterricht und hatte seit J. C. E. Müllers Tod im Spätherbst 1824 die Aufsicht über die Großherzogliche Gemäldesammlung—eine bezahlte Position mit diversen Privilegien. Ihr Brief an Quandt vom 22. Juli 1831 verteidigt vor allem ihre Zeichnung:

> [A]ls ich den Contur nach Modell zuerst auf den Carton nackend aufgezeichnet [...], kam mein Cousin Emil Jacobs auf seiner Durchreise nach Rußland bei mir vor, und da er als einer der tüchtigsten Zeichner der Münchener Schule bekannt ist, erschien er mir wie ein Engel des Himmels, und ich brachte nach seinem Rath bei seinem Dasein den Contur zusammen. Als ich den Carton nun nach meinen Kräften vollendet, kam unser einsichtsvoller Hofrath Meyer zu mir, und gab mir auch noch einigen Rath. [...] Um noch sicherer zu gehen, nahm ich den Carton aber noch mit mir nach Berlin, wo ich vorigen November die Ausstellung sah, und bat Herrn Professor *Rauch* sowohl, als Herrn Professor *Wach dringend* um die Gefälligkeit, meinen Carton genau durchzugehen.

Besonders Wach tat dies mit großer Genauigkeit: "Stück für Stück nahm er *Alles* durch, und es fand sich so vielerlei, daß ich mir die Correctur *aufgeschrieben,* um nichts davon zu vergessen. Es war aber von diesen jetzt in Dresden aufgefundenen Fehlern grade nichts dabei" (Uhde, 350-51). Sofort folgt aber ihre Beteuerung der Dankbarkeit für Belehrung, Geduld und Nachsicht, und ihr Wunsch, die "Zeichnungsfehler" zu verbessern.

Auch Goethe glaubte nun, eingreifen zu müssen. Sein Brief an Quandt vom 23. Juli 1831 betont: "Ich von meiner Seite würde nicht verfehlen, einer so schätzbaren Person, in diesem Falle hülfreiche Hand zu leisten" und gibt Seidlers Wunsch Nachdruck, die Verbesserungen der Künstlerin an Ort und Stelle in Dresden zu gewähren: "Denn wo könnten diese Mängel eher ausgetilgt werden, als unter den Augen derjenigen, welche sie entdeckt, und sie nachzuweisen am ersten verstehen" (Uhde, 351). Die leichtverhüllte Kritik, daß niemand außer den Dresdnern die Mängel "entdeckt" hätte, unterstützt Goethe mit dem Hinweis auf Seidlers Verdienste um den Verein: "Was Sie Liebes und Gutes unserer Künstlerin erzeigen können, wird unserm hiesigen mit dem Ihren verbundenen Verein zu Gute kommen; da man, wie ich nicht verbergen will, hie und da zu wanken anfängt, und dieses wohlgelittene Frauenzimmer überall sich und der Sache Gunst zu erwerben im Falle ist" (Uhde, 352).

Seidler fuhr also nach Dresden, um unter den Anweisungen der Professoren Näke, Matthäi und Vogel ihr Bild zu ändern. Eine ihrer Freundinnen macht die briefliche Bemerkung, daß das Bild "oft Künstler anzusehen kamen, am öftersten Vogel. Diese sprachen dann darüber und gaben ihr Rath, wobei Louise mit aufmerksamer, ergebener Miene dastand, willig bereit zu jeder Aenderung, nachher aber klagend, wie jeder etwas anderes wollen und sie ihr Bild über alle dem Rath zu verderben fürchte."[21] Schließlich wurde das Gemälde aber vom Komitee akzeptiert und mit 100 Golddukaten honoriert. Besonders lobte man an Seidler, daß sie "so gütig und willfährig die auf dieses Bild bezüglichen Wünsche erfüllt" habe (Seidler, 346). Das Gemälde ging bei der Verlosung am 19. Dezember 1831 an den Sächsischen Staatsminister von Zetzschwitz.[22] Quandt konnte nicht umhin, bei der Übersendung des Honorars zu betonen, Seidler sollte mehr Selbstvertrauen an den Tag legen: "Haben Sie nun nicht erfahren, daß alles, wie Sie es selbst erst gewollt, gedacht und entworfen hatten, besser war, als es auf fremde Einmischung, auf aus Zweifeln entstandenes Aendern, geworden war—und daß die letzten Correcturen Ihr Werk nur dem ersten Entwurfe und den Naturstudien wieder näher brachten? Auf solche zurückführten? Der erste Entwurf ist immer der mit dem Gedanken Übereinstimmendste und darum beste und wahrste."[23]

Uhdes Aufsatz über den Kunstverein schließt mit der glücklichen Abwicklung des Bildankaufs. Daß es sich um eine andere Problematik als die der vorgeschützten "Verzeichnung" handelte, bezeugen die weiteren Unterhandlungen Seidlers mit dem Kunstverein. Sie, die die Weimarer Angliederung eingeleitet hatte, und auch unter Goethes offizieller Komiteemitgliedschaft die Angelegenheiten des Kunstvereins in Weimar in den Details erledigte, war bei Goethes Tod die denkbar geeignetste Person zur Übernahme seiner Funktion. Am 1. April 1832 erhielt Seidler aber folgenden Brief von Quandt: "Sie würden, verehrte Freundin, gewiß mit gütiger Bereitwilligkeit alle Bemühungen eines Comitémitgliedes übernehmen und mit männlichem Ernste diese Geschäfte führen, so daß wir diese Angelegenheit in keine treueren Hände legen könnten" (Seidler, 354). Die Redewendung "mit männlichem Ernste" fällt hier umso mehr auf, als sie in Beschreibungen von Seidlers Arbeitsweise immer wiederkehrt. In Dullers *Phönix* (Nr. 266 des Jahres 1836) wird Seidlers Ölgemälde "Hagar in der Wüste" als "sinnig und gelungen, mit männlich kräftigem Pinsel" ausgeführt angegeben. In einer Zeit, wo die Malkunst mehr noch als die Schriftstellerei das Vorrecht des Mannes war, ist der uns heute seltsam anmutende Ausdruck des "männlichen Pinsels" als Lob ihrer technischen Fertigkeit und zielstrebigen Ausdauer zu bewerten. Diese, sowie ihre Geschäftstüchtigkeit, waren ihr also nicht abzusprechen. Quandt gibt dies auch wahrhaftsgemäß zu. Wenn er dennoch im Brief fortfährt, er wünschte, daß "ein Mann Comitémitglied" würde, und Seidler bittet, sie möchte ihm "hierüber Ihre Ansichten" mitteilen, so braucht er andere Gründe, als die ihrer Unzulänglichkeit für diese Ehrenposition. Den Grund, den er angibt, mußte auch Seidler als Ausflucht erkennen: "Sie wissen, wie nöthig es ist, daß ich streng darauf halte, daß kein Kunstwerk von einem Comitémitgliede gekauft werden darf, und da Sie Künstlerin sind, so wünschte ich nicht, daß Sie in das Comité treten, weil wir sonst auf Ihre Gemälde Verzicht leisten müßten" (Seidler, 354). Dennoch waren aber alle jene Mitglieder des Komitees, die Seidlers "Poesie und Kunst" (auch die "Göttinnen" oder "Malerey und Poesie" genannt) kritisierten, ausübende Künstler männlichen Geschlechts, und der Ankauf vieler Seidlerscher Gemälde stand schon wegen der Schwierigkeiten, mit denen die Auszeichnung des allegorischen Bildes verbunden war, nicht zu erwarten. Als Goethes Nachfolger im Komitee wurde dann Kanzler von Müller bestimmt. Praktischen Nutzen von ihrer Bereitwilligkeit, anderen den Vortritt zu lassen, hat Seidler nicht gezogen. Lediglich ein weiteres Gemälde Seidlers ("Die Nonne und der Ritter Toggenburg," ein Schillersches Thema) wurde entweder vom Verein erworben, oder wenigstens durch Vermittlung des

Kunstvereins verkauft.[24]

Während Seidlers Schaffenskraft in der Blütezeit stand, ihre Portraits gesucht und gut bezahlt wurden, und ihre Kompositionen Eingang in erlesene Sammlungen und entlegene Kirchen fanden, wurde ihr die offizielle Anerkennung weiterhin versagt. Nach ihrer Rückkehr aus Italien im Jahre 1823 wurde sie die Zeichenlehrerin der Prinzessinnen Maria und Augusta, Töchtern des Erbgroßherzogs Karl Friedrich, und erhielt die Aufsicht über die Weimarer Gallerie nebst 100 Talern Gehalt, einer Wohnung und einem Atelier im Jägerhause nach dem Tode ihres Vorgängers, J. C. E. Müller. Quartier und Gehalt, auch den offiziellen Titel, behielt sie zeitlebens, wenngleich "ihre geringe Besoldung trotz der allmählichen Preissteigerung aller Lebensbedürfnisse unverändert dieselbe" blieb (Seidler, 323). Wie dieser Hinweis bereits andeutet, war ihre Position jedoch mehr Pseudostellung als tatsächlicher Wirkungsbereich. Nach dem Tod des Großherzogs Karl August (1828) und Goethes (1832), beide ihr wohlwollend gesinnt, ergaben sich für Seidler einige Änderungen. Von einer fünfvierteljährigen Italienreise (August 1832 bis November 1833) zurückgekehrt, fand sie das Verhältnis zu ihrem neuen Vorgesetzten wesentlich verändert: "Bis zu seinem Tode war Goethe der amtliche Vorgesetzte Louise Seidlers gewesen; der von ihm verwalteten 'Oberaufsicht der unmittelbaren Anstalten für Wissenschaft und Kunst' war auch die großherzogliche Gemäldesammlung im Jägerhause unterstellt" (Seidler, 356). Der neue Direktor, Herr von Schorn, forderte Louise am 12. November 1833 "mittels Ministerialrescripts" auf, ausführliche Jahresberichte über die Transaktionen, Vorkommnisse und den Stand der ihr unterstellten Anstalt einzureichen. Bereits für das Jahr 1833 mußte sie einen solchen Bericht liefern. Neue Unannehmlichkeiten ergaben sich aus der Tatsache, daß der 1831 als Professor nach Weimar berufene Friedrich Preller ebenfalls im Jägerhause Wohnung und Atelier erhalten hatte. Seidler, als "die Aeltere, in der Kunst Erfahrenere" (Seidler, 357), die als Künstlerin zur Zeit über größeren Ruhm verfügte als Preller,[25] ihm außerdem noch Anweisungen, Hilfs- und Dienstleistungen zur Bewältigung seiner neuen Position zukommen lassen mußte, empfand sicherlich die Zurücksetzung in der neuerlichen Übergehung ihrer Person recht stark. Prellers Ehrgeiz war jedoch zu sehr mit dem eigenen Vorteil beschäftigt, um sich hierum zu kümmern. Es ergab sich, daß zwischen Seidler und Preller "manche Trübung des Verhältnisses nicht ausblieb," wenngleich Seidler "es Preller nie empfinden ließ, wie viele Ursache zur größten Dankbarkeit derselbe gehabt hätte, [...] aber es sind unwidersprechliche Zeugnisse dafür vorhanden, daß diese trotz mancher herben Erfahrung die erste war, welche sich jeder Anerkennung, die Friedrich Preller erntete, aufrichtig freute und ihn neidlos eine Stufe erklimmen sah, deren Erreichung ihr selbst nicht beschieden gewesen" (Seidler, 358).

Die Unannehmlichkeiten der jährlichen Berichterstattung und die Beschränkung ihrer Verhältnisse im Jägerhause durch Preller wurden 1836 dadurch vermehrt, daß die ihr zur Aufsicht übergebenen Kunstschätze ganz aus dem Jägerhause entfernt wurden. Dies führte endlich "nach und nach ein Zurücktreten" Seidlers "von der Ausübung ihres Amtes als Aufseherin herbei; formell enthoben wurde sie desselben jedoch nie, das amtliche Verzeichniß der den Museumsvorstand bildenden Personen nennt neben den Namen eines Genelli, Schwerdgeburth u.s.w. auch denjenigen Louise Seidlers bis an deren Tod" (Seidler, 363). Es ist offensichtlich, daß die Nachfolger Goethes dessen Wahl einer Frau für dieses Amt nicht zustimmten. Trotzdem blieb Seidler die öffentliche Anerkennung nicht ganz versagt. Schon ihre Meisterschaft bedingte es, daß viele der bekanntesten Persönlichkeiten sich von ihr malen ließen und dadurch Seidlers Ruhm weiter verbreiteten. Auch fanden einige ihrer Kompositionen wenigstens kurze Erwähnung in Kunstblättern.[26] Bereits 1835 hatte ihr Großherzog Karl Friedrich durch ein Dekret den Titel "Hofmalerin" verliehen, und 1843 erhielt sie die Weimarer goldene Zivil-Verdienst-Medaille für Kunst und Wissenschaft. 1853 überließ ihr der Großherzog Karl Alexander im ersten Regierungsjahr einen kleinen Garten hinter dem Jägerhaus zu ihrer persönlichen Benutzung und gewährte ihr außerdem einen Balkonfreiplatz im Hoftheater. Im gleichen Jahr erhielt sie auch die Erlaubnis, mit der jungen Prinzessin Wittgenstein Kunstgeschichte zu lesen, ein Unterricht, der bis 1859 fortdauerte, als die Künstlerin 73 Jahre alt war. 1854 wurde Seidler mittels Diplom Ehrenmitglied des Luthervereins zu Apolda. Es sind geringfügige Ehrenbezeigungen gemessen an Seidlers Verdienst. Sie bezeugen aber dennoch die Tatsache, daß ihre Fähigkeit und ihr Talent groß genug waren, daß sie selbst in einer Zeit, die dem Werk weiblicher Künstler vielfach mit Geringschätzung und Nichtbeachtung entgegentrat, nicht vollkommen übergangen werden konnte. Mit zunehmendem Alter erblindete Seidler und es wurde ihr unmöglich, ihren Beruf weiter auszuüben. Es war ihre schwerste Prüfung. Um 1860, nachdem sie bereits längere Zeit nicht mehr hatte arbeiten können, schreibt sie über die ärztliche Erlaubnis, langsam ein angefangenes Bild fertigzumalen: "mit heißem Dankgebet ergriff ich nach so langer Zeit wieder die Pinsel; das Leben wurde mir wieder reich. Wie öde und leer ist das Dasein ohne Ausführung des Berufs, und was ist der Mensch, wenn er nicht strebt!" (Seidler, 369-70).

Seidlers vielfältiges Werk verdiente eine eingehende und fachmännische Darstellung, die bisher noch nicht geleistet worden ist und auch hier nicht unternommen werden kann. Die Biographie und Uhdes Nachtrag in der zweiten Ausgabe bilden für unsere Kenntnisse der Malerin und ihres Werks die bisher einzige einigermaßen zureichende Grundlage. Im Anhang habe ich versucht, ein ebenfalls noch fehlendes Werkverzeichnis und eine Zeittafel zu liefern. Beide bilden lediglich einen Anfang und dürfen keineswegs als vollständig erachtet werden. Immerhin könnte mit diesen Hilfsmitteln und mit fachgerechten Recherchen ein kritisches Bild dieser ungewöhnlichen Künstlerin hervorgebracht werden. Dies muß für die vorliegende Arbeit ein Desiderat bleiben, das nicht geleistet werden kann. Was hier im Anschluß an obige Umrisse ihrer Laufbahn erörtert werden soll, sind Seidlers eigene, ihren autobiographischen Aufzeichnungen entnommene, sozialkritische und politische Ansichten—Bemerkungen einer geistig und künstlerisch schaffenden Frau im Kontext ihres Zeitgeschehens—die eine unserem Erfahrungskreis weitgehend entzogene Welt dem analytischen Zugriff perspektivisch annähern soll.

Die in ihre Lebensbeschreibung eingestreuten zeitkritischen Angaben umfassen mehrere Gebiete: erstens die Erziehung und rollenorientierte Ausbildung der Frau in verschiedenen sozio-ökonomischen Schichten und gleichzeitig auch den von der Gesellschaft ausgeübten Zwang zur Konformität; zweitens die praktischen Konsequenzen dieses Konformitätszwangs; und drittens die Entstehung von alternativen Subgruppen mit einem eigenständigen gesellschaftlichen Stützsystem überall dort, wo die vorwiegende Gesellschaftsordnung für die Bedürfnisdeckung dieser Individuen versagt. Die Eindrücke und Erfahrungen aus Seidlers früher Erziehung, so wie sie sie beschreibt, zeigen zwei Hauptrichtungen: die erste ist die Erkenntnis der notwendigen individuellen Selbständigkeit, die zweite die Erkenntnis der notwendigen Einfügung in die bestehenden gesellschaftlichen Verhältnisse. Die Problematik ergibt sich immer dort, wo in bestimmten Situationen eine dieser Lebensbedingungen die andere ausschließt.

Die Notwendigkeit eigener Initiative im Leben wurde Seidler durch die Verhältnisse im Elternhaus geboten, die dem Kind die ideale Stütze und den Schutz in frühen Jahren versagten. Louise, am 15. Mai 1786 in Jena geboren, wurde als das älteste der beiden Kinder schon als Fünfjährige außer Haus gebracht: "Häusliche Zerwürfnisse, die sich leider von Jahr zu Jahr steigerten, warfen schon früh einen Schatten auf meine Jugend. Um mich so üblen Eindrücken zu entziehen, gab mich meine Mutter in meinem fünften Jahr gänzlich in das Haus meiner Großmutter" (S: 13). Dieser, einer Witwe mit einer Reihe von Kindern, war wegen ihrer "drückendsten Lage" auf Veranlassung der Herzogin Amalia eine "Wohnung in dem ehemaligen Kloster" angewiesen worden (S: 13). In diesen "düsteren, geheimnisvollen" Räumlichkeiten (S: 14) wuchs Louise unter der Aufsicht der Großmutter und deren noch bei ihr wohnenden Tochter Dorette auf. "Von jenen zwei edlen Frauen wurde durch eine sehr sorgfältige Erziehung der Grundstein meines späteren Lebensglückes gelegt; ich verdanke dasselbe namentlich meiner Tante Dorette, welche Herz und Geist mit festem Willen und großer Tatkraft vereinigte" (S: 14). Es war diese Tante, die ihr "schon früh einschärfte: daß ich wegen Mangels an Vermögen danach streben müsse, durch Erwerbung vielseitiger Kenntnisse mir ein unabhängiges Dasein zu gründen" (S: 19). Sicher war es die persönliche und finanzielle Abhängigkeit der beiden unverheirateten Frauen von Gönnern, die den Hintergrund dieser Erziehungsprämisse bildete. Als Dorettes "eigener Unterricht nicht mehr ausreichte, sorgte sie für die tüchtigsten Lehrer; namentlich wußte sie mich zu anhaltendem Fleiße im Zeichnen aufzumuntern, indem sie für meine Erstlingsversuche beständig das lebhafteste Interesse kundgab. Ebenso erhielt ich gründliche Unterweisung in der Musik" (S: 19). Bei Seidlers Beschreibung fällt vor allem auf, daß der Mann als Stütze von Frau und Kind gänzlich fehlt und daß ihr deshalb die von der Tante eingeschärfte Notwendigkeit der Selbständigkeit vollkommen verständlich erschien: vom Vater wird zwar berichtet, daß er existiert, aber wegen der "häuslichen Zerwürfnisse" Louises Wohnen zu Hause verhindert; Stütze der verwitweten Großmutter wird die Herzogin, und die eigene Förderung erhält Louise ebensfalls von zwei Frauen. Auch sie soll Erzieherin werden, also wieder in der Fortbildung der Töchter wirken.

Trotz des fehlenden männlichen Vorbilds erfolgt die Rollenorientierung, vor allem aber durch nicht zur Familie Gehörige, und deshalb wird sie nur bedingt von Louise akzeptiert. Ein Beispiel liefern die Kinderspiele von "Burggrafen und Edelfräulein," die sie vor der Stadt Jena mit Gleichaltrigen spielte: "Hier spielten die Knaben Turniere absonderlicher Art; wir Mädchen waren dabei die Burgfräulein, welche dem Sieger ein Kränzlein reichten" (S: 16). Es ist ein typisches Beispiel aktiver/passiver Rollenverteilung. Von den anderen abgesondert, setzt sie allerdings das Spiel als aktive Teilnehmerin fort: "Diese Spiele nahmen meine Seele so sehr ein, daß ich sie auch zu Hause fortsetzte und dort einst mit der als Schwert verwendeten Elle die Talglichter vom Tische herunteragierte" (S: 16). Auch rüstet sie "eine ganze Armee munterer Knaben mit bunt bemalten Helmen und Harnischen oder blutig gefärbten Schwertern aus" (S: 16-17). Die Problematik des Aktiv-Sein-Wollens und nicht -Dürfens taucht auch in der Beschreibung der Episode auf, als die noch nicht Vierzehnjährige an den Spielen der "lieben Straßenjugend" auf dem winterlich gefrorenen Stadtgraben teilnehmen will: "Mit heimlichem Neide schaute ich diesen von der ernsten Großmutter mir bisher streng verboten gewesenen Belustigungen zu; für mein Leben gern hätte auch ich meine Geschicklichkeit auf dem blanken Eise erprobt. Aber ich schämte mich doch zu sehr" (S: 20). Bei einem Gang zum Konfirmationsunterricht versucht sie es dennoch: "Ich unternahm das nie Gewagte und eilte auf die glatte Eisbahn, doch ungeübt, wie ich war, fiel ich Hochaufgeschossene der Länge nach zu Boden; Bibel, Gesangbuch und Katechismus flogen umher. Als ich, dunkelrot vor Scham, mich wieder aufgerafft hatte, sah ich zu meinem Schrecken den ernsten Lehrer am Fenster stehen, der in starrer Verwunderung beide Hände über dem Kopfe zusammenschlug" (S: 20-21)

Der Versuch, den Widerspruch zwischen Tatendrang und Rollenkonformität auszugleichen, begleitet Louise durchs ganze Leben. Immer wieder rebelliert der Geist gegen das System. Zum Teil geschieht dies in der Wahl ihrer Freundinnen, zum Teil in der Wahl ihres Lebensstils. Mit der "bildschönen Fanny Caspers," zum Beispiel (S: 21), der späteren Freundin Thorwaldsens, mit der sie in dem Mädchenpensionat der Frau Stieler erstmals bekannt wurde, hielt sie eine Freundschaft aufrecht, die bei deren Tod auch auf die Tochter überging. Tante Dorette sandte sie nach ihrer Konfirmation zu einem dreijährigen Aufenthalt ins Stielersche Pensionat nach Gotha, wo "wie in allen Fächern, so auch im

Zeichnen von gediegenen Lehrern und Lehrerinnen gründlicher Unterricht gegeben" wurde (S: 25). Besonders aber förderten sie die Privatlektionen des aus Rom eben erst zurückgekehrten Bildhauers Friedrich Wilhelm Döll, der ihr erlaubte, an dem bezahlten Unterricht einer Pensionatsgenossin unentgeltlich teilzunehmen; "und Döll fuhr mit demselben, ohne Entgelt zu fordern, auch dann fort, als die Gotter, die Schwierigkeiten einer Künstlerlaufbahn erwägend, diesen Pfad bald wieder verließ" (S: 26). Während Döll im Nebenzimmer arbeitete, zeichnete Seidler nach Mengsschen Gipsabgüssen: "Dann und wann erschien der Meister und deutete mit derben Kohlenstrichen seine Verbesserungen an. Sein Unterricht, so wenig systematisch er auch war, weckte doch zuerst große Liebe zur Kunst in meiner Brust" (S: 26). Kritisch erwähnt Louise das Schicksal Fanny Caspers, die "von ihrem reichen Bräutigam der Institutsvorsteherin Ostern 1802 auf ein Jahr übergeben" worden war, "damit sie sich an ein geregeltes Leben gewöhnen und wirtschaftliche Kenntnisse erwerben sollte. Nach Auflauf dieser Frist wollte er Fanny zum Altar führen" (S: 21). Grund für diese "Umerziehung" war die Tatsache, daß Fanny und ihre Schwester am Weimarer "Hoftheater Schauspielerinnen und Sängerinnen geworden waren, um die gedrückte Lage ihrer verwitweten Mutter zu erleichtern" (S: 22). Fanny war durch ihren Beruf aus der Rolle des anständigen, heiratsfähigen Mädchens getreten, und mußte hausfrauliche Tugenden erlernen, bevor sie die Gattin des Arztes und Apothekenbesitzers Knispel werden durfte. Fanny war aber ebenfalls ein Mädchen, das gegen die beengende Rolle rebellierte, die der Frau zukam. Im Pensionat machte sie "alsbald allerhand Reformversuche" (S: 22) und gestand der Direktorin schließlich weinend, "nur bittere Armut habe sie veranlaßt, sich mit Knispel, den sie nicht leiden könne, zu verloben. Frau Stieler, die uns allen eine edle, mütterliche Freundin war, bot ihr darauf an, ihr ein Jahr lang freien Unterricht und freie Station in dem Institute zu gewähren; in dieser Zeit könne sie sich zur Erzieherin ausbilden" (S: 23-24). Die sozialen Verhältnisse, die hier aufgezeigt werden, sind dieselben, wie jene aus Louises eigenem Erfahrungsbereich: die mittellose Witwe mit der erwerbsbedürftigen Tochter, der durch eine Frau die zur finanziellen Selbständigkeit notwendige Bildung vermittelt wird. Das traditionelle Rollenverhalten (die Heirat mit einem, wenngleich ungeliebten, Mann und die damit verbundene lebenslängliche Versorgung der Frau, wenngleich auf Kosten ihres Lebensglücks in einem ihr nicht zusagenden Beruf) wird von Frau Stieler nicht unterstützt und sie bietet dem jungen Mädchen die Alternative zur Unterwerfung: Selbstbestimmung durch Ausbildung.

Oftmals taucht in Seidlers Lebenserinnerungen die nämliche Konstellation auf. Fast immer ist es die Frau, selten der Mann, die die Frau fördert und ihre Selbstverwirklichung ermöglicht. Seidler selbst nahm an diesem Prozeß sowohl als Gebende wie als Nehmende teil, und die Aufzeichnungen sind an sich ein Zeugnis der Schwesternschaft der Frau—ein Bild jener stützenden Subgruppe bestehend aus Frauen der verschiedensten Klassen und Berufe, die einander helfend beistehen. Vor allem zeichnet Seidler die Namen und Errungenschaften vieler Geschlechtsgenossinnen auf, die in den gängigen Historienbüchern der Künste nicht, oder bloß am Rande, vermerkt sind.[27] Louise Marezolls literarische Übersetzungsarbeiten, zum Beispiel, und ihre musikalische und redaktionelle Tätigkeit hebt sie hervor: "Musik verstand sie aus dem Grunde und dirigierte in musikalischen Vereinen häufig genug ein ganzes Orchester. Eine Zeitlang gab sie auch die 'Zeitung von und für Frauen' heraus, deren Redaktion sie mit großer Umsicht leitete. Es war eben damals eine Zeit, in welcher die Frau sich wohl ihren Wirkungskreis zu schaffen wußte" (S: 28).[28] Ein Beispiel aus späteren Jahren ist ihre langjährige Freundschaft mit der Malerin Maria Ellenrieder, welche sie in Rom kennengelernt und unterrichtet hatte. Maria nannte Louise "Mütterchen und Lehrmeisterin," aber Louise schreibt, daß Marias "Ruhm den meinigen längst überflügelt hatte." Maria habe ein "schweres Leben voll Kampf und Entsagung" gehabt, und sie zitiert aus einem Brief Marias die Worte: "Es ist einmal ausgemacht, daß die deutschen Künstler in der Regel die Malerinnen nicht leiden können. [...] Auch hier giebt es in unserer Zunft viele harte Herzen" (Seidler, 198). Gleichzeitig berichtet Louise aber auch von Marias Erfolgen als Künstlerin, bespricht einige ihrer Bilder, und meint: "Später war es eine Aeußerlichkeit, welche wir mit einander gemein hatten: jede von uns ward 'Großherzogliche Hofmalerin,' ich in Weimar, sie in Carlsruhe" (Seidler, 199).

Ihre eigene Förderung erfuhr Louise vor allem durch eine andere Frau von etwas zwielichtiger Erscheinung. Es ist die Sängerin und Schauspielerin Caroline Jagemann, spätere Geliebte des Großherzogs Karl August, der sie zur Frau von Heygendorf erhob. Jagemann war ebenfalls ein Produkt des Stielerschen Pensionats und Louise, weit davon entfernt, moralische Urteile zu fällen, nennt sie einen "Lichtpunkt" ihrer Seele (S: 52). "Ein ähnliches schauspielerisches Genie mag selten geboren werden; Anmut und Würde vereinigten sich in ihren Darstellungen" (S: 53). Wie Seidler ein Kind aus unglücklicher Ehe, erhielt Jagemann ihre künstlerische Ausbildung in Mannheim. "Wie kärglich sie sich dort oft behelfen mußte, hat sie in ihren Memoiren—die aber nie veröffentlicht worden sind—treu geschildert" (S: 53). Über Goethes freundliche Genehmigung, sich von Seidler portraitieren zu lassen und sie damit der Öffentlichkeit vorzustellen, ist in jedem Schriftstück über Seidler die Rede. Daß es eigentlich Jagemann-Heygendorf war, die ihr zur künstlerischen Ausbildung verhalf, wird nie erwähnt. Durch Heygendorfs Vermittlung beim Großherzog bewilligte dieser "auf ihre Fürbitte aus seiner Schatulle vierhundert Taler [...], damit ich in München ein Jahr lang die Kunst studiere. Nun brauche ich mich nicht mehr nutzlos aufzuopfern und könne in der Malerei tüchtige Fortschritte machen, setzte sie freundlich hinzu" (S: 119). Insofern es sich also um Privatgelder Karl Augusts handelte, ist Grimms Kommentar, daß für Seidler "Geldmittel vorweg genommen wurden," die "wirklichen Talenten vielleicht Förderung" versagten, eine Verzerrung der Tatsachen.

Bis zu diesem Zeitpunkt (Ende 1816) hatte Louise ihr Talent unter den größten Schwierigkeiten und Hindernissen entwickeln müssen. Aus dem Pensionat nach Jena zurückgekehrt, wollte sie bei dem Maler Jacob Wilhelm Christian Roux studieren, dessen in Dresden angefertigte Kopien großen Eindruck auf sie gemacht hatten: "so malen zu lernen, bei diesem Künstler Unterricht zu haben—das war sogleich mein Gedanke" (S: 41). Ihr Vater teilte allerdings jene Ansichten über weibliche Künstler, die ihr und ihren Geschlechtsgenossinnen immer wieder den Zutritt zur Ausbildungsmöglichkeit versagten: "Der Vater, in dem Glauben, mein Eifer sei nur ein vorübergehender, war nicht geneigt, die teuern Lektionen zu bezahlen; ich beschloß daher, durch eigene Kraft das nötige Geld zu erwerben." Für die Frau war ein solcher Gelderwerb aber bloß durch traditionelle, den häuslichen Bereich betreffende Arbeiten zu verwirklichen, und hierbei fiel Seidler wieder aus der Rolle, insofern sie hierfür wenig Geschick zeigte. Jedoch suchte sie "doch durch Fleiß zu ersetzen, was mir fehlte. Ich nähte, strickte und stickte heimlich, oft bei Nacht, zu jämmerlichen Preisen, und wirklich erwarb ich mir auf diese Weise Geld genug, um den Unterricht bei Roux zu bezahlen."[29] Ihre guten Fortschritte unter seiner Anweisung fanden sehr bald ihr Ende, da sie als "künftige Nebenbuhlerin [. . .] auf dem Gebiete der Porträtmalerei" (S: 42) betrachtet wurde. Dies war gegen Ende 1806. Bei einem Besuch der Dresdner Galerie bat sie 1810 den dort arbeitenden Professor Vogel um Hilfe. Er "prüfte mich und willigte dann ein, mir kostenfrei seine Unterweisung, die mir bis in die spätesten Jahre fruchtbar geblieben ist, angedeihen zu lassen" (S: 60). Aber auch hier regierte Künstler- und Brotneid den Unterrichtssaal:

> Es herrscht auf der Gallerie, namentlich durch die Schopenhauer, seit einiger Zeit ein unausstehliches Cabaliren, um die interessantesten Menschen, als Kügelgen u.s.w. an sich zu ziehen. Mir hat das manchmal ordentlich wehe gethan, denn die Menschen vergessen alles über ihre kleinliche Selbstsucht. Auf mich hat besonders Madame Schopenhauer einen gewissen Grimm, weil ich ihrer Meinung nach zu schwere Bilder angefangen habe, die mir indessen alle von meinen Lehrern gegeben sind (Seidler, 51).

Es bildeten sich auf der Galerie Cliquen unter den Kopistinnen, zu deren einer Johanna Schopenhauer und Caroline Bardua gehörten,[30] die sich gegenseitig förderten und Außenseiter ausschlossen. Rückblickend auf diese Zeit meint Seidler: "man hat mir oft sehr wehe gethan, besonders die Schopenhauer. Kein Tag verging, wo sie mich nicht durch Worte oder Mienen zu kränken suchte" (Seidler, 59). Wie sauer ihr die Arbeit unter diesen Verhältnissen wurde, mag der Hinweis verdeutlichen, daß diese Bemerkung die einzige persönliche Anklage in der Biographie darstellt. Sie versuchte, zu Hause zu malen, kam aber zu dem Schluß: "Ueberhaupt will mir das Malen in der Wohnstube nicht recht behagen; die Gallerie ist ganz anders: dort ist mein Beruf mein Alles. Hier fühle ich immer, daß es doch unpassend für ein Weib ist. Indessen hält mich das doch nicht ab"

(Seidler, 59). Initiative, Selbstverwirklichungsdrang und gleichzeitig die Erkenntnis, einen für eine Frau "unpassenden" Beruf zu haben, sind die Konfliktelemente, die sich in diesen Zeilen durch den Ausübungsort zuspitzen. Das als männlich empfundene berufliche Streben ist, in den häuslichen Bereich der Wohnstube versetzt, eine unzulässige Rollenverkehrung.

Der Verkauf einiger Bilder an die Großfürstin Maria Paulowna (ebenfalls eine von Seidlers Mäzeninnen) ermöglichte ihr im folgenden Jahr (1811) erneut eine Reise nach Dresden; und wieder ist es die Vermittlung einer Frau, Silvie von Ziegesar, die Seidler den Unterricht bei Gerhard von Kügelgen ermöglicht. Zum Unterschied von dieser relativ unstrukturierten Unterweisung erhielt Seidler 1817 durch die Bitte Frau von Heygendorfs und die finanzielle Unterstützung des Großherzogs an der Kunstakademie Johann von Langers in München eine wesentlich durchgreifendere, ernsthaft akademische Schulung. Der Unterricht war intensiv und diszipliniert: "Um acht Uhr war Porträt-Studium nach der Natur, woran ich Anteil nahm; hierauf folgte klassenweis der übrige Unterricht" (S: 125). Seidler gelang mit der Aufnahme an der Akademie ein Durchbruch in der Gleichberechtigung der Frauen auf dem Gebiet der Kunst, der heute kaum noch verständlich ist. Goethes Empfehlungen, die sie Langer und Friedrich Heinrich Jacobi mitbrachte, halfen ihr trotz der recht väterlichen Formulierung über die Schwierigkeiten des Orts- und Rollenwechsels hinweg. An Langer hatte Goethe geschrieben, Seidler sei eine "gute artige Schülerin" (Seidler, 139), die es an "Fleiß und Aufmerksamkeit [. . .] nicht fehlen" ließe, "so wie ihr anmuthiges Wesen den Lehrer so gut als die Gesellschaft anspricht" (Seidler, 138). Jacobi empfahl er sie folgendermaßen: "Gegenwärtig senden wir ein hübsches, artiges, gutes Kind nach München, um dort, als am günstigsten Orte, ihr Künstlertalent auszubilden" (Seidler, 139). Zu diesem Zeitpunkt war Louise mehr als 30 Jahre alt und hatte bereits seit Jahren ihren Lebensunterhalt durch den Verkauf wohlgelungener Kopien alter Meister und durch Portraitierung bekannter Persönlichkeiten bestritten. Auch an eigenen Kompositionen hatte sie sich bereits erfolgreich versucht. Von alledem wird in den Empfehlungsschreiben wenig gesprochen. Langer erwartete auch nicht viel von der neuen Schülerin.[31] "Als einer von Goethe begünstigten, vom Großherzoge von Sachsen und dem Herzoge von Gotha beschäftigten Kunstnovize ward mir überhaupt manche Tür freundlich geöffnet, welche sich sonst nur schwer erschloß" (S: 131). Die nicht so ausgestattete, jüngere Maria Ellenrieder mußte mit "weiblichen Mitteln" dasselbe Privileg erkämpfen: "Da das Studieren auf der Kunstakademie Frauen nicht gestattet war, so hatte sich Direktor Langer anfangs auf keine Weise herbeilassen wollen, Maria Ellenrieder aufzunehmen, bis ihre Tränen, unter denen sie ihm vorstellte, wie ihre Taubheit sie zu jedem anderen Berufe unfähig machte, endlich sein Herz erweichten" (S: 131). Seidler kommentiert: "Mit der Aufnahme Maria Ellenrieders als Schülerin der Akademie zu München war übrigens ein Präzedenzfall geschaffen, der von guten Folgen war; mehr als eine meines Geschlechts hat sich später in der Isarstadt ausgebildet, und zwar weder zum Schaden der Kunst noch zum Nachteil der weiblichen Würde" (S: 131). Die Tür zum männlichen Erziehungs- und Erwerbsbereich hatte sich für Seidler geöffnet: fachgerechte Schulung, die für männliche Künstler fast obligate Ausbildung in Italien und eine feste Anstellung nach der Rückkehr in die Heimat standen ihr wie den Ausgezeichneten des anderen Geschlechts offen.

Seidlers Wunsch, ihr Talent in Italien zu vervollkommnen, wurde durch einen Brief von Henriette Herz, der das Leben und Schaffen der deutschen Künstlerkolonie in Rom beschrieb, weiter genährt. Ihre Bitte an den Vater, ihr die Reise zu ermöglichen, gab dieser an Frau von Heygendorf weiter. Wieder setzte sie sich für Seidler ein: "Schon am 3. Mai 1818 erhielt ich einen Brief der gütigen Künstlerin, in welchem sie mir anzeigte, daß der Großherzog mir abermals ein Geschenk von 400 Talern bewilligt habe, mit der Erlaubnis, für diese Summe in Rom zu studieren" (S: 144-45). Ihr dortiger Aufenthalt legte die Grundlage für ihre weitere künstlerische Laufbahn, indem er eine enge Beziehung zu den sich dort befindlichen Künstlern (Thorwaldsen, Schadow, Overbeck, etc.) und Repräsentanten der politischen und kulturellen Elite Deutschlands (Humboldt, Niebuhr, Quandt, Ramdohr, usw.) ermöglichte, die sich immer dann ergibt, wenn sich Landsleute in der Fremde vereinigen. Ihre in Italien verfertigten Portraits nebst Kopien der römischen Kunstschätze[32] und die Qualität ihrer eigenen Kompositionen gewannen ihr bald die Förderung und das Wohlwollen der begüterten deutschen Ansässigen. Wieder war es allerdings eine Frau, die sich dafür einsetzte, Seidler ein weiteres Jahr der Ausbildung in Rom zu verschaffen. Frau von Humboldt sorgte "kurz vor ihrer Abreise im Frühjahr 1819 für mich, indem sie an eine Freundin, Frau von Wolzogen [. . .] über meine Fortschritte in der Kunst berichtete und lebhaft ihr Bedauern darüber ausdrückte, daß ich nicht noch länger in Rom verweilen könne" (S: 171). Die Fürsprache der Schwägerin Schillers beim Großherzog hatte bald danach zur Folge, daß ihr dieser nochmals 400 Taler für ein zweites Jahr in Italien genehmigte. Herman Grimms Richtspruch über Seidlers Talent ist im Hinblick auf das bisher Erläuterte doppelt verwerflich: nicht nur zeigt er gerade jene unkritische Einstellung zum weiblich künstlerischen Streben, die Seidler mit Tat und Wort zu entkräften suchte, er zeigt auch, daß sich Grimm nicht einmal die Mühe nahm, das rezensierte Werk zu lesen.

Recht typisch für die Problematik der Künstlerin damaliger Zeiten, Frau und Schaffende gleichzeitig zu sein, ist Seidlers Bericht über Electrine Stuntz, Tochter des in München lebenden Zeichners, Malers und Steindruckers. "Er erlaubte seiner Tochter nicht, die Akademie zu besuchen, sondern unterrichtete sie selbst" (S: 147). Electrine arbeitete "in der stillen Verborgenheit so wunderbar, daß sie in München einen Namen hatte, ohne daß ihre Persönlichkeit irgendwie bekannt gewesen wäre" (S: 147). Das Verbot, mit dem Geschaffenen an die Öffentlichkeit zu treten, sich zu der Arbeit persönlich zu bekennen und Namen,

Werk und Individuum frei zu verbinden, ist einer der Gründe für die Anonymität dieser Künstlerinnen. War ihr das Studium in München versagt, so erhielt sie es in Rom ironischerweise sozusagen als Strafe. Wilhelm von Freiberg hatte sich in die Künstlerin verliebt und wollte sie gegen den Willen der beiden Elternpaare heiraten. Um die unstandesgemäße Ehe zu verhindern und Electrine aus München zu entfernen, übernahmen Freibergs die Reise- und Aufenthaltskosten für Electrines Studium in Rom. Dort arbeitete sie mit derartigem Fleiß, daß sie die hohe Auszeichnung der Mitgliedschaft der römischen Akademie von S. Luca erhielt. Aber Electrine war nicht nur Künstlerin, sondern auch Frau, und dies wurde schießlich ihr Verhängnis. Sie heiratete Freiberg, der ihr nachgereist war, und wurde mehrfache Mutter. "Leider war Electrines zarter Körper den doppelten Pflichten einer Hausfrau und Künstlerin auf die Dauer nicht gewachsen," schreibt Seidler; "nachdem sie drei oder vier hübschen Kindern das Leben geschenkt, begann sie zu kränkeln und starb 1847 an der Auszehrung" (S: 149). Die "doppelte Pflicht" ist eine Aufgabe, die viele künstlerisch tätige Frauen scheuten. Die Mehrzahl der hier erwähnten Schaffenden blieb unverheiratet (Seidler, Ellenrieder, Bardua, Reichardt, Günderrode, usw.), Karsch und Mereau waren geschieden, und letztere starb im Kindbett. Dagegen stützten sich mehrere der Künstlerinnen auf weibliche Hilfe in ihrem Hauswesen. Reichardt bestand trotz ihrer Sparsamkeit auf Bedienung; Bardua überließ ihrer Schwester Wilhelmine den Haushalt; Seidler nahm bis ans Lebensende "stets eine erprobte Dienerin, Helene Hoppfeld, mit sich [...] " (Seidler, 334). Auch hierin offenbart sich die Unvereinbarkeit der beiden Aufgaben, Frau und Künstlerin zu sein.

Seidler, die das nur wenigen Frauen ermöglichte Glück hatte, eine Bildungsreise unternehmen zu dürfen, sah die Frauenerziehung in Italien auf noch niedrigerer Stufe verharren, als in Deutschland. Die "auf recht schwachen Füßen" stehende "geistige Ausbildung" der Römerinnen führt sie vor allem auf das "klerikale Regiment" zurück, dessen Eingriff ins häusliche und öffentliche Leben sie überall verzeichnet. Aberglaube und Unwissenheit sind die Resultate einer weltfremden Erziehung: "So meinte z.B. eines Tages die sonst höchst verständige älteste Tochter meines Hauswirts, die Greife, welche sie auf einem großen Basrelief dargestellt fand, existierten lebend in der Wirklichkeit. Daß der durch Rom fließende Strom sich Tiber nenne, war ihr ganz neu. Und doch war sie das Kind aus einem gebildeten Hause und von Natur reich begabt!" (S: 222). Louise berichtet anhand eines Beispiels die tragischen Konsequenzen dieser mangelhaften Schulung der Frauen, indem sie darstellt, wie diese, zu Frauen und Müttern geworden, unfähig sind, ihre Familien verständig zu betreuen. Mit diesem Urteil schließt sich Seidler keineswegs einer emanzipatorischen, sondern lediglich aufklärerischen Sicht pädagogischer Theoretiker an. Sie selbst unterwirft sich ebenfalls in vieler Hinsicht den gesellschaftlichen Forderungen. Ein solcher Umstand zeigt sich darin, daß sie weitere Reisen (und in italienischen Städten sogar einen gewöhnlichen Ausgang außer Haus) nicht ohne männliche

Begleitung unternahm. Angeregt hierzu wurde sie ursprünglich von Frau von Loewenich, welche sie gebeten hatte, sie auf der Reise nach Rom zu begleiten. Frau von Loewenich forderte sie auf, sich "nach männlicher Begleitung umzusehen" (S: 145). Diese fand Seidler in der Person des Malers Johann Kaspar Schinz, mit dem sie eine bis zu seinem Tod währende Freundschaft verband. Er begleitete sie auch auf einer Nebenreise nach Neapel, "was mir von höchstem Werte war, denn in dem volkreichen Neapel ist es nicht Sitte und auch nicht wohl tunlich, daß Damen ohne männliche Begleitung ausgehen" (S: 248).

Dieser Zwiespalt in ihrem Wesen, der einerseits die Anpassung an gängige gesellschaftliche Normen, andererseits die Befreiung davon fordert, ist durchgreifend. So finden sich in ihren Aufzeichnungen Hinweise wie folgender: "Die Frau war eine Apothekerstochter, also nicht von gemeiner Herkunft; trotzdem besaß sie—wie sie gleich bei ihren ersten Worten verriet—nur die gewöhnlichste Bildung des früheren Klosterunterrichts. Die beiden ältesten Töchter, Mädchen von zwölf und dreizehn Jahren, hatten die nämliche ungenügende Klosterbildung" (S: 159-60). Daneben verzeichnet sie gleichzeitig die Konsequenzen des doppelten Bildungsstandards für die Geschlechter und betont immer wieder, daß sie selbst sich zur Ausnahmestellung erheben konnte. Der Schaden, welcher der Frau aus ungenügender Bildung erwächst, ist dreifach: er kann, wie im Falle Maria Ellenrieders, zur Lebensunfähigkeit führen, oder wie es Seidler am Beispiel einer Mutter zeigt, die ihr Kind aus Unwissenheit zu Tode füttert. Weit verbreiteter aber ist die zweite Form, die zum Ausschluß aus der "gebildeten" Gesellschaft führt. Seidler erörtert die Verhältnisse in Goethes Haushalt, wo es "meist ganz patriarchalisch" zuging (Seidler, 53). Nach dem Mittagessen "entfernten sich die Damen des Hauses," während Goethe die zu einem intelligenten Gespräch Fähigen um sich scharte: "Die Herren (denn nur sehr selten wurden Damen zu Mittag geladen) blieben dann sitzen. Auch ich hatte ein für alle Mal die Erlaubniß zum Dableiben" (Seidler, 54). Dort, wo sie ein solches Privileg entbehren muß, empfindet sie die Unterhaltung langweilig und das Verhältnis drückend. In der Postkutsche bildete das Gesprächsthema die "allerdings sehr große Teuerung, infolge deren die Semmeln auf die Größe mäßiger Walnüsse zusammengeschrumpft waren. Über diese Kalamität redeten die Passagiere den lieben langen Tag" (S: 124). Ihre Geringschätzung der Mitreisenden ist hier nicht zu überhören. Auch bei Jacobi wurde Seidler beim Diner in die Reihe der Frauen eingegliedert, was sie als unangenehm empfand: "An einem ovalen Tische saßen auf einer Seite die Frauen und auf der anderen die Männer; diese führten gewöhnlich die bedeutendsten Gespräche. Mir war ein Platz in der Mitte der Frauen angewiesen, wo die lebhafte älteste Schwester Jacobis, Helene, die das Regiment im Hause führte, besonders Wirtschaftsangelegenheiten aller Art besprach. Diese ewigen Küchen- und Gartengespräche wurden mir bald sehr langweilig" (S: 126-27). Die sowohl körperliche wie intellektuelle Absonderung der Frau kommt Seidler wie eine Degradierung vor. Sie hat mit den Interessensgebieten der Frauen und ihrer Gespräche nichts gemein und versucht einen Ausbruch aus der beengenden Atmosphäre: "vergebens strengte ich mein Gehör an, um etwas von der Unterhaltung der Männer zu erfahren; das Kreuzfeuer der weiblichen Geschwätzigkeit ließ mich von den Gesprächen jener keinen Nutzen ziehen. So verlor ich die Freude an diesen Abenden" (S: 127). Ihre Zwitterposition in der Gesellschaft wird hier sehr deutlich: sie ist zwar Frau, doch geistig steht sie der beruflichen und intellektuellen Interessenwelt des Mannes näher. Am sichtbarsten wird für Seidler dieser Ausschluß der Frau aus der männlichen Sphäre in Italien, wo die Frau nicht nur der geistigen, sondern auch zum Teil der religiösen Welt entfremdet wird. Beim Besuch der unterirdischen Grotten der Peterskirche muß sie vor dem heiligsten Heiligtum zurückbleiben: "Unter dem Hochaltar liegen die Gebeine des Apostels Petrus, umschlossen von einer eigenen, unterirdischen Kapelle, zu der jedoch Frauen der Zutritt versagt ist" (S: 216). Ihre Einstellung der katholischen Kirche gegenüber ist nicht zuletzt wegen der extremen Benachteiligung der Frau in kirchlichen Belangen fast durchweg negativ. Die dritte Folge mangelnder Bildung, bzw. Ausbildung, ergibt sich in der beruflichen Sphäre. Auch hier sieht Seidler sich meist als Ausnahmefall zu der ehrenvollen Aufnahme in männliche Unternehmungen miteinbezogen. Im Winter des Jahres 1818/19 hatte sich die deutsche Malerkolonie in Rom zu Gewandstudien zusammengeschlossen; "die Maler selbst übernahmen die wahrlich nicht angenehme Mühe, einander gegenseitig zur Draperie zu stehen. [. . .] Daß ich als einzige Frau daran teilnehmen durfte, erfüllte mich mit Stolz und spornte meinen Fleiß" (S: 192). Beim Besuch Kaisers Franz I. von Österreich in Rom Anfang April 1819 veranstalteten die deutschen Künstler eine Ausstellung ihrer Werke. Mit unverhohlenem Stolz berichtet Seidler: "Im ganzen enthielt der Katalog einhundertachtundsiebzig Nummern und die Namen von achtundvierzig Malern, einer Malerin (welche ich selber war)" (S: 239). Schließlich bemerkt sie, daß vor ihrer Abreise aus Italien der Berliner Maler Remy sie "im Namen mehrerer Freunde um die Erlaubnis" bat, "den Abend nach Sitte der männlichen Kunstgenossen feiern zu dürfen" (S: 276). Freudig berichtet sie, daß sie bei dem Fest "fünfunddreißig mir besonders befreundeter und hoch verehrter Künstler" (S: 276) erwarteten, die ihren Platz mit Blumen und ihren Teller mit einem Lorbeerkranz geschmückt hatten. "Nie zuvor war der Abschied einer Künstlerin von Rom so schön gefeiert worden; auch später habe ich von keiner ähnlichen Feier gehört" (S: 277). Seidler war der Eintritt in einen Bereich gelungen, der den meisten Frauen—auch jenen, die künstlerisch tätig waren—versagt blieb: jene Sphäre des männlichen Gesellschaftslebens, in der sie nicht mehr als Frau, sondern als Kameradin und Ebenbürtige geschätzt wird. Es war ein Sprung über die ihr "naturgemäß gezogenen Schranken."

Es war außerdem ein Sprung von einer Stütz- oder Hilfsgruppe in eine andere, von denen es nach Seidlers Bericht mehrere Varianten gab. Neben der "kleinen Künstlerrepublik" (S: 192), der Seidler angehörte, hatte sich in der Fremde auch eine Gruppe von deutschen Frauen zusammengeschlossen, von denen Pehr Atterbom am 25. Mai 1818 scherzend an Schelling schrieb:

> Es soll hier in Rom eine ganze Colonie von deutschen Frauen errichtet werden, und alle diese Damen wollen zusammen wohnen, in Einem Hause. Die Minerva dieses wunderlichen Olymps wird wohl die Frau von Schlegel vorstellen; den Platz der Juno wird wohl keine der Frau von Herz streitig machen wollen. Schade, daß die alte Cybele, Frau von Humboldt, bald nach England abgeht! Fräulein Seidler muß sich sputen, damit sie ja ihre Aufnahme in diesen allerliebsten Frauenstaat nicht verfehle. Es sind schon zwei junge Fräulein dort, und Auguste Klein die dritte, die sich mit Malerei beschäftigen (Seidler, Fußnote, 181-82).

Solche Gruppen von Landsleuten in der Fremde, in denen Standes- und Geschlechtsschranken weitaus leichter fielen, als in den konservativen ständischen Kreisen des Heimatlandes, erleichterten einander die berufliche, materielle, geistige und sogar religiöse Existenz.[33] So ist es verständlich, daß Seidler "während der fünf Jahre meines ersten Aufenthaltes in Italien niemals Sehnsucht nach dem Vaterlande empfand" (S: 159), und bei ihrer Abreise bloß den Wunsch hatte: "lieber an der Pyramide des Cestius für immer auszuruhen, als nach Deutschland zurückzukehren" (S: 277).

Ihre Aufzeichnungen enthalten auch eine Vielzahl politischer und sozialkritischer Kommentare, die Seidler als aufgeschlossenes und progressives Gesellschaftsmitglied zeigen. Dabei erscheint sie als Weltbürgerin und nicht als kleinlich-patriotische Deutsche, denn sie verzeichnet Mißstände und ihre mögliche Behebung in jeder Sphäre und in jedem Land. Die Zwanzigjährige erlebt die Schlacht von Jena und die darauffolgenden Einquartierungen, den Hunger und das Elend. Kurz vor der Schlacht hatte sie "in übermütiger Laune unsere berühmtesten Ballherren als Karikaturen gezeichnet" (S: 51)— im Hochgefühl des herrschenden Patriotismus eine unverzeihliche Tat: "Teuer genug mußte ich meinen Mutwillen büßen; ich ward von den Studenten in den Bann getan, die Porträtierten sowenig wie ihre Freunde tanzten mit mir, und die Mütter stellten mich ihren Töchtern als warnendes Exempel vor Augen" (S: 51). Wenig später verlobt sie sich mit einem Oberarzt aus Napoleons Heer und meint, "die allgemeine Trauerzeit gestaltete sich zum schönsten Abschnitte meines Lebens" (S: 50).[34] Seidler teilte weder die prahlerische Siegesgewißheit ihrer Landsleute vor der Schlacht, noch ihren Franzosenhaß nachher—nicht etwa, weil sie unpolitisch oder apathisch war, sondern weil sie den Krieg mit seinen Folgen schlechthin verabscheute. Bei ihrem Aufenthalt in Florenz äußert sie ihre Freude über das schnelle Ein- und wieder Ausrücken der österreichischen Regimenter mit den Worten: "wußte ich doch bereits aus trüber Erfahrung, daß nichts unter dem Kriege so sehr leidet, wie die armen Künste" (Seidler, 291). Ihr praktisches Augenmerk richtet sich auf die Folgen der Kriege und die Schädigung von Bevölkerung und Kulturgut der betroffenen Länder.

Mit oft beißender Schärfe stellt Seidler im Kontrastverfahren den verschwenderischen Prunk der Kirche und des Adels dem Elend der Bevölkerung gegenüber. Bereits einer der ersten Eindrücke in Italien ist "der Kontrast des Ideals mit dem Leben," den Seidler in der Ausstattung der Kirchen und der Armut der Leute erfährt: "wenn wir die Kirchen und Galerien verließen, so trat uns die zudringlichste Bettelei störend entgegen." Besonders erschüttert sie die Gestalt einer schwarzgekleideten Frau, die zwischen den Säulengängen "kniend, den Vorübergehenden beide Arme entgegenstreckte und unaufhörlich 'Carita! Carita!' schrie—in einem Tone, der Mark und Bein durchdrang" (S: 155-56). Dem Kontrast zwischen künstlerisch dargestelltem Ideal und Wirklichkeit fügt sie jenen von Vergangenheit und Gegenwart zu: "Zwischen den imposanten Trümmern" der untergegangenen römischen Kultur "versenkte sich mein Geist in die Betrachtung der glorreichen Vergangenheit.—Und die Gegenwart?" Diese "freut sich der aufgefundenen Brosamen und klebt ihre elenden Hütten zwischen die erhabenen Ruinen" (S: 219). Allerdings kritisiert Seidler nicht bloß die Armut Italiens, die in diesem Lande nur offensichtlicher ist. Sie sieht tiefer und vergleicht: "Später mußte ich erfahren, daß unsere geputzten Bauern ärmer sind, als diese dürftig, aber malerisch aussehenden Italiener" (Seidler, 262), eine Bemerkung, die in der DDR-Ausgabe von Seidlers Lebenserinnerungen (nebst vielen anderen) vermutlich ihrer sozialpolitischen Implikationen wegen ausgelassen wurde. Eine ähnliche Diskrepanz zwischen Ideal der Vergangenheit und harter Wirklichkeit ergibt sich bei Seidlers Beschreibung des Pantheons: "Freilich, das Frontispiz, bei der Erbauung mit einem schönen bronzenen Basrelief geziert, ist dessen jetzt beraubt," meint sie, und setzt trocken hinzu: "die Päpste haben es theils zu dem Hochaltar von St. Peter verwendet, theils Kanonen daraus gegossen" (Seidler, 250). Knapper kann der Kontrast zwischen der Schönheit und Reinheit verflossener Götterverehrung und dem Machtstreben und Kriegswesen der zeitgenössischen Kirche unter dem Deckmantel der Religion nicht ausgedrückt werden.

Spezifische Kritik an der Geistlichkeit übt Seidler mit der Beschreibung "der majestätischen Feier des Corpus domini" (S: 233), wobei sie ausführlich die in Samt und Seide gekleidete Dienerschaft des Papstes, die mit Gold und Juwelen geschmückten Prälaten und den Prunk der Prozession aufzählt. Lakonisch endet sie den Bericht: "Die Harmonie des Festes wurde nur durch einen einzigen Mißton gestört, nämlich durch das zerlumpte Äußere der Landsleute, welche den Platz füllten und einen grellen Kontrast zu all dem Glanz bildeten, in welchem der Klerus auftrat" (S: 235). Aber nicht nur die Verschwendungs- und Prunksucht der Geistlichkeit wird angeprangert, sondern auch deren unchristliche Härte und Bigotterie. In derselben Prozession beschreibt sie nämlich deren Eröffnung durch die "Geistlichkeit der fünf Basiliken Roms:" "vor jeder Abteilung derselben wurde statt der Fahne eine Art von Schirm getragen, der aus breiten Streifen von Goldbrokat und dunkelrotem Sammet zusammengesetzt war. Diese Stoffe waren der jährliche Tribut der Juden für die Erlaubnis, in Rom wohnen zu dürfen, und dafür war ihnen das Ghetto eingeräumt: ein Gewirr schmutziger Straßen mit himmelhohen Häusern, welches allabendlich geschlossen wurde" (S: 233-34). Seidlers Absicht ist es nicht, eine sozial- und religionskritische Abhandlung zu schreiben. Ihre Kritik ist vielmehr eingestreut in eine allgemeine Beschreibung der Lebensverhältnisse und Gebräuche. Sie erhält ihre Schärfe durch die prägnante Kürze der Einwände und durch die Schwarz-Weiß-Zeichnung. In der Abgeschlossenheit des Ghettos von der übrigen Gesellschaft zeigt sich wieder eine jener Subgruppen menschlicher Gesellschaft, deren Angehörige sich in der Absonderung gegenseitig unterstützen, um im bestehenden, ihnen unfreundlich gesinnten Milieu überdauern zu können. Noch eine dritte Kritik am Klerus übt Seidler. Es ist seine Verbreitung von "Aberglauben, Unwissenheit, Verdumpfung und Verdummung" (S: 223), die auf Tradition besteht und u.a. alle modernen Erkenntnisse von Hygiene und Seuchenverhütung mißachtet. Seidlers Teilnahme an einem Mittagessen beim Prinzen Friedrich von Gotha wird von ihr abschließend folgendermaßen beschrieben: "Unangenehmerweise ließ ein Seitenfenster des Speisezimmers ein widerwärtiges Schauspiel sehen: Am Rande des Daches von St. Andrea della Valle jagten sich kämpfend und spielend große Ratten. Leider sind diese häßlichen Tiere in jener Parochialkirche heimisch, da in deren Gewölben nach römischer Sitte die Toten des Kirchspiels ohne Sarg verwesen" (S: 205). Es ist wieder ihre Technik der Kontrastierung zwischen dem Angenehmen und dem Widerwärtigen, die die kritische Absicht hervorhebt und schärft.

Auch Adel und Fürstentum entgehen nicht ihrer gerechten Beurteilung. Oft genug hebt sie die Güte einzelner Gönner hervor und deren willige Hilfsbereitschaft Individuen und kulturellen Projekten gegenüber. Doch verallgemeinert sie nie. "Dem seit 1815 Neapel wieder regierenden König Ferdinand konnte ich keine Sympathie entgegentragen" (S: 252) bemerkt sie. Er wird von ihr ein "bigotter Tropf" genannt, dessen Arbeitsscheu und "unanständige Gier" bei Mahlzeiten sie detailliert erläutert (S: 252-53). Seidler endet: "Nun, die Weltgeschichte ist auch dieser Dynastie, welche nichts gelernt und nichts vergessen hatte, zum Weltgerichte geworden" (S: 253). Auch im politischen Bereich ist das Hilfsmittel des Individuums der Anschluß an Gleichgesinnte zur Herbeiführung verbesserter Lebensbedingungen. "Angeregt durch die Carbonari und andere geheime Gesellschaften, war in Italien das Verlangen nach Repräsentativverfassungen und nach Unabhängigkeit von fremder, besonders österreichischer Herrschaft wach geworden. Namentlich gährte es in Neapel und Sicilien, wo Ferdinand I. schon 1820 eine liberale Constitution hatte versprechen müssen" (Seidler, 291). Ziemlich positiv wird von Seidler auch eine Gruppe von Räubern dargestellt, die sich auf ungesetzliche Weise aus der Armut helfen wollen, indem sie Lösegeld für entführte Persönlichkeiten aus der oberen Gesellschaftsschicht fordern. Nachdem sie versehentlich den Maler Friedrich Salathé gefangengenommen hatten, setzen sie ihn ohne Lösegeld frei. Zuvor hatten sie ihm noch "Gottes Segen gewünscht und die Hoffnung ausgedrückt, ihm bald auf der Landstraße nach Neapel zu begegnen. Ja, sie küßten ihn beim Abschiede, sagten, er solle in Frieden ziehen, und gaben ihm noch einen Skudo Reisegeld mit" (S: 245). Es ist offensichtlich, daß Seidlers Sympathien bei der unterdrückten Klasse der Bevölkerung liegen, und wenn sie auch das Vorgehen der Bande nicht rundweg billigt, so erscheint die Gruppe der Räuber dennoch in der verklärten Sicht eines "Robin Hood."

Bereits diese wenigen Beispiele zeigen jene Gesinnung der Malerin, die sich in ihrem persönlichen und beruflichen Leben durchweg ausdrückt. Es ist nicht die Perspektive einer Frauenrechtlerin, sondern der Bericht einer Person, deren schaffendes Genie sich in einer antagonistischen gesellschaftlichen Atmosphäre zum Durchbruch verhilft. Sie verurteilt nicht nach sexueller Orientierung, sondern legt die herrschenden Verhältnisse objektiv dar. Hilfe wird von jeder Seite dankbar akzeptiert und anerkannt. Gleichzeitig aber kristallisiert sich in dieser Lebensbeschreibung deutlich ein richtungweisendes Prinzip heraus, das Seidler selbst anerkannte und das sie für Nachfolgende registriert: die Unterwerfung unter die gängigen Gesellschaftsverhältnisse, gepaart mit außergewöhnlicher Zielstrebigkeit und Ausdauer, bringt letztlich den gewünschten Erfolg; Anpassung an und Eingliederung in etwaige vorhandene oder sich formierende Sub- und Stützgruppen Gleichorientierter in der Sozialstruktur ermöglicht individuelle Förderung und Selbstverwirklichung auch in ungünstigen Umständen. Dies ist keine geschlechtsorientierte, sondern eine praktische Perspektive. Seidlers Anteil am allgemein progressiven Verständnis für Mitglieder ihrer Gesellschaftsgruppe bildet ihr künstlerisches Vermächtnis: viele ihrer Gemälde stellen, oft in biblischer Verkleidung, manchmal in allegorischer Verdinglichung, die *conditio humanae* der Frau dar. Eine kunstkritische Untersuchung dieses Sachverhalts bleibt ein Desiderat.

# Anmerkungen

## 1. *Wölfin unter Schäfern. Die Sozialkritische Lyrik der Anna Louisa Karsch.*

1. Der Beiname wurde ihr anscheinend zuerst von Johann Wilhelm Ludwig Gleim verliehen, mit dem Karsch in enger Verbindung stand. Elisabeth Hausmann, die 1933 die Briefe Karschs an Gleim u.a. herausgab, schreibt im Kommentar: "er ernennt sie zur deutschen Sappho—der Name hat ihr lang angehangen und vielen Spott eingetragen." In: *Die Karschin. Friedrichs des Großen Volksdichterin. Ein Leben in Briefen,* hrg. von Elisabeth Hausmann (Frankfurt/M.: Societäts-Verlag, 1933), 88. Dieser Band hernach zitiert: H. Karsch nennt sich auch in ihren Briefen an Gleim mit diesem Dichternamen: "Warum bin ich nicht groß, angesehen, mächtig? Eitler Wunsch, wozu nützt er? Ich bin ja doch Sappho, ich bin Ihre zärtliche Freundin A. L. K." (Brief vom 8. Juni 1761; H. 89).

2. *Anakreontiker und preußisch-patriotische Lyriker. Zwei Teile in einem Bande. Hagedorn. Gleim. Uz. Kleist. Ramler. Karschin,* hrg. von Franz Muncker (Stuttgart: Union Dt. Verlagsgesellschaft, 1895), 289.

3. Herybert Menzel, *Das Lied der Karschin. Die Gedichte der Anna Luise Karschin mit einem Bericht ihres Lebens* (Hamburg: Hanseatische Verlagsanstalt, 1938). Hernach zitiert: M.

4. Reinhard M. G. Nickisch, "Die Frau als Briefschreiberin im Zeitalter der deutschen Aufklärung," in: *Wolfenbütteler Studien zur Aufklärung,* hrg. von Günter Schulz, Band III (Bremen, Wolfenbüttel: Jacobi, 1976), 29-65.

5. *Auserlesene Gedichte von Anna Louisa Karschin* (Berlin: G. L. Winter, 1764).

6. Er schreibt: "Ich habe früher gereimt, als ich das mindeste vom Sylbenmaaß wußte und fast nie gefehlt; was ich davon weiß, entdeckte ich wie eine neue Ansicht in der Schweiz auf den einsamen Wanderungen; ich las nachher mancherlei, und es schienen mir alle diese prosodischen Versuche wie die Logik, wenn man in ihr das Gesammte der Philosophie zu erkennen glaubt." L. Achim von Arnim, "Ueber deutsches Sylbenmaaß und griechische Deklamation," *Berlinische Musikalische Zeitung,* hrg. von J. F. Reichardt, Nr. 32 (1805), 1.

7. Zur Natur- und Kunstpoesiediskussion vgl. Reinhold Steig, *Achim von Arnim und die ihm nahe standen,* Bd. 3 (Stuttgart: Cotta, 1904), 14, 115ff, u.ö. Arnim beschäftigte

sich mit Karsch nicht nur weil sie Volksdichterin war, sondern auch, weil einige ihrer Manuskripte in seinem Familienbesitz waren. Diese veröffentlichte er unter dem Titel "Ungedruckte Briefe der Karschin" in: *Der Gesellschafter oder Blätter für Geist und Herz,* hrg. von Gubitz, beginnend mit dem 46. Blatt (20. März 1819), 181-82, 187, 189-90, 195; dem *Bemerker* Nr. 11 (Beilage zum 136. Blatt des *Gesellschafters*), unpaginiert (Jg. 1819); diese Briefe enthalten viele unbekannte Gedichte von Karsch. Ein Gedicht Karschs an seinen Vater veröffentlichte Arnim unter dem Titel "Französisches Theater in Berlin" in Karl von Holteis *Monatlichen Beiträgen zur Geschichte dramatischer Kunst und Literatur,* 1. Bd. (Okt.-Dez. 1827), 192-94.

8. Ulrich Herrmann, "Erziehung und Schulunterricht für Mädchen im 18. Jahrhundert," in: *Wolfenbütteler Studien zur Aufklärung,* a.a.O., S.101-36.

9. Konrad Friedrich Uden, *Über die Erziehung der Töchter des Mittelstandes* (Stendal, 2. Aufl., 1796), 90.

10. Joachim Heinrich Campe, *Väterlicher Rath für meine Tochter. Ein Gegenstück zum Theophron* (Braunschweig, 1789).

11. Leopold Friedrich Goeckingk, *Plan zur Errichtung einer Erziehungs-Anstalt für junge Frauenzimmer* (Frankfurt/Leipzig, 1783), XIIIf.

12. Fast alle der von Muncker gedruckten Gedichte fallen in diese Kategorie.

13. Zitiert nach Gisela Brinker-Gabler, *Deutsche Dichterinnen vom 16. Jahrhundert bis zur Gegenwart* (Frankfurt/M.: Fischer, 1979), 136. Hernach zitiert: B.G.

14. M. 62.

15. Eine ganz kurze Zusammenfassung bietet Brinker-Gabler auf S. 135-36, die Karsch auch in den ausgezeichneten Vorbemerkungen ihres Bandes erwähnt (45-46). Menzel geht auf S. 9-52, Hausmann auf S. 17-388 auf Karschs Lebensumstände ein. Vgl. auch Muncker, S. 287-301; und die Vorrede zu den *Auserlesenen Gedichten* von 1764.

16. *Auserlesene Gedichte,* 111; "An den Dohmherrn von Rochow." Die erste Strophe fehlt bei Hausmann und Menzel; letzterer gibt dem Gedicht auch einen neuen Titel: "Bekenntnis."

17. Vgl. Herrmanns ersten Abschnitt, "Erziehung zur Sittsamkeit und Seligkeit," 102-104, der Bugenhagen zitiert: " 'die Jungfrauen brauchen nur lesen zu lernen, sie hören einige Deutungen der Zehn Gebote Gottes, aus dem Glauben und Vaterunser, was die Taufe und das Sakrament des Leibes und Blutes Christi ist; sie lernen auswendig aufsagen einige Sprüche aus dem Neuen Testament, von dem Glauben, von der Liebe, von Geduld und Kreuz. [. . .]' " Dies macht sie zu Hausmüttern, die ihre Familie " 'in Zucht regieren können und die ihre Kinder in Gehorsam, Ehre und Gottesfurcht aufziehen' " (102-103). Vgl. auch Gotthardt Frühsorge, "Die Einheit aller Geschäfte," in : *Wolfenbütteler Studien zur Aufklärung,* a.a.O., S. 137-57.

18. Frauen wurden damals an den Universitäten ohnehin nicht zugelassen. Nickisch spricht sogar von Frau Gottsched, die es "anscheinend während ihrer ganzen Ehe" klaglos

hinnahm, "lediglich hinter der Tür zum angrenzenden Hörsaal den Vorlesungen ihres Gatten zuhören zu können" (a.a.O., 43). Aber auch der Erwerb der grundlegendsten Kenntnisse wurde Mädchen gewöhnlich versagt. Vgl. Achim von Arnims Bericht über die Erziehung seiner Großmutter, Frau von Labes, in Reinhold Steig, *Achim von Arnim und die ihm nahe standen,* Bd. 1 (Stuttgart: Cotta, 1894), 3; und Elke Frederiksen, *Die Frauenfrage in Deutschland 1865-1915* (Stuttgart: Reclam, 1981).

19. Hausmann berichtet, daß sich vor Karschs erstem Mann bereits ein anderer Jüngling um sie beworben hatte. "Seine Mutter verweigerte aber die Einwilligung zur Heirat,—weil das Mädchen lesen und schreiben konnte" (H. 34).

20. Hausmann bringt im Auszug aus den Lebenserinnerungen von Karschs Tochter, der späteren Caroline von Klenke, u.a. folgende Zeilen: "'Darum, mein Vater, war und blieb es in Deinem Haushalt wüste, elend und zerstört: Dir war Deine Frau entgegen durch ihren Haß und ihre kindische Furcht für Dich, Du kränktest sie durch Deine verderblichen Angewohnheiten. Ihr führtet beide gegeneinander ein unglückliches Leben, Du aber warst doch immer am längsten der geduldige Theil und nie hast Du Dein Weib mit Vorsatz beleidigt'" (H. 53-54). Caroline beschuldigt ihre Mutter einer falschen Anklage gegen ihren Mann, wonach dieser zum Kriegsdienst eingezogen wurde. Die Abreise des Gatten habe sie unendlich gefreut: "'sie weinte Tränen des Dankes über die Erlösung nach so langer Tyrannei'" (H. 55). Hausmann bezweifelt die "falsche Anklage" und weist (H. 41-43) auf das gespannte Verhältnis zwischen Mutter und Tochter hin; dieses lief in ähnlichen Bahnen wie die Konfliktsituation zwischen Karsch und ihrer eigenen Mutter.

21. Vgl. u.a. "Auf den König" (M. 128); "Wie sie den Einzug des Königs erträumte" (M. 131-32); "Im Namen der Bürger zu Friedrichs des Großen Zurückkunft" (M. 132-33); "Die Nachricht von Friedrichs Siegen im Reich der Schatten" (M. 138-39). Menzel gibt den bei ihm gedruckten Gedichten oft eigenmächtig verfaßte Überschriften.

22. Einer der Besten Kenner von Karschs Werk, L. Achim von Arnim, setzte sich ebenfalls in seinen politischen Schriften für die Rechte der Bauern ein. Vgl. vor allem seine Aufsätze in Görres' *Rheinischem Merkur* (1815) und seine Rezension der Schrift "Die Verwaltung des Staa(t)skanzlers Fürsten von Hardenberg," *Isis* (1821), Bd. I, Heft i-vi, Sp. 426-37.

23. Essen ("Nu wird der Tisch gedeckt, ich setze mich und esse / Mei Käsenbrot mit ihr, und meinen Hirschebrei / Und eine dicke Milch, das sein der Grichte drei"—M. 152), eheliche Freuden ("Und nu tut Annel erst mit mir recht wunderschön"— M. 152) und harmlose Unterhaltungen ("Die Kirmes, die vertreibt die Grillen noch a wing"—M. 157) hebt Karsch als Freizeitgestaltung des Bauern hervor.

24. Klaus L. Berghahn, "Wortkunst ohne Geschichte: Zur Werkimmanenten Methode der Germanistik nach 1945," *Monatshefte* LXXI, Nr. 4 (1979), 387-98. Zitat: 395.

25. Der Widerstand ihrer Eltern, Großeltern und anderer Erwachsener ihrem Lerneifer gegenüber ist eine von Karsch schmerzlich empfundene Erinnerung und ist in den Briefen an Sulzer immer wieder vertreten.

26. Hausmann gibt das Gedicht leider nach Klenke gekürzt heraus und die sieben

Zeilen vor "Ward früh [. . .] " fehlen bei ihr. Solche Verstümmelungen, die die Interpretationsmöglichkeiten von Gedichten beeinträchtigen, sind nicht scharf genug zu rügen.

27. Stefan Zweig, "Ist die Geschichte gerecht?" in *Europäisches Erbe* (Frankfurt/Main: Fischer 1960), 272.

28. In der Vorrede zu den *Auserlesenen Gedichten* schreibt Sulzer: "So bald sie den Ton, wie sie es selbst nennt, [. . .] getroffen," finde sich ihr Lied von selbst (XI).

29. Ludwig Tieck, *Kritische Schriften,* Bd. I (Leipzig: F. A. Brockhaus, 1848).

30. Eine Anspielung an die biblische Speisung mag hier intendiert sein.

31. Vgl. ihren Brief an Sulzer vom 8. September 1762, der die Ereignisse detailliert schildert (H. 49-53).

32. H. 399. Zitiert wird von M. 64. Das Gedicht wird vermutlich deswegen als Fragment bezeichnet, weil es mit Gedankenstrichen, bzw. Auslassungszeichen endet. Es wäre hier nötig, die mir nicht zugängliche Handschrift zu untersuchen, da die einzelnen Drucke divergieren.

33. Leo Kreutzer, *Mein Gott Goethe. Essays* (Reinbek: Rowohlt, 1980) = Das neue Buch Bd. 136.

34. Insofern die herrschende literarkritische Kontrollinstanz, wie Kreutzer sie nennt, "nicht mehr als Wahrheit akzeptiert [. . .] , was nicht mit dem Gestus des herrschenden wissenschaftlichen Denkstils daherkommt, sieht sich auch derjenige genötigt, sich ihm zu unterwerfen, welcher ihn zurückzuweisen sucht. Ein Stil, ein Denkstil zumal, ist jedoch nicht in Frage zu stellen, indem man in ihm gegen ihn argumentiert. Seine Zurückweisung kann ihre Glaubwürdigkeit und Attraktivität vielmehr nur in der Realisierung eines andern Stils entfalten. Damit verfällt sie aber gegenwärtig unbesehen dem Verdikt, nicht wahrheitsfähig zu sein" und wird "ebenso schlicht wie hartnäckig als antiwissenschaftlicher Affekt, als gegenaufklärerisches Attentat diffamiert. Das historisch *Gewordene* wird so mit der Würde eines immer schon und für alle Zeit Geltenden ausgestattet und jeglicher Auseinandersetzung entzogen" (8).

35. Zu den Versuchen einer dichterischen Neugestaltung historischer Figuren oder Protagonisten gehören u.a.: Peter Weiss, *Hölderlin;* Christa Wolf, *Kein Ort. Nirgends* (über Günderrode und Kleist); Peter Hacks, *Ein Gespräch im Hause Stein über den abwesenden Herrn von Goethe.*

36. In der Nachfolge von Weiss und Berteaux wurde das Interesse der Forschung auf die politischen Anspielungen in Hölderlins Werk gerichtet. Wie umstritten diese Perspektive auch sein mag, so hat sie doch dem Hölderlinverständnis eine neue Dimension verliehen.

## 2. *Tugend im Umbruch. Sophie Laroches "Geschichte des Fräuleins von Sternheim" einmal anders.*

1. Variationen der Schreibung ihres Namens sind: laroche, LaRoche, La Roche, la Roche, de La Roche. Sie wurde 1731 in Kaufbeuren als Tochter des Arztes Georg Friedrich Gutermann geboren und starb am 18. Februar 1807 in Offenbach. Sie war die Großmutter der Geschwister Brentano.

2. *Deutsche Dichter des 18. Jahrhunderts. Ihr Leben und Werk,* hrg. von Benno von Wiese (Berlin: Schmidt, 1977).

3. Gisela Brinker-Gabler, Anmerkung 1: 13, S. 47.

4. Siegfried Sudhof, "Sophie Laroche," in *Dt. Dichter des 18. Jh.*, 300-19, Zitat: 301.

5. *C. M. Wieland's Briefe an Sophie von La Roche,* hrg. von F. Horn (Berlin, 1820), 332. Zur Beziehung der beiden, wieder aus Wielands eigener Perspektive, vgl. H. Schelle, "Unbekannte Briefe C. M. Wielands und Sophie von La Roches aus den Jahren 1789 bis 1793," in: *Modern Language Notes* 86 (1971), bes. S. 651-62.

6. Wilhelm Spickernagel, *Die "Geschichte des Fräuleins von Sternheim" von Sophie von LaRoche und Goethes "Werther"* (Greifswald: Adler, 1911), bes S. 15-23. Lorna Martens erwähnt in ihrer Dissertation, daß "Sophie La Roche's *Geschichte des Fräuleins von Sternheim* (1771), one of the earliest German novels to contain a journal of any kind" ist. Einige Seiten später schreibt sie, Goethes *Werther* ähnelt "an intimate journal much more closely than the similarly constructed novels which preceded it." Lorna Martens, "The Diary Novel and Contemporary Fiction" (Diss. Yale, 1976), S. 48 und 62. Obwohl Martens nicht direkt auf die Interbezogenheit der beiden Romane eingeht, läßt ihre Diskussion der Formen von Journal, Briefroman und "Briefjournal" ("letter-Journal") erkennen, daß *Werther* formal dem Roman Laroches nähersteht, als dem Modell Richardsons. Vgl. auch Goethes Würdigung im 13. Buch von *Dichtung und Wahrheit.*

7. Vgl. Robert Hassencamps Rezension von "F. Waldmann, 'Lenz in Briefen,' " *Euphorion* 3 (1896), 527-40. Lenz berichtet auch über einen nicht im Druck erschienenen "weiblichen Werther" Sophie Laroches, den Lenz in der Handschrift einsah. Dem Ausmaß eines eventuell reziproken Verhältnisses der wertherartigen Figuren bei Laroche/Goethe müßte noch nachgegangen werden.

8. Josepf von Eichendorff, *Der deutsche Roman des achtzehnten Jahrhunderts* (Leipzig: Brockhaus, 1851), 275-76.

9. Vgl. Hugo Lachmanski, "Die deutschen Frauenzeitschriften des achtzehnten Jahrhunderts" (Diss. Berlin, 1900). Laroches *Pomona. Für Teutschlands Töchter* erschien als Monatsschrift von 1783-1784. Eine Abbildung der Herausgeberin findet sich in der Ausgabe vom 9. September 1784. Vgl. auch Ursula Schulz, "Briefe von Heinrich Christian Boie und Luise Mejer an Sophie La Roche (1779-1788)," in *Wolfenbütteler Studien zur Aufklärung,* a.a.O., 67-99. Vgl. ebenfalls Brinker-Gabler, Anm. 1: 13: "Von den 37 Zeitschriften und Journalen, die sich zwischen 1767 und 1799 vor allem an ein weibliches Lesepublikum richteten, wurden nur vier, einschließlich Sophie La Roches *Pomona,* von Frauen redigiert" (47).

10. Zitiert nach Brinker-Gabler, 47.

11. Klaus Scherpe, *Werther und Wertherwirkung. Zum Syndrom bürgerlicher Gesellschaftsordnung im 18. Jahrhundert* (Bad Homburg/Berlin/Zürich, 1970), 15.

12. Karl Robert Mandelkow, *Goethe im Urteil seiner Kritiker I* (München: Beck, 1975), XL-XLI.

13. Ähnlich interpretiert Stefan Blessin, *Die Romane Goethes* (Königstein/Ts.: Athenäum, 1979): Die Überwindung der Aufklärungsästhetik im *Werther* bestehe in dem neuen Verhältnis zwischen Leser und Werk. Der Leser ist nicht mehr "Zuschauer," sondern hat eine "Mitautorschaft an der sinnerschließenden Gestaltung der Geschichte" (271).

14. Nancy Kaiser geht der Funktion des Romans als Stütze einer bestimmten Sozialschicht im 19. Jahrhundert nach. Die "Funktion der Literatur" sei die "Verstärkung progressiver Tendenzen" (61) und ihre stilistische Historisierung sei ein "für die bürgerliche Ideologie charakteristisches" Phänomen (69; meine Übersetzung). Nancy Kaiser, "Social Integration and Narrative Structure: Patterns of German Realism" (Diss. Yale, 1980).

15. Achim von Arnim drückt 1806 in einem Brief an Goethe ebenfalls seinen Unmut über das Weiterbestehen des feudalistischen Prinzips aus. Arnim bespricht die Auswirkungen des Prinzips auf den Bauernstand, Laroche jene auf die mittlere Gesellschaftsschicht. Arnims Briefe an Goethe in *Goethe und die Romantik,* Bd. 2, hrg. von Schüddekopf und Walzel ( = Schriften der Goethe-Gesellschaft 14), Weimar 1899, bes. 102.

16. Spickernagel geht kurz auf Wielands Rezeption ein, die er "ein literarisches Kuriosum" nennt (24). Seine Sicht habe ihm "den Tadel der Freunde der Sternheim, namentlich von Goethe, Herder und Lenz" eingetragen, jedoch habe er geglaubt, "daß seine Empfindung die allgemeine des Publikums sein werde" (24). Letzteres trifft allerdings für die (literarische) Rezeptionsgeschichte zu, die in *Sternheim* vor allem den aufklärerisch-empfindsamen Tendenzroman einer Tugend- und Moraldidaktik erkennt.

17. *Geschichte des Fräuleins von Sternheim. Von einer Freundin derselben aus Original-Papieren und andern zuverläßigen Quellen gezogen,* hrg. von C. M. Wieland (Leipzig: Weidmann, 1771), Bd. I, xxii. Zitiert wird nach dieser Ausgabe. Die große römische Ziffer bezeichnet den Band (I oder II).

18. Stefan Blessin (Anm. 2: 13), 27.

19. In der *Sternheim* wird bis zur letztlichen Enttäuschung England als das Land sozialer Gerechtigkeit und unvoreingenommenem Denkens gepriesen.

20. Eben diese Sicht legt Schiller in seinem Gedicht "Resignation" dar. Vgl. hierzu meine Interpretation, "Eichendorff versus Schiller, oder: die unästhetischen Folgen einer ästhetischen Erziehung" in: *Aurora* 38 (1978), 113-21.

21. Sie verteidigt auch die geschlechtliche Rollenteilung; die von ihr "erzogene" Familie setzt die Tradition der Arbeitstrennung in geistige (für den Mann) und physische (für die Frau) fort (II, 88-93).

22. Auch die männlichen Tugenden werden in ein Idealbild gefaßt, die jenes der Frau

ergänzen: der Mann soll gütig, stark, gebildet, beredt sein; er soll die ihm anvertraute Frau schützen und ihre Tugend ehren, usw. Der männliche Vertreter dieses Tugendideals ist Sophies Vater, Oberst Sternheim, sowie der Vater ihrer Freundin Emilia (der Pfarrer zu S.), dem Sophie zunächst nach dem Tode ihres Vaters anvertraut wird.

23. Die vom Sohn des Grafen F. angebotene und die Vermählung "linker Hand" mit dem Fürsten werden beide als mögliche Ehrenrettungen diskutiert.

24. Eine Untersuchung der Ironie im *Fräulein von Sternheim* wäre noch zu leisten.

25. Außer den wenigen Ansätzen (wie z.B. bei Spickernagel) fehlt auch auf diesem Gebiet noch das Grundlegendste. Eine eingehende diesbezügliche Analyse wäre besonders im Licht der neueren Goetheforschung (Mandelkow, Blessin, u.a.) im Zusammenhang mit rezeptionstheoretischen Perspektiven ergiebig.

26. Siegfried Sudhof, der auch einen kurzen Überblick über die Literatur bringt, schreibt: "Leben und Werk der Laroche haben kaum im Mittelpunkt historischer Forschung gestanden. [. . .] Ihr Werk ist—bis auf die *Geschichte des Fräuleins von Sternheim*—verschollen und kaum noch auffindbar. Aus ihrer umfangreichen Korrespondenz sind nur relativ wenige Proben bekannt" (314). Das wenige, was über ihre persönlichen Ansichten bzgl. Frau und Frauerziehung bekannt geworden ist, wurde ebenso unkritisch betrachtet, wie ihr Roman. Laroche, die ihre Familie durch ihre schriftstellerische Tätigkeit finanziell unterhielt, war aber der Lebensproblematik der Frau ihres Jahrhunderts gegenüber sehr aufgeschlossen und ergriff z.B. die Seite ihrer Schwiegertochter in deren Schwierigkeiten mit dem Gatten. Interessantes hierzu bringt auch Victor Lange, "Visitors to Lake Oneida. An Account of the Background of Sophie von La Roche's Novel 'Erscheinungen am See Oneida,' " *Symposium* 2 (1948), 48-78. Laroches Sohn Fritz hatte seine Gattin Elsina samt ihren Kindern verlassen und diese zogen zurück auf die Familiengüter der Frau. Laroche "was deeply shocked by her son's irresponsibility," schreibt Lange, und zitiert aus ihrem Brief an die Schwiegertochter: " 'Je regrette,' she writes to her daughter-in-law on March 6, 1792, 'oui, je regrette le bonheur que vous avez versé sur les jours de mon fils; il ne saura jamais vous récompenser, jamais dédommager' " (53). Langes Darlegungen und bibliographische Hinweise sind noch immer interessant, insofern wenig Neues auf diesem Gebiet hinzugekommen ist.

## 3. *Saat und Ernte. Sophie Mereaus Forderung geschlechtlicher Gleichberechtigung.*

1. Zu den frühesten gehören: "Bey Frankreichs Feier, den 14ten Junius 1790," in: *Thalia,* 3. Bd., 11. Heft (1791), 141-42; "Die Zukunft," in: *Thalia,* 3. Bd., 12. Heft (1791), 143-44; "Schwarzburg," in: *Die Horen,* 1. Jg., 9. Stück (1795), 1001-1006; "Frühling," in: *Musen-Almanach für das Jahr 1796,* hrg. von Schiller, S. 55-58 (mit Reichardts Komposition dazu).

2. Aus diesem Grund habe ich eine möglichst vollständige Bibliographie beigefügt, die die Lücken in den gängigen Nachschlagewerken (W. Kosch, Allgem. Dt. Biographie, Lexi-

kon deutschsprachiger Schriftssteller, Goedeke u.a.) mit Angaben aus dem Briefwechsel Mereaus mit Schiller, Brentano, Arnim, usw., zu ergänzen sucht.

3. Viele erschienen bloß in einer Auflage. Einzelne ihrer Arbeiten wurden im Zusammenhang mit Schiller-Neuausgaben, Liedersammlungen, oder Brentano-Ausgaben neu gedruckt. Peter Schmidt, der das Nachwort zu den 1968 im Faksimiledruck neu erschienenen *Kalathiskos*-Bänden Mereaus besorgte, schreibt auf S. 22f: "Bis zur Auslagerung gegen Kriegsende war der Nachlaß der Mereau fast vollständig in der Sammlung Varnhagen der Preußischen Staatsbibliothek dem Forscher erreichbar. Die ihn damals gesehen haben, sprechen von zahlreichen Briefen, eigenen und fremden Manuskripten, auch zum 'Kalathiskos,' von umfangreichen Tagebüchern. Von alle dem ist nichts mehr vorhanden, der Nachlaß der Mereau ist verschollen." Sophie Mereau, *Kalathiskos,* Faksimiledruck nach der Ausgabe von 1801-02, mit einem Nachwort von Peter Schmidt (Heidelberg: Lambert Schneider, 1968). = Deutsche Neudrucke, Reihe Goethezeit. Zitate aus *Kalathiskos* entstammen dieser Ausgabe, die beide Bändchen in einem Band enthält. Zitatangaben enthalten den Band in römischer Ziffer, danach die Seitenangabe. Wenn keine römische Zahl erscheint, ist Band I gemeint.

4. Herder saß der Scheidung vor. Heinz Amelung teilt in seiner Briefausgabe das Scheidungsprotokoll (datiert Weimar, 7. Juli 1801) zur Gänze mit. Heinz Amelung, *Briefwechsel zwischen Clemens Brentano und Sophie Mereau.* Nach den in der Königlichen Bibliothek zu Berlin befindlichen Handschriften zum ersten Mal herausgegeben. 2 Bde. (Leipzig: Insel, 1908). Das Protokoll in BM I, 219-20. Diese Ausgabe wird hernach so zitiert.

5. Daß sich der Klatsch um sie nicht legte, bezeugt ihr Briefwechsel mit Clemens Brentano. Auch Lujo Brentano führt die Gerüchte um Sophie nochmals breit an. Vgl. *Clemens Brentanos Liebesleben. Eine Ansicht von Lujo Brentano* (Frankfurt/M.: Frankfurter Verlags-Anstalt, 1921). Auf S. 104-5 schreibt L. Brentano, Clemens habe "nichts von dem üblen Rufe gewußt [. . .] in dem sie schon lange, bevor er sie kannte" gestanden hatte. Das Ausmaß der Frechheiten, die man sich über Mereau erlaubte, zeigt das folgende Zitat (ebenda):

> [. . .] von jenem Rufe, von dem der lüsterne Friedrich Schlegel seinem Bruder durch Erzählung eines Gesprächs mit Pölchau Mitteilung macht: "O, sie ist eine bezaubernde Beischläferin!" Und in der Tat hatte sie mit dem damaligen Studenten G. P. Schmidt, späteren Kgl. dänischen Bankdirektor in Altona, vom 22. September bis 6. Oktober 1796 eine Reise über Leipzig und Wittenberg nach Berlin und Potsdam gemacht, und noch von einem anderen ähnlichen Abenteuer mit einem Manne namens Kipp wird noch zu reden sein.

Amelung bleibt das Verdienst, diesen Klatsch in die richtige Perspektive gesetzt zu haben. In seinem Aufsatz "Briefe Friedrich Schlegels an Clemens Brentano und an Sophie Mereau," *Zs. für Bücherfreunde,* NF 5 (1913), 183-92 schreibt er über Pölchaus "unwiedergebbare frivole Invectiven," die Walzel in seiner Ausgabe von F. Schlegels Briefen unterdrückt hatte: "Diesen Ausdruck braucht man durchaus nicht als eine 'frivole Invective' aufzufassen, er ist nichts anderes als ein Zitat aus Heinses 'Ardinghello' [. . .] wo von Tizians Venus gesagt wird: 'Bezaubernde Beischläferin und nicht Griechenvenus; Wollust und nicht Liebe; Körper bloß für augenblicklichen Genuß' " (185). Amelung meint, "Neidische, feindselige weibliche Blicke verfolgten sie, die als Frau und Dichterin sehr gefeiert wurde, überallhin. Keiner ihrer Bewunderer, zum Beispiel auch Hölderlin, entging dem Verdacht, ihr erfolgreicher Verehrer zu sein, und mancher hätte gewiß gern die schöne Frau für ihr häusliches Ungemach getröstet" (184).

6. Beide Zitate nachgedruckt von Daniel Jacoby in *Allg. dt. Biographie*, Bd. 21 (Berlin: Duncker & Humblot, 1970) in seinem biographischen Artikel über Mereau.

7. Sie war Mitherausgeberin des *Romanenkalenders für das Jahr 1799*, zusammen mit Lafontaine, Reinhard, u.a.; 1803 übernahm sie die Redaktion des *Göttingischen Musenalmanachs*, nachdem sich K. Reinhard mit dem Verleger (Dieterich in Göttingen) verfeindet hatte. Reinhard gab seine Version 1803 in Leipzig, später in Münster heraus. Mereaus Göttinger Ausgabe von 1803, die letzte der in Göttingen veröffentlichten Editionen, ist heute kaum mehr auffindbar. Ein Exemplar soll sich in Weimar befinden.

8. Reinhold Steig, *Achim von Arnim und die ihm nahe standen*, Bd. I, 159. Im Mai 1807 schreibt Arnim, der wegen der Kriegswirren vom Tod Sophies noch nichts wußte, "Die Fiametta ist meisterlich von Deiner Frau übersetzt" (Steig I, 212). Neudruck der *Fiametta* bei K. Berg in Leipzig, 1906. Auch bei der Herausgabe der *Bunten Reihe kleiner Schriften* versuchte Clemens Sophie zu bewegen, den Sammelband nicht unter dem eigenen Namen zu veröffentlichen. Im November 1804 schreibt er, daß Arnim, "wenn Du es begehrst, seinen Nahmen dazu sezzen" wolle (BM II, 122). Dieser Vorschlag ging sicher nicht von Arnim aus. Zu den Beziehungen Arnims zu Mereau vgl. Walter Migge, "Briefwechsel zwischen Achim von Arnim und Sophie Mereau," *Festgabe für Eduard Berend zum 75. Geburtstag*, hrg. von H. Seiffert und B. Zeller (Weimar; Böhlau, 1959), 384-407; und H. M. Kastinger Riley, *Ludwig Achim von Arnims Jugend- und Reisejahre* (Bonn: Bouvier, 1978). Darin im fünften Kapitel Zusammenfassendes über das Verhältnis Brentano/ Arnim/ Mereau.

9. Amelungs Edition kam erst 1908 heraus.

10. BM I, 178. Vgl. auch BM II, 39, wo Sophie Clemens über ihre finanziellen Verhältnisse und die ausstehenden Zahlungen von Verlegern informiert.

11. Vgl. Amelungs Bemerkungen, BM I, 228 (Anm. zu S. 138). Berthold Widmann bringt in seiner Dissertation eingehende Erläuterungen zu Datierungsfragen der Brentano/ Mereau Briefe und berichtigt Amelungs Darstellung der Brieffolge. Auf diese Dissertation soll nachdrücklich hingewiesen werden, obgleich ich Amelungs Ausgabe bei Zitaten beibehalten habe. Vgl. Berthold Widmann, *Zu Clemens Brentanos Briefwechsel vom Sommer 1802 bis zum Herbst 1803* (Borna-Leipzig: Robert Noske, 1914), 33-41: "Der Briefwechsel zwischen Clemens und Sophie."

12. Erschienen im *Taschenbuch für das Jahr 1805. Der Liebe und Freundschaft gewidmet* (Frankfurt: Wilmans).

13. Lujo Brentano (Anm. 5) druckt den Brief Charlotte von Ahlefelds, Sophies Freundin. Sie berichtet von ihrem Spazierritt mit Sophie und Clemens' Reaktion: er "entbrannte in dem heftigsten Zorne gegen sie, die da gewußt hatte, daß er das Reiten für

Frauen nicht liebe. [. . .] habe sie verflucht und sich auf die Erde geworfen und die Haare ausgerissen. Nur ihre Bitten und Thränen und das Versprechen, nie wieder ein Roß zu besteigen, konnte ihn besänftigen" (107). Brentanos wiederholte Klagen über Sophies Vorliebe, sich zu schminken, werden in den von Amelung herausgegebenen Briefen immer wieder deutlich.

14. Im Briefwechsel der Brüder Grimm wird Mereau als ertragreiche Schriftstellerin bezeichnet. *Unbekannte Briefe der Brüder Grimm,* hrg. von Wilhelm Schoof (Bonn: Atheenäum, 1960), 20.

15. BM I, xxiii, Sophie an Charlotte von Ahlefeld.

16. Karl Goedeke, *Grundriß zur Geschichte der deutschen Dichtung aus den Quellen,* Bd. VI, 63.

17. *Thalia,* 3. Bd., 12. Heft (1791), 143-44. Schiller hatte auch schon im 11. Heft des 3. Bandes (1791) auf S. 141-42 Mereaus Gedicht "Bey Frankreichs Feier; den 14ten Junius 1790" gedruckt. Alle ihre in Schillers Journalen veröffentlichten Gedichte sind mit z.T. geringfügigen, besonders orthographischen Veränderungen in den Gedichtband von 1800 aufgenommen. Die Ausnahme bildet "Lindor und Mirtha," im *Musen-Almanach für das Jahr 1798* auf S. 100-104 erschienen, welches im Gedichtband unter neuem Titel ("Leichter und ernster Sinn"), der Änderung des Namens Lindor zu Lina, und mit leicht verändertem Text auf S. 120-24 zu finden ist.

18. In einem früheren Band der *Thalia* erschienen.

19. Vgl. z.B. "Resignation:" "Des Lebens Mai blüht einmal und nicht wieder, / Mir hat er abgeblüht [. . .] Der stille Gott taucht meine Fackel nieder, / Und die Erscheinung flieht;" "Die Zukunft:" "Bald entflogen ist wie Morgenträume / Unser Leben und der Vorhang sinkt! / Wir erwachen—Unbekannte Pfade / Warten unser, wo kein Führer winkt." Auch "Resignation:" "Da steh ich schon auf deiner Schauerbrücke, / Ehrwürdge Geistermutter—Ewigkeit" und "Die Zukunft:" "Bin ich? Bin ich nicht mehr?—Zwischen beyden / Steht entsezt der fragende Verstand," u.a.

20. Eine eingehende Interpretation des Schillergedichts "Resignation" findet sich bei H. M. Kastinger Riley, "Eichendorff versus Schiller, oder: die unästhetischen Folgen einer ästhetischen Erziehung," *Aurora. Jahrbuch der Eichendorff Gesellschaft* 38 (1978), 113-21.

21. *Schillers Werke. Nationalausgabe,* Bd. 36/I; Briefwechsel (Weimar: Böhlau, 1972), 199. Aus dieser Ausgabe wird hernach mit Angabe des Bandes in arabischen, der Unterteilung in römischen Ziffern, und der Seitenangabe nach Doppelpunkt zitiert.

22. *Zeitung für Einsiedler* (hrg. von L. Achim von Arnim), Nr. 19 (4. Juni 1808); und *Tröst Einsamkeit,* Buchausgabe derselben (Heidelberg: Mohr & Zimmer, 1808), 149-51.

23. 28: 9. Schiller druckte vier von Sophie Mereaus Gedichten im *Musen-Almanach für das Jahr 1796:* "Frühling" (55-58); "Vergangenheit" (107-09); "Das Lieblingsörtchen" (145-47); und "Erinnerung und Phantasie" (149-51).

24. *Die Horen; eine Monatsschrift,* hrg. von Schiller, 3. Bd. (1795), 1002. Ich gebe die

Seitenzahl nach dem photomechanischen Nachdruck der Cottaschen Erstausgabe bei fotokop Darmstadt, 1959. Der Nachdruck bringt die Seitenzahlen fortlaufend in eckigen Klammern.

25. *Lieder geselliger Freude*, hrg. von Johann Friedrich Reichardt (Leipzig: Fleischer d.J., 1796/97), I, 55.

26. *Lieder der Liebe und der Einsamkeit zur Harfe und zum Clavier*, hrg. von J. F. Reichart (Leipzig: G. Fleischer d.J., 1798), I, 22.

27. *Deutschland*, hrg. von J. F. Reichardt (Berlin: Unger, 1796), I, 278-79. Fotomechanischer Nachdruck von Kraus Reprint (Nendeln/Liechtenstein, 1971).

28. In den "Miscellen" des *Goethe-Jahrbuchs* VI (1885) beanstandet Daniel Jacoby in seinem Beitrag "13. Nachbildung Goethescher Gedichte" (S. 330-332) Mereaus "unpoetischen" Sprachgebrauch und die Wiederholungen eines Beiworts (331). Jacoby spricht von Mereaus Gedicht "Der Hirtin Nachtlied. Nach Jägers Nachtlied," das er auf S. 331 druckt.

29. In den *Erfurter Nachrichten* (1800), 361-64. *Sämmtliche Werke zur schönen Literatur und Kunst* (1830), 20: 392ff. Goethes Gedicht hatte seit 1789 allerdings schon den neuen Titel "Jägers Abendlied." Obige Quellen benutzen noch den alten Titel.

30. Schiller schrieb im Oktober 1796 an Goethe:

> Unsre Dichterinn hat vor ein paar Tagen an mich geschrieben und mir ihre Geschichte mit ihrem Mann und Liebhaber gebeichtet. Sie gesteht, das Leben mit jenem sey ihr fast unerträglich geworden und sie habe ihn vor einiger Zeit verlassen wollen. Doch habe sie sich zusammengenommen, und sich zur Pflicht gemacht, ferner und verträglich mit ihm zu leben. Doch hätte sie nothwendig noch vorher von ihrem Liebhaber Abschied nehmen müssen, dieß sey die Veranlassung ihrer letzten Reise gewesen. [...] Ich weiß nicht, wie ihr zu rathen und zu helfen ist, denn sie schlägt, wie es scheint, zu ihren realistischen Zwecken gar zu sentimentalische Mittel ein. Fällt Ihnen etwas ein, so theilen Sie mirs mit, oder soll ich sie nach *Weimar* zu Ihnen schicken? (28: 315-16)

Mit Georg Philipp Schmidt aus Lübeck reiste sie über Leipzig nach Berlin und Potsdam. Vgl. auch Schiller 28: 645 und Mereaus Brief an ihn vom 3. Januar 1797 (36/I: 415).

31. *Kalathiskos* II, 127.

32. *Kalathiskos* II, 128. Das Komma hier wurde von mir weggelassen.

33. Peter Schmidt schreibt im Nachwort zu *Kalathiskos*: "nicht umsonst gilt Sophie Mereau als Könnerin der Landschaftsschilderung" (11).

34. Jacoby schreibt in der *Allgem. dt. Biographie* (Anm. 6) den Konsens der Meinungen: "Bevor sie durch Brentano mehr dem Geschmack der Romantiker sich näherte, war Sophie M. beeinflußt durch den Geist Schiller's, weniger durch Goethe."

35. Selma Stern, "Sophie Mereau," *Die Frau. Monatsschrift für das gesamte Frauenleben unserer Zeit. Organ des Bundes Deutscher Frauenvereine*, 33. Jg., Heft 4 (1926), 230.

36. Peter Schmidt, Lujo Brentano und Heinz Amelung bringen alle das Grundlegende hierüber.

37. André Germain, *Goethe et Bettina* (Paris: les éditions de France, 1939), bringt eine kurze, wenig faktische Charakteristik Mereaus, die im wesentlichen die damaligen Gerüchte unkritisch wiederholt (20-21). Dagegen schreibt Arnim noch 1817 an Jacob Grimm: "Meine liebste Zeit wars, als ich den ersten Theil des Wunderhorns da schrieb, bei Clemens wohnte, die Mereau lebte noch, es war eine gute Frau" (Steig III, 372).

38. Amelung datiert den Brief, der es enthält, mit dem 24., bzw. 25. August.

39. Die früher oft verwendeten Termini Zephyr, Phöbus, Hora, usw., werden später durch deutsche Äquivalente ersetzt.

40. "*Das Blüthenalter der Empfindung* (Gotha, 1794).

41. "Briefe von Amanda und Eduard," *Die Horen* (1797), 561-80, 660-81, 971-85. Die versprochene Fortsetzung folgte nicht.

42. *Amanda und Eduard. Ein Roman in Briefen,* 2 Teile (Frankfurt/M.: Wilmans, 1803). Hieraus wird zitiert. Die Seitenangabe bezieht sich auf den ersten Band, wenn nicht besonders durch die römische Ziffer II als dem zweiten Teil entstammend gekennzeichnet. Vergleichszitate aus der *Horen*-Fassung sind im Text vermerkt.

43. Zu den damaligen Auffassungen von Liebe und Ehe vgl. Paul Kluckhohn, *Die Auffassung der Liebe in der Literatur des 18. Jahrhunderts und in der deutschen Romantik* (Halle, 1922).

44. Der abrupte Abbruch läßt darauf schließen, daß die nicht erschienene Fortsetzung ursprünglich jedoch geplant war.

45. *Horen*-Fassung: "Wenn ich jezt die Briefe von Julie und St. Preux, diese seltne, voll entfaltete Blüthe des menschlichen Gefühls lese, sie nicht lese, nein! sie empfinde, wenn sie mich mit einer Theilnahme, einer Begeistrung erfüllen, die keine kalte Beschauung zuläßt, dann weine ich oft süsse Thränen, und oft durchwallt mich ein wunderbarer Schauer. So könnte ich auch lieben [. . .]" Jg. 1797, S. 670.

46. Das Wort "Gegenstand" meint hier einen einzigen Menschen, den man lebenslang lieben und dem man treu bleiben soll. Mereau drückt dies bereits im 5. Brief des ersten Teils aus. Dort wird die *Horen*-Fassung im Roman präzisiert. Vgl. die beiden Stellen: "Wenn ich die Liebe, die ich ungetheilt in meinem Herzen verschließe, auf die ganze Welt übertrage, [. . .] werde ich da nicht glüklich seyn?" (*Horen,* 11. Bd. (1797), 665); versus Romanfassung: "Wenn ich die Liebe, die ich ungetheilt im Herzen verschließe, auf viele Gegenstände übertrage [. . .]" (I, 65). Mereau spitzt die caritative Liebe (die ganze Welt), die in der Erstfassung ausgedrückt wird, auf die Liebe für viele Individuen im Roman zu.

47. Nachwort zum *Kalathiskos,* speziell paginiert, S. 21.

48. Peter Schmidt spricht Befremden darüber aus, daß "in keinem der großen Intelligenzblätter der Zeit [. . .] eine Vorankündigung" des *Kalathiskos* zu finden ist, und meint, "Wir kennen die Gründe der Herausgeberin nicht; ihr Verhalten entspricht weder den

Gepflogenheiten der Zeit, schon gar nicht denen bei Zeitschriften und Almanachen" (4-5). Die Vermutung liegt aber nahe, daß Mereau aufgrund ihrer häuslichen und persönlichen Verhältnisse gerade um diese Zeit sich dem öffentlichen Gesprächsstoff entziehen wollte und deshalb die Reklame mied.

49. Anscheinend hatte Sophie auch Clemens ihr Verhältnis mit Kipp verschwiegen, da er ihr im September 1805 schreibt: "eines zerreißt mir das Herz, daß Du mich so lange mit Deinem Verhältniß zu Kipp betrogen hast, liebe Sophie, das hatte ich nicht verdient, das war schrecklich treulos, falsch;" Sophie erwidert: "Lieber! dies, dies allein ist ja die Qual meines Lebens! wenn Du wüßtest, wie ich mir oft die schwärzesten Vorwürfe über dies Verschweigen mache, wie ich oft bis zum Wahnsinne nachsinne, wie diese Schuld zu büßen sei" (BM II, 178 und 183). So spricht keine leichtfertige Frau.

50. Sophie Mereau, "Briefe der Ninon von Lenclos," *Erholungen*, hrg. von W. G. Becker (Leipzig, 1797), III, 189-214. Peter Schmidt registriert auch den Beitrag "Bruchstücke aus den Briefen und dem Leben der Ninon de Lenclos," nicht unterzeichnet, im *Journal für deutsche Frauen* ( = *Journal von deutschen Frauen für deutsche Frauen geschrieben*), Bd. 2, 5. H. (1805), 111-24; Bd. 3, 9. H., 92-118; 10. H., 108-18; 12. H., 116-22; als wahrscheinlich von Mereau stammend. Diese Zeitschrift war mir unzugänglich.

51. Zitiert wird aus dem zweiten Band des reprographischen Nachdrucks von *Kalathiskos*.

52. Selbst Arnim, dessen noch unveröffentlichte wissenschaftliche Abhandlung über Epikur dem allgemeinen zeitgenössischen Wissen über diesen Philosophen weit voraus war, vermochte nicht, seine diesbezüglichen Einsichten auf die Lebensweise Ninons zu übertragen. Im Mai 1807 schreibt er an Brentano: "über die Ninon Lenclos bin ich ganz Deiner Meinung, sie hat mir beynahe Übelkeit gemacht." Karl Ernst Henrici, *Auktionskatalog* 149, S. 70. Dieser Abschnitt ist bei Steig I, 211f, der den Brief teilweise veröffentlichte, nicht gedruckt. Der Henrici Katalog bringt mehrere Teildrucke aus Mereaus Nachlaß, sowie aus Briefen an Verwandte und Bekannte.

53. Aber vgl. die Perspektive in Helen Hayes, *The Real Ninon de l'Enclos* von 1908. Mereaus Recherchen vermittelten ihr ein weitaus durchgreifenderes Wissen über die Französin, als ihre Zeitgenossen besaßen. Zum Sujet vgl. *Ninon de Lanclos* von Emile Magne, übersetzt und redigiert von Gertrude Scott Stevenson (London: Arrowsmith, 1926). Magnes Bibliographie umfaßt Prosa- und Lyrikarbeiten der Ninon, ihre Korrespondenz, Standort der Manuskripte, Sekundärliteratur, Rezensionen, usw. auf S. 293-304; ebenso eine Liste der Theaterstücke, in denen Ninon figuriert (304). Hinzuzufügen ist Ernst Paul, "Ninon de Lenclos" (Trauerspiel in 3 Aufzügen), hrg. bei Insel Verlag (Leipzig, 1910).

54. Mereau erläutert diese Aussage nicht weiter. Edgar H. Cohen gibt jedoch in seiner neueren Studie der L'Enclos ähnliche Angaben mit weiterreichenden Erklärungen: "Ninon was not invited to the *sanctum sanctorum* of society, [. . .] the famous Blue Room of the Hôtel de Rambouillet, where the ladies kept themselves on pedestals, [. . .] and where exaggerated respect for women made them all but untouchable." *Mademoiselle Libertine. A Portrait of Ninon de Lanclos* (Boston: Houghton Mifflin, 1970), 37. Weder Cohen noch die anderen von mir konsultierten neueren Arbeiten über Ninon erwähnen

Mereaus Studien über die Französin in ihren extensiven Bibliographien. Offensichtlich war ihnen der Aufsatz unbekannt.

55. Von den in diesen Studien behandelten Dichterinnen und Künstlerinnen stammt bloß Karsch aus der unteren sozialen Klasse. Neben Günderrode, Mereau, Reichardt und Seidler gab es aber eine Vielzahl von begabten Frauen, die sich zwar künstlerisch öffentlich betätigten (Henriette Schubert, Caroline von Wolzogen, Marie von Olfers, Ottilie von Graefe—um nur einige von den heute fast unbekannten zu nennen), sich aber kaum durchzusetzen vermochten. Bei manchen von ihnen ist dies sicherlich auf fehlenden Mut zurückzuführen, gegen die Konvention zu verstoßen. Sind doch fast alle von denen, die sich gegen das System auflehnten, privat und öffentlich kritisiert worden und wegen ihrer vordergründigen Stellung in schlechten Ruf gekommen.

56. Cohen, S. 19.

57. Ehe, Eintritt in den Konvent. Ninon versuchte kurz nach dem Tod ihrer Mutter das Klosterleben, fand es aber unerträglich.

58. Mereau berichtet auch, daß Saint Evremond unter "dem Namen an Leontium [...] seine Schrift über die Moral des Epikur an sie gerichtet" habe (120).

59. Cohens Übersetzung läßt auch zu wünschen übrig (31). Vielleicht auf Deutsch: "Mach aus mir einen ehrlichen Menschen, aber nie eine ehrbare Frau."

60. *Spanische und Italienische Novellen,* hrg. von Sophie Brentano (Penig: F. Dienemann & Co., 1804, 1806), 2 Bde. "Die lehrreichen Erzählungen und Liebesgeschichten der Donna Maria de Zayas und Sotomayor." Der erste Band enthält die Einleitung (3-14) und drei Novellen: "Wer sich wagt geht zu Grund" (15-109); "Die betrogne Aminta, und die Ehrenwache" (110-200); "Die Strafe des Geizes" (201-80). Der zweite Band umfaßt: "Der gewarnte Betrogene" (5-126); den Rahmenteil "Dritte Nacht" (127-28); "Die Macht der Liebe" (129-78); die sechste Novelle hat bei Mereau keinen Titel, ist aber Zayas y Sotomayors "El Desengañado Amado, y Premio de la Virtud" (179-241); "Das Ende lohnt Jedem" (242-85); und "Der Sieg über die Unmöglichkeit" (286-333).

61. Das Gedicht "Ritter St. Georg" aus dem *Wunderhorn* hat mit diesem nichts gemein.

62. Sophie übersetzte Corneilles "Cid" und die spanische Erzählung "Don Fernand de Lara." Über den "Cid" schreibt Amelung, Dr. F. L. Lindner aus Wien habe "Sophie um Beiträge zu einem projektierten Journal 'Artistisch-Litterärische Blätter,' das im Verlage des Schreyvogelschen Kunst- und Industriecomtoirs in Wien erscheinen sollte" gebeten. "Sophie schickte den Cid und eine Novelle ein, schrieb dann am 20. August 1804 wieder an Lindner, der am 19. September 1804 antwortete" (BM II, 221). Das Journal kam nicht zustande und der "Cid" blieb unveröffentlicht. Die "Rückkehr des Don Fernand de Lara in sein Vaterland. Eine spanische Erzählung" von Sophie Brentano erschien im *Taschenbuch für das Jahr 1805. Der Liebe und Freundschaft gewidmet* (Frankfurt/M.: Wilmans).

63. Ich benutze für den spanischen Vergleichstext folgende Ausgabe, nach der die Seitenzahlen zitiert sind: *Novelas Exemplares y Amorosas,* de Doña Maria de Zayas y Soto-

mayor, Natural de Madrid. Primera y segunda Parte (Madrid: por Don Plácido Barco Lopez, 1795).

64. Bis dahin hatte Clemens auf keinen Fall etwas mit der Übersetzung zu tun. Dieser Briefwechsel war Steig noch unbekannt.

65. Das Werk Maria de Zayas war im Spanischen gut bekannt. Hans Felten schreibt: "Die *Novelas amorosas y ejemplares* der María de Zayas werden im 17. Jahrhundert neunmal gedruckt" und erzielen, "wenn wir von dem Sonderfall der cervantinischen *Novelas ejemplares* einmal absehen, die zweithöchste Auflagenzahl, was die Gattungsform der novela corta angeht, im 17. Jahrhundert." Hans Felten, *María de Zayas y Sotomayor. Zum Zusammenhang zwischen moralistischen Texten und Novellenliteratur,* = Analecta Romanica Heft 41 (Frankfurt/M.: Klostermann, 1978), 52.

66. Ludwig Pfandl, *Gesch. der span. Nationalliteratur in ihrer Blütezeit* (Freiburg, 1929).

67. Lena Sylvania, "Doña María de Zayas y Sotomayor, A Contribution to the Study of her Works," *Romanic Review* XIII (1922), 197-213; und XIV, 199-232.

68. Vgl. Anm. 65.

69. Für Zitate aus dem deutschen Text benutze ich die in Anm. 60 angeführte Erstausgabe. Hier S. 31-32. Der spanische Text lautet: "Faltó mi madre al mejor tiempo, que no fué pequeña falta, pues su compañía, gobierno y vigilancia fuera mas importante á mi honestidad, que no los descuidos de mi padre, que no le tuvo en mirar por mí, y darme estado (yerro notable de los que aguardan á que sus hijas le tomen sin gusto), queria el mio á mi hermano tiernísimamente, y esto era solo su desvelo, sin que se le diese yo en cosa ninguna" (10).

70. S. 31. Original: "tal es la flaqueza en que las mugeres somos criadas, pues no se puede fiar á nuestro valor nada, porque tenemos ojos, que á nacer ciegos, menos sucesos hubiera visto el mundo, que al fin viviéramos seguras de engaños" (9-10).

71. "con ayroso atrevimiento llegué á quitarle el rebozo, y apenas lo hice, quando sacando una daga, me dió un golpe tan cruel por el corazon, que me obligó el dolor á dar voces" (10).

72. "y como yo tambien hacia versos, competia conmigo en ellos, admirándole, no el que yo les compusiese; pues no es milagro en una muger, cuya alma es la misma que la del hombre, [. . .] sino porque los hacia con algun acierto" (27).

73. "Jamás miré á Celio para amarle, aunque nunca procuré aborrecerle, porque si me agradaba de sus gracias, temia sus despejos, de que él mismo nos daba noticia; particularmente un dia, que nos contó como era querido de una Dama, y que la aborrecia con las mismas veras que le amaba, gloriándose de las sinrazones, con que la pagaba mil ternezas. Quen pensára, Fabio, que esto dispertára mi cuidado, no para amarle, sino para mirarle con mas atencion que fuera justo?" (27).

74. Diese Terminologie wird bei Agustín Amezúa y Mayo benutzt. Vgl. Feltens Dis-

kussion (77f.) und Bibliographie.

75. Daß Hiazintha die Rollenerwartungen kennt, zeigt ihr Ausspruch: "So sah ich denn meine Hofnung betrogen, meine Furcht, meinen Argwohn bestätigt, und ich verdiente es, denn für mich war es unrecht, einen Mann zu lieben, von dem ich nicht wußte, ob er mein Gemahl seyn wolle" (92-93).—"Lo que sentí en ver defraudadas mis esperanzas, confirmándose en todo mis temores y recelos, pues siendo quien soy, no era justo querer, si no era al que habia de ser mi legítimo marido" (29).

76. "como muger que no sabía de amor, ni de otra cosa, que de la voluntad y gusto de sus tios" (36).

77. "No hay para las mugeres lazo como el del casamiento: déxala tú que vea tu gala, y ármasele, y verás si caerá" (39).

78. "[. . .] su legítima muger, que era tan desdichada como hermosa: la qual se habio quedado en Madrid" (37).

79. "Sí, porque siendo una muger mala, lleva ventaja á todos los hombres" (45).

80. "Mas cómo podré yo tener paciencia, ni aguardar á tal, teniendo manos y valor con que quitarme la vida. Y diciendo esto, sacó un cuchillo de su estuehe, para abrir con él las venas de sus brazos" (50).

81. "no penseis, que aunque estoy en este lugar, dexo de ser lo que soy, y si por los engaños de un traidor os parece que estoy sin honra, lo que á mi me ha sucedido pudiera suceder á la mas cuerda y recatada" (51).

82. "le dió la mano de esposo, la qual Aminta recibió con gusto, por no estar en tiempo de otra cosa" (52).

83. "No ha de ser asi mi venganza, dixo Aminta, porque supuesto que yo he sido la ofendida, y no vos, yo sola he de vengarme, pues no quedaré contenta, si mis manos no me restauran lo que perdió mi locura" (52).

84. "Yo soy (decia Aminta) la que siendo fácil, la perdí, y asi he de ser la que con su sangre la he de cobrar" (53).

85. Johannes Werners Buch über *Maxe von Arnim* (Leipzig: Koehler & Amelang, 1937) bringt interessante Einblicke in das Frauenleben der Zeit. Gisela, Achim von Arnims lebhafte Tochter, riß sich, "als sie im Übermut über einen Zaun sprang, das halbe Kleid ab und mußte nun den übrigen Abend in unserem Wagen verbringen" (131).

86. "conocióle al punto, y es de creer que fué necesario el ánimo, que el trage varonil le iba dando, para no mostrar su sobresalto y flaqueza" (53).

87. "[. . .] porque soy mas hombre de lo que mis barbas dan muestra; [. . .] algun dia he de ser gallo, á pesar del bellaco que me ganó mi caudal" (55).

88. "Para qué, Jacinto, ingrato, / causa de mi eterna pena, / con falso, y fingido amor / engañaste mi inocencia?" (55).

89. "y sacando la daga, se la metió á Don Jacinto por el corazon, de suerte, que el quejarse y rendir el alma, todo fué uno. Al ruido despertó Flora, y queriendo dar voces, no la dió lugar Aminta, que la hirió por la garganta, diciendo: traidora, Aminta te castiga y venga su deshonra. Y volviéndola á dar otras tres puñaladas, envió su alma á acompañar la de su amante" (57).

90. Bereits Varnhagen von Ense machte nach Durchsicht der Mereauschen Briefe im September 1856 den Tagebuchvermerk: "Ich zwang mich zu einiger Arbeit; las dann in den Liebesbriefen der Sophie Mereau, die sehr liebenswerth sind, ein lebhaftes Bild von ihrer Liebenswürdigkeit und von den Sitten der Zeit geben. In *allen* Zeugnissen, Briefen und Erzählungen von damals findet sich durchaus dasselbe, Vergötterung und Allberechtigung der Liebe, Mißachtung der Ehe, poetische Anerkennung der Sinnlichkeit, Ringen nach Freiheit, Hinblick auf Frankreich. Dies ist alles auch hier." Karl August Varnhagen von Ense, *Tagebücher,* Bd. 13 (Hamburg, 1870), 147.

## 4. *Zwischen den Welten. Ambivalenz und Existentialproblematik im Werk Caroline von Günderrodes.*

1. *Goethes Briefe an Eichstädt,* hrg. v. W. Frh. v. Biedermann (Leipzig, 1872), S. 87.

2. Die Dissertation Annelore Naumanns, *Caroline von Günderrode* (Berlin: Freie Univ., 1957), gibt auf S. 8-28 eine ausführliche Übersicht über Rezeptionsgeschichte und Kritik. Zu den wichtigen neuen Arbeiten seit Naumann gehören die Veröffentlichungen von Max Preitz und Doris Hopp. Vgl. Max Preitz, "Karoline von Günderrode in ihrer Umwelt. I. Briefe von Lisette und Gottfried Nees von Esenbeck, Karoline von Günderrode, Friedrich Creuzer, Clemens Brentano und Susanne von Heyden," *Jahrbuch des Freien Deutschen Hochstifts* (1962), 208-306; ders.; "Karoline von Günderrode in ihrer Umwelt. II. Karoline von Günderrodes Briefwechsel mit Friedrich Karl und Gunda von Savigny," *JbFDH* (1964), 185-235; Doris Hopp, Max Preitz, "Karoline von Günderrode in ihrer Umwelt. III. Karoline von Günderrodes Studienbuch," *JbFDH* (1975), 223-323. Zitate aus den Hochstiftjahrbüchern werden mit der Abkürzung *JbFDH,* der Jahreszahl, und Seitenzahl angegeben. Auch: Gisela Dischner, "Die Günderrode," in: *Bettina von Arnim: Eine weibliche Sozialbiographie aus dem 19. Jahrhundert* (Berlin: Wagenbachs Taschenbücherei, 1977), 61-143; Gisela Brinker-Gabler, a.a.O., 159-63. Zahlreiche Hinweise auf Günderrode auch bei Ingeborg Drewitz, *Bettine von Arnim. Romantik–Revolution–Utopie* (München: Heyne, 1980).

3. Durch Bettina von Arnims Buch *Die Günderode* wurde die Schreibung mit einem "r" eingeführt. B.v.A., *Werke und Briefe,* 1. Band, hrg. von Gustav Konrad (Frechen/Köln: Bartmann, 1959), 215-536. Vgl. Naumann, S. 8.

4. Karl Groos, *Friedrich Creuzer und Karoline von Günderode. Mitteilung über deren Verhältnis* (Heidelberg: Universitätsbuchhandlung, 1895). Dort auch Hinweise auf die frühere diesbezügliche Literatur; Karl Preisendanz, *Die Liebe der Günderode* (München: Piper, 1912); Geneviève Bianquis, *Caroline de Günderode* (Paris: Alcan, 1910). Die taktlosen und unrichtigen Bemerkungen von Franz Sauter (in: *Westermanns Illustrierte*

*Deutsche Monatshefte,* Nr. 39 (Dez. 1867), 254) hat bereits Karl Schwartz in seinem Artikel "Geschichte der Familie von Günderrode" berichtigt (J. S. Ersch, *Allgemeine Encyclopädie der Wissenschaften,* Teil I, Bd. 97). Dieser bringt auch das zuverlässigste biographische Material.

5. Walter Rehm, *Der Todesgedanke in der deutschen Dichtung* (Leipzig: Niemeyer, 1928), 434.

6. Friedhelm Kemp, *Karoline von Günderode* (Stuttgart: Bürger, 1947), 75.

7. *JbFDH* 75, 240.

8. Naumann schreibt: "Wenn man überhaupt von einer Zugehörigkeit zu einer literarischen Epoche bei ihr sprechen will [. . .] so ist es allenfalls möglich, sie in einer Verbindung zur Jenaer Romantik zu sehen" (29).

9. Dazu Naumann, 24ff.

10. Max Büsing, *Die Reihenfolge der Gedichte Karolinens von Günderrode* (Berlin: Ebering, 1903), 8.

11. Ludwig Pigenot, *Karoline von Günderrode. Dichtungen* (München, 1923), S. 8 und 16f.

12. Vgl. auch Linda Pickles Aufsatz über das geschlechtsspezifische Element in der Literaturkritik, das ebenfalls bei der Bewertung von Günderrodes Werk eine maßgebliche Rolle spielte. Linda Schelbitzki Pickle, "Self-Contradiction in the German Naturalists' View of Women's Emancipation," *German Quarterly* LII, Nr. 4 (Nov. 1979), 442-56. Dazu auch die Vorbemerkung bei Brinker-Gabler.

13. Doris Hopp geht in der Einleitung zu dem neuveröffentlichten Material hierauf ein: "Die Briefpartner gaben ihrerseits Hinweise auf neuerschienene oder ihrer Meinung nach wichtige Literatur. Die Günderrode war für Anregungen stets dankbar und ist häufig darauf eingegangen. Sie hatte jedoch einen durchaus individuellen Geschmack und befolgte keineswegs alle Ratschläge" (*JbFDH* 75, 225). Aufschlußreich sind auch der Kommentar und die Fußnoten zu den von Hopp veröffentlichten Studienbüchern.

14. *Gedichte und Phantasien* von Tian (Hamburg/Frankfurt: J. C. Hermannsche Buchhandlung, 1804). Druck: Offenbach, bei C. L. Brede.

15. *Gesammelte Werke der Karoline von Günderode,* 2. Bd., hrg. von Leopold Hirschberg (Berlin: Bibliophiler Verlag, 1922), 257-58. Hernach wird diese Ausgabe mit römischen Ziffern für den Band, arabischen für die Seitenangabe zitiert. Bernhard Gajek bietet eine interessante Analyse von Clemens Brentanos Briefwechsel mit Günderrode in: *Homo poeta. Zur Kontinuität der Problematik bei Clemens Brentano* (Frankfurt/M.: Athenäum, 1971), 175-96, und in: "Das rechte Verhältnis der Selbständigkeit zur Hingebung," *Frankfurt aber ist der Nabel dieser Erde* (Stuttgart, 1983), 206-26.

16. Preisendanz schreibt über Brentano: "Er äußerte sich gerne verächtlich und spöttisch über Karoline als Dichterin. [. . .] Vor Creuzer hielt er mit mißbilligenden Äußerungen über Karoline nicht zurück; und doch wußte er, daß sie so Karoline wieder zu

Ohren kommen mußten. So zog er auch auf die Nachricht von ihrer Mitarbeit an Daubs und Creuzers Studien seine Zusagen sofort ostentativ zurück" (IX). Wie empfindlich er der schriftstellerischen Tätigkeit seiner Frau gegenüber war, wurde im vorhergehenden Kapitel erörtert. Brentanos Einstellung ist kein Sonderfall.

17. *Herbsttage* (Leipzig: Gräff, 1805).

18. *Teutsche Satyrische Gedichte,* VIII (1664).

19. 5. Ausgabe (Berlin: Walther, 1910), 73.

20. Dagegen mag hier Friedhelm Kemps Einsicht im Nachwort seiner Günderrode-Ausgabe wiedergegeben werden:

> Und vielleicht ist bisher vom Manne aus immer noch zu wenig getan worden, die Tragik dieser eigenen Gesetzen entspringenden weiblichen Geistigkeit in einer männlichen Welt einzusehen. Die freventliche und hochmütige Verkennung des Umstandes, daß die weibliche Seele ein ebenso ursprüngliches wie unmittelbares, obschon anderes Verhältnis zum Geiste besitzt, hat oft in unheilvoller Weise die doch in beiden Geschlechtern gesetzte Einheit des menschlichen Bildes zerstört (73).

21. Sie stieß sich zweimal den Dolch ins Herz—eine Tat, die sowohl Willensstärke wie auch physische Kraft voraussetzt.

22. Außer den von Hopp/Preitz aus dem Hochstiftmaterial veröffentlichten Studienbuchteilen befindet sich auch noch weiteres Material im handschriftlichen Nachlaß Günderrodes in der Frankfurter Stadt- und Universitätsbibliothek. Es enthält u.a. Schelling-Studien und Kopiertes aus Schlegels Athenäumsfragmenten und Schleiermachers Reden.

23. Die Romantiker haben nicht Unbeträchtliches dazu beigetragen: Arnim, Ritter, Schelling auf dem Gebiet der Physik, J. Grimm in Philologie und Linguistik, usw.

24. Vgl. hierzu Günderrodes Äußerung: "Es ist sehr traurig bemerken zu müssen wie uns der Egoismus allenthalben nachschleigt, und uns oft da am nächsten ist wo wir ihn am fernsten von uns glauben." Brief an Karoline von Barkhaus vom 17. Juli 1799; gedruckt in *JbFDH* 64, 166.

25. Vgl. hierzu H. M. Kastinger Riley, *Achim von Arnim in Selbstzeugnissen und Bilddokumenten* (Reinbek: Rowohlt, 1979), bes. 19-29; dies.: "Some German Theories on the Origin of Language from Herder to Wagner," *The Modern Language Review* 74, Nr. 3 (1979), 617-32; Peter Schmidt, "Gesundheit und Krankheit in romantischer Medizin und Erzählkunst," *JbFDH* 66, 197-228. Dort überall auch weiterführende Literaturangaben.—Günderrode schreibt am 17. Juli 1799 an Karoline von Barkhaus: "Bisher las ich auch sehr viel in Herders Ideen zur Philosophie der Geschichte der Menschheit [. . .] und ich selbst scheine mir in solchen Augenblikken ein so kleiner unbedeutender Punkt in der Schöpfung, daß mir meine eigne Angelegenheiten keiner Thräne, keiner bangen Minute werth scheinen" *JbFDH* 64, 165-66.

26. *Gesammelte Dichtungen von Karoline von Günderode. Zum ersten Mal vollstän-*

*dig herausgegeben* durch Friedrich Götz (Mannheim: Götz, 1857), 4-5.

27. Bei Goethe wird das Schöpferische auf Erden von der "Kraft" auf die "Tat" übertragen—also nicht passiv, sondern aktiv ist das wirklich Schaffende, nicht blinde Urkraft, sondern überlegtes Handeln leitet die Welt. Vgl. *Faust* I: "Es sollte stehn: Im Anfang war die *Kraft!* / Doch, auch indem ich dieses niederschreibe, / Schon warnt mich was, daß ich dabei nicht bleibe. / Mir hilft der Geist! auf einmal seh ich Rat / Und schreibe getrost: Im Anfang war die *Tat!*"—Z. 1233-37.

28. Naumann kommt zu dem Schluß, daß der Führer "der Sohn des Helios und der Selene, vielleicht Phaeton" wäre, "dessen Mutter bei Hesiod zwar Klymene heißt, zu dem die Vorstellung vom 'In-die-Zügel-Fallen' aber annähernd stimmt" (55).

29. *JbFDH* 75, 291. Aus diesem "Tien" mag Günderrode auch ihr Pseudonym "Tian" abgeleitet haben. Dies scheint mir einleuchtender als Büsings oder Geigers Thesen. Büsing meint, "Karoline las eifrig Jean Paul. Darf an seinen Titan [. . .] gedacht werden" (117), während Geiger in *Dichter und Frauen* schreibt, "Nees von Esenbeck habe vielleicht das Pseudonym beschafft" (zitiert nach Büsing, 117).

30. Die weiteren Erläuterungen enthalten folgende Punkte: das Absolute (Allgemeine oder Unendliche) "gebiert" sich in die Endlichkeit; "in diesem Akt also objektiviert sich das Subjektive." Umgekehrt löst sich dieses Objektive und Endliche wieder ins Allgemeine oder Unendliche auf; "dieser Akt ist das subjektiviren des Objektiven;" und "Da das Objekt sich nicht von dem Subjekt, die Form nicht von dem Wesen trennen läßt, so entsteht in dem dritten Akt wieder ein Absolutes, d h eine Einheit des Objekts und des Subjekts, der Form und des Wesens, des Besondern und Allgemeinen, des Endlichen und Unendlichen." Hier folgt die Fußnote, daß diese Einheit jedoch nicht "jene Ureinheit" sei, "in dem Ideales und Reales noch ungetrennt und ununterscheidbar ruhten, sondern es ist eine synthesirte Einheit, ein Produkt entgegengesezter Thätigkeiten, ein Absolutes in zweiter Potenz, das Universum" (*JbFDH* 75, 297).

31. Eine tiefgreifende Analyse bietet Ulrich Gaier, *Krumme Regel. Novalis' "Konstruktionslehre des schaffenden Geistes" und ihre Tradition* (Tübingen: Niemeyer, 1970). Das Thema wird auch in meinem Buch *Das Bild der Antike in der deutschen Romantik* (Amsterdam: Benjamins, 1981) in Kapitel V behandelt.

32. "Nach innen geht der geheimnisvolle Weg. In uns oder nirgends ist die Ewigkeit mit ihren Welten," Nr. 16.

33. Büsing schreibt: "Sie schreibt philosophische Dialoge [. . .] überall kommt die erzählende Geschichtsforscherin und denkende Philosophin, so gut wie nirgends die gestaltende Künstlerin zu Wort" (8).

34. Vgl. Hirschberg II, 221.

35. Hirschberg II, 78.

36. Vgl. den oben zitierten Brief an Brentano: "[. . .] nach dieser Gemeinschaft hat mir stets gelüstet, dies ist die Kirche nach der mein Geist stets walfartet auf Erden" (Hirschberg II, 258).

37. Büsing und andere haben oft unbegründeterweise Günderrodes "geringe Bildkraft" bemängelt (9), sowie ihre angebliche Unfähigkeit, "die höchste dichterische Tat" zu erzielen, "ein Bild als Bild, gleichzeitig aber als ein Symbol dessen darzustellen, was dahinter liegt" (8).

38. Erich Regen meint, "Schellingscher Einfluß ist nach ihren eigenen Worten ausgeschlossen." *Die Dramen Karolinens von Günderode* (Berlin: Ebering, 1910), 73. Regen nimmt als Quelle hierfür Erwin Rohde, *Friedrich Creuzer und Karoline von Günderode. Briefe und Dichtungen* (Heidelberg, 1896). Seit der Veröffentlichung der Studienhefte Günderrodes kann diese Behauptung nicht mehr aufrecht erhalten werden.

39. Vor allem in der Darlegung des stufenweisen Fortschritts der Menschheit: "Jede Volksgröße scheint ein Frühling, der nur einmal kömmt, und dann entfliehet, um andere Zonen zu beglücken" (Hirschberg II, 82). Auch diese Idee war bereits von Schiller u.a. wieder aufgegriffen worden. Vgl. Achim von Arnims erst vor kurzem veröffentlichten Aufsatz "Das Wandern der Künste und Wissenschaften," in: Jürgen Knaack, *Achim von Arnim–nicht nur Poet* (Darmstadt: Vowinckel, 1976), 120-29.

40. Es ist dies ein auf die Existentialphilosophie übertragenes, damals im geschichtsphilosophischen wie im ästhetischen Bereich angewandtes Grundprinzip. Mit dem Konzept der romantischen Ironie verwandt, kommt Günderrodes Auffassung doch jener später von Kierkegaard vertretenen näher, dessen Ironiekritik sich damit auseinandersetzt, daß die romantische Kunst "nur" ein Werden sei und daß die Wirklichkeit der Romantik "nur" progressiv sei. Dem setzt er entgegen: "Der Glaube ist nicht ein ewiger Streit, sondern er ist ein Sieger, der streitet. Im Glauben ist also jene höhere Wirklichkeit des Geistes nicht nur werdend, sondern sie ist da, obwohl sie zugleich wird." Vgl. das Kierkegaard-Kapitel bei Ingrid Strohschneider-Kohrs, *Die romantische Ironie in Theorie und Gestaltung* (Tübingen, 1960); hier S. 221.

41. Regen, 77. Die Druckfassung, die mir zugänglich war, enthält bloß "Hildgund" und "Mahomed, der Prophet von Mekka." Das Zitat stammt aus Regens Abschnitt "Inhalt der weiteren Untersuchung." Mit einer Schicksalstragödie hat "Magie und Schicksal" allerdings nichts zu tun. Zwar spielt ein Objekt (das magische Szepter) darin eine wichtige Rolle, es ist jedoch bloß Symbol der Magie, ist weder fluchbeladen noch präfigurativ verhängnisvoll, und die damit vollbrachte Tat wiederholt sich auch nicht. Mit dem Typus der Schicksalstragödie, wie er durch Zacharias Werner ("Der 24. Februar"), A. v. Platen ("Die verhängnisvolle Gabel"), Arnim ("Der Auerhahn") u.a. bekannt ist, hat "Magie und Schicksal" nichts gemein.

42. "Udohla" wird nach Asien verlegt, "Hildgund" in die germanische Sagenwelt (Kampf der Burgunder mit Attila), "Mahomed" in den Orient. Letzteres Stück bedient sich allerdings auch eines Chors.

43. Vgl. Paul Kluckhohn, *Die Auffassung der Liebe in der Literatur des 18. Jahrhunderts und in der deutschen Romantik* (Halle, 1922); Hugo Kuhn, *Liebe und Gesellschaft* (Stuttgart: Metzler, 1979); und Kapitel 1 und 2 in meiner Studie *Das Bild der Antike.*

44. "Gemeines" bedeutet hier etwas Allgemeines, etwas Gewöhnliches.

45. Vgl. H. M. Kastinger Riley, "Romain Rollands 'Liluli' und der Monismus in

Deutschland," *Romanistische Zeitschrift für Literaturgeschichte,* Nr. 4 (1980), S. 413-21.

46. In Arnims *Gräfin Dolores,* in Kleists "Amphitryon," u.a.

47. Kleist hat es (nach Molière) im "Amphitryon," aber auch im *Michael Kohlhaas* dargestellt.

48. Günderrode scheint Creuzer auf solche Art geliebt zu haben. Arnim schreibt am 27. August 1806 an Bettina, nachdem er von Günderrodes Tod erfahren hatte: "wir konnten ihr nicht genug geben, um sie hier zu fesseln, nicht hell genug singen, um die Furienfackel unseliger, ihr fremder Leidenschaft auszublasen" (Steig II, 40).

49. Max Preitz/Doris Hopp geben I. A. Fesslers "Attila, König der Hunnen" als Vorbild an (*JbFDH* 75, 228, Anm. 25). So auch Regen (16), der das Stück auf S. 12-28 behandelt. Der Interpretation von Preitz/Hopp, daß in den Dichtungen Günderrodes "das Glücksstreben meist am Widerstand der Umwelt" scheitert, eine Ansicht, die durch das "Ende des Dramas 'Nikator'" bestätigt werden soll (*JbFDH* 75, 238 und Anm. 64), kann ich nicht beistimmen.

50. C. F. Meyers "Gustav Adolfs Page" ist ein typisches Beispiel dieser Verkleidungsthematik, die auch in der deutschen Romantik stark vertreten ist.

51. Vgl. Attilas Reaktion als Kriemhilde den Tod ihres Gatten rächt:

> si hvbez [das Schwert] mit ir handen. daz hovpt si im abe slv̊c. daz sach d(er) kunic Ezele. do̊ was im leide genv̊c. (2433) Wafen sp(ra)ch d(er) furste. wie ist nv tot gelegen. von eines wibes handen. d(er) aller beste degen. d(er) ie chom zestvrmen. od(er) ie schilt getrv̊c. swie vient ich im wære. ez ist mir leide genv̊c. (2434) Do sp(ra)ch meist(er) Hildebrant. iane genivzet sie es niht. daz si in slahen torste.

*Nibelungenlied* (Hs. C).

52. Datierungsversuche wurden u.a. von Ludwig Geiger, Reinhold Steig, und Max Büsing unternommen, die sich allerdings durchgehend als unzulänglich erwiesen haben. Naumann schreibt, die Datierungsversuche in Geigers Werk *Caroline von Günderode und ihre Freunde* (Stuttgart, 1895) "wurden von Reinhold Steig im 'Euphorion' richtiggestellt" (Naumann, 17). Inzwischen haben sich auch Steigs Datierungen nicht als unbedingt verläßlich erwiesen (Vgl. Preitz/Hopp, *JbFDH* 75). Büsings Versuche sind ebenfalls unzureichend. Er setzt z.B. Günderrodes "Darthula nach Ossian" mit der ersten Hälfte des Jahres 1799 fest, während ein Brief Carolines an Gunda vom 29. August 1801 die Zeile enthält: "Gestern las ich Ossians Darthula" (*JbFDH* 64, 170). Überhaupt stützt sich Büsing zu sehr auf psychologisch begründete Annahmen, die sich dann bei Veröffentlichung neugefundenen Briefmaterials als nicht stichhaltig erwiesen haben. Aufgrund der noch unzulänglichen Forschungslage werde ich daher von jedem Datierungsversuch absehen und mich bei der postulierten "geistigen Entwicklung" Günderrodes bloß auf die weitergeführte Thematik beschränken.

53. Büsing schreibt, daß von dem einen, Frh. v. Bernus gehörenden Exemplar, ja überhaupt von der Existenz eines Büchleins "Melete" bis 1896 nichts bekannt war. "Der Druck ward nicht über den fünften Bogen fortgesetzt,—die bereits gedruckten Bogen wurden

supprimiert" (17).

54. *Karoline von Günderrode. Der Schatten eines Traumes. Gedichte, Prosa, Briefe, Zeugnisse von Zeitgenossen. Herausgegeben und mit einem Essay* von Christa Wolf (Darmstadt: Luchterhand, 1979).

55. Christa Wolf, *Kein Ort. Nirgends.* (Darmstadt: Luchterhand, 1979).

## 5. *"Der eine Weg der Ergebung." Louise Reichardts musikalisches Schaffen und Wirken im kultuellen Leben Hamburgs.*

1. Louise hatte eine Schwester, die 1783 geborene Juliane. Der Vater heiratete noch im selben Jahr die Witwe Johanna Hensler, die drei Kinder in die Ehe brachte (Wilhelm, Charlotte, Minna). Mit Johanna hatte Reichardt weitere fünf Kinder: Johanna (spätere Gattin Henrik Steffens'), Friederike (heiratete Karl von Raumer), Sophie (später mit Hofprediger Radecke verheiratet), Hermann, und Friedrich. Louises leibliche Mutter war die Tochter des Violinisten und Konzertmeisters Franz Benda und "eine der berühmtesten Sängerinnen damaliger Zeit und zugleich auch Komponistin" (M. G. W. Brandt, *Leben der Luise Reichardt. Nach Quellen dargestellt.* Basel: Bahnmeier, 1865, S. 12). Über sie berichtet die *Zeitschrift für Musikwissenschaft,* hrg. von Alfred Einstein, 2. Jg., Oktober 1919-September 1920 (Leipzig: Breitkopf & Härtl) auf S. 479 folgendes: "Von den Töchtern Franz Bendas ist nur die spätere Gattin Johann Friedrich Reichardts, Juliane Benda (1752 bis 9. Mai 1783) kompositorisch tätig gewesen. Ihre 'Lieder und Claviersonaten' wurden 1782 für Bohn in Hamburg bei Breitkopfs gedruckt; ihr Mann hatte auch in dem ersten und dritten Teil seiner ebenfalls in Leipzig hergestellten Oden und Lieder drei Lieder ihrer Komposition aufgenommen." Louises Stiefmutter hatte mehrere Schwestern, von denen eine mit Ludwig Tieck verheiratet war. Zum Teil durch diese Verwandtschaftsverhältnisse war Reichardts Haus Mittelpunkt des damaligen künstlerischen und intellektuellen Gesellschaftslebens. Vgl. auch meine Erläuterungen in *Ludwig Achim von Arnims Jugend- und Reisejahre,* S. 42ff.

2. Noch wenige Monate vor ihrem Tod schrieb sie am 10. Juni 1826 im Brief an Mutter und Schwester: "Dein Entschluß, liebe Sophie, auch einige Schülerinnen anzunehmen, hat meinen ganzen Beifall; es ist die leichteste Art, etwas zu erwerben und doch recht oft von Segen" (Brandt, 183).

3. Renate Moering schreibt in ihrer Dissertation *Die offene Romanform von Arnims "Gräfin Dolores"* (Heidelberg: Winter, 1978), daß Brandts Werk "wissenschaftlich völlig wertlos" sei (157). Dies stimmt nur bedingt. Zwar ist seine Arbeit christlich-erbaulich motiviert und zum Teil faktisch unzuverlässig, er bringt aber eine Vielzahl von Briefen aus Louises Korrespondenz, die wichtige Einblicke in ihr Leben bieten und die heute nicht mehr auffindbar sind. Das von mir benutzte Exemplar stammt aus der Yale University Sterling Library und enthält am Rand einen reichhaltigen Kommentar mit Berichtigungen aus dem Handexemplar von Louises Schwester Friederike von Raumer. Bzgl. der Geschwisterpflege, s. S. 14.

4. Auktionskatalog der Firma Henrici, Nr. 149, S. 84. An Arnim schrieb Brentano bereits im Mai 1806: "Ich weiß nicht, warum ich alle Weiber, die Du lieb hast, so unendlich ehren muß; es muß die ernsthafte, herrliche Art sein, wie Du von ihnen redest. So habe ich immer eine große Liebe zu Deiner Tante gehabt, und dann zur Grassini, und dann sehr, sehr zur Luise Reichardt" (Steig I, 174).

5. Henrich Steffens, *Was ich erlebte,* hrg. von Willi A. Koch (Leipzig: Dieterich, 1938), 233-34. Die Staats- und Universitätsbibliothek Hamburg besitzt ein sorgfältig ausgeführtes handschriftliches Exemplar von "In Sevilla."

6. Herausgegeben und eingeleitet von Gerty Rheinhardt (München, 1922).

7. S. 157, 178-80; Druck der Noten, S. 241. Die Analyse ist musikwissenschaftlich unzulänglich.

8. *Louise Reichardt. Selected Songs* (New York: Da Capo, 1981). Vgl. auch Reichs Aufsatz in *Ars Musica. Musica Scientia. Festschrift Heinrich Hüschen* (1980), S. 369-77: "Louise Reichardt." Eine von Louises Vertonungen hat den Weg in die USA in der Übersetzung gefunden und ist derzeit im Handel käuflich: "When the Roses Bloom" (Cincinnati, Ohio: Willis Music Co., Nr. 2577).

9. *Die Musik in Geschichte und Gegenwart,* hrg. von Friedrich Blume, Bd. 11 (Kassel: Bärenreiter, 1963), 160. Kurze Angaben bringt auch Franz Lorenz, *Die Musikerfamilie Benda. Franz Benda und seine Nachkommen* (Berlin: de Gruyter, 1967), 123-29.

10. Ein bisher unveröffentlichter Brief Louises an die Tante (wahrscheinlich aus dem Jahr 1820) enthält rückblickend die Stelle: "Ich habe überhaupt sehr wenig Laute gespielt u. zuletzt sobald ich alle Accorde kannte, immer nach dem Viol: Schlüssel u. bin nie so weit gewesen selbst nach der Tablatur zu setzen." Der Brief ist nebst anderen im Anhang gedruckt. Die freundliche Erlaubnis der Veröffentlichung verdanke ich der Staats- und Universitätsbibliothek Hamburg, die die Handschrift besitzt.

11. Brandt, 18. Louise trat aber bereits 1794 als Sopranistin in der Berliner Singakademie auf.

12. Ein Rezensent bemerkt (vielleicht etwas naiv) in der *Leipziger Allgemeinen Musikalischen Zeitung* (1802) die ungewöhnlich große Anzahl weiblicher Teilnehmer im Chor, die "um so auffallender war, da hier noch immer, ich weiß nicht, warum? ein ziemlich allgemeines Vorurtheil, besonders unter den Frauenzimmern, gegen die Theilnahme an öffentlichen oder auch nicht öffentlichen Konzerten herrscht." Zitiert bei Josef Sittard, *Geschichte des Musik- und Concertwesens in Hamburg vom 14. Jahrhundert bis auf die Gegenwart* (Altona/Leipzig: A. C. Reher, 1890), 119.

13. Henrich Steffens schreibt in seinen Lebenserinnerungen über Louise: "Es ist nicht zu leugnen, daß sie von dem Vater die Herrschaft geerbt hatte, die sich unter den Verhältnissen, in welchen sie lebte, mit dem steigenden Alter mehr und mehr entwickeln mußte" (233).

14. Die *Liederspiele* wurden in Tübingen bei Cotta 1804 gedruckt. Louises zwei Lieder zu Reichardts *Der Jubel* sind "Feldeinwärts" und "Was zieht mir das Herz so."

15. *XII Deutsche u italiänische romantische Gesaenge mit Begleitung des Piano-Forte* componirt und Ihrer Durchlaucht der Herzogin Mutter Anna Amalia von Sachsen Weimar und Eisenach aus reiner Verehrung zugeeignet von Louise Reichardt (Berlin: Realschul-Buchhandlung, o.J.).

16. "Ida," 17-19; und "Heymdal," S. 21.

17. "Frühlingslied;" "Geistliches Lied" ("Wenn ich ihn nur habe [. . .]").

18. "Durch die bunten Rosenhecken;" "Wohl dem Mann, der in der Stille."

19. "Poesia" I ("Giusto Amor tu che mi accendi"); "Notturno" ("Già delle Notte oscuro"); "Poesia" II ("Vanne felice rio").

20. "Poesie" ("Ruhe Süßliebchen im Schatten").

21. "Dicht von Felsen eingeschlossen;" von den in Anmerkung 16 bis 21 angeführten Liedern sind alle bis auf Arnims "Heymdal" und Tiecks "Wohl dem Mann, der in der Stille" bei N. Reich gedruckt.

22. Arnim beschreibt diese Zusammenarbeit in seinem Aufsatz "Sammlungen zur Theatergeschichte," *Monatliche Beiträge zur Geschichte dramatischer Kunst und Literatur,* hrg. von Karl von Holtei, 2. Bd., (Jan.-März 1828), 1-42.

23. Das Lied ist bei Nancy Reich, S. 12, gedruckt. Für die Durchsicht, für Hinweise und Kommentar die musikalischen Analysen betreffend bin ich meinem verehrten Kollegen, Herrn Prof. Dr. Allen Forte, Professor of Theory of Music, Yale University zu großem Dank verpflichtet. Wo ich trotz seines abweichenden Urteils meine eigene Analyse beibehalten habe, bzw. wo Professor Forte weiterführende, illuminierende Hinweise vermerkte, ist dies in den Fußnoten verzeichnet. Zum verminderten Septakkord im 6. und 8. Takt bemerkt er: "It is not possible to substitute a $B^b$ 7th chord for the chromatic chord here; therefore the derivation is spurious. What is interesting about the setting here is the temporaray excursion into the parallel minor mode, with $A^b$ in the voice accompanied by the chromatic B in the bass."

24. Vgl. Anm. 10, oben. Das Zitat entstammt Steig II, 35. Steig vermerkt in der Fußnote die 1805 erschienenen *Deutschen und italiänischen romantischen Gesänge,* verzeichnet aber nur zwei darin als Vertonungen von Arnims Gedichten.

25. Herausgegeben bei Johann August Böhme in Hamburg, o.J.

26. Drittes Werkchen (o.O., o.J.).

27. Brandt widmet der damaligen Sachlage im Reichardtschen Hause in Kassel mehrere Seiten. Er schreibt u.a., daß Reichardt seiner Familie nur 2 Taler Bargeld hinterlassen habe, daß Frau Reichardt "unter diesem unerwarteten Ereigniß" zusammenbrach und schwer erkrankte, und daß Louise begann, "mit ihren Schwestern Handarbeiten für Geld zu machen und Unterricht im Gesang zu geben" (32). Die Randbemerkungen des Exemplars von Friederike enthalten hierzu schroffe Widerlegungen ("Das ist *alles* nicht wahr"). Reichardt "hinterließ der Familie das volle Gehalt u. der Mangel im Hause entstand *nur* dadurch daß er *ganz* unerwartet vom K. Jerome abgesetzt u. das Gehalt nicht

bezahlt wurde. [...] Das Arbeiten für Geld geschah *nur* 1807 als Reichardt in Königsberg u. völlig von s. Familie abgeschlossen war." Wenn auch wahrscheinlich Reichardt keine Schuld an der Situation traf, so war die Notlage der Familie sicher der Grund für Louises Lehrtätigkeit.

28. Selbst als Louise schon in Hamburg war, schrieb sie noch an Arnim: "ich bitte Gott nur um die Freude Ihre liebe Frau die mir sehr theuer ist einst persönlich kennen zu lernen," Henrici Auktionskatalog Nr. 149, S. 35.

29. Nr. 2, S. 4-5.

30. *Zeitung für Einsiedler* (Anm. 3: 22). Arnim schreibt in der Vorrede: "Das Gewohnte hat uns nicht bezwungen, und das Auffallende nicht verführt," Sp. VII.

31. Die bei Steig gedruckte Fassung des Novalisliedes ist eine frühere, von der bei Reich gedruckten verschiedene, Komposition Louises.

32. Vgl. die Fassung der *Einsiedlerzeitung:* "Wie die Waffen helle blinken, / Helle Knospen brechen auf, / Hohe Federbüsche winken, / Die Kastanie hält was drauf," etc.

33. Ludwig Achim von Arnim, "Juvenis." Erstdruck in *Der Gesellschafter oder Blätter für Geist und Herz.* Hrg. von F. W. Gubitz, 2. Jg. (1818).

34. L. Achim von Arnim, *Sämtliche Romane und Erzählungen,* hrg. von Walther Migge, 3 Bde. (München: Hanser, 1962-1965). Zitat: SRE II, 826.

35. Hrg. von Eric Blom, 7. Bd. (New York: St. Martin's Press, 1962), 110. In der neuesten Ausgabe von *Grove's Dictionary* hat Nancy Reich den Artikel über Louise Reichardt verfaßt. Er ist, obwohl sehr kurz gefaßt, wesentlich faktischer als vorhergehende Eintragungen und bietet auch eine bessere Bibliographie.—Das Zitat aus *Musik in Geschichte und Gegenwart* entstammt der gleichen Stelle wie in Anm. 9 oben.

36. Er reiht aber auch in die chronologische Folge einen Brief von Louises Tante zwischen 1817 und 1818 ein, wo diese von Runges Tod spricht, der ja bereits 1810 in Hamburg starb. Gleichzeitig erwähnt sie auch, daß es sie freue, daß Louise "in dem Hause der vortrefflichen Madame Sillem" lebe (Brandt, 80). Brandt datiert den Brief zwar nicht, aber er ist sicher sehr viel früher geschrieben, als seine Einordnung anzeigt.

37. Roswitha Burwick, "Exzerpte A. von Arnims zu unveröffentlichten Briefen," *JbFDH* (1979), 298-395. Zitat: 364.

38. *Clemens Brentano-Philipp Otto Runge. Briefwechsel,* hrg. von Konrad Feilchenfeldt (Frankfurt/M.: Insel, 1974), 9. Feilchenfeldt schreibt mehrmals erläuternd, indem er sich auf Alfred Bergmann stützt, daß Louise Reichardt "seit Oktober 1809 in Hamburg" lebte (S. 102, S. 66).

39. *Hinterlassene Schriften von Philipp Otto Runge, Mahler,* hrg. von dessen ältestem Bruder, 2. Teil (Hamburg: Perthes, 1841), 413. Auch Feilchenfeldt, S. 38.

40. Eine der sich in der Staats- und Universitätsbibliothek Hamburg befindlichen handschriftlichen biographischen Angaben über Louise (Sign. Campe 15), verzeichnet

ebenfalls, daß sich Louise "1809 nach Hamburg" wandte, "wo sie in dem Hause der Frau Wittwe Sillem eine wahrhaft mütterliche Freundin, und ein zweites Vaterhaus fand."

41. Steffens schreibt: "Allerdings hatte sie mit Reichardt einige Reisen gemacht; sie war mit ihm in London und in Paris gewesen, aber auch da wußte er sie in eine ruhige Umgebung zu versetzen. Sie lebte in der Mitte angenehmer Familien, die sie gastlich aufnahmen, während er sich unter Künstlern und Großen herumtrieb und ein unruhiges und bewegtes Leben führte" (231).

42. Jg. 1827, S. 165ff. Die Beschreibung ist Teil des Nachrufs.

43. Sittard widmet Abschnitt XII des 6. Kapitels seiner Musikgeschichte der Altonaer Sing-Akademie. Ein Gesangverein kam in Altona erst mit den Bemühungen Dr. Mutzenbechers 1817 zustande, wenngleich Konzerte bereits seit 1783 gegeben wurden. Vgl. Sittard, S. 374-83 über das Konzertwesen in Altona.

44. Die Brüder Carl Heinrich und Johann Gottlieb Graun waren Freunde und Lehrer ihres Großvaters Franz Benda. Über die Benda/J. F. Reichardt-Beziehungen zueinander, sowie zu Hasse, Graun und Fasch sei auf die ausführlichen Darlegungen bei Franz Lorenz (Anm. 9, oben) verwiesen.

45. Während die Musiklexika durchgehend den Beginn ihres Hamburger Aufenthalts mit dem Jahre 1813/14 ansetzen (auch N. Reich schreibt noch, allerdings etwas vorsichtiger, "By 1813 she had settled in Hamburg"), divergieren die Ansichten bereits stark bei der Bestimmung der ersten Aufführungen ihrer Musikschule. Die *International Cyclopedia of Music and Musicians,* 10th ed., Oscar Thompson, ed. (New York: Dodd, Mead, 1975), S. 1802, setzt Louises Organisation eines "Handelfestivals 1816" an. Es ist dies wahrscheinlich die 1817 veranstaltete Feier zum Gedenktag der Reformation in der Waisenhauskirche. Die bei Blume erwähnte Aufführung "schon wenige Jahre nach der politischen Befriedung [. . .] von Händels *Messias* und Mozarts *Requiem* in der Michaeliskirche" (Bd. 5, S. 1402) fand 1818 statt.

46. Brandt schreibt aufgrund von Lesefehlern "Reinfeld" und "Rockfleth." Es handelt sich um Jacob Steinfeldt und Daniel Stockfleth—beide Gründungsmitglieder der Singakademie.

47. Von Eduard Grund, der als Schüler des Violinisten Beer im November 1815 erstmals im Konzert auftrat, berichtet Louise im Oktober 1823, daß er "wegen einer Lähmung der Hand genöthigt, ganz von der Musik abzugehen, und ist in diesem Augenblick schon in Halle, um Jura zu studiren. Sie können denken, welch ein Schmerz das für die ganze Familie ist" (Brandt, 135).

48. Das handschriftliche Exemplar von Louise Reichardts "Nach Sevilla, nach Sevilla," welches die Hamburger Staats- und Universitätsbibliothek besitzt, ist zusammen mit Webers "Ich sah ein Röschen am Berge stehn" verfertigt. Louises Lied trägt den Titel "Spanisches Lied." Sign.: 7an M B/4079.

49. Die Hamburger Staats- und Universitätsbibliothek hat in der Louise Reichardtsammlung (Sign.: Campe 15) den Entwurf eines knieenden Mädchens von Franz Gareis.

50. "Sechs geistliche Lieder unserer besten Dichter. Vierstimmig bearbeitet für 2 Sopran- und 2 Alt-Stimmen von Louise Reichardt" (Hamburg: Cranz, 1823).

51. Zu den Gepflogenheiten in Theorie und Praxis der Wiener, französischen und deutschen Schulen vgl. Manfred Wagner, *Die Harmonielehren der ersten Hälfte des 19. Jahrhunderts* (Regensburg: Bosse, 1974), und die mehr dem Zeit-und persönlichem Stil verpflichtete Arbeit von Diether de la Motte, *Harmonielehre* (Kassel: Bärenreiter, 1976).

52. "The Italian Sixth is not as striking as the context in which it arises—as IV of $B^b$. The modulation to $B^b$ itself is unusual, since it presents a tritone relation to the main key" (A. F.).

53. "The way in which the modulation is approached is of greater interest here: The D minor triad replaces an expected D major triad, becoming III with respect to $B^b$" (A. F.).

54. "Des Schäfers Klage Lied. Dort oben auf jenen Bergen etc: in Musik gesezt für's Forte-Piano von Luise Reichardt" (Hamburg: Bey Ioh: Aug: Böhme bey der Börse, o.J.). Der Text weicht an einzelnen Stellen von Goethes Gedicht ab. Es wird deshalb im Anhang das Lied mit Louises Text und zum Vergleich der Text Goethes aus der Weimarer Ausgabe gebracht. Bei Goedeke ist Louises Vertonung nicht verzeichnet.

55. Die Hamburger Staats- und Universitätsbibliothek besitzt die Handschrift eines Choralbuchs (Sign.: M A/560), das u.a. Vertonungen von Gellert, Martin Luther und Hans Sachs enthält. Es finden sich Auszüge davon im Anhang. Der Bibliothek sei hier nochmals für die freundliche Genehmigung des Druckes und für Übersendung von Kopien der hier besprochenen musikalischen Materialien gedankt.

## 6. *Pinsel und Feder. Zur Karriere- und Lebensproblematik der Künstlerin in der ersten Hälfte des 19. Jahrhundert, gesehen aus der Perspektive Louise Seidlers.*

1. Stuttgart: Cotta, 1817.

2. *Erinnerungen und Leben der Malerin Louise Seidler (geboren zu Jena 1786, gestorben zu Weimar 1866).* Aus handschriftlichem Nachlaß zusammengestellt und bearbeitet von Hermann Uhde, 2. umgearbeitete Aufl. (Berlin: Hertz, 1875), S. 131 Anm.; diese Auflage hinfort zit.: Seidler. Uhde zitiert in der Anmerkung derselben Seite auch Goethes Kommentar: "Im Nachklang der Rheinischen Eindrücke ward von den Weimarischen Kunstfreunden das Bild des heiligen Rochus, wie er als völlig ausgebeutelt von seinem Palast die Pilgerschaft antritt, erfunden und skizzirt, hierauf sorgfältig cartonirt, und zuletzt von zarter Frauenzimmerhand gemalt, in der freundlichen Rochuskapelle günstig aufgenommen. Ein gestochener verkleinerter Umriß ist in dem zweiten Rhein-und Mainheft wie billig vorgebunden."— Zu den drei Ausgaben der Lebenserinnerungen Seidlers ist folgendes zu sagen: die zweite Auflage ist wegen der von Uhde in den Fußnoten beigesteuerten Erläuterungen und relevanten Brief- und Tagebuchaufzeichnungen der im Text erwähnten Personen, sowie durch seinen weiterführenden Kommentar nach Abriß von Seidlers

eigenen Angaben die weitaus informativste. Ich habe sowohl die erste Ausgabe eingesehen und aus der zweiten (unter "Seidler") zitiert. Die neue Auflage, mit einem Nachwort von Joachim Müller (Weimar: Kiepenheuer, 1964), verzichtet völlig auf den dritten, den Brief- und Kommentarteil aus Uhdes zweiter Ausgabe, und kürzt auch in den restlichen Teilen sehr stark und oft. Der Verlag unternahm es, "Schilderungen über uns heute kaum noch interessierende Personen und Gegenstände fortzulassen" (S. 6), wobei viele der für diese Studie wichtige Eintragungen über zeitgenössische Frauen weggelassen wurden. Diese Auflage war mir aber leichter zur Hand. Ich habe sie deshalb überall dort benutzt, wo sie mit der 2. Auflage übereinstimmt und unter der Abkürzung S: plus Seitenzahl daraus zitiert. Die Auflage von 1964 hat das Verdienst, einige Gemälde und Zeichnungen Seidlers nebst denen von anderen Malern in den Band aufgenommen zu haben.

3. Beispiele sind u.a.: *Schleswig-Holst. Kunst- Kalender* (1912), hrg. von E. Sauermann, S. 47, Abb., falsch beschriftet: Fried. Seiler; Schuchardts Verzeichnis Goethescher Handzeichnungen führt Seidlers Portrait von B. G. Niebuhr (Nr. 634) irrtümlich als von Schmeller herrührend auf. Nr. 536 dieses Verzeichnisses (Portrait Großherzog Carl Friedrichs) stammt ebenfalls von Seidler. Außerdem führt Schuchardt auf S. 289 unter Nummer 676 Seidlers "Amazonenkampf, Stück des Frieses vom Theseustempel" an, trägt Louise Seidler aber nicht in sein "Verzeichnis der vorkommenden Künstler" ein.

4. Herman Grimm, "Goethe und Luise Seidler," *Preußische Jahrbücher* 33, Heft 1 (1874), 43-57.

5. Ihre Portraits von Goethe sind kurz beschrieben, bzw. abgebildet in: Friedrich Zarncke, *Kurzgefasstes Verzeichniss der Originalaufnahmen von Goethe's Bildniss* (Leipzig: Hirzel, 1888). Das Pastell ist (schlecht) abgebildet auf Tafel 4, Nr. 6, die vervielfachte Version auf Tafel 4, Nr. 7. Zarncke liefert eine kurze Beschreibung des Bildes auf S. 36-37; kurz besprochen ist auch Seidlers Kopie des Ölportraits Goethes von Stieler (S. 53), sowie Louises Bleistiftkopie nach dem Pastellgemälde G. O. Mays, die sie 1825 auf Veranlassung Frau von Steins anfertigte (S. 17).

6. Z.B. in *Allgemeines Lexikon der bildenden Künstler von der Antike bis zur Gegenwart,* hrg. von Dr. Ulrich Thieme und Dr. Felix Becker, 2. Bd. (Leipzig: Seemann, 1908), 490; auch in anderen Nachschlagewerken irrtümlich verzeichnet. Joh. Werner schreibt in seiner Biographie *Die Schwestern Bardua. Bilder aus dem Gesellschafts-, Kunst- und Geistesleben der Biedermeierzeit,* 2. Aufl. (Leipzig: Koehler & Amelang, 1929) hierüber: "Um Anderen das verdrießliche Suchen zu ersparen, stelle ich fest, daß ein solches Buch nie erschienen, ein Essay dieses Titels nicht vorhanden und daß auch Forschern, die sich speziell mit H. Grimm beschäftigen, nichts davon bekannt ist, daß er jemals etwas Besonderes über Çaroline Bardua geschrieben habe" (324).

7. Walther Scheidig, *Die Geschichte der Weimarer Malerschule 1860-1900* (Weimar: Böhlaus Nchf., 1971) erwähnt Seidler im Kapitel "Vorgeschichte 1774-1860" mit keinem Wort. Ludwig Schorn und Friedrich Preller, mit denen Seidler aufs engste zusammenarbeitete, werden besprochen.

8. E. Lehmann, "Goethe's Bildnisse und die Zarncke'sche Sammlung," *Zeitschrift für bildende Kunst,* NF V (1894), 249-58 und 276-85.—Dagegen finden sich Hinweise auf

Seidler in *Goethe-Handbuch,* hrg. von Julius Zeitler, 3. Bd. (Stuttgart: Metzler, 1918), 320; auch in Zeitlers Verzeichnis der Goethebildnisse im 1. Bd. dieser Ausgabe, S. 212; weitere Hinweise Bd. 1, S. 585 und Bd. 2, S. 327. Seidlers Goetheportraits sind auch besprochen in *Die Bildnisse Goethes,* hrg. von Ernst Schulte-Strathaus. Propyläen-Ausgabe von Goethes Sämtlichen Werken, Erstes Supplement: Die Bildnisse Goethes (München: Georg Müller, 1910), 21, 48, 49, 57. Die Lithographie P. Rohrbachs (1863) nach Seidlers Original läßt letzteres kaum wiedererkennen.

9. Das Gemälde kann kaum als "mehr fromm-süßlich als geheimrätlich-steif" bezeichnet werden, wie Lehmann es tut. Es ist ganz offensichtlich eine frühe Arbeit der Malerin, die den Ausgang ihrer künstlerischen Entwicklung und nicht ihren Endpunkt darstellt. Fromm-süßlich ist Barduas Stil aber nie gewesen.

10. *Goethes Leben und Werk in Daten und Bildern,* hrg. von Bernhard Gajek und Franz Götting unter Mitwirkung von Jörn Göres (Frankfurt: Insel, 1966). Der Band enthält auch Abbildungen von Portraits von Seidlers Hand. Einige Seidlergemälde sind auch abgebildet in *Goethe,* v. Johannes Höffner (Leipzig: Velhagen & Klasing, o.J.), und ders.: *Goethe im Alter* (Leipzig: Velhagen & Klasing, o.J.). Weitere Informationen bei M. Schuette, *Das Goethe-National-Museum zu Weimar* (Leipzig: Insel, 1910).

11. Seidler schreibt in ihren Aufzeichnungen: "Durch die Empfehlung der Schwägerin Silvia von Ziegesars, [. . .] welche [. . .] die Cousine von Gerhard von Kügelgens Frau war, machte ich die Bekanntschaft dieses berühmten Malers und seiner Gattin. Aus Freundschaft bot er mir seine Hilfe in der Kunst an, obgleich er eigentlich keine Schüler annahm" (Seidler, 63).

12. Die verschiedenen Ausgaben der Lebenserinnerungen Seidlers nebst Vorzügen und Nachteilen sind in Anm. 2, oben, besprochen. Außer Grimms Rezension erschien auch eine der zweiten Auflage in *Kunstchronik* IX (1874), 559-61, gezeichnet A. F.; vgl. auch den Nachruf Seidlers in *Kunst-Chronik, Beiblatt zur Zeitschrift für bildende Kunst,* Nr. 23 und 24 (17. 11. 1866), 159-60.

13. Louise Seidler ist durchaus nicht in allen einschlägigen Nachschlagewerken vertreten. Von den neueren bringt Emmanuel Bénézits *Dictionnaire critique et documentaire des Peintres, Sculpteurs, Dessinateurs et Graveurs,* nouvelle édition (Saint-Ouen: Gaston Maillet, 1966) kurze Angaben. Die 3. Auflage von G. K. Naglers *Neuem allgemeinen Künstler-Lexikon,* Bd. 18 (Leipzig: Schwarzenberg & Schumann, o.D.), noch vor ihrem Tod herausgegeben, erwähnt eine Anzahl ihrer wichtigeren Kompositionen und ihr für Schüler gedachtes Tafelwerk *Köpfe aus Gemälden vorzüglicher Meister nach sorgfältig auf den Originalen durchgezeichneten Umrissen in der Sammlung von Louise Seidler. Zum Gebrauch für Zeichenschüler,* lith. von J. J. Schmeller (Weimar, 1836). Am vollständigsten ist das von Hans Vollmer herausgegebene *Allgem. Lexikon der bildenden Künstler von der Antike bis zur Gegenwart,* Bd. 30 (Leipzig: Seemann, 1936), das auf S. 459 nicht nur zahlreiche Arbeiten von Seidler, sowie ihre Vorkriegsstandorte verzeichnet, sondern auch eine brauchbare Bibliographie liefert. Kurz erwähnt wird Seidler auch von Clara Erskine Clement, *Women in the Fine Arts from the 17th c. B.C. to the 20th c. A.D.* (Boston: Houghton, Mifflin & Co., 1904), 313.

14. B. Rathgen, A. Schulten, "B. G. Niebuhr in seinen Bildnissen," *Bonner Jahrbücher,*

Heft 125 (1919), 1-8; dazu Tafeln I und II/2.

15. Die Ausstellung wurde jährlich zum Geburtstag Großherzogs Karl August von Sachsen-Weimar-Eisenach am 3. September veranstaltet.

16. *Ueber Kunst und Alterthum,* von Goethe, 4. Bd., 1. Heft (Stuttgart: Cotta, 1823), 19-20. Uhde schreibt den Aufsatz Goethe zu (Seidler, 292). Vgl. aber hierzu den Briefwechsel Goethes mit Meyer. Dieser schreibt am 17. November 1821 an Goethe: "Die Recensionen von Ruhls Sendung und von den Gemählden der Damen auf unserer letzten Ausstellung sind geschrieben;" und Goethe antwortet mit Retourpost: "Wenn Sie mir die fertigen Recensionen zukommen lassen wollten, würde es mir sehr angenehm seyn; denn der Setzer mahnt." *Goethes Briefwechsel mit Heinrich Meyer,* hrg. von Max Hecker, 3. Bd. (Weimar: Verlag der Goethe-Ges., 1922), 28-29. Seidler wird in diesem Briefwechsel noch öfters erwähnt.

17. Hermann Uhde, "Goethe und der Sächsische Kunstverein," *Zeitschrift für bildende Kunst* 9 (1874), 277-84, 345-53, 377-80; hernach zitiert: Uhde. Die Seitenangaben im *Allg. Lexikon der bild. Künstler* (Vollmer) sind unrichtig.

18. Die Briefe sind diktiert. Zur Zeit von Uhdes Einsichtnahme befanden sie sich bei den Akten des Sächsischen Kunstvereins.

19. Aufschlußreich diesbezüglich ist der Briefwechsel Brentanos mit Runge (Anm. 5: 38) und der Aufsatz von Peter-Klaus Schuster, "Bildzitate bei Brentano." *Clemens Brentano. Beiträge des Kolloquiums im Freien Deutschen Hochstift 1978* (Tübingen: Niemeyer, 1980), 334-48, der u.a. Runges Illustrationen zum Gockelmärchen bringt. Bei Arnim tritt eine Umkehrung des Verfahrens in *Ariel's Offenbarungen* auf, insofern der Anblick von Gemälden zur Poetisierung des empfangenen Eindrucks führt. Auch Sophie Mereau nimmt in ihre *Bunte Reihe* "Gemäldedichtungen" auf.

20. Karl Friedrich von Rumohr, Kunst- und Kulturhistoriker, war einer ihrer Förderer, der sich zu gleicher Zeit wie Quandt und Seidler in Italien aufgehalten hatte.

21. Seidler, 345-46.

22. Thäter lieferte für Seidlers Gemälde den Kupferstich und wurde mit 60 Talern honoriert.

23. Seidler, 349. Der Ausstellungskatalog verzeichnet unter dem Jahr 1830 (Nr. 498) und dem Jahr 1832 (Nr. 680) die beiden Vermerke: "Erinnerung und Phantasie. Oelgemälde. Eigne Erfindung, von Therese Seidler aus Weimar," bzw. "Erinnerung und Phantasie. Verkleinerte Copie nach dem größern Gemälde derselben, von Therese Seidler, aus Weimar." Da der Katalog unter Louise Seidler keine Eintragung des so verschieden betitelten Gemäldes (Malerey und Poesie; Poesie und Kunst; die Göttinnen) verzeichnet, ist vermutlich das von Goethe angeregte Gemälde hierunter verstanden. Der Vorname "Therese" braucht nicht zu stören, da Seidler so oft mit falschen Namen bezeichnet wird. Der Katalog verzeichnet Louise Seidlers Werke unter "Frau Seidler," "Louise Caroline Sophie Seidler" und "Therese Seidler." Festzustellen wäre noch, ob auch Bilder von Seidler stammen, die unter dem Namen "Seydler" eingetragen sind. *Die Kataloge der Dresdner Akademie-Ausstellungen 1801-1850,* bearbeitet von Marianne Prause, Bd. 1 (Berlin: Hess-

ling, 1975); und Registerband (1975), dort auf S. 89.

24. Ein undatierter Brief Seidlers an Hofrat Winkler, den Sekretär des Sächsischen Kunstvereins, enthält "die Quittung für das Honorar" (Seidler, 360). Nr. 255 des Ausstellungskatalogs für das Jahr 1836 zeigt das Bild "Der Ritter von Toggenburg und die Nonne," Oelgemälde eigner Composition von Fräulein Seidler an.

25. Preller hatte gleichzeitig mit Seidler dem Sächsischen Kunstverein zwei Landschaften gesandt, über welche Quandt am 18. Juli 1831 an Goethe schrieb: "Der Künstler hat sich nicht emblödet, aus Poussinschen Bildern ganze Stücke zu nehmen und seine Landschaften so zusammenzusetzen, was durch Kupferstiche zu beweisen sehr leicht ist" (Uhde, 350). Goethe erwiderte am 13. September: "Mit unserm Preller z.B. haben Sie es, nach meiner Ansicht, zu hart genommen. Ich will jenen beiden Bildern das Wort nicht reden, weil ich dabey auch manches zu erinnern habe" (Uhde, 352), Quandt möge aber bedenken, "daß der Charakter der Appeninen noch immer derselbe ist" (Uhde, 353).

26. Schorns Kunstblatt vom 24. Oktober 1839 beschreibt Seidlers "Ulysses, an den Sirenen vorüberschiffend" mit den Worten: "von anmuthiger Composition, auch kräftig und klar in der Farbe;" der Nekrolog in der *Kunstchronik* (17. 11. 1866) erwähnt ihre Gemälde "Der Kindermord" und "Die heilige Elisabeth, Almosen spendend" als "der damals erblühenden streng stilistischen Richtung" angehörend (160).

27. Aus diesem Grunde sind die Kürzungen in der Ausgabe von 1964 nicht genug zu tadeln. Sie beschränken sich besonders auf Aufzeichnungen über Seidlers eigene Werke und Hinweise auf andere Frauen, während das bereits Bekannte (z.B. alle Bemerkungen über Goethe und über weniger interessante männliche Zeitgenossen) in ganzer Breite beibehalten wurden.

28. Charakteristisch für Seidlers eigenes zwiespältiges Verhältnis zur Emanzipation der Frau ist aber der sofort darauffolgende Satzteil: "ohne die ihr naturgemäß gezogenen Schranken zu überspringen" (S: 28).

29. S: 41. Im Jahre 1814 erwarb sie sich die Lebenskosten nochmals auf diese Art: "Den Lebensunterhalt, dessen ich in Dresden bedurfte, bezahlte ich von einer kleinen Summe, die ich mir in Jena durch heimliches Nähen von Wäsche und Anfertigung von Stickereien erworben hatte; mein Ehrgeiz litt es nicht, daß ich dem Vater zur Last fiele" (S: 111-12). Mit welcher Geringschätzung sie jedoch solche "Frauenarbeit" betrachtete, zeigt ihre Reaktion zur Gegengabe des Kaufmanns Hermann Nolte, dem sie in Italien ein Madonnenbildchen gemalt hatte. Er schenkte ihr ein "prachtvolles Nähkästchen, welches mir aber gar kein Vergnügen machte, da eine geheime Mißbilligung meiner Künstlerlaufbahn mir in dieser Gabe zu liegen schien." Sie bat ihn, "das Nähkästchen mit einem mir besser zusagenden Gegenstande vertauschen zu dürfen" und kaufte sich zwei Vasen (Seidler, 208).

30. Das Ölgemälde Caroline Barduas von J. Schopenhauer und deren Tochter befindet sich in den Weimarer Forschungs- und Gedenkstätten und ist abgebildet in *Goethes Leben und Werk in Daten und Bildern* (Anm. 10, oben), Nr. 403. Sowohl Barduas wie auch Seidlers Lebenserinnerungen erwähnen die Existenz der Kollegin nur kurz und unbedeutend.

31. Langer hatte ihr den Entwurf einer Sibylle zur Aufgabe gemacht—ein Sujet, das Seidlers Geschmacksrichtung und Übungsbereich fremd war, und das sie deshalb nur mühevoll weiterbrachte: "der Charakter der Sibylle stand mir gar zu fern," meint sie und erläutert: "Meine Auffassung stimmte nicht mit derjenigen des Direktors überein, was zu manchen Verdrießlichkeiten Anlaß gab. Er schien einen Mangel an Zutrauen in seine Kunstansichten bei mir vorauszusetzen" (S: 132). Langer, dessen Sohn und die übrigen Professoren gehörten der akademisch-klassischen Schule an, die "zwar nach der Natur, aber nach den strengen Regeln der Antike" zeichneten, auf architektonische Anordnung und markiges Kolorit Wert legten (S: 132). Den Gegensatz hierzu bildete die "neu auftauchende Schule der sogenannten altdeutschen Richtung" (S: 133) z.B. durch Cornelius und in der Kirchenmalerei durch Heinrich Haß vertreten, welche in ihren Bildern eine stimmungsvolle Komposition verlangten und "die Natur naiv, ohne die Brille der Antike nachahmten" (S: 133).

32. Bereits aus München hatte sie aber Goethe am 3. Februar 1818 eine Zeichnung vom Abguß des Apollontempelfrieses geschickt, welches Lord Elgin nach London gebracht hatte. Goethe bedankte sich am 12. Februar: "Nicht einen Augenblick will ich säumen, mit den schnellsten Worten zu sagen, daß Sie mich durch Uebersendung des Basreliefs in die größte Bewegung und Betrachtung versetzt haben! Jetzt bedarf es nicht mehr zu vergnügtesten Stunden" (Seidler, 153). An Meyer schrieb er: "In München sind Abgüsse der Phigalischen Basreliefs angelangt. Louise Seidler hat mir eins, blau Papier, schwarze Kreide, weiß gehöht, in Größe des Originals zugeschickt, unter Langers Einfluß sorgfältig gearbeitet. Es ist ein Abgrund von Herrlichkeit, und wohl unerläßlich, solche zu betrachten" (Seidler, Anm. S. 153). Zeitler (*Goethe-Handbuch,* Anm. 8, oben) spricht vom "Tempelfries in Phigalia, worüber Goethe in dem Aufsatz 'Relief von Phigalia' (Jub.A.35, 160-63) ausführlich spricht" (3. Bd., 320). Es handelt sich um die in Schuchardts Verzeichnis der Kunstsammlungen Goethes (I, 289, Nr. 676) verzeichnete Seidlerarbeit.

33. Seidler erwähnt "das sehr strenge Verbot" von Bibeln und Gesangbüchern in Rom, wo 1818 noch kein protestantischer Gottesdienst gehalten wurde. Durch Niebuhrs Bemühungen, der damals preußischer Gesandter war, wurde an Papst Pius VII. appelliert, daß er den Deutschen ihre eigene Kirche, sowie die Einfuhr von Bibeln erlaubte. Durch das Geschenk König Friedrich Wilhelms III. von 1000 Talern und die Berufung eines Pastors wurde der kleinen protestantischen Gemeinde der Gottesdienst ermöglicht, wovon der erste am 27. 6. 1819 unter Teilnahme von ca. 60 Personen im Vorzimmer Niebuhrs zu Rom gehalten wurde. Im Mai 1824 erhielt die protestantische Begräbnisstätte eine Mauer, die die Gräber vor Beschädigung der Monumente schützte und das weidende Vieh fernhielt, und "wo nun auch die Leiche von Goethes Sohne ungefährdet ruht; das Grab desselben ist geschmückt mit einem Portraitmedaillon, welches Thorwaldsen modellirt hat" (Seidler, 211-14).

34. Geoffroy starb 1810 in Spanien. Seidler hatte nach einer kurzen, glücklichen Verlobungszeit bloß brieflichen Kontakt mit ihm.

# Anhang

**Karsch:**

I. Gedicht "An Goethe" ........ 215

II. Drei Gedichte an Karsch ........ 217
1. Am Geburtstage der Anna Louise Karschin (Gleim) ........ 217
2. An meine verstorbene Mutter (C. L. von Klenke, geb. Karsch) .... 218
3. Anna Louisa Karschin (Helmina von Chézy) ........ 218

**Mereau:**

I. Werkverzeichnis ........ 219

II. Nachbildung eines Goethegedichts ("Der Hirtin Nachtlied") ........ 221

III. Vertonungen von Mereaus Gedichten

1. Das Lieblingsörtchen (J. F. Reichardt) ........ 222
2. Frühling (J. F. Reichardt) ........ 224
3. Der Frühling (J. F. Reichardt) ........ 226

**Louise Reichardt:**

I. Werke ........ 227

II. Vertonung eines Goethegedichts ("Schäfers Klagelied") ........ 229

III. Musikbeilage zu einigen im Text besprochenen Liedern
1. XV. Aus Novalis geistlichen Liedern ........ 230
2. Aus Shakespeares Heinrich VIII ........ 231
3. Dem Herrn (J. G.) ........ 231
4. Buß-Lied (Stolberg) ........ 233

5. Fürbitte für Sterbende (Klopstock) . . . . . . . . . . . . . . . . . . . . . 234
6. Tiefe Andacht (Klopstock) . . . . . . . . . . . . . . . . . . . . . . . . . . . 235

IV. Drei Faksimiledrucke eines Choralbuchs L. Reichardts
1. Morgenlied (Gellert) . . . . . . . . . . . . . . . . . . . . . . . . . . . . . 238
2. Erhalt uns Herr bey deinem Wort (Luther) . . . . . . . . . . . . . . . . 239
3. Ein schönes Lied (Hans Sachs) . . . . . . . . . . . . . . . . . . . . . . . 240

V. Unveröffentlichte Briefe L. Reichardts
1. An Benecke . . . . . . . . . . . . . . . . . . . . . . . . . . . . . . . . . . 240
2. An Madame Des Arts, geb. Sillem . . . . . . . . . . . . . . . . . . . . . 241
3. An Benecke (?) . . . . . . . . . . . . . . . . . . . . . . . . . . . . . . . 243
4. An L. Reichardts Tante . . . . . . . . . . . . . . . . . . . . . . . . . . . 245
5. An Elise Campe . . . . . . . . . . . . . . . . . . . . . . . . . . . . . . . 246
6. An Elise Campe . . . . . . . . . . . . . . . . . . . . . . . . . . . . . . . 247
7. An Elise Campe . . . . . . . . . . . . . . . . . . . . . . . . . . . . . . . 248
8. An Elise Campe . . . . . . . . . . . . . . . . . . . . . . . . . . . . . . . 249

**Seidler:**

I. Zeit- und Werktafel . . . . . . . . . . . . . . . . . . . . . . . . . . . . 250

II. Werkproben . . . . . . . . . . . . . . . . . . . . . . . . . . . . . . . . . 265

# Karsch

## I.

### An Goethe

zu Berlin, Montags den 18. Mai 1778

Schön' guten Morgen, Herr Doktor Goeth'!
Euch hab' ich gestern grüßen wollen.
's ist wider's Weiber-Etikett;
Ich hätt's von Euch erwarten sollen,
Daß Ihr, wie sich's gebührt und ziemt,
Mich aufgesucht und mich gegrüßet.
Ihr aber seid gar weltberühmt;
's war möglich, daß Ihr's bleiben ließet.

Ihr seid des Herzogs Spießgesell,
Habt mehr zu thun und mehr zu schaffen
Als mit Eurem Auge groß und hell
Nach einem alten Weib zu gaffen.
Drum sprang ich über's Ceremoniell
Hinweg mit Leichtmut und mit Lachen,
Zog mir mein Sonntagskleidchen an
Und ging, Euch meinen Knix zu machen,
So tief ich immer kann
Mit dorfgebornem Kniee.
Ich ging umsonst; Ihr wart
Schon fort in aller Frühe
Zu Männern feiner Art.
Nun will ich's nicht mehr wagen.
Mein Geist, ein fixes Ding,
Soll guten Morgen sagen
Dir Musendämmerling,
Dir Sekretär des Fürsten,
Der auf dem Parnaß sitzt
Und, wenn die Dichter dürsten,
Mit Wasser sie bespritzt
Aus einem Born, der mächtig
Und wunderthätig ist—
Er macht's, daß du so prächtig,
So stark im Ausdruck bist,
Daß dir's vom Munde fließet
Wie Honig, den im Wald
Ein Wandersmann genießet,
Dem seine Kräfte bald
Erschöpft sind wie die meinen.
Jüngst sollt' ich im Revier
Des Pluto schon erscheinen;
Ein Schiffer winkte mir.
Ich ward ihm noch entrissen
Durch des Apollon Gunst,
Wie's nachzuzeichnen wissen
Des Chodowieski Kunst.
Ich sollte dich noch sehen.
Geschieht es nicht bei mir,
Kann's beim Andrä geschehen.
Der ist ein Freund von dir,
Wie's wenige nur giebet;
Von Herzen schätzt er dich,
Und bei dem allen liebet
Er dich nicht mehr als ich.

(Muncker, 327-28).

Hausmann druckt nur den ersten Teil des Gedichts bis "Ihr wart / Schon fort in aller Frühe [. . .]" (292). Vollständig gedruckt ist es bei Otto Pniower, *Goethe in Berlin und Potsdam* (Berlin: Mittler, 1925), 62, der auch Goethes Briefe an Karsch (17. 8. 1775 und 11. 9. 1776) und Karschs Brief an Goethe (4. 9. 1774) druckt. Karsch war eine der wenigen Personen, die Goethe bei seinem einzigen Besuch Berlins (10. Mai bis 1. Juni 1778) aufsuchte. Pniower berichtet hierüber auf S. 60-66. Erna Arnhold, *Goethes Berliner Beziehungen* (Gotha: Klotz, 1925) druckt das Gedicht ebenfalls vollständig auf S. 8 und schreibt kurz über Karsch (7-10). Goethes Briefe an Karsch sind ebenfalls gedruckt in *Aurikeln. Eine Blumengabe von deutschen Händen,* hrg. von Helmina von Chézy (Karschs Enkelin), 1. Bd. (Berlin: Duncker und Humblot, 1818), 27-29. Zu Goethes Korrespondenz mit Karsch und Angaben der Druckorte, vgl. Fr. Strehlke, *Goethe's Briefe,* 1. Teil (Berlin: Hempel, 1882), 317-18.

## II.

Drei Gedichte an Karsch mögen hier wiedergegeben werden. Das erste stammt von J. W. L. Gleim und wurde in Wielands *Deutschem Merkur,* 3. Bd. (1798), 379, mehrere Jahre nach ihrem Tod (12. Oktober 1791) veröffentlicht. Das zweite stammt von Karschs Tochter, Frau von Klenke, welches am 20. Oktober 1791 in der "Spenerschen Zeitung" erschien. Es ist nachgedruckt bei Ludwig Geiger, *Berliner Gedichte 1763-1806* (Berliner Neudrucke, 2. Serie, 3. Bd.) Berlin: Paetel, 1890, S. 184-85, der noch weitere Gedichte von Karsch und Klenke bringt. Geiger zählt weitere Huldigungen an die verstorbene Dichterin auf, darunter H. W. Hempels "Todtenopfer am Grabe der Mad. Karschin," G. J. F. Nöldekes Gedicht "Am Grabe meiner Freundin Karschin" und den "Empfang der verklärten Dichterin A. L. Karschin im Elyseischen Gefilde von dem dortigen Dichterchor, übersetzt von Charon" (Geiger, XLV). Die Qualität dieser Arbeiten ist weit unter Karschs eigenem Schaffen. Dem Stil Karschs etwas verwandter ist das dritte Gedicht. Es ist von ihrer Enkelin, Helmina von Chézy (Hastfer), geschrieben und findet sich in deren Gedichtband *Gedichte von Helmina von Chézy. Gedichte der Enkelin der Karschin,* 1. Bd. (Aschaffenburg: Wailandt & Sohn, 1812), 10.

### 1.

Am Geburtstage der Anna Louise Karschin.
Den 1. December.

An diesem Tage ward die Schäferin geboren,
Die eine Saffo ward auf einer Schäferflur.
Als sie geboren ward, da jubelten die Horen.
Werd' eine Saffo! sprach die Mutter, die Natur.

(Gleim)

2.

An meine verstorbene Mutter.

Mir, nur mir, o Mutter! bist Du todt,
Deine Waisen werden Dich vermissen;
Deine Tochter, der Du jeden Bissen
Theiletest von Deinem Sorgenbrod.

Deinen Freunden, Mutter! starbst Du nur,
Deinen Lieben! deren Ohr Du tränktest,
Wenn Du ihnen süße Lieder schenktest
Voller Geist und herrlicher Natur.

Aber nicht begraben ist Dein Herz,
Dieses ließest Du uns in Gesängen,
Welche kein Jahrhundert wird verdrängen,
Die Dich ehren, mehr als Stein und Erz.

(C. L. v. Klenke, gebohrne Karschin)

3.

Anna Louisa Karschin.

In tiefster Erde Schoos entsteht im Dunkeln,
Der Diamant, ein Quell vom reinsten Licht,
Hell, wie des Himmels ew'ge Sterne funkeln,
Deß süßer Strahl sich zart in Farben bricht;
Nichts kann des Glanzes reges Spiel verdunkeln,
Er braucht der Sonn' unstäte Gluthen nicht,
Leuchtend zu Nacht, wenn Blumen, Gold und Farben,
Vom Licht entblößt in traurig Schwarz erstarben.

So, aus der Armuth Schoos, in Himmelsschöne
Entblüht' der Karschin hohes Lied der Welt,
Der heil'gen Lyra reine Himmelstöne
Nicht Dürftigkeit, nicht Schmerz gefangen hält.
Gerührt von der Natur in Frühlingsschöne,
Sang sie aus vollem Herzen, unverstellt,
Und ging hervor, aus schwerer Trübsals Nacht,
Gekrönt mit ewig grüner Lorbeern Pracht!

(H. v. Chézy)

# Mereau

## I.

### Werkverzeichnis

(Erstdrucke)

"Bey Frankreichs Feier. Den 14ten Junius 1790," *Thalia,* 3. Bd., 11. H. (1791), 141-42.
"Die Zukunft," *Thalia,* 3. Bd., 12. H. (1791), 143-44. Neudruck: *Gedichte* I.
*Das Blüthenalter der Empfindung* (Gotha: Perthes, 1794). Neudruck: Stuttgart, 1982.
"Feuerfarb." Mit einer Melodie Reichardts zu Stolbergs "Wenn ich einmal der Stadt entrinn," *Hartungs Liedersammlung* (1794).
"Schwarzburg," *Die Horen,* 1. Jg., 9. St. (1795), 39-44 [1001-1006].
"Nathan. (Aus dem *Decam.* des Boccaz.)," Prosaerzählung, *Die Horen,* 2. Jg., 9. St. (1796), 85-94 [971-80].
"Frühling," *Musen-Almanach für das Jahr 1796,* hrg. v. Schiller (Neustrelitz: Michaelis), 55-58. Mit einer Musikbeilage von J. F. Reichardt.—Dasselbe mit Musik von Reichardt in: *Lieder geselliger Freude,* hrg. v. J. F. Reichardt (Leipzig, 1796/7), I, 55ff.—Dasselbe in: *Lieder der Liebe und der Einsamkeit zur Harfe und zum Clavier,* hrg. v. J. F. Reichardt (Leipzig: G. Fleischer d.J., 1798), I, 22.
"Vergangenheit," *Musen-Almanach für das Jahr 1796,* hrg. v. Schiller, 107-9.
"Das Lieblingsörtchen," ebenda, 145-47 (ohne Musikbeilage).—Dasselbe mit Musik von J. F. Reichardt in *Deutschland,* hrg. v. Reichardt (Berlin: Unger, 1796), I, 278-79.—Dasselbe in *Lieder der Liebe und der Einsamkeit,* hrg. v. J. F. Reichardt (Leipzig: Fleischer, 1798), I, 54.
"Erinnerung und Phantasie," *Musen-Almanach für das Jahr 1796,* 149-51.
"Carl von Anjou, König von Neapel. Nach dem Boccaz." Prosaerzählung, *Die Horen,* 3. Jg., 2. St. (1797), 34-42 [144-52].
"Briefe von Amanda und Eduard," Briefroman, Teildruck, *Die Horen,* 3. Jg., 6. St. (1797), 49-68 [561-80]; 7. St., 38-59 [660-81]; 10. St., 41-55 [971-85]. Die Fortsetzung folgte nicht.
"Des Lieblingsörtchens Wiedersehn. (Man sehe Schillers Musenalmanach auf 1796.)", *Die Horen,* 3. Jg., 10. St. (1797), 98-100 [1028-1030]; Neudruck: *Gedichte* I.
"Andenken," *Musen-Almanach für das Jahr 1797,* 57-58.
"Die Landschaft," ebenda, 147-51.
"Briefe der Ninon von Lenclos," *Erholungen,* hrg. v. W. G. Becker (Leipzig, 1797), 3, 189-214. Vgl. hierzu "Ninon von Lenclos" in *Kalathiskos.*
"Lindor und Mirtha," *Musen-Almanach für das Jahr 1798,* 100-104. Neudruck: *Gedichte* I, 120-24 unter neuem Titel: "Leichter und ernster Sinn" (Lina und Mirtha. Text leicht verändert).
"Der Garten zu Wörlitz," *Musen-Almanach für das Jahr 1798,* 216-20.
"Licht und Schatten," ebenda, 292-93.
"Marie," *Flora* (1798), Bd. 3, 41-103.
"Bergphantasie," *Taschenbuch für Damen auf das Jahr 1798,* 171-175.

"Schwermuth," ebenda, 176-77.

"Schwärmerei der Liebe," *Musen-Almanach für das Jahr 1799,* 225-30.

"Die Prinzessin von Cleves. Frei nach dem Französischen bearbeitet," *Romanenkalender für das Jahr 1799,* hrg. v. Lafontaine, Levesque, Mereau, Reinhard, G. W. K. Starke (Göttingen: Dieterich, 229-312.—Für das Jahr 1800 und 1801 dort vielleicht auch weitere Arbeiten von Mereau. Exemplare waren mir nicht zugänglich.

"Der Prinz von Condé. Nach dem Französischen, als ein Beitrag zur Sittengeschichte der damaligen Zeit," *Berlinischer Damenkalender auf das Jahr 1800,* 1-80.

*Gedichte,* 2 Bde. (Berlin: Frölich, 1800 und 1802). Nachdruck: Wien, Prag, 1805.

*Kalathiskos,* 2 Bde. (Berlin: Frölich, 1801 und 1802). Darin in II, 52-126: "Ninon de Lenclos."

"Die Gegend bey R—," *Musen-Almanach für das Jahr 1802.* Hrg. v. Bernhard Vermehren (Leipzig: Sommersche Buchhandlung), 99-100.

"Das Leben," ebenda, 211-12.

*Göttinger Musen-Almanach,* hrg. v. Sophie Mereau (Göttingen: Dieterich, 1803).

"Klage," *Musen-Almanach für das Jahr 1803,* hrg. v. Bernhard Vermehren, 2. Jg. (Jena: Akad. Buchhandlung), 30-31.

"Tieffurt," ebenda, 289-90.

*Die Margarethenhöhle, oder die Nonnenerzählung. Aus dem Englischen,* 1.-3. Teil (Berlin: Unger, 1803).

*Amanda und Eduard. Ein Roman in Briefen,* 2 Teile (Frankfurt: Wilmans, 1803).

"Der Frühling" ("Wie die Zweige sich wölben"), *Neue Lieder geselliger Freude,* hrg. v. J. F. Reichardt, 2. H. (Leipzig: Fleischer, d.J., 1804), 20 (mit Musik).

*Spanische und Italienische Novellen,* hrg. v. Sophie Mereau (Penig: Dienemann, 1804, 1806). Fälschlich Brentano zugeschrieben.

"Bruchstücke aus den Briefen und dem Leben der Ninon de Lenclos," anonym. *Journal für deutsche Frauen* (1805), 2. Bd., 5. H., 111-24; 3. Bd., 9. H., 92-118; 10. H., 108-18; 12. H., 116-22.

"Rückkehr des Don Fernando de Lara in sein Vaterland. Eine spanische Erzählung," *Taschenbuch für das Jahr 1805. Der Liebe und Freundschaft gewidmet* (Frankfurt: Wilmans).— Vielleicht auch Beiträge von Mereau für die Jahre 1803-1806. Exemplare waren mir nicht zugänglich.

*Bunte Reihe kleiner Schriften* (Frankfurt: Wilmans, 1805).

*Sapho und Phaon, oder der Sturz von Leukate. Roman nach dem Englischen* (Aschaffenburg, 1806). Neudruck, Würzburg, 1824.

*Fiametta. Aus dem Italienischen des Boccaccio übersetzt* (Berlin: Realschulbuchhandlung, 1806). Neudruck, Leipzig: K. Berg, 1906.

*Gedichte von Sophie Mereau* (Wien, 1818).

*Sophie Brentano. Gedichte. Neueste Auflage* (Wien: Bauer, 1818).

*Briefwechsel zwischen Clemens Brentano und Sophie Mereau,* 2 Bde. (Leipzig: Insel, 1908). Darin 7 Gedichte Mereaus, nicht gedruckt oben.

*Clemens Brentano und Sophie Mereau.* "Lebe der Liebe und Liebe das Leben." Briefwechsel, hrg. v. Dagmar v. Gersdorff (Frankfurt, 1981).

*Sophie Mereau. Erinnerung und Phantasie. Gedichte,* hrg. und bearbeitet von Burkhart Weecke (Horn-Bad: Verlag d. Manufactur, 1981). Nachdruck d. Ausg. v. Wien, 1818.

————————

Manuskript geblieben ist Mereaus Übersetzung von Corneilles *Cid.* Vgl. hierzu den Briefwechsel Brentano/Mereau II, 221 f.—Eine Übersetzung der Memoiren Frau von Staëls, die Mereau vorgenommen haben soll, habe ich in dem mir zugänglichen Material nicht aufgefunden. Vgl. hierzu aber P. Schmidts Nachwort in *Kalathiskos,* S. 27.

## II.

Goethes Gedicht "Jägers Abendlied" nachgebildet ist Mereaus "Der Hirtin Nachtlied. Nach: Jägers Nachtlied." Es ist auch zur J. F. Reichardtschen Melodie des Goethegedichts sangbar.

Der Hirtin Nachtlied.

Nach: Jägers Nachtlied.

Des Tages süsser Schein verbleicht
in leichten Nebelflor,
und aus den stillen Schatten steigt
dein liebes Bild hervor.

Du wandelst rasch durch Berg und Thal,
voll Unruh in der Brust,
und bist der Liebe süssen Qual
wohl nimmer dir bewusst.

Indess mit leichter Sehnsucht Schmerz,
fern in der Einsamkeit,
ein treues tiefbewegtes Herz
sich dir voll Liebe weiht.

Es steigt der Mond, das ferne Thal
glänzt mild in seinem Licht.
Ach! säh' ich, wie des Mondes Strahl,
dein süsses Angesicht!

(Gedichte I, 22-23)

Bemerkungen hierzu sowie ein Nachdruck des Gedichts bei Daniel Jacoby, "Nachbildung Goethescher Gedichte," *Goethe-Jahrbuch* VI (1885), 330-32. Dieser verweist auch auf Herders Rezension in den *Erfurter Nachrichten* 1800, und auf den Umstand, daß das ursprünglich "Jägers Nachtlied" betitelte Goethegedicht den neuen Titel "Jägers Abendlied" erst seit 1789 trägt. Sowohl Herder wie Mereau benutzen die alte Bezeichnung.

III.

1.

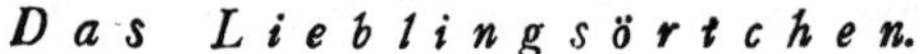

Wohl wölbet sich lieblich am kühligen Bach
Manch duftend Gewinde zum blühenden Dach;
Wohl hat sich schon mancher, von Sehnsucht gequält,
Ein heimliches Plätzchen zum Freunde gewählt;

Doch kenn ich sie alle, die Stellen der Ruh,
Es machte von allen mir keine, wie du,
Du Dörfchen im stillen bescheidenen Grund,
Die freiheitdürstende Seele gesund!

Wie, innigst an liebende Arme gewöhnt,
Nach kurzer Entfernung, das Liebchen sich sehnt,
So Wallet, wenn Tage der Trennung vergehn,
Mein liebender Busen, dich wieder zu sehn.

Von Blüthen umduftet, von Lüftchen geküst,
Von lieblichen Sängern auf Zweigen begrüst,
Enteilt mir der Stunden geflügelter Zug,
Und nimmer hemmt Unmuth den rosigen Flug.

Im Häuschen so reinlich, so niedlich und klein,
Nist't traulich das friedliche Täubchen sich ein,
Drinn wohnen zwei Menschen, bescheiden und hold,
Wie Blumen der Wiese, und lauter wie Gold.

Vom ländlichen Paar, das im Hüttchen sich lebt,
Dem Unschuld und Ruhe den Lebenstraum webt,
Zum Käfer, der summend die Blüthen durchstrich,
Freut alles der Liebenden Gegenwart sich.

Es zieret, gewartet von sorgsamer Hand,
Des Geisblatts Gewinde die reinliche Wand,
Streckt brünstig die Arme zum Fenster hinauf,
Und sendet mir süsse Gerüche herauf.

Es zieht sich so heimlich vom Hügel ins Thal
Ein Wäldchen, drinn wohnet manch frölicher Schall,
Da winkt mir, umflossen von trüblichem Licht,
Aus einem der Büsche ein Schattengesicht.

Erinnerung wob es aus magischem Duft,
Da steht es nun ewig in schweigender Luft.
Ich setze mich einsam zum fliehenden Bach,
Und sinne dem flüchtigen Schattenbild nach.

Es rauschen die Wellchen bedeutend und schnell,
Und reissen manch' Blümchen vom Strand in den Quell,
So drängt auch von dir einst, du lieblicher Ort,
Die Welle des Schicksals mich Liebende fort.

Dann sehnt sich, wenn Tage der Trennung vergehn,
Vergebens mein Busen dich wieder zu sehn,
Fühlt liebende Sehnsucht, und athmet so schwer,
Und findet das Plätzchen der Ruhe nicht mehr!

*Sophie Mereau.*

Aus: *Lieder der Liebe und der Einsamkeit zur Harfe und zum Clavier,* hrg.v. J. F. Reichardt (Leipzig: G. Fleischer d.J., 1798), I, 54-55.

Frühling.

Düfte wallen.—Tausend frohe Stimmen
Jauchzen in den Lüften um mich her;
Die verjüngten trunknen Wesen schwimmen
Aufgelöst in einem Wonnemeer.

Welche Klarheit, welches Licht entfliesset
Lebensvoll der glühenden Natur!
Festlich glänzt der Äther und umschliesset,
Wie die Braut der Bräutigam, die Flur.

Leben rauscht von allen Blütenzweigen,
Regt sich einsam unter Sumpf und Moor,
Quillt, so hoch die öden Gipfel steigen,
Emsig zwischen Fels und Sand hervor.

Welch ein zarter, wunderbarer Schimmer
Überstralt den jungen Blütenhain!
Und auf Bergen, um verfallne Trümmer,
Buhlt und lächelt milder Sonnenschein.

Dort auf schlanken, silberweißen Füßen
Weht und wogt der Birken zartes Grün,
Und die leichten, hellen Zweige fließen
Freudig durch den lauen Luftstrom hin.

In ein Meer von süßer Lust versenket,
Wallt die Seele staunend auf und ab,
Stürzt, von frohen Ahndungen getränket,
Sich im Taumel des (Gefühls) hinab.

Liebe hat die Wesen neu gestaltet,
Ihre Gottheit überstralt auch mich,
Und ein neuer üpp'ger Lenz entfaltet
Ahndungsvoll in meiner Seele sich.

Laß an deine Mutterbrust mich sinken,
Heil'ge Erde, meine Schöpferin!
Deines Lebens Fülle laß mich trinken,
Jauchzen, daß ich dein Erzeugtes bin!

Was sich regt auf diesem großen Balle,
Diese Bäume, dieser Schmuck der Flur,
Einer Mutter Kinder sind wir alle,
Kinder einer ewigen Natur.

Sind wir nicht aus Einem Stoff gewoben?
Hat der Geist, der mächtig sie durchdrang,
Nicht auch mir das Herz empor gehoben?
Tönt er nicht in meiner Leier Klang?

Was mich so an ihre Freuden bindet,
Daß, mit wundervoller Harmonie,
Meine Brust ihr Leben mit empfindet,
Ist, ich fühl' es, heil'ge Sympathie!

Schwelge, schwelge, eh' ein kalt Besinnen
Diesen schönen Einklang unterbricht,
Ganz in Lust und Liebe zu zerrinnen,
Trunknes Herz, und widerstrebe nicht!

Aus: *Musen-Almanach für das Jahr 1796,* hrg. v. Schiller (Neustrelitz: Michaelis), 55-58. Die Musikbeilage bringt im dritten Vers "die vergnügten trunknen Wesen," während der Gedichttext "Die verjüngten trunknen Wesen" zeigt. Letztere Version ist die auch andernorts gedruckte. Es handelt sich vermutlich in der Musikbeilage um einen Lesefehler des Setzers.

3.

Der Frühling

Der Frühling.

Wie die Zweige sich wölben!
Blüthen und Blumen sich drängen,
Rosen den Aether umwallen!
Mutter Natur, wie schön bist du!

Wie die Vögelein schwärmen!
Käfer mich fröhlich umsummen!
Fische im Abendglanz spielen!
Holde Freiheit, wie süß bist du!

Wie die Täubelein girren!
Schwalben ihr Nestchen sich bauen!
Kleine Würmchen sich suchen!
Liebe, Liebe, ich ahnde dich!

Aus: *Neue Lieder geselliger Freude,* hrg.v. J. F. Reichardt, 2.H. (Leipzig: Fleischer, d.J.), 20—Ohne Musik in Mereaus *Gedichte* I, 24.

# Louise Reichardt

## I.

### Werke.

Louise Reichardts Werke sind zum Großteil bei den Verlegern ohne Jahresangabe erschienen. Die Datierung ist daher nicht genau festzulegen. Außer Mallon (in seinen Arnim- und Brentanobibliographien) haben auch Gajek, Moering, Reich u.a. Datierungen versucht. Die Lexika sind diesbezüglich oft unzuverlässig. Außerdem sind Louise Reichardts Lieder oft anonym in Sammelbänden erschienen. Diese, sowie die meisten Separatdrucke einzelner Lieder von ihr sind hier nicht bibliographisch erfaßt worden.

1800 *12 deutsche Lieder,* hrg. v. J. F. Reichardt (Zerbst, 1800). Darin "einige" von Louise Reichardt. Ein Exemplar in der British Library. Rez. in: *Leipz. musik. Zeitung,* 2. Jg., S. 475. Vgl. auch Carl Freih. v. Ledebur, *Tonkünstler-Lexicon Berlin's von den ältesten Zeiten bis auf die Gegenwart* (Berlin: Rauh, 1861), S. 443. Dort ein Verzeichnis der Liedanfänge von L. Reichardts Liedern.

1806 "Lied aus Ariels Offenbarungen" (Lilie, sieh mich [. . .]), *Berlinische musikalische Zeitung,* Beilage IV. Ein Exemplar des Original-Erstdrucks mit dem in späteren Ausgaben nicht gedruckten Nachtrag ist in der Musikbibliothek, Yale University, New Haven, Ct., USA.

1806 *XII Deutsche und italiänische romantische Gesaenge mit Begleitung des Piano-Forte componiert und Ihrer Durchlaucht der Herzogin Mutter Anna Amalia von Sachsen Weimar und Eisenach aus reiner Verehrung zugeeignet* (Berlin: Realschul-Buchhandlung F. Ramberg). Vgl. *Allg. Mus. Zeitg., Leipzig* (1806), S. 686. Ein Exemplar befindet sich in der Bayerischen Staatsbibliothek in München. Vgl. auch Robert Eitner, Biographisch-Bibliographisches Quellen-Lexikon der Musiker und Musikgelehrten christl. Zeitrechnung bis Mitte des 19. Jhs., 2. verb. Aufl., Bd. 7 (Graz: Akad. Druck- und Verlagsanstalt, 1959), S. 170-71.

1808 Zwei Lieder: "Aus Novalis geistlichen Liedern;" "Aus Shakespeares Heinrich VIII," gedruckt bei Steig II, S. 245.

1810 "Unruhiger Schlaf" (Der Kirschbaum blüht [. . .] ). Musikbeilage zu L. Achim von Arnims *Gräfin Dolores.* Neu gedruckt bei Moering, S. 241.

1811 (?) *12 Gesänge mit Begleitung des Forte-Piano Componirt und Ihrer geliebten Schwester Friederika zugeeignet* (Hamburg: Böhme). Ein Exemplar in der Staats- und Universitätsbibliothek Hamburg, Signatur MB/321.

1811 (?) *6 Canzoni di Metastasio* (Hamburg: Selbstverlag). Ein Exemplar befindet sich in einer Privatsammlung. Vgl. Nancy Reich, S. xviii.

1814 in Erichsons *Musenalmanach* "einige Lieder von Luise Reichardt." Vgl. Eitner, 171.

1817 *12 Lieder zur Gitarre mit Melodien von Louise Reichardt,* hrg. von Arnim (Hamburg: Böhme). Verzeichnet bei Otto Mallon, *Arnim-Bibliographie* (Hildesheim: Olms, 1965), S. 60.

1819 (?) *XII Gesaenge mit Begleitung des Fortepiano's Componirt und ihrer jungen Freundin und Schülerin Demlle Louise Sillem zugeeignet.* 3. Werkchen (Hamburg: Böhme). Ein Exemplar in der Bayerischen Staatsbibliothek, München.

1819 *6 Lieder von Novalis* (Hamburg: Böhme). Ein Exemplar in der Staats- und Universitätsbibliothek Hamburg, Signatur MB/320.

1822 Hs. *Choralbuch* mit 12 Chorälen und 1 Lied. Die Handschrift befindet sich in der Staats- und Universitätsbibliothek Hamburg, Signatur MA/560. Da dieses Werk sonst nirgends verzeichnet ist, führe ich den Inhalt an: Choral 1. "Seeligstes Wesen, unendliche Wonne;" 2. Abendlied ("Die Nacht ist kommen"); 3. Morgenlied ("Mein erst Gefühl sey Preis u. Dank"—Gellert); 4. "Wer nur den lieben Gott läßt wallten;" 5. Abendlied ("Nun ruhen alle Wälder"—Gerhard); 6. Morgenlied ("Wach auf mein Herz u. singe"—Gerhard); 7. "Allein Gott in der Höh sey Ehr;" 8. "Erhalt uns Herr bey deinem Wort" (Martin Luther); 9. "Christe du Lamm Gottes" (Luther); 10. "O! Gott du frommer Gott;" 11. "Was Gott thut das ist wohl gethan;" 12. Ein schönes Lied von Hans Sachs ("Warum betrübst du dich mein Herz"); ohne Nummer: Uebergabe des Herzens ("Seele ruh in jeder Nacht"—L. Reichardt).

1822 (?) *VII romantische Gesänge von Tieck für 1 Singstimme mit Pianoforte.* Op. 5 (Hamburg: Böhme). Vgl. Reich, S. xxi.

1823 *Sechs geistliche Lieder unserer besten Dichter* (Hamburg: Cranz). Ein Exemplar in der Musikbibliothek der Yale University, New Haven, Ct., USA.

Ferner: Ausgaben, die ich nicht näher datieren kann.

*Zwölf Gesänge mit Begleitung der Guitarre* (Breslau: C. G. Förster). Ein Exemplar in der British Library.

*Sechs Deutsche Lieder für 1 Singstimme,* Op. 6 (Hamburg: Böhme). Vgl. Reich, S. xxii.

*Sechs Deutsche Lieder mit Begleitung des Pianoforte* (Hamburg: Cranz), 6te Lieder Sammlung (vielleicht identisch mit der vorhergehenden). Ein Exemplar befindet sich in der Bayerischen Staatsbibliothek.

*Christliche liebliche Lieder* (Hamburg: Cranz). Neuausgabe (Leipzig: Hofmeister).

*Choralbuch* (Basel: Spittler). 140 vierstimmige Choräle. Vgl. Reich, xxii.

Einzelausgaben: "Der Jüngling am Bache" (Berlin: Lischke); "Des Schäfers Klage" (Dort oben auf jenen Bergen [. . .] ) (Hamburg: Böhme). Ein Exemplar befindet sich in der Staats- und Universitätsbibliothek Hamburg, Signatur MA/48; "Das Mädchen am Ufer," neue Aufl. (Hamburg: Cranz); "In Sevilla" und "Ich sah ein Röschen am Berge stehn" (C. M. v. Weber), Ms. des von Reichardt vertonten Brentanoliedes und der Weberkomposition in der Staats- und Universitätsbibliothek Hamburg, Signatur 7an MB/4079; "Hört wie die Wachtel" (Ms. Sammlung, 401, Königsberg);

Ferner: Choralbearbeitungen, Klavierauszüge von Werken Händels, Hasses, Grauns; Bearbeitung der "Weihnachts-Cantilene" von J. F. Reichardt (Hamburg: Cranz, 1826); von Louise Reichardt mit deutschem Text versehene Händel-Oratorien.

Neuausgaben:

1914 "When the Roses Bloom" ( = Hoffnung, "Wenn die Rosen blühen") aus: *6 Deutsche Lieder* (Cincinnati, Ohio: Willis Music Co.).

1922 *Louise Reichardts ausgewählte Lieder,* hrg. v. G. Rheinhardt (München: Drei Masken-Verlag).

1981 *Louise Reichardt. Songs.* Compiled and with an Introduction by Nancy B. Reich (New York: Da Capo). Enthält 42 Lieder aus verschiedenen Sammlungen.

Es stehet von schönen Blumen
Die ganze Wiese so voll;
Ich pflücke sie ohne zu wissen,
Wem ich sie geben soll.
Vor Regen und Sturm und Gewitter,
Bewahr ich sie unter den Baum;
Die Thüre, sie bleibet verschlossen
Und alles ist, leider Traum!

Es stehet ein Regenbogen
Wohl über jenem Haus,
Sie aber ist ausgezogen
Und weit in das Land hinaus.
Und weit in das Land und weiter,
Vieleicht auch über den See!—
Vorüber, ihr Schäfchen, vorüber,
Dem Schäfer ist gar zu weh!

Goethe

Lied. Dort oben auf jenen Bergen etc: in Musik gesezt für's Forte-Piano von Luise Reichardt (Hamburg: Bey Ioh: Aug: Böhme bey der Börse, o.J.).

Der Text zu Louise Reichardts Komposition des Goethegedichts weicht erheblich von jenem der Weimarer Ausgabe (I. Abt., 1. Bd., S. 85) ab. Er ist zum Vergleich unten abgedruckt. Goedeke verzeichnet Louise Reichardts Komposition des Liedes nicht.

Schäfers Klagelied.

Da droben auf jenem Berge
Da steh' ich tausendmal
An meinem Stabe gebogen
Und schaue hinab in das Thal.

Dann folg' ich der weidenden Heerde,
Mein Hündchen bewahret mir sie.
Ich bin herunter gekommen
Und weiß doch selber nicht wie.

Da stehet von schönen Blumen
Die ganze Wiese so voll.
Ich breche sie, ohne zu wissen,
Wem ich sie geben soll.

Und Regen, Sturm und Gewitter
Verpass' ich unter dem Baum.
Die Thüre dort bleibet verschlossen;
Doch alles ist leider ein Traum.

Es stehet ein Regenbogen
Wohl über jenem Haus!
Sie aber ist weggezogen,
Und weit in das Land hinaus.

Hinaus in das Land und weiter,
Vielleicht gar über die See.
Vorüber, ihr Schafe, vorüber!
Dem Schäfer ist gar so weh.

## III.

### 1.

2.

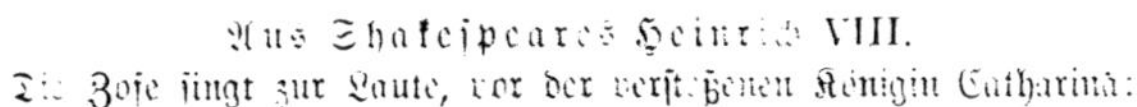

2. Pflanz und Blum entsproß vor Wonne, als hätt Regenguß und Sonne ewgen Lenz hervorgebracht.
3. Jedes Wesen ward Gehör, selbst die wilde Well im Meer hing das Haupt und neigte sich
4. Tonkunst, deine Zauberein hört der Gram und schlummert ein, hört dich fort und stirbt durch dich.

Nr. 1 und Nr. 2 gedruckt bei Reinhold Steig, *Achim von Arnim und die ihm nahe standen,* 2. Bd. (Stuttgart: Cotta, 1913), 245. Sie scheinen gänzlich unbekannt zu sein; eine andere Vertonung von Nr. 1 hat Louise Reichardt in ein späteres Liederheftchen aufgenommen.

3.

Die folgenden vier Lieder entstammen den 1823 bei Cranz in Hamburg veröffentlichten *Sechs geistlichen Liedern.* Die Texte lauten wie folgt:

Dem Herrn

Herr! schaue auf uns nieder!
Dir tönen unsre Lieder,
Des Herzens Lust bist du!
Ach dich zum Freunde haben,
Ist mehr denn alle Gaben,
Ist ew'ges Leben, seel'ge Ruh!

Du stillest das Verlangen,
Und wenn an dir wir hangen,
So fehlt dem Leben nichts.
In deiner Gottesklarheit
Sehn wir die ew'ge Wahrheit,
Du leuchtest in uns, Quell des Lichts!

Von deinem Arm gehalten,
Kann keine der Gewalten
Der Welt uns dir entziehn!
Wir ruhn an deinem Herzen,
Sind dein in Freud' und Schmerzen,
O möchten zu dir alle fliehn!

(J.G.)

4.

Buß-Lied.

Herr, zu deines Kreutzes Fuße
Leg' ich flehend meine Schuld;
Wollst auf meiner Zähren Buße
Schaun Vergebung, schaun Geduld.
Stärke meiner Ohnmacht Willen,
Der nicht ohne dich vermag
Seinen Vorsatz zu erfüllen,
Den er ach! so oft schon brach.

Tief, so tief bin ich gesunken,
Der ich, wähnend hoch zu stehn,
Durft' aus Dünkels Bechern trunken,
Stolz hinab auf Beßre sehn!
Guter Hirte, komm' erbarme
Mein dich, zeuch mich aus dem Schlamm,
Daß an deiner Brust erwarme
Wieder dein verirrtes Lamm.

(Stolberg)

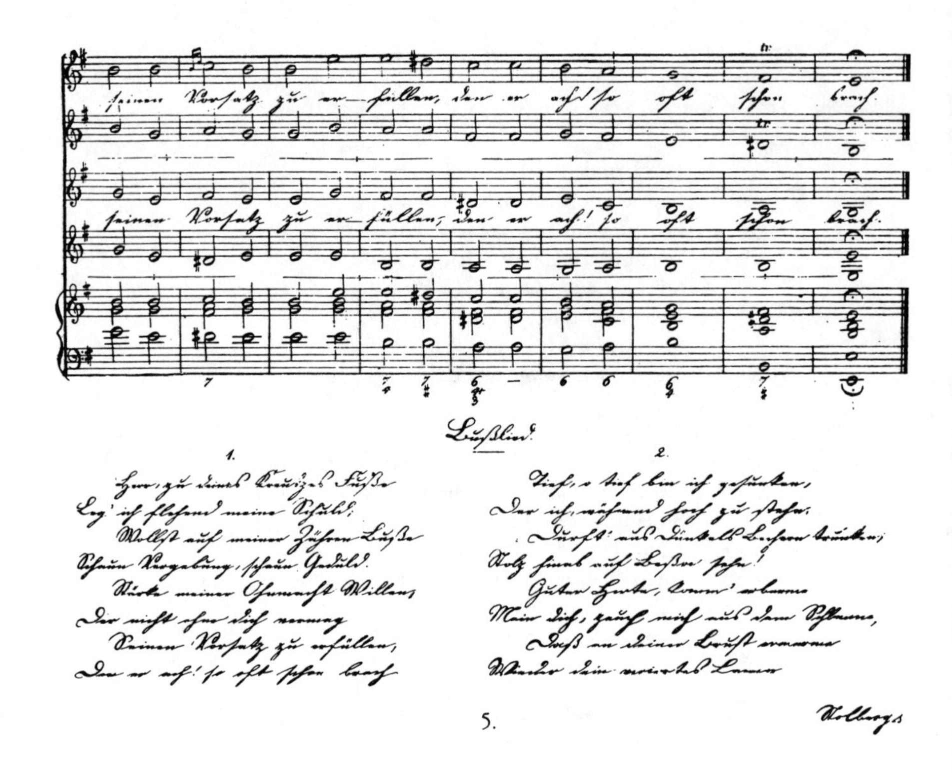


5.

Fürbitte für Sterbende

Du wollst erhören, Gott, ihr Flehn,
Nicht ins Gericht mit ihnen gehn,
Die jetzo deiner Ewigkeit
Sich nahn, befreyt
Nun bald von dieser Eitelkeit.

Erfüllt ist ihrer Leiden Zahl;
Sie weinnen heut das letzte Mahl;
Ach! sey in ihres Todes Noth
Ihr Retter, Gott!
Ein Schlummer sey für sie der Tod.

Vollende Vater ihren Lauf,
Nimm sie zu deinem Frieden auf;
Verwirf sie, wenn ihr Herz nun bricht,
Verwirf sie nicht,
Herr, Herr, vor deinem Angesicht!

(Klopstock)

6.

Tiefe Andacht.

Wenn die Seel' in tiefe Stille
versunken ist;
wenn ganz ihr Wille
der Wille deß ist,
der sie liebt;
wenn ihr inniges Vertrauen,
ihr freudig Hoffen
fast zum Schauen
empor steigt;
wenn sie wieder liebt,
und nun wahrhaft weiß,
dein Kampf und Todesschweiß;
Gottversöhner,
dein Blut am Kreutz,
dein Tod am Kreutz,
versöhn' o Herr,
versöhn' auch sie.

O! dann ist ihr schon gegeben
ihr neuer Nam',
und ewig's Leben
im Himmel ist ihr Wandel dann.
Stark, den Streit des Herrn zu streiten,
sieht sie die Krone schon von weiten
am Ziel,
und betet an.
Preis, Ehr und Stärk' und Kraft
sey dem, der uns erschafft!
Ihm zu leben,
Ihm zu leben,
für uns verbürgt,
bist du erwürgt;
Anbetung, Ruhm und Dank sey dir,
Dank dir!

(Klopstock)

## IV.

Die folgenden Faksimiledrucke entstammen dem in der Staats- und Universitätsbibliothek Hamburg originalhandschriftlich vorliegenden Choralbuch Louise Reichardts. Für die Druckerlaubnis dieser Auszüge danke ich der Bibliothek und Herrn Dr. Bernhard Stockmann, der sie mir mit Brief vom 17. Oktober 1980 erteilte. Das Choralbuch trägt die Sign. Ma/560, datiert in Hamburg, 6. August 1822. Ein gedrucktes Choralbuch (Basel: Spittler) trägt kein Datum.

No. 3, "Morgenlied" von Gellert.

Mein erst Gefühl sey Preis u Dank;
Erheb ihn meine Seele!
Der Herr hört deinen Lobgesang;
Lobsing ihm meine Seele.

No. 8, "Erhalt uns Herr bey deinem Wort" von Dr. Mr. Luther.

Beweis dein Macht, Herr Jesu Christ,
der du Herr aller Herren bist:
Beschirm' dein' arme Christenheit,
daß sie dich lob in Ewigkeit.

Gott heil'ger Christ du Tröster wehrt,
Gieb deinem Volke Fried auf Erd,
Steh' bei uns in der letzten Noth,
Leit uns ins Leben aus dem Tod.

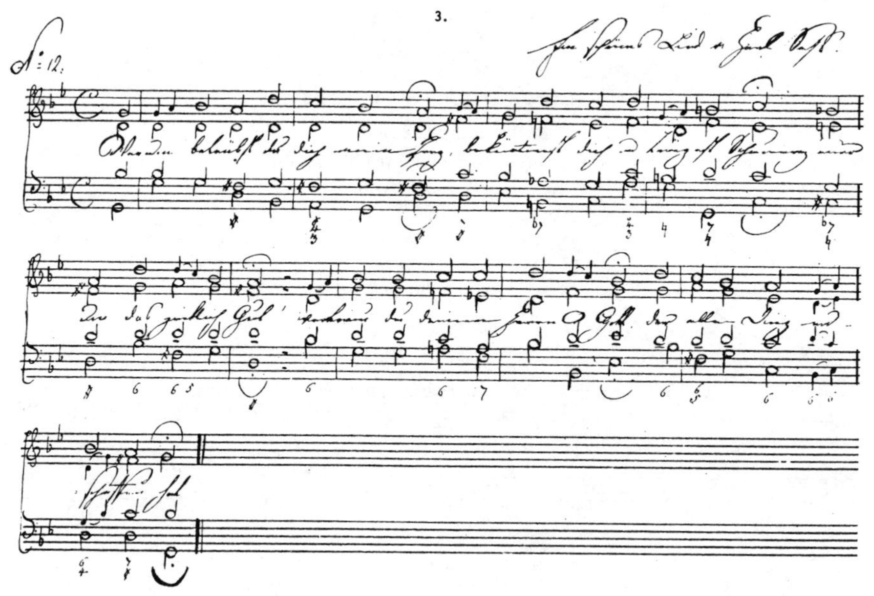


No. 12, "Ein schönes Lied v. Hans Sachs."

> Warum betrübst du dich mein Herz,
> bekümmerst dich u trägest Schmerz
> nur um das zeitlich Gut!
> vertrau du deinem Herrn u Gott,
> der alle Ding erschaffen hat.

## V.

Die folgenden Briefe Louise Reichardts sind bisher unveröffentlicht und stammen aus der Handschriftenabteilung der Staats- und Universitätsbibliothek Hamburg, die mir mit Schreiben vom 17. Oktober 1980 die Veröffentlichungserlaubnis erteilte. Hierfür und für Zusendung von Photokopien danke ich dem Archiv und Herrn Dr. Bernhard Stockmann aufs herzlichste.

### 1.

Den folgenden Brief sandte Louise Reichardt an ihren Gönner Wilhelm Benecke, als sich dieser in Hannover befand. Louise datiert den Brief lediglich "Hamb: d. 19ten Juny," aber der Poststempel zeigt das Jahr 1818. Beigelegt ist dem Brief ein Verzeichnis der Händelschen Werke. 1818 ist das Jahr, in dem sie die große Aufführung von Händels *Messias* und Mozarts *Requiem* in der Michaeliskirche veranstaltete. Der Brief mag jenem bei Brandt gedruckten vom 26. Oktober 1818 vorausgehen, weil sie bezüglich des Verzeichnisses meint: "Von den hier verzeichneten Oratorien besitze ich ausser dem Messias und des

Alex: Test. u. dem Judas alle; andere wären mir willkommen." Der bei Brandt gedruckte Brief ist an den bereits wieder nach England zurückgekehrten Benecke gerichtet und beginnt: "Mein Dank sollte Sie in Ihrer Heimath begrüßen, so wünschten Sie, und ich habe, obgleich es mir schwer gewesen, ihn so lange auf dem Herzen behalten, ganz Ihrem Winke folgen wollen. Sie sind so freundlich und gut, sich meiner Wünsche zu erinnern; aber wie kann ich Ihnen danken für das herrliche Geschenk, womit Sie meine Sammlung bereichert haben?" (Brandt, 80). Louise berichtet dann von der Aufführung des *Messias*. Offensichtlich hatte ihr Benecke Musikalien übermittelt.

[Brieftext 1]

Dem Herrn Benecke, abzugeben bey Herrn Hoffrath Falk in Hannover.

Gern lasse ich beyfolgendes Verzeichniß mir Veranlassung seyn, Ihnen einen recht freundlichen Gruß zuzuruffen! ich hätte Ihnen viel mehr zu sagen aber meine entsetzliche Kopf-Krankheit, welche seit mehreren Tagen mich oft aller Besinnung beraubt so daß ich mühsam, die empfangenen lieben Eindrücke fest zu halten suchen muß, gestattet es nicht.

Von den hier verzeichneten Oratorien besitze ich ausser dem Messias und des Alex: Test. u. dem Judas alle[;] andere wären mir willkommen. Mehrere die hier nicht genannt sind, will ich zu Ihrer Erinnerung hersetzen, weil alle von der unerschöpflichen Tieffe dieses Geistes zeugen.

Der hundertste Psalm, den Sie bey mir gehört haben

desgl: der 95te u. 27te Psalm beydes Werke von der höchsten Vollendung.

Empfindungen am Grabe Jesu.

Mit den herzlichsten Wünschen für Ihre Gesundheit schliesse ich diese Zeilen, indem ich die lieben Ihrigen auf's freundlichste zu grüssen bitte, von

Ihrer ergebensten

Hamb: d. 19ten Juny [1818]

L. Reichardt.

[Das beiliegende vier Seiten umfassende Verzeichnis beginnt: "G. F. Händel. geb: im Febr: 1685 zu Halle; gestorben im Apr: 1759 zu London. Seine bekannten Werke sind folgende" und enthält Opern, Pastiorie, Oratorien, Serenaten, Kirchenmusik, Kammermusik, Instrumentalmusik, und folgende Schlußworte: "Eine Menge, die in Italien u. Deutschland schriftlich ans Licht getreten, ist im gegenwärtigen Verzeichniß nicht berühret. Zwey Kisten sollen in Hamburg, auch noch was in Hannover u. Halle befindlich seyn."]

2.

Der Brief ist aus Deptford geschrieben, wo Louise Reichardt die Sommermonate 1819 bei der Familie Benecke verbrachte. Daraus ergibt sich das Jahr, welches Louise im Brief nicht verzeichnet. Das Schreiben richtet sich an die Tochter ihrer Gönnerin Sillem, in deren Hamburger Haus sie lange wohnte, um ihre bevorstehende Rückkehr anzukündigen. Der

Brief ist zeitlich vor jenem an Beneckes am 24. September 1819 einzureihen (Brandt, 89ff), in dem Louise die Reisebeschwerden auf See beschreibt. Der Briefumschlag ist folgendermaßen adressiert: "Der Madame Des Arts. geb: Sillem, Addr: Hr: Jacob Des Arts. *Hamburg* in der Deigstraße."

[Brieftext 2]

An Madame Des Arts, geb. Sillem — Deptford, d. 23. Aug. [1819]

Ich denke mir daß Sie jetzt viel alleine sind, meine gute Jette, u. manches entbehren, u. da wendet mein Herz sich zu Ihnen; so lange Sie von all den lieben Ihren umgeben waren mochte ich Ihnen die Zeit nicht mit Briefen verderben, zumahl da ich im Ganzen wenig mitzutheilen habe, so zufrieden ich lebe so ist doch meine Existenz hier so einförmig als möglich. Von den wenigen Bekantschaften die ich hier gemacht habe erzehle ich lieber mündlich; die herrliche Gegend u. der unvergleichlich schöne Sommer hilft mir selbst über die kranken Tage leichter wegkommen; ich leide seit 4 Wochen wieder unerklärlich am Kopf[;] es scheint meine Gicht zu seyn u. ich habe nur Erleichterung wenn diese auf irgend einen andern Theil des Körpers fällt, wo ich sie durch häuffige Senffpflaster, das einzige was ich gebrauche, hinzuziehn suche. Jedoch lerne ich immer besser mich in dies entsezliche Übel zu finden, doch sehne ich mich nach Grade herzlich in die Heimath zurück, meine gute Jette, u. kann Ihnen nicht beschreiben wie ich mich auf das Wiedersehn freue. Ein guter Capitain mit welchem ich accordiert habe geht in 8 bis 10 Tagen in See, u. so kann ich ganz meinem Vorsatz, Anfang Sept: wieder in Hamb: zu seyn getreu bleiben, wenn es nicht ganz unglücklich geht. Meine Freunde behielten mich gern länger hier aber der Beutel fängt an so leicht zu werden daß ich wohl zurück muß ich mag wollen oder nicht u. da danke ich Gott von Herzen daß ich es auch wirklich gern thue, denn ich habe hier viel Freude gehabt. Von der Schönheit des Landes hat man keinen Begriff wenn man es nicht selbst gesehn hat, ich werde mich noch so lange ich lebe daran freun, u. nicht lassen können Ihnen recht viel davon zu erzehlen.

Da Ihre gute Mutter, die mir so manche Umstände der Reise schreibt, Amalie nicht erwähnt, so vermuthe ich daß das liebe Kind bey Ihnen geblieben, grüssen Sie sie u. den süssen Theodor recht herzlich von mir, doch vor allen Herr Des Arts, wenn ich bitten darff.

Sie werden nun die Güte haben meine beste Jette, da wahrscheinlich die Mutter so bald nicht zurück sein wird, in ihrem Hause wissen zu lassen daß ich, wenn Wind u. Wetter günstig sind, Ende der ersten Woche des Sept: zurück sein kann. Darff ich Sie noch mit einer Bitte belästigen u. Sie möchten Runge sagen lassen, sogleich meine Bilder, nach welchen ich eine wahre Sehnsucht habe, wieder an ihre Stelle zu fördern so würde ich Ihnen recht herzlich dankbar sein. Noch hoffe ich daß aus der Heurath mit der Behrmann nichts wird, etwas Gutes wird auf keinen Fall daraus der Mensch ist ein Träumer, u. für dergl: Verhältnisse ganz untauglich auch begreiffe ich nicht wovon er leben will.

Mit meiner Kleidung bin ich hier so gut durchgekommen daß ich mir durchaus nichts habe anzuschaffen brauchen. Ein Dr: Jonsen der hier öfter ins Haus kommt hatte den guten Einfall zu sagen, ich sähe mit meiner kleinen Mütze aus wie eine der ersten Christinnen; darauff wünschten alle daß ich doch ja nichts an meiner Kleidung verändern möchte, ich ließ mir das nicht 2 mahl sagen u. habe mir nichts angeschaft als ein *Dress Cap* für Conzert

u. Oper wo ich mit meinen schönen seidnen Überröcken immer eine der Elegantesten bin, denn die Seidnen Zeuge sind hier so schlecht u. so theuer daß dies fast der größte Staat ist. Von alle dem was man erzehlt daß Fremde nicht ungerügt über die Straße gehn können, finde ich durchaus nichts; ich bin so [...] mit u. ohne Benecke durch halb London gegangen— im allergrößten Gedränge denn von der Menschenmasse hatte ich früher keinen Begriff, aber auch nicht ein Mensch hat nach mir hingesehn im Gegentheil habe ich es mehr mahl gehabt wenn ich mit der Benecke allein war daß ganz fremde Menschen uns Platz gemacht u. über schlimme Stellen herüber geholfen haben wie denn überhaupt alle Menschen viel freundlich[er] sind, in den Kaufläden, Wirtshäusern u. besonders die Domestiken daß es mich oft ordentlich rührt. Nun meine liebe gute Jette, Gott lasse mich Sie u. all ihre Lieben recht wohl finden; ich wollte die Reise wäre überstanden, so muthig wie ich in Hamb: zu Schiffe ging so wenig Muth habe ich jetzt dazu. Sie haben von dem Theufels Specktackel auf solchem Schiff gar keinen Begriff u. mein Kopf ist jetzt schwächer wie damahls; ich hatte so alle Denkkraft verlohren daß ich mich der gewöhnlichsten Worte nicht erinnern konnte u. wäre nicht ein Deutscher der mir alles zu Gefallen that auf dem Schiff gewesen so war ich sehr übel daran, das wird nun auch nicht der Fall sein. Doch unvermeidliche Übel müssen getragen werden, u. so leben Sie wohl meine beste Jette.

L. Reichardt.

3.

Die Datierung dieses Briefes ist trotz der drei darin enthaltenen zeitlichen Hinweise schwierig. Es kann angenommen werden, daß er an Benecke gerichtet ist, mit dem sie oft über Musikalien und über Familienverhältnisse sprach. Die Mitteilungen über den "Juden Auflauff" und über "die Reformationen der Juden" geben sehr ungenaue Anhaltspunkte. Ein solcher Tumult brach 1819 aus, von dem Helga Krohn in *Die Juden in Hamburg 1800-1850* (Hamburger Studien zur neueren Geschichte, Bd. 9), Frankfurt: Europ. Verlagsanstalt, 1967, auf Seite 24 berichtet: "Ein 1819 ausbrechender Judentumult zerstörte die letzten Hoffnungen der Juden, in Hamburg eine gesetzliche Verbesserung ihrer Lage zu erlangen. [. . .] In Hamburg kam es vom 21. - 26. August zu Straßenunruhen, Kaffeehaus-Prügeleien und öffentlichen Beschimpfungen der Juden." Gerade zu diesem Zeitpunkt war Louise Reichardt aber in England. Außerdem deutet der Hinweis auf die Reformbewegung ebenfalls auf ein späteres Datum. Von 1812 bis 1821 hatte die jüdische Gemeinde in Hamburg keinen Rabbiner. Erst 1821 wurde der aufgeklärte Rabbiner Isaac Bernays, der an der Universität Würzburg Philosophie studiert hatte, als Oberrabbiner in Hamburg gewählt. Er setzte sich 1822 für eine Schulreform ein. Krohn schreibt:

> In seinem Gutachten zur Schulreform vertrat Bernays den Standpunkt, daß die Aufgabe der jüdischen Schulen in der Erziehung der Kinder zu Bürgern und Juden bestehe. Darum sollten die deutsche Sprache, die die Muttersprache der Juden sei, Schreiben, Rechnen, Naturkunde, Erdkunde und Geschichte gelehrt werden. Der religiöse Unterricht sollte auf einen Elementarunterricht in der Heiligen Schrift, der hebräischen Sprache und den praktischen Gesetzen beschränkt werden. Auf Grund dieses Gutachtens wurde 1822 mit der Schulreform begonnen. Als es nicht gelang, einen jüdischen Lehrer für Realien zu finden, scheute Bernays sich nicht, die Anstellung eines Christen vorzuschlagen (Krohn, 29).

Diese Reformbewegung, die sowohl bei Juden wie bei Nicht-Juden auf großes Interesse stieß, mag Louise hier gemeint haben. Der Hinweis auf Schleiermachers Abwesenheit von Berlin, bzw. seine Probleme dort, bildet einen weiteren Anhaltspunkt, der auf das Jahr 1822 verweist. Schleiermacher war wegen seiner kirchlichen Reformpläne, seinem Widerstand gegen die liturgischen Pläne des Königs, und seinen politischen Meinungsverschiedenheiten mit Hegel u.a. politischen Verdächtigungen ausgesetzt, die um 1823 ihren Höhepunkt erreichten. An seinen Freund und Anhänger de Wette, der übrigens ebenfalls aus politischen Gründen von seiner Professur in Berlin verabschiedet wurde, schreibt Schleiermacher am 17. August 1822, er habe eine Urlaubsreise nach Dresden, Prag, Salzburg und München geplant, die er nicht verwirklichen könne: "Als ich aber schon meinen Paß habe und eben für Geld und Wagen sorgen will, schlägt mir der Minister 'aus erheblichen Gründen' den Urlaub rund ab und zwar auf nochmalige Anfrage auch für eine kleinere bloß inländische Reise, so daß ich eigentlich eine Art von Stadtarrest habe" (Wilhelm Dilthey, *Aus Schleiermacher's Leben. In Briefen.* 4. Bd. (Berlin: Reimer, 1863), S. 299). In diesem Brief spricht Schleiermacher weiter von "Quälereien und Willkührlichkeiten" (300), gibt aber dann in einem Brief an Gaß vom 14. September 1822, der bereits aus Schmiedeberg geschrieben ist, folgende Auskunft:

> Ich hielt um Urlaub an zu einer Ferienreise über Salzburg nach Regensburg, zu meiner Frauen Schwester, und durch Tyrol. Das Consistorium ertheilt ihn mir, der Minister macht Schwierigkeit. [. . .] Ich wende mich darauf ans Consistorium, und bitte dieses, seinen Urlaub aufrecht zu erhalten. [. . .] Antwort, es könne mir jetzt überhaupt gar kein Urlaub ertheilt werden. Da nun das Gerücht ging, das Polizeiministerium habe diese Verfügung bewirkt, weil ich solle in Untersuchung gezogen werden: so warte ich einige Tage, ob etwas losgehen werde. Da aber nichts geschieht: so schreibe ich am fünfzehnten an den König nach Töplitz. [. . .] am fünften hat der König an ihn verfügt, daß mir der Urlaub ertheilt werden soll (301-02).

Im gleichen Brief schreibt Schleiermacher auch: "Bei meiner Rückkunft nach Berlin wird sich dann wol ergeben, was die Leute eigentlich von mir wollen. Was gegen mich sein soll, muß aus Briefen an Arndt genommen sein, und ich fürchte auch aus aufgebrochenen an Dich" (302-03). Dies scheint die Angelegenheit zu sein, von der Louise in ihrem Brief spricht. Zu Louise Reichardts Beziehung zu Schleiermacher vgl. auch Wilhelm Dilthey, *Leben Schleiermachers,* 1. Bd. (Berlin: Vereinigung wiss. Verleger, 1922), der im Abschnitt "Louise Reichardt" und in einer Besprechung der Reichardtschen Familie etliches Interessante bringt (S. 849-58, 739-43). Schleiermachers Briefwechsel zeigt ihn im Jahre 1819 (dem Jahr des bei Krohn vermerkten Judentumults) in Berlin, so daß ich den Brief Louises vorsichtig in das Jahr 1822 datieren möchte, da es Judenunruhen auch nach 1819 in Hamburg gab.

[Brieftext 3]

[Blatt mit Noten, deutschem Text; darunter:]
°'Den Choral läßt er auf diese Weise durch 3 Hoboen begleiten die blos zu diesen Accorden eintreten u. auch garnicht wieder vorkommen. Ich habe die fehlenden Stückchen der

Begleitung hinten nach schreiben müssen weil ich die Linien zu enge gezogen. Ich weiß Sie verzeihn es mir u. werden aus all diesen fragment[ari]schen ein ganzes bilden. Wäre mein Kopf nicht so miserabel schriebe ich es gern noch einmahl. Herzlich sehne ich mich nach einigen Zeilen von Ihrer Hand u. nach Nachrichten von Ihrer lieben Frau die mir in diesen Tagen wo ich selbst so viel leidė u. so viel allein bin garnicht aus den Gedanken kommt[;] sagen Sie ihr meine aller herzlichsten Grüße, ich bin im Geiste noch immer bey Ihnen.

L.R.

Über Schleiermacher schreibt mir meine Schwester folgendes "Du fragst nach unserm lieben Schleiermacher? er ist seit geraumer Zeit verreist, wird aber den 12ten dieses zurück erwartet; es geht ihm *Gottlob Wohl* (auf diese Weise unterstrichen) was er auch so sehr verdient; ich liebe ihn mit jedem Jahr, daß ich lebe, zärtlicher[.] Ich vermuthe daß man die Sache nicht brieflich mitzutheilen wagt wenn der König selbst dabey interessiert war u. in Berlin die üble Gewohnheit die Briefe zu erbrechen noch immer statt haben soll.

Daß es mit dem Juden Auflauff hier eigentlich auf eine blosse Prügeley hinaus lieff, die durch das falsche Benehmen der Hambr: Polizei leicht ein Aufflauff hätte werden können, schrieb Ihnen Schlosinger wohl inzwischen; ich erwarte seine Rückkehr um Ihnen einiges über die Reformationen der Juden mitzutheilen um nicht vieleicht zu wiederholen was Sie schon durch ihn wissen.

4.

Der folgende Brief an ihre Tante stammt aus der Zeit nach ihrer Englandreise. Nimmt man als korrekt an, daß Louise Ende des Jahres 1809 nach Hamburg übersiedelte, so läßt der Hinweis auf Madame Sillem, "an welcher ich nun über 12 Jahr eine ganz Mütterliche Freundinn habe," auf den 25. Mai 1822 schließen. Das ist immerhin etliche Zeit nach ihrer Englandreise im Jahre 1819, von der sie ebenfalls im Brief berichtet. Eine eifrige Korrespondenz scheint sie mit der Tante also kaum gehabt zu haben. Der Hinweis, daß Frau Sillem "tödlich krank lag" weist aber ebenfalls auf das Jahr 1822. An Luise Benecke schreibt sie im Februar 1822 von "Mad. Sillems lange[m] Leiden, die immer das Zimmer nicht verlassen kann" (Brandt, 125). Das Probelied, das sie mit der Bitte um Subskriptionen sendet, mag eines der 1823 erschienen "Geistlichen Lieder" sein.

[Brieftext 4]

Geliebte Tante! Hambr: d. 25ten May

Ihren freundlichen Brief erhielt ich schon vor mehreren Monathen mit der Post, leider in einer so trüben Zeit für unser Haus, indem unsre liebe Hausfrau, an welcher ich nun über 12 Jahr eine ganz Mütterliche Freundinn habe, tödlich krank lag. Erst seit wenigen Wochen dürffen wir hoffen sie noch ganz wieder hergestellt zu sehn u. ich würde früher geschrieben haben wäre nicht meine eigne Gesundheit so sehr angegriffen daß ich immer nur das ganz unumgänglich Nothwendige unternehmen kann.—Leider sind auch die

Lieder die Sie zu haben wünschen all die wenigen die ich noch vorfinde von Ihrer Hand geschrieben, beste Tante, woraus ich glaube schliessen zu können daß Sie diese besitzen. Ich habe überhaupt sehr wenig Laute gespielt u. zuletzt sobald ich alle Accorde kannte, immer nach dem Viol: Schlüssel u. bin nie so weit gewesen selbst nach der Tablatur zu setzen. Das Einzige was ich ausser dem für die Laute besitze, sind ein paar sehr schwere Sonaten von dem alten Weisse, welche Ihnen gern zu Diensten stehn; doch sind sie zu groß um sie, ohne Ihre Wünsche darüber zu kennen, mit der Post zu schicken.—Ich habe mich herzlich gefreut einmal wieder von Ihnen u. den lieben Ihren, besonders von meiner guten Minna zu hören; aber Ihre Nachrichten über meinen Auffenthalt in England sind nicht richtig, beste Tante. Ich machte die Reise einzig meiner sehr geschwächten Gesundheit wegen u. habe dort in der schönsten Gegend von England, ganz auf dem Lande gelebt, in einer treflichen frommen Familie, welche ich hier, ehe sie nach England zog, kannte u. liebte. Unsre kleine Hauskapelle aus 4 köstlich reinen Stimmen bestehend habe ich allerdings dirigiert, jeden Abend, doch das ist auch alles was England von meiner Kunst erfahren hat. In London war ich nur verschiedne Mahle zu bedeutenden Musick Aufführungen, u. bin ganz besonders durch die der Händelschen Oratorien entzückt worden die noch ganz vortreflich gegeben werden. Ich habe in der Westminster Abbey die Orgel gehört die Händel spielte u. sein köstliches Denkmahl mit herzlicher Rührung gesehn! u. überhaupt einen so vollkommen glücklichen Auffenthalt in Engl: gehabt daß ich ohne die Anhänglichkeit meiner lieben Schülerinnen in Hambr: welche mich dadurch daß sie die Kosten der Reise ganz übernahmen zur Rückkehr verpflichteten, wohl nie wieder nach Deutschland gekommen wäre.

Wollen Sie, meine liebe Tante, Sich für die Subscribt: der beygesend: Anzeige interessieren, u. irgend einem Kenner das Probe Lied nach welchem er die Solidität der Sache beurtheilen kann, mittheilen, so werde ich Ihnen recht herzlich dankbar dafür seyn. Sie haben eine so ausgebreitete Bekantschaft, u. ich lege deshalb mehrere Anzeigen bey falls Sie einigen entfernteren Freunden Aufträge Subscribenten zu sammeln geben möchten.

Ich wünschte recht sehr mit diesem kleinen Werk etwas mehr als bisher mit meinen Liedern zu gewinnen, indem ich wenig Stunden mehr geben kann, wegen meiner schwachen Nerven u. gern mich etwas zurückziehn möchte um eine größere Arbeit, die mich aber sehr froh beschäftigt zu vollenden bevor ich sterbe.

Empfehlen Sie mich Ihrem Gemahl u. lieben Töchtern angelegentlich, wenn ich bitten darff u. bleiben stets freundlich

Ihrer ergebenst

L. Reichardt

5.

Die folgenden Briefe an Elisabeth Campe sind sämtlich undatierte Mitteilungen an die Freundin. Nur einer gibt als Datum den 21. August (ohne Jahreszahl) an. Der zeitlich älteste scheint jener aus dem Jahre 1820 zu sein, da er im Stil etwas formaler gehalten ist als die übrigen und deshalb auf eine noch nicht ausgereifte Bekanntschaft schließen läßt. Der terminus post quem ergibt sich aus dem Hinweis auf Kügelgens Ermordung, der am 27. März 1820 auf der Reise nach Dresden den Tod fand. Louise wird den Brief im April geschrieben haben.

[Brieftext 5]

[nach dem 27. März 1820]

Was ich jüngst für Spohr[1] befürchtete, meine liebe gute Campe, erfahren wir nun an dem treflichen Kügelchen,[2] ohne einen Schein von Hoffnung enttäuscht zu werden. Kann etwas schrecklicher seyn als sein frühes Grab in dem weiten Ocean zu finden so ist es dieser Tod von Mörders Händen. Der junge Coopmann der bey ihm im Hause wohnt und ihm sehr attaschiert[3] ist war einer von den Suchenden u. wir werden wohl durch ihn noch manche Umstände erfahren. Die unglückliche Frau mag ihre tieffe Frömmigkeit bewähren im Ertrag eines solchen Verlustes. Meine Gedanken sind heute so viel bey Ihnen liebe Campe daß ich nicht lassen konnte Ihnen ein Wort der Theilnahme zu zuruffen; aber vorzüglich fürchte ich für meinen armen Schwager Raumer der dies Ehepaar Werth hält wie theure Geschwister u. der noch so tief gebeugt sein soll von dem Verlust seines himmlischen Knaben.

Ich habe die Empfindung als sollte alles in dieser Zeit uns dahin führen keine Vollendung der Kunst ja nicht einmahl ein inniges Bestreben mehr hienieden zu ahnden. Sagen Sie mir liebe Campe daß Sie nicht zu viel dabey leiden, meine Einbildungskraft hat mir nie in meinem Leben so böse mitgespielt als jetzt, Gott gebe daß ich nicht Schuld daran bin, wenigstens bin ich es mir nicht bewußt.

Ihre treueste

L. R.

1. Louis (Ludewig) Spohr, Komponist, Dirigent, Geiger, machte wie Kügelgen ausgedehnte, berufsbedingte Reisen (*Braunschweig, 5. 4. 1784; gest. Kassel 22. 10. 1859).
2. Gerhard von Kügelgen (*6. 2. 1772) wurde am 27. März 1820 auf dem Weg von Loschwitz nach Dresden ermordet.
3. anhänglich, zugeneigt.

[Brieftext 6]

Liebste Campe, wollen Sie mir erlauben Ihnen meine Lieder zu Füssen zu legen? Für den der nicht singt ist dies kleine Werk eben auch ein Gesangbuch zum Lesen, u. ich hoffe Sie werden mit der Wahl der Worte zufrieden sein. Sollte Campe einige Ex: brauchen so habe ich noch einige wenige u. erwarte mehr in dieser Woche.
Wollen Sie mir den Pr: des kleinen Buchs über die Orgel, welches ich zu bestellen wünsche, gelegentlich wissen lassen, oder Campe darum ersuchen, liebe Seele ich könnte wahrscheinl: mehr Ex: davon gebrauchen.

Herzlich guten Morgen

L. R.

Welches Liederheft Louise Reichardt hier meint, ist nicht sicher. Es könnten die Novalislieder sein. Wahrscheinlicher sind es die "Geistlichen Lieder," weil sie erbaulichen Lesestoff enthalten und daher auch als "Gesangbuch zum Lesen" bezeichnet werden könnten.

7.

Der terminus post quem ergibt sich bei den beiden nächsten Briefen aus der Erwähnung von Louise Reichardts Schülerin Sophie Linsky, von der sie am 14. April 1823 an Frau Benecke schreibt: "Wir haben 8 Tage vor Weihnachten mit den aller ersten Anfangsgründen angefangen, und schon hat sie weit mehr Biegsamkeit und ganz den reinen Triller in allen Tönen wie Jakobine Coopmann" (Brandt, 127-28). Der vorliegende Brief könnte demnach frühestens im August 1823 geschrieben sein. Linsky wurde Louises Lieblingsschülerin, von der sie wie von einer Tochter sprach. Am 2. Juni 1823 schreibt sie Frau Benecke: "Sie ist 19 Jahr und heißt Linsky, eine polnische Familie. Mein liebend Herz hat so viel zärtliche Namen für sie, daß ich zu dem Vornamen Sophie, so werth er mir ist, noch gar nicht kommen kann" (Brandt, 131). Am 19.Oktober 1823, wieder in einem Brief an Frau Benecke, schreibt Louise über Linsky: "wie wollte ich mich freuen, wenn Sie, Theure, sie künftigen Sommer noch hier fänden. Doch des Herrn Wille geschehe!" (Brandt, 137). An ihre Mutter schreibt Louise Reichardt am 21. November 1824: "Nun ist wieder ein schlimmer Monat vor mir, indem meine liebe Sophie nun wirklich weg muß und vorher noch ein Konzert geben soll. Ich habe, da die Eltern den Plan, eine Sängerin aus ihr zu machen, nicht aufgeben, ihr in Kopenhagen, wo eben kein guter Lehrer ist, so Alles vorbereitet, daß sie dort gleich Stunden bekommen wird" (Brandt, 144-45). Im Juli 1824 hatte Louise den Plan gehegt, nochmals nach England zu reisen. Dies ließ sich nicht verwirklichen. Am 6. März 1825 schreibt sie Frau Benecke über "die Zeit, in welcher meine Sophie so plötzlich von mir gerissen und dadurch der Plan für England rückgängig wurde. [. . .] Als Sophie nach 5 Wochen zurückkehrte, fand sie mich noch sehr schwach, aber innerlich neu geboren" (Brandt, 153). Schließlich schreibt Louise am 22. Februar 1826 an ihre Schwester Sophie: "Meiner Sophie geht es in Dresden sehr gut. Tiecks nehmen sich ihrer freundlich an, und sie logirt bei einer Tochter Hamanns, die sich so herzlich freut, einer Tochter Reichardts gefällig zu sein, indem Malchen Sophie als meine Pflegetochter dort eingeführt hat" (Brandt, 176). Die folgenden Briefe sind also zwischen 1823 und 1825 geschrieben.

[Brieftext 7]

An Frau Elise Campe den 21ten Aug:

Sie errathen vieleicht oder haben von unsern gemeinschaftlichen Freunden gehört, liebste Campe daß es mir nicht ganz gut gegangen seit wir uns zuletzt sahen.

Eine Zeitlang hatte ich meine eigne Kränklichkeit über die immer lieben Schülerinnen gar nicht geachtet bis ich endlich nicht mehr konnte u. noch immer mich nicht erholen kann. Die Gicht spuhkt mir im ganzen Körper herum oder sie setzt sich im Kopf fest u. läßt mich so unaussprechlich leiden daß es Steine erweichen möchte.

Indem die Linsky so sehr blas ausgesehen u. über große Schwäche klagte die sie am Singen hinderte während sie von beyden Eltern die erfreuliche Einwilligung erhielt diesen Winter u. vieleicht länger in meiner Nähe zubleiben, war es zu meiner Beruhigung ganz nothwendig daß die Eltern bevor ich hier Einrichtung traff sie sahen um ihre Gesundheit u. ihre Fortschritte selbst zu beurtheilen; ich schlug daher vor daß Sie die Eltern welche schon 4 Wochen in Lübeck sind auf 14 Tage besuchen sollte welches diese sehr dankbar annahmen. Casper rieth mir sobald sie dort sein würde, den Eltern recht dringend anzuliegen sie noch in Travemünde baden zulassen(;) dies alles ist zu meiner großen Zufriedenheit geschehen u. ich blicke wieder froh in die Zukunft; die guten Eltern haben sich ihres lieblichen Gesanges bis zu Thränen gefreut u. versichern daß sie sie ausser ein wenig mager garnicht verändert finden. Wie schön dieses Herz sich mir so wohl in der letzten Zeit hier wie auch immer in ihren Briefen entfaltet davon mündlich einmahl.

Nun ist denn die große Frage wohin mit dem lieben Mädchen diesen Winter? da ich sie nicht haben darff. Ein mäßiges Kostgeld bezahlt der Vater gern, den ich in jeder Hinsicht durchaus rechtlich finde. Sie kennen das Mädchen, liebe Campe, sollten Sie jemand wissen doch muß er nicht zu entfernt von unserm Hause sein damit ich sie tägl: sehn kann. Bitte, sagen Sie es auch Mad: Hinnrichs, der sie zu gefallen schien; es ist nicht möglich ein angenehmeres Weesen um sich zu haben u. mancher musical: Familie wäre vieleicht recht sehr damit gedient. Sie macht die einzige Bedingung daß sie ein eignes Zimmer, sey es noch so klein, das sich gut heizt haben muß u. keine Stöhrung so viel als möglich zu üben. Ich war zu erst bey der Laborius[?] wo aber grade dies einzige nicht möglich ist. Der Herr wolle mit mir sein daß ich diese kleine reine Seele glücklich u. gesund durch den Winter bringe; sie ist noch in Travemünde u. ich fühle mich recht allein. Lassen Sie einmahl von sich hören liebste Campe, u. seien Sie innigst gegrüßt von Ihrer

L. R.

[Brieftext 8]

Liebste Campe, Sie haben vielleicht schon von der Hartmann gehört daß wir zusammen gemiethet haben[;] ich hätte Ihnen so gern zugleich angezeigt, daß ich die kleine Linsky wirklich behalten, doch ist es immer noch nicht ganz entschieden, was anfängt mir recht peinlich zu werden. Ihr guter Schwager will vielleicht nichts mit mir zu thun haben, ich muß nun leider mich entscheiden u. wage es daher Sie Gute noch einmahl zu bemühn. Ist noch kein gebundenes Ex: vorhanden was ich einmahl ansehn dürffte so bleibe ich bey dem was ich habe u. schicke es lieber gleich heute zum Buchbinder. Noch tausend Dank für die kleine süsse Nachbarschaft die ich Ihnen verdanken werde.

L. R.

## Louise Seidler
## Zeit- und Werktafel[1]

| Jahr | Leben | Werke | Berufliches |
|---|---|---|---|
| 1786 | 15. Mai: in Jena geboren | | |
| 1791 | zieht zur Großmutter und Tante ins Jenaer Kloster | | |
| 1800 | bis 1803: im Pensionat Stieler in Gotha | P: C. W. Ettinger (Onkel in Gotha) | Privatzeichenunterricht bei Friedr. Wilh. Eug. Döll |
| 1806 | | Pastellaltarbild: Mutter Maria (K: Palma Vecchio)<br>P: Abbé Henry | Unterricht von Jakob W. Chr. Roux |
| 1809 | G. v. Kügelgen malt Goethe | Seidler und Bardua kopieren Kügelgens Goethebild später mehrmals | |
| 1810 | Reise nach Dresden.<br>Ende Sept. Rückkehr nach Jena<br>Kersting malt Seidler in seiner "Stickerin" | K: blondes Mädchenköpfchen aus größerem Bild von van der Helst<br>K: Hl. Cäcilia (Carlo Dolce)<br>K: Nacht (Carlo Maratti) | Unterricht von Chr. L. Vogel |
| 1811 | 2. Reise nach Dresden; im Herbst nach Gotha | P: Minchen Herzlieb (weißes Kleid)<br>P: J. W. v. Goethe[2]<br>P: Raphael Mengs (nach Jugendbildnis) für Goethe | Unterricht von Gerhard v. Kügelgen<br>wohnt in der Rampischen Gasse bei der Tochter des Porträtmalers Anton Graff. |
| | Verkauf einiger Bilder an Großfürstin Maria Paulowna | P: Herzogin Caroline Amalie, geb. Prinzessin v. Hessen-Cassel<br>P: Prinzessin Louise, deren Stieftochter und Tochter<br>P: Herzog Emil August v. Sachsen-Gotha-Altenburg<br>P: Baron Bernh. v. Lindenau, Gotha<br>Einige Pastellköpfe; Stilleben | |

| | | | |
|---|---|---|---|
| 1812 | im Frühling: Drackendorf, Landsitz Freih.v. Ziegesars und dessen Tochter Silvia | P: Hrn. v. Ziegesar (mehrmals wiederholt)<br>P: Einige Jenaer Freunde | |
| | April: Dresden | P: Henriette von der Gröben<br>K: Ecce homo (Guido Reni)<br>K: Christuskopf (Annibale Carracci)<br>K: Mater dolorosa (Solimena)<br>K: Köpfe nach van Dyck, Rubens | wohnt bei Therese aus dem Winkel<br>wohnt in Kügelgens Haus in der Neustadt |
| | Herbst: Rückkehr nach Jena | K: mehrere von Fr.v. Heygendorfs großen Ölgemälden<br>P: Corona Schröter (Pastell)[4]<br>P: H.C.F. Jagemann (Pastell)[4]<br>P: Selbstporträt<br>P: 2 Töchter d. Hofmarschalls v. Spiegel<br>K: Germania (Kügelgen)<br>P: K.L.v. Knebel<br>P: J.G. Lenz | Erhält Diplom, wird Ehrenmitglied der mineralogischen Gesellschaft |
| 1813 | Reise nach Dresden. Dort bis Ende August | P: Bergrath J.G. Lenz (nochmals)<br>P: Prof. Köthe im Priesterrock, und<br>P: dessen Gattin, Silvia v. Ziegesar<br>Hl. Katharina (Pastell)<br>Hl. Familie | Wiederholung des Porträts für Goethe, der die Lenzkopie für die Säle des Museums erwirbt<br>in Dresden: wohnt bei Appellationsrätin Herrmann, dann in Kügelgens Haus |
| 1814 | Von Ende Mai bis Ende August in Dresden; dann Jena<br>22. Sept.: Seidlers Mutter stirbt. | Auftrag Graf Edlings:<br>K: Hl. Cäcilie (Raffael)[3]<br>P: 2 Töchter von Frau Dr. Dorothea Rodde aus Lübeck<br>P: Minna Herzlieb (nochmals) | Erhält Zimmer neben Kügelgens Atelier; in Jena zieht Kügelgen zu Seidler |
| 1815 | Herbst: einladung zu Goethe nach | P: Friedr. Joh. Frommann[4] | |

| | | | |
|---|---|---|---|
| | Weimar; Besuch bei Frau von Heygendorf-Jagemann | P: Chr. Gottlob Pflug (Pastell) | |
| 1816 | | Auftrag von Goethe:<br>Hl. Rochus für Kapelle in Bingen[5] (Öl) | Stich des Rochusgemäldes in Goethes "Ueber Kunst u. Alterthum i.d. Rhein-u. Mayn-Gegenden", 2.H. (Stuttgart, 1817). |
| 1817 | Reise nach Gotha | P: Moritz August v. Thümmel<br>P: Freiin v. Friesen (Domina d. Altenburger Damenstifts) | Wohnt in Altenburg bei Minister H.W.v. Thümmel. Thümmel-P: in Kupfer gestochen von T. Müller |
| | 4. Juli: Aufbruch nach München Jena—Coburg (wohnt bei Stockmars) —Nürnberg (wohnt bei Seebeck)— Weißenburg—Donauwörth— Augsburg—München. | P: Jacobi (Öl)[6]<br>Sibylle<br>Auftrag von Goethe:<br>K: eines Raffaelbildes für den Großherzog | in München: wohnt bei Prof. Niethammer<br><br>Studium an der Kunstakademie J.P. Langers; Jahresstipendium von Großhzg. Karl August. Unterricht von J.P. und Robert Langer |
| 1818 | Vorteilhafter Verkauf einiger Kopien<br>Reise nach Rom: München (19.9. letzer Tag)—Venedig—Verona— Mantua—Parma—Bologna—Florenz (15.10.)—Arezzo—Perugia—Spoleto —Assisi—Rom (28.10.) | Apollontempelfries (Kreide)[7]<br>Auftrag von Herzog August v. Gotha: Wischnu als Christus.[8]<br><br>viele Zeichnungen en route<br><br>P: Fanny Caspers (nach 7.11.18)[9]<br>Kopf der Hl. Giuliana<br>Mitarbeit am Grund von Overbecks "Die 7 hungrigen Jahre"<br>Untermalt ein Kinderporträt für Wilhelm v. Schadow | Stipendium von Großhzg. Karl August für Reise nach Rom<br><br>Henriette Herz mietet für Seidler Wohnung am Monte Pincio im Palazzo Guarniere, dicht neben der Porta Pinciana |
| 1819 | Schickt "einige Durchzeichnungen" an Goethe.<br>Sommer: Reise nach Neapel. Füllt Skizzenbuch, kopiert, studiert. | Geschenk an Henriette Herz (April):<br>K: Peruginos Erzengel Michael (nach Kopie von Eggers)<br>Madonnenbildchen für Kaufmann Nolte | im April: P: Fanny Caspers als einziges Bild einer Malerin in der Ausstellung von Arbeiten deutscher Künstler in Rom zu Ehren des Besuchs Kaiser Franz I. |

| | | | |
|---|---|---|---|
| | 24. Sept.: Besuch der Katakomben mit Schinz, u.a. | P: Hermann Nolte | |
| | | P: Fr. v. Ramdohr, Töchterchen Lilli | in Neapel: wohnt mit Aussicht auf den Golf im selben Haus mit Schinz. |
| | Ende Oktober Rückkehr nach Rom. | P: Fürst Esterhazy; "einige andere". | |
| | | P: (Dez.) Prinz Friedrich v. Gotha; diesen zweimal. | Großhzg.Karl August bewilligt 2.Stipendium |
| 1820 | Frühjahr: Ausflug ins Albaner Gebirge | P: (Febr.) Kinder Niebuhrs.[10] | |
| | | K: Pius VII. (Camiccini) | |
| | Ende Juni: Reise nach Florenz, Aufenthalt dort bis Oktober 1821 | Auftrag von Prinz v. Gotha (Febr.): Maria mit schlafendem Kind, dem kl. Johannes, 3 Engeln. | |
| | | Italienische Hirtenfamilie[4] | |
| 1821 | | Auftrag von Großhzg. Karl August: | |
| | | K: Madonna mit dem Stieglitz (Raffael)[11] | Madonnenbildnis in der Dresdner Akademie- Ausstellung gezeigt[13] |
| | Quandt kauf eine der Kopien | K: Erzengel Michael (Perugino).[12] | |
| | | K: Madonna del Gran Duca (Raffael) | |
| | | K: Madonna Tempi (Raffael) | Madonna mit dem Stieglitz und Erzengel Michael werden in Weimar ausgestellt |
| | | P: Gräfin Mathilde Holstein | |
| | | Mehrere Damenporträts aus der Familie d.holstein. Grafen Baudissin | |
| | Oktober: Rückkehr nach Rom | | |
| 1822 | Mai: Angebot Niebuhrs, in sein Haus zu ziehen. Seidler bleibt bei Schinz und Philipp Veit wohnen. | P: (März) B.G. Niebuhr (Kreide)[14] | |
| | | Komposition von "neun Figürchen" | |
| | | K: (Mai) Violinspieler (Raffael) | |
| | | P: Frau Niebuhr | |
| | 4.7.-12.8. in Livorno, dann Bologna | Heilige Elisabeth.[15] | |
| | | K: Madonna di Foligno | |
| | | K: Hl. Apollinia; aus Peruginos Madonna v.Engeln umgeben, zu ihren Füßen Heilige | |
| | | K: Guitarre spielender Engel (Francia) | |
| | | K: Madonna (Francia) | |
| | | K: Engel (Innocenzio da Imola) | |
| | 17.10. wieder in Rom, kurz vor | | König Friedrich Wilhelm III. kauft auf der |

| | | | |
|---|---|---|---|
| | Eintreffen des preuß. Königs | | ihm zu Ehren veranstalteten Ausstellung die Kopie des Violinspielers und die Kopie von Imolas Engel<br>Rezension von Seidlers in Weimar ausgestellten Bildern in Goethes *Ueber Kunst und Alterthum.*[16] |
| 1823 | Mai: Verkauf einer 2. Violinspielerkopie<br>27. Juni: Abreise von Rom: Perugia (besucht Overbeck)—Florenz—Bologna—Modena—Parma—Piacenza—Mailand—Lugano.<br>23. Juli: Abschied von dem sie begleitenden Schinz. St. Gotthard—Amsteg—Rigi—Zürich (Besuch im Hause Schinz). 5 Wochen in Zürich.<br>Konstanz (besucht Ellenrieder)—Augsburg—Coburg—Weimar. | K: Madonna (Sassoferrato)<br>P: Schinz' Vater und sämtliche Familienmitglieder<br>P: Selbstporträt<br>P: Conrad Ellenrieder<br>Auftrag (Okt.) von Großhzg. Carl August: Hl. Elisabeth für Wartburg (13 lebensgr. Figuren)<br>P: Kindergruppe (Kinder d.Erbgroßhzgs. Carl August—Maria, Augusta, Carl Alexander)<br>P: Einzelköpfe davon | Steindruck existiert von Hl. Elisabeth<br>in Konstanz: wohnt bei Marie Ellenrieders Vater<br>11.10.: beginnt Zeichenunterricht für die beiden Prinzessinnen |
| 1824 | 2. Febr.: Überreicht Erbgroßhzg. Karl Friedrich zum Geburtstag ein Sonett "Der Pilgerin Gabe zum 2. Febr. 1824" samt Gemälde<br>K.Vogel v.Vogelstein zeichnet Seidler[1] | P: Walther v. Goethe (Pastell)<br>Ruhende (müde) Pilgerin (Aquarell) | Wird Kustodin der Großhzgl. Gemäldesammlung; freies Atelier im Jägernhaus, 100 Taler Gehalt<br>Dresdner Galerie stellt 4 ihrer Gemälde aus[17] |
| 1825 | Jan.: Seidlers Vater stirbt | P: Frau von Stein<br>P: Angelica Facius[4]<br>(3.9.) Zum 50. Regierungsjubiläum Carl Augusts: Vollendung der Hl. Elisabeth[18]<br>(7.11.) Zum 50. Jubiläum von Goethes Ankunft in Weimar: widmet ihm die große allegor. Zeichnung Goethes erste Ankunft zu Weimar im Geleite holder und | Unterrichtet Weimarer Bildhauerin Angelica Facius |

| | | | |
|---|---|---|---|
| | | bedeutsamer Genien[19]<br>K: (Nov.) für Frau v. Stein G.O. Mays Jugendbildnis von Goethe (Gabe f.Alfred Nicolovius) | |
| 1826 | Sommer: erster der zahlreichen, fast jährlich wiederholten Ausflüge.<br>Dieser: Frankfurt/M.—Metz—Versailles—St. Cloud—Sèvres—St. Germain—Paris.<br>Skizziert im Louvre<br>Spätherbst: Rückkehr nach Weimar | P: Jenaer Prediger Marezoll<br>P: Großhzg. Carl August | |
| 1827 | Widmet die Lithographie Hl. Elisabeth B.G. Niebuhr und Frau | | |
| 1828 | 14. Juni: Tod Großhzgs. Carl August | | Seidler ergreift Initiative und frägt bei Quandt an, ob Weimarer Künstler bei Ankäufen des Sächs. Kunstvereins berücksichtigt werden können. Goethe übernimmt weitere Verhandlungen |
| 1829 | Sommer: Reise nach Bonn zu Niebuhr<br>Herbst: Reise nach Konstanz (zu Ellenrieder) und Zürich (Schinz) | P: B.G. Niebuhr<br>P: Gruppe von dessen 4 Kindern<br>Christusbild: Kommet her Alle, die ihr mühselig und beladen seid (für Dorfkirche Sehestedt)[20] | Liefert Beitrag zur Schinz-Biographie<br>Quandt schreibt über Christusbild-Karton |
| 1830 | | Arbeit an den "Göttinnen"[21] | Dresdner Ausstellungskatalog verzeichnet Seidlers Erinnerung u. Phantasie |
| 1831 | Reise nach Dresden zur Verbesserung der "Göttinen"<br>19. Dez.: "Göttinen" fallen bei Verlosung an Staatsmin. v. Zetzschwitz | P: Pauline Jacobs (Pastell)<br>P: B.G. Niebuhr[22]<br>Auftrag Gothes:<br>P: Großherzog Carl Friedrich[23]<br>Auftrag Goethes:<br>"Thisbe, welche an der Mauer auf die Stimme des Geliebten lauscht" | Hiervon ein Kupfer nach Louis Held<br>Friedr. Prellers Berufung nach Weimar<br>Zieht ins Jägerhaus |

| | | | |
|---|---|---|---|
| 1832 | Ende August zweite Reise nach Rom. Weimar (ab 28.8.)—München—Tiroler Gebiet—Venedig (Zeichnungen von Köpfen)—Rom. Kopiert dort Raffaelsche Bilder in Galerie Borghese. | Verkleinerte Kopie der "Göttinnen"<br>P: Alma v.Goethe (Pastell der Fünfjährigen) | Thäter liefert Stich für Seidlers "Göttinnen"<br><br>Quandt schreibt Seidler er wünscht ein männliches Komiteemitglied nach Goethes Tod. Seidler wird übergangen und Kanzler von Müller wird Mitglied d.Sächs. Kunstvereins<br><br>Ausstellg.d.verkl. Kopie der "Göttinnen" in Dresden |
| 1833 | Anfang Nov.: Rückkunft nach Weimar | Hagar in der Wüste[24] | Schorn übernimmt Aufsicht über Großhzgl. Gemäldesammlung<br>Seidler unterrichtet Frau d.Bildhauers Steinhäuser im Zeichnen |
| 1834 | Aufenthalt in Erfurt<br>Nach 1834 liefert sie "Gemälde auf Gemälde" | Pastellkopf einer Spanierin<br>Arbeiten unbestimmten Datums:<br>Hl. Antonius m.Christuskind für Kloster v.Armen Kinde Jesu in Aachen<br>Auferstandener Heiland für Dorfkirche bei Apolda<br>Christus, Kinder segnend (Altargemälde f.Kirche in Rio Grande<br>Der Kindermord[27]<br>Zeichnungen zu: *Das Hohelied.* In Liedern v. Gustav Jahn<br>Christuskopf f. Garnisonkirche Jena<br>Hl. Cäcilie<br>Hl. Julie<br>Hl. Katharina<br>Hl. Elisabeth (Brustbild) f. Gebetstube d.St. Annenspitals Eisenach<br>Heilung des Tobias | |

| Jahr | | | |
|---|---|---|---|
| 1835 | | | Durch Dekret von Großhzg. Carl Friedrich (27. Juni) zur Hofmalerin ernannt |
| 1836 | Aufenthalt in Dresden | Die Nonne u.d. Ritter v. Toggenburg (Öl)<br>Weitere Schiller-Themen:[4]<br>Maria Stuart<br>Jeanne d'Arc | Ausstellung d. Ritters v. Toggenburg in Dresden |
| 1836/37 | | P: Ottilie u. Helene Reil (Pastell) | Veröffentlichung ihres Werks *Köpfe aus Gemälden vorzüglicher Meister.* Enthält Köpfe nach Masaccio, Perugino, Fra Bartolommeo, Fiesole, u.a.[25]<br>Verlegung d. Großhzgl. Gemäldesammlung aus Jägerhaus ins Fürstenhaus. Seidler tritt mehr und mehr zurück |
| 1839 | | Geschenk für Ph. Veit: Römischer Bajacco<br>Ulysses, an den Sirenen vorüberschiffend[26] | Ulysses, und mehrere Pastellporträts in Weimarer Kunstausstellung |
| 1840 | Reise nach Wien | P: Fanny Caspers 13-jährige Tochter Marie Doré<br>Christuskopf f. Kirche zu Wangeroog | |
| 1841 | Zahlreiche größere und kleinere Porträts in Öl und Pastell entstehen auf ihren Reisen | Auftrag Quandts:<br>Königstochter aus Fresco d. Kirche San Clemente in Rom | in Dresden ausgestellt: Kopie nach Frescogemälde des Masaccio in San Clemente zu Rom<br>in Dresden ausgestellt: Die müde Pilgerin (Öl) |
| 1843 | | | Seidler wird die Weimarer goldene Zivilverdienst-Medaille für Kunst und Wissenschaft verliehen |
| 1845 | | P: Alma von Goethe. Nach ihrem Tod | |

| | | | |
|---|---|---|---|
| | | gemalt | in Dresden ausgestellt: Alma v. Goethe |
| 1849 | | Zum 100. Geburtstag Goethes: Allegorisches Gemälde "Dichtung u. Wahrheit, Goethes Manen geweihet" | Kupferstich hierzu v. A. Andorff |
| 1853 | Großhzg. Carl Alexander vermittelt ihr ein Gärtchen hinter dem Jägerhaus u. Balkonfreiplatz im Hoftheater | P (1851): Carl Friedrich, Grhzg.v. Sachsen-Weimar (Öl) | |
| 1853-59 | | | Es wird Seidler erlaubt, mit Prinzessin Wittgenstein Kunstgeschichtsvorlesungen zu hören |
| 1854 | | P: Herzogin Helene v. Orleans (lebensgroß in Öl); früher schon deren Mutter: | (13.Febr.) Seidler wird durch Diplomverleihung Ehrenmitglied d.Luthervereins in Apolda |
| | Seidler erblindet mit zunehmendem Alter | P: Erbgroßhzg. Caroline v. Mecklenburg-Schwerin | |
| 1860 | Seidler wird von C. Genelli gemalt | | Unterrichtet Camillo Genelli, Sohn von Bonaventura Genelli |
| 1863 | Frühjahr: Reise nach Zürich mit ihrer Helferin Helene zu Schinz' Sohn Johannes. Aufenthalt dort von 4 Monaten | | Seidlers Goethebildnis von 1811 wird von P. Rohrbach lithographiert. Photographie hiervon von G. Schauer |
| 1866 | 7. Okt.: Seidler stirbt. Das erbetene Grabdenkmal von der Bildhauerin Angelica Facius wird vom Großherzog genehmigt. Inschrift: "Nur der Glaube macht selig, der durch die Liebe thätig ist" | | Nachruf in der *Kunstchronik* (17.11.66) |
| | | Verzeichnis weiterer Gemälde, die nicht chronologisch einzuordnen waren:<br>P: Bergrat Schüler<br>P: Baron v. Ungern-Sternberg<br>P: Gisela Grimm (geb.v.Arnim) | |

P: Herr v. Stein
P: Riemer (Öl)
Zeichnung: Frau v. Heygendorf
Vollständige Familiengalerie:
Frommann (Pastellgemälde)
Eins der letzten und besten Kinderporträts:
Enkel von Niebuhr
P: Prinz Carl von Preußen
P: Auguste Freytag, geb. Buddeus
P: Louise Gotter, geb. Stieler
P: Ottilie von Goethe (Pastell)
P: Marie Meyer, geb. Weidner (Pastell)

Anmerkungen zur Zeit- und Werktafel

1. Ein solches Verzeichnis ist bisher noch nicht vorgenommen worden. Die Angaben stützen sich auf die Einzelvermerke in Hermann Uhdes Seidlerbiographie, die den autobiographischen Teil Seidlers und Uhdes Nachtrag beinhaltet, auf Hinweise in der bestehenden Fachliteratur, in Lexika, Ausstellungskatalogen, Literatur über die von Seidler Porträtierten, u.ä. Quellen. Oft haben sich dort widersprüchliche oder unterschiedliche Angaben gefunden. In solchen Fällen wurde die im Gesamtkontext der Fakten wahrscheinlichste Meinung beibehalten, oder die Datierung als ungenau oder unbestimmt angegeben. Zeichnungen, Skizzen und Konzepte sind mit wenigen Ausnahmen nicht verzeichnet.

2. Goethe saß Seidler in Jena vom 26. bis 29. November 1811. Das Pastellbild ist im Zarncke-Verzeichnis schlecht abgebildet. E. Lehmann, "Goethe's Bildnisse und die Zarncke'sche Sammlung," *Zs. f. bildende Kunst* NF V, 249-58 und 276-85 erwähnt das Seidlerporträt nicht einmal. Die 1863 von P. Rohrbach angefertigte Lithographie ist dem Original sehr unähnlich. Angaben bei Ernst Schulte-Strathaus, *Die Bildnisse Goethes* (München: Georg Müller, 1910), S. 21, 49, 57 und Tafel 108; Julius Zeitler, *Goethe-Handbuch,* 3. Bd. (Stuttgart: Metzler, 1918), S. 320; 1. Bd., S. 212, 585; 2. Bd., S. 327 (Kersting).

3. "Zum Glück hatte mir Graf Edling einen nicht unbedeutenden Auftrag gegeben, nämlich den, aus einer in der Dresdener Galerie vorhandenen, von Dionysius Calvaert herrührenden Kopie nach Raffaels 'Heiliger Cäcilie auf den Gesang der Engel hörend' sämtliche Köpfe zu kopieren. Außer der Heiligen selbst waren dies St. Paulus und Geminianus, Magdalena und der Evangelist Johannes" (S: 113).

4. Datum nicht genau feststellbar. Angaben variieren.

5. Seidler schreibt: "Wenige Wochen später, in den ersten Tagen des Jahres 1816, erhielt ich von Goethe eine Bestellung. Er hatte gelegentlich einer Rheinreise im Sommer des Jahres 1814 der Rochuskapelle bei Bingen, welche renoviert wurde, ein Altarbild gelobt; Hofrat Meyer machte den Entwurf, und ich wurde mit der Ausführung in Ölfarbe beauftragt." Es folgt eine eingehende Beschreibung der Figuren des Bildes, sowie deren Bedeutung (S: 116-18). Goethe schreibt am 24. Juni 1816 an Sulpiz Boisserée: "Ein Bild des heil. Rochus, welches gar nicht übel, aber doch allenfalls noch von der Art ist, daß es Wunder thun kann, gelangt hoffentlich nach Bingen, um an dem großen Tage die Gläubigen zu erbauen." Ein Stich davon nebst Erklärungen in Goethes *Ueber Kunst und Alterthum in den Rhein- und Mayn-Gegenden,* 2. H. (Stuttgart: Cotta, 1817). Weitere Erläuterungen im Text meines Kapitels über Seidler.

6. "Wenige Wochen nach meiner Ankunft in München durfte ich Jacobi in Öl porträtieren, damit ich mich auf der nächsten Ausstellung, die nur alle drei Jahre wiederkehrte, als Porträtmalerin empfehlen möchte. Ich begann die Arbeit am 11. September 1817; meines Wissens ist mein Bild das letzte, welches den Philosophen nach der Natur darstellt, denn er starb bereits, hochbetagt, am 10. März 1819" (S: 127).

7. Seidler schickte die Kreidezeichnung Goethe. Dieser schreibt am 26. März 1818 an Meyer: "In München sind Abgüsse der Phigalischen Basreliefs angelangt. Louise Seidler hat mir eins, blau Papier, schwarze Kreide, weiß gehöht, in Größe des Originals zugeschickt, unter Langers Einfluß sorgfältig gearbeitet. Es ist ein Abgrund von Herrlichkeit und wohl unerläßlich, solche zu betrachten." Hierauf folgt eine lange

Diskussion der Bedeutung des Reliefs. Dann: "Man bemerkt, wie die Freundinn meldet, verschiedene Behandlungsarten: oft das genauste Studium der Natur in den männlichen Körpern, dagegen wieder manches roh und flüchtig. Alles dieses scheint mir auf eine rasche, hohe, verwegene Thätigkeit hin zu deuten." *Goethes Briefwechsel mit Heinrich Meyer,* hrg. v. Max Hecker, 2. Bd. ( = Schriften der Goethe-Gesellschaft, Bd. 34), 464, 466. Schuchardts Verzeichnis Goethescher Handzeichnungen, I, 289, führt die Arbeit unter Nr. 676 an. Zeitler schreibt im *Goethe-Handbuch* über Seidlers "große weißgehöhte Kreidezeichnung [. . .] auf blauem Papier, Figuren vom Tempelfries in Phigalia, worüber Goethe in dem Aufsatz 'Relief von Phigalia' (Jub. A. 35, 160-63) ausführlich spricht" (3. Bd., S. 320). Seidler schreibt: "Schon in den letzten Tagen des November 1817 waren von London, wohin Lord Elgin die Originale geschleppt hatte, die ersten Abgüsse des Frieses vom Tempel des Apollon Epikurios zu Bassae bei Phigalia in Arkadien, die Kämpfe der Zentauren und Amazonen darstellend, in die Akademie nach München gekommen; ein Ereignis, welches die ganze Künstlerwelt in Bewegung setzte. Ich beeilte mich, den Fries in der Größe des Originals auf blauem Papier, weiß gehöht zu zeichnen und meine Arbeit (am 3. Febr. 1818) an Goethe zu schicken" (S: 135-36). Goethe antwortete Seidler: "Nicht einen Augenblick will ich säumen, mit den schnellsten Worten zu sagen, daß Sie mich durch Uebersendung der Basreliefs in die größte Bewegung und Betrachtung versetzt haben! Jetzt bedarf es nicht mehr zu vergnügtesten Stunden" (Seidler, 153).

8. "[. . .] ich nahm jetzt jene wunderliche Bestellung in Angriff, welche mir Herzog August von Gotha noch scheidend aufgetragen: den Wischnu, welchen er sich als Christus dachte und den er als solchen dargestellt wünschte. Ich suchte mich in die indische Mythologie zu vertiefen, ich las Abhandlungen über die Geschichte und Altertümer Asiens—aber der Auftrag war und blieb unsinnig. Die Zeit, welche ich an das Bild wendete, konnte ich als gänzlich verloren erachten; trotzdem gab ich mir unsägliche Mühe, freilich ohne den Herzog, als er das Bild empfing, zu befriedigen. Ich erhielt von ihm einen originellen, sehr sarkastischen Brief" (S: 136). Pehr Atterbom urteilte in seinen *Aufzeichnungen* anders: "Louise von Seidel malt gegenwärtig für den Herzog von Gotha einen Wischnu, der wirklich ein Meisterstück poetischer Malerei wird" (144).

9. Seidler schreibt: "Besonders oft verkehrte ich mit ihm [Thorwaldsen], als ich das Porträt meiner Jugendfreundin Fanny Caspers zu malen begonnen hatte, welche am 7. November 1818, also nicht lange nach meiner Ankunft, ebenfalls in Rom eintraf" (S: 174-75). Zwischen Thorwaldsen und Caspers entspann sich ein romantisches Verhältnis. "Gern erteilte er mir dann seinen Rat in betreff des Porträts von ihr; so mußte auf seine Anheimgabe Freund Schinz mir als Hintergrund des Gemäldes das Kolosseum zeichnen" (S: 178-79). Caspers urteilte in ihrem Tagebuch über das Bild: "Ich glaube, es wird das ähnlichste Bild, welches von mir gemacht wurde. Mehrere Künstler haben es gesehen und sind sehr zufrieden damit!" Diese Bemerkung vom 9. Januar 1819 (Seidler, Fußnote, 189).

10. Schinz notiert in seinem Tagebuch am 25. Februar 1820: "Louise hat ihr Bild von den Niebuhr-Kindern vollendet. Jene sind sehr befriedigt, und mit Recht; es war eine große, schwierige Arbeit, macht sich aber sehr gut" (Anmerkung, Seidler, 303). Seidler selbst verlegt die Kinderporträts in das Jahr 1822, in dem sie auch Frau Niebuhr porträtierte. Uhde vermutet einen Gedächtnisfehler Seidlers.

11. Friedrich Preller meinte, "sie sei die beste Copie, die er je gesehen" und Großherzog Carl August schrieb am 26. August 1821 an Goethe: "Die Seidler hat zwei vortreffliche Gemälde geliefert" (Fußnote, Seidler, 292). Heinrich Meyer schreibt in

seiner Rezension der Weimarischen Ausstellung: "Luise Seidler von Jena, seit einigen Jahren in Italien fleißig bemüht sich auszubilden, sendete aus Florenz die Copie eines unter den Meisterstücken der dortigen Gallerie aufbewahrten Gemäldes von Rafael, Maria mit dem Christkind und dem kleinen Johannes darstellend, bekannt unter dem Namen der Madonna del Cardellino (vom Stieglitz); [. . .] der simple etwas gelbliche Farbenton des Originals ist treu wiedergegeben, das Eigenthümliche in Gestalt und Ausdruck am Christkind nicht weniger gelungen." *Ueber Kunst und Alterthum,* von Goethe, 4. Bd., 1. H. (Stuttgart: Cotta), 20.

12. Im Gegensatz zu jener, welche sie 1819 Henriette Herz schenkte, ist diese Kopie nach dem Original gemalt. Seidler schreibt: "Von eigenen Arbeiten, welche außer den schon erwähnten in meine Florentiner Zeit fallen, habe ich einer, diesmal nach dem Original angefertigten Copie jenes Erzengels Michael von Perugino aus der Academie S. Marco zu gedenken, mit dessen Nachbildung nach Eggers ich einst Henriette Herz erfreut hatte, und dessen ganz jugendlicher Kopf für ein Bildniß Rafaels galt" (Seidler, 296). Meyers Rezension hiervon in *Kunst und Alterthum* (vgl. Anm. 11) enthält die Zeilen: "Das Brustbild des Erzengels hat eine etwas freyere Behandlung erfahren und wird durch jugendliche Unschuld und Lieblichkeit der Züge sehr anziehend. Art und Geschmack des P. Perugino sind darin leicht zu erkennen, und nach dieser Copie zu urtheilen, muß das Originalbild, welches uns unbekannt blieb, wohl eine der allerschätzbarsten Arbeiten des erwähnten alten Meisters seyn. Neuerlich hat in Italien die Sage Cours erhalten: P. Perugina habe in diesem Erzengel seinen Schüler, den damals noch jungen Rafael portraitirt. Wir lassen den Werth oder Unwerth hiervon auf sich beruhen, glauben aber nicht, daß man eine historisch begründete Gewährschaft darüber beybringen könne" (21).

13. Der*Katalog der Dresdner Akademie-Ausstellungen 1801-1850,* bearbeitet von Marianne Prause, Bd. 1 (Berlin: Hessling, 1975), verzeichnet 1821 unter Nr. 361 den Vermerk: "Copie nach einem Madonnenbilde von Raphael im Pallast Tempi in Florenz, von Louise Seidler aus Gotha, jetzt in Florenz." Es ist dies das dritte Raffaelbild (die Madonna Tempi), welches sie in Florenz kopierte.

14. Seidler schreibt: "Die Trauerbotschaft seines [Niebuhrs] Todes erschütterte mich tief. Einen geringen Trost gewährte mir eine flüchtige Skizze von dem Antlitze des edlen Mannes, welche ich im März 1822 zu Rom entworfen hatte, und die ich zu Hilfe zog, als ich im Jahre 1829, der Einladung Niebuhrs nach Bonn folgend, mehrere Sommermonate in seinem gastlichen Hause zubrachte, bei welcher Gelegenheit ich meinen verehrten Wirth selbst und dessen vier Kinder in einer Gruppe malte" (Seidler, 304). Die "flüchtige Skizze" ist eine lebensgroße, auf gelbem Papier angefertigte Kreidezeichnung (Brustbild). Seidler fertigte auf Goethes Wunsch eine Kopie der Niebuhrzeichnung auf farbigem Papier mit schwarzer und weißer Kreide an, die im Verzeichnis Schuchardts unter Nr. 634 irrtümlich Schmeller zugeschrieben ist. B. Rathgen und A. Schulten, "B. G. Niebuhr in seinen Bildnissen," *Bonner Jahrbücher,* H. 125 (1919), 1-8, verzeichnen alle drei von Seidler verfertigten Bilder und bringen zwei gute Photographien der Skizze und des Öls. Die Nummer des Ölgemäldes im Schuchardt-Verzeichnis wird irrtümlich als 536 angegeben. Diese Nummer trägt Seidlers Zeichnung von Großherzog Carl Friedrich.

15. Seidler schreibt: "Gleichzeitig hatte ich mich mit wahrem Heißhunger einer größeren Komposition gewidmet: 'Die heilige Elisabeth, Landgräfin von Thüringen,' wie sie, von der Wartburg herabkommend, mit milder Hand Brot und andere Gaben an die Armen und Hilfsbedürftigen austeilt; eine umfangreiche Arbeit, welche ich im Seebade

Livorno cartonnirte, wo ich zur Stärkung meiner Gesundheit vom 4. Juli bis 12. August 1822 verweilte" (Seidler, 307). Schinz schreibt in seinem Tagebuch: "Louise arbeitet an ihrem Carton nicht viel länger als zwei Monate, und ist fast fertig. Ihr Fleiß hat Wunder gewirkt, aber freilich hat sie sich unendlich angestrengt, bis jeden Abend, wo es schon finster wurde,—und dann spitzte sie noch die Kreide auf den andern Tag" (Fußnote, Seidler, 309). Der Dresdner Ausstellungskatalog verzeichnet den Karton 1824 unter Nr. 518.

16. Die Rezension ist jene, unter dem Titel "Neuere bildende Kunst. Weimarische Ausstellung," bereits in Anm. 11 und 12 ausführlich diskutierte Beschreibung in *Ueber Kunst und Alterthum.* Außer Seidlers Bildern werden noch Arbeiten von Henriette Hosse, Gräfin Julie von Egloffstein, Julie Seidel und Emilie Martini erwähnt.

17. Es sind dies: Nr. 93, "Die heilige Apolonia, nach *Pietro Peruggino,* Oelgem. von Louise Seidler in Weimar." Nr. 94, "Der Engel Michael, Copie nach *Innocenzo da Immola,* eben so, von ders." Nr. 95, "Madonna mit dem Kinde, Copie nach Raphael, eben so, von ders." und Nr. 518, "Die heilige Elisabeth, Carton, eigne Erfind. gezeichnet von Louise Seidler, in Weimar." Dresdner Ausstellungskatalog, 1824.

18. Uhde schreibt: "Am 3. September 1825 wurde das 50jährige Regierungsjubiläum des Großherzogs Carl August gefeiert; zu diesem Tage vollendete unsere 'gemüthvolle Künstlerin' ihre 'heilige Elisabeth' und stellte 'ihrem erhabenen fürstlichen Beschützer dieses große, sinnig und fleißig behandelte Gemälde' vor, welches sehr freundlich aufgenommen wurde" (Seidler, 333-34). Die Zitate stammen aus *Weimars Jubelfest* (Weimar, 1825), 99.—Uhde bringt auch auszugsweise den Brief einer Weimarer Hofdame, in welchem es über die Hl. Elisabeth heißt: "der Großherzog hat mit viel Lust der Heiligen ein passendes Local angewiesen, auch ihr zu Ehren die Umgebung des Saals geschmackvoll decorirt, und ganz Eisenach hat sich beeilt, die neu Angelangte mit warmer Theilnahme zu begrüßen. Das Bild hat allgemeines Interesse erweckt. [. . .] Einen zweiten, großen Effekt hat es gemacht, indem die Fuldaischen katholischen Bauern von ganzen Dorfschaften zur Wartburg gewandert sind, die Heilige zu sehen. [. . .] Machen Sie nur, daß wir den Steindruck bald bekommen" (Seidler, 335).

19. Uhde berichtet: "Zwei Monate später, am 7. Novbr. 1825, erschien die fünfzigste Wiederkehr des Tages, an dem einst Goethe nach Weimar gekommen war; dem bei dieser Gelegenheit von allen Seiten hoch gefeierten Dichter widmete Louise Seidler eine große allegorische Zeichnung: 'Goethes erste Ankunft zu Weimar im Geleite holder und bedeutsamer Genien,' worüber der Jubilar nach einer Notiz der Geberin 'anscheinend viele Freude' hatte" (Seidler, 334). Das Zitat ist aus *Goethes goldner Jubeltag* (Weimar, 1826), 21.

20. Uhde schreibt: "Das größte und schönste Altarbild, welches Louise Seidler gemalt hat, besitzt die Kirche des Dorfes Sehestedt, im Rittergute dieses Namens an der Eider, drei Meilen von Kiel gelegen. Dasselbe wurde im Jahre 1829 bei Gelegenheit einer Restaurirung der Kirche von Frau von Ahlefeldt geb. von Seebach aus Weimar, Gemahlin des damaligen Besitzers von Sehestedt, gestiftet. Die Gestalten des Bildes, welches Christum, mit ausgebreiteten Armen in einer Glorie auf einem Regenbogen stehend und von Engeln umgeben, darstellt, sind lebensgroß; die Inschrift lautet: 'Kommet her zu mir Alle, die ihr mühselig und beladen seid, ich will euch erquicken.' Die Malerin erhielt hundert Thaler Schleswigsches Courant für ihr Werk; ein Preis, dessen Niedrigkeit sich nur daraus erklärt, daß sie mit der Stifterin des Bildes befreundet war. Eine Wiederholung

desselben befindet sich in der Dorfkirche zu Peckatel, einem Rittergute der Familie von Maltzan in Mecklenburg" (Seidler, 359). Der Dresdner Ausstellungskatalog verzeichnet 1829 unter der Nr. 647 das Bild "Christus, Cartonzeichnung von Fräulein Seidler aus Weimar eingesandt."

21. Das hier unter dem Titel "Göttinnen" verzeichnete Gemälde ist das bereits im Text unter den Titeln "Poesie und Kunst" und "Erinnerung und Phantasie" besprochene Bild. Der Dresdner Ausstellungskatalog verzeichnet es unter letzterem Titel 1830 (Nr. 498), bzw. die verkleinerte Kopie desselben 1832 (Nr. 680).

22. Es ist die im Auftrag Goethes angefertigte Zeichnung nach der Skizze von 1822.

23. Es ist das bei Schuchardt unter der Nr. 536 verzeichnete Bild. Wie die Niebuhr-Zeichnung gehört es zu den 131 Porträts, die Goethe von seinen persönlichen und literarischen Freunden für das sogenannte Album anfertigen ließ, und die alle Brustbilder in natürlicher Größe und ähnlicher Ausfertigung sind.

24. Über dieses Bild schreibt Uhde: "Ein Oelgemälde 'Hagar in der Wüste, den verschmachtenden Ismael in den Armen haltend, während der Engel ihr die Schale knieend reicht' (ganze Figuren unter Lebensgröße) ward in Dullers 'Phönix' (1836 No. 266) folgendermaßen besprochen: 'Die fleißige Künstlerin hatte einen geeigneten und dankbaren Vorwurf gewählt. Die Ausführung ist sinnig und gelungen, mit männlich kräftigem Pinsel, und das Werk gewährt durch einfache Composition und edle Behandlung den reinen Kunsteindruck, den der Gegenstand erheischt, wenn er ästhetisch wirken soll.' Die Malerin gab dies Bild später der Mutter eines Pathkindes, dessen ganze Familie nach Amerika übersiedelte, als Geschenk mit nach dem fernen Welttheile" (Seidler, 361-62). Der Standort des Gemäldes ist mir unbekannt. Der Karton wurde 1833 in Dresden ausgestellt und ist im Verzeichnis unter Nr. 517 und 518 (gemalte Skizze dazu) vermerkt.

25. "Das Industriecomptoir zu Weimar ließ in den Jahren 1836 und 1837 ein Unterrichtswerk erscheinen, betitelt: 'Köpfe aus Gemälden vorzüglicher Meister nach sorgfältig auf den Originalen durchgezeichneten Umrissen in der Sammlung von Louise Seidler. Zum Gebrauch für Zeichnenschüler lithographirt von J. J. Schmeller.' [. . .] Mit Benutzung einer dieser Durchzeichnungen malte Louise im Jahre 1841 die Königstochter aus den Fresken in der Kirche San Clemente zu Rom für Herrn von Quandt" (Seidler, 362). Ein Exemplar des Werks war mir nicht zugänglich.

26. Uhde erläutert "ein umfangreiches Gemälde: 'Ulysses, an den Sirenen vorüberschiffend,' welches nach Schorns Kunstblatt vom 24. October 1839 'von anmuthiger Composition, auch kräftig und klar in der Farbe' war. Es ist 4 Fuß 4 ½ Z. breit, 1 F. 2 ½ Z. hoch" (Seidler, 362).

27. "Der Kindermord" ist im Nachruf auf Seidler in der *Kunstchronik* vom 17. Nov. 1866 (S. 160) als eines der größeren Gemälde erwähnt, die Seidler "bekannt gemacht" hätten, und welches der "streng stilistischen Richtung" angehöre.

## Seidler Werkproben

Bildnachweis

J. W. Goethe, Nationale Forschungs- und Gedenkstätten d. klass. dt. Lit., Weimar

Carl Friedrich, Großhzg. v. Sachsen-Weimar-Eisenach, Nationale Forschungs- und Gedenkstätten d. klass. dt. Lit., Weimar

Corona Schröter, Nationale Forschungs- und Gedenkstätten, Weimar

Marie Meyer, geb. Weidner, Nationale Forschungs- und Gedenkstätten, Weimar

Jesus segnet die Kinder, Nationale Forschungs- und Gedenkstätten, Weimar

Ruhende Pilgerin, Goethe-Museum, Düsseldorf

# Verzeichnis der benutzten Literatur

Für detaillierte Werkverzeichnisse einzelner der besprochenen Schriftstellerinnen und Künstlerinnen vgl. den Anhang. Die gängigen Literatur-, Kunst- und Musiklexika wurden eingesehen und hier nicht weiter vermerkt, außer wenn im Text spezifische Hinweise daraus angegeben sind. Wenn Werkausgaben von der Herausgebern mit erläuternden Essays versehen sind, wurden sie hier als potentielle Sekundärquelle verzeichnet.

## I. Allgemeines


Arnim, L. Achim von. "Hamlet und Jakob. Eine Anmerkung zum Shakespeare." *Berlinische Blätter für deutsche Frauen,* Bd. I, H. 1 (1829), 1-12.

———. "Sammlungen zur Theatergeschichte." *Monatliche Beiträge zur Geschichte dramatischer Kunst und Literatur,* hrg. v. Karl v. Holtei, 2. Bd. (Jan.-März 1828), 1-42.

———. *Sämtliche Romane und Erzählungen,* hrg. v. Walther Migge, 3 Bde. (München: Hanser, 1962-1965).

———. "Ueber deutsches Sylbenmaaß und griechische Deklamation." *Berlinische Musikalische Zeitung,* hrg. v. J. F. Reichardt, Nr. 32 (1805).

———. "Die Verwaltung des Staa(t)skanzlers Fürsten von Hardenberg." *Isis,* Bd. 1, H. i-vi (1821), Sp. 426-37.

———. "Von Volksliedern." *Berlinische Musikalische Zeitung,* hrg. v. J. F. Reichardt, (1805), 80, 83, 86-88, 90-91, 103.

———. "Wahrhafte neue Zeitungen von unterschiedlichen Orten und Landen." *Gesellschafter* (1817), 67ff.

Berghahn, Klaus L. "Wortkunst ohne Geschichte: Zur werkimmanenten Methode der Germanistik nach 1945." *Monatshefte* LXXI, Nr. 4 (1979), 387-98.

*Berlinische Musikalische Zeitung,* hrg. v. J. F. Reichardt (1805-1806).

Blessin, Stefan. *Die Romane Goethes* (Königstein/Ts.: Athenäum, 1979).

Brinker-Gabler, Gisela. *Deutsche Dichterinnen vom 16. Jahrhundert bis zur Gegenwart* (Frankfurt/M.: Fischer, 1979).

Campe, Joachim Heinrich. *Väterlicher Rath für meine Tochter. Ein Gegenstück zum Theophron* (Braunschweig, 1789).

Frederiksen, Elke. *Die Frauenfrage in Deutschland 1865-1915* (Stuttgart: Reclam, 1981).

Frels, Wilhelm. *Deutsche Dichterhandschriften von 1400-1900. Gesamtkatalog der eigenhändigen Handschriften deutscher Dichter in den Bibliotheken und Archiven Deutschlands, Österreichs, der Schweiz und der CSR* ( = Bibliographical Publications 2, 1934).

Frühsorge, Gotthardt. "Die Einheit aller Geschäfte." In: *Wolfenbütteler Studien zur Aufklärung,* hrg. v. Günter Schulz, Bd. 3 (Bremen, Wolfenbüttel: Jacobi, 1976), 137-57.
Gaier, Ulrich. *Krumme Regel. Novalis' "Konstruktionslehre des schaffenden Geistes" und ihre Tradition* (Tübingen: Niemeyer, 1970).
*Der Gesellschafter oder Blätter für Geist und Herz,* hrg. v. F. W. Gubitz (benutzte Jahrgänge: 1817ff).
Goeckingk, Leopold Friedrich. *Plan zur Errichtung einer Erziehungs-Anstalt für junge Frauenzimmer* (Frankfurt/Leipzig, 1783).
Grimm, Günter. *Literatur und Leser: Theorien und Modelle zur Rezeption literarischer Werke* (Stuttgart: Reclam, 1975).
Herrmann, Ulrich. "Erziehung und Schulunterricht für Mädchen im 18. Jahrhundert." In: *Wolfenbütteler Studien zur Aufklärung,* a.a.O., S. 101-36.
Kaiser, Nancy. "Social Integration and Narrative Structure: Patterns of German Realism" (Diss. Yale, 1980).
Kluckhohn, Paul. *Die Auffassung der Liebe in der Literatur des 18. Jahrhunderts und in der deutschen Romantik* (Halle, 1922).
Knaack, Jürgen. *Achim von Arnim–nicht nur Poet* (Darmstadt: Vowinckel, 1976).
Kreutzer, Leo. *Mein Gott Goethe. Essays* (Reinbek: Rowohlt, 1980).
Kuhn, Hugo. *Liebe und Gesellschaft* (Stuttgart: Metzler, 1979).
*Kunst-Chronik,* Beiblatt zur Zeitschrift für bildende Kunst (diverse Jahrgänge benutzt).
Lachmanski, Hugo. "Die deutschen Frauenzeitschriften des achtzehnten Jahrhunderts" (Diss. Berlin, 1900).
Mallon, Otto. *Arnim-Bibliographie* (Hildesheim: Olms, Neudruck 1965).
Mandelkow, Karl Robert. *Goethe im Urteil seiner Kritiker* (München: Beck, 1975).
Pataky, Sophie. *Lexikon deutscher Frauen der Feder* (Berlin, 1898).
Pfandl, Ludwig. *Geschichte der spanischen Nationalliteratur in ihrer Blütezeit* (Freiburg, 1929).
Pickle, Linda Schelbitzki. "Self-Contradiction in the German Naturalists' View of Women's Emancipation." *German Quarterly* LII, Nr. 4 (Nov. 1979), 442-56.
Riley, Helene M. Kastinger. *Achim von Arnim in Selbstzeugnissen und Bilddokumenten* (Reinbek: Rowohlt, 1979).
———. *Das Bild der Antike in der deutschen Romantik* (Amsterdam: Benjamins, 1981).
———. "Eichendorff versus Schiller, oder: die unästhetischen Folgen einer ästhetischen Erziehung." *Aurora* 38 (1978), 113-21.
———. "Romain Rollands 'Liluli' und der Monismus in Deutschland." *Romanistische Zeitschrift für Literaturgeschichte,* H. 4 (1980), 413-21.
———. "Some German Theories on the Origin of Language from Herder to Wagner." *The Modern Language Review* 74, Nr. 3 (1979), 617-32.
Scherpe, Klaus. *Werther und Wertherwirkung. Zum Syndrom bürgerlicher Gesellschaftsordnung im 18. Jahrhundert* (Bad Homburg/Berlin/Zürich, 1970).
Schmidt, Henry J. "Text-Adequate Conretizations and Real Readers: Reception Theory and Its Applications." *New German Critique* 17 (Spring, 1979), 157-69.
Schmidt, Peter. "Gesundheit und Krankheit in romantischer Medizin und Erzählkunst." *Jb. des Freien Dt. Hochstifts* (1966), 197-228.
Schoof, Wilhelm, Hrg. *Unbekannte Briefe der Brüder Grimm* (Bonn: Athenäum, 1960).
Schüddekopf, Carl, und Oskar Walzel. *Goethe und die Romantik,* Bd. 2. Schriften der

Goethe-Gesellschaft 14 (Weimar, 1899).
Steig, Reinhold. *Achim von Arnim und die ihm nahe standen,* 3 Bde. (Stuttgart: Cotta, 1894ff).
Streller, Dorothea. "Arnim und das Drama" (Diss. Göttingen, 1956).
Strohschneider-Kohrs, Ingrid. *Die romantische Ironie in Theorie und Gestaltung* (Tübingen, 1960).
Thime, Ulrich, und Felix Becker. *Allgemeines Lexikon der bildenden Künstler von der Antike bis zur Gegenwart,* 2. Bd. (Leipzig: Seemann, 1908).
Tieck, Ludwig. *Kritische Schriften,* 1. Bd. (Leipzig: F. A. Brockhaus, 1848).
Uden, Konrad Friedrich. *Über die Erziehung der Töçhter des Mittelstandes* (Stendal, 2. Aufl., 1796).
Werner, Johannes. *Maxe von Arnim* (Leipzig: Koehler & Amelang, 1937).
Wiese, Benno von, Hrg. *Deutsche Dichter des 18. Jahrhunderts. Ihr Leben und Werk* (Berlin: Schmidt, 1977).
*Zeitschrift für bildende Kunst* (Leipzig: Pries). Diverse Jahrgänge benutzt.
*Zeitschrift für Musikwissenschaft,* hrg. v. Alfred Einstein, 2. Jg., Oktober 1919-September 1920 (Leipzig: Breitkopf & Härtl).
*Zeitung für Einsiedler,* hrg. v. L. Achim von Arnim, und Buchausgabe derselben: *Tröst Einsamkeit* (Heidelberg: Mohr & Zimmer, 1808).

## II. Materialien zu Caroline von Günderrode

Behrens, Katja. *Frauenbriefe der Romantik* (Frankfurt: Insel, 1981). Darin: "Karoline von Günderode," 9-60.
Bianquis, Geneviève. *Caroline de Günderode* (Paris: Alcan, 1910).
Biedermann, W. Frh. v., Hrg. *Goethes Briefe an Eichstädt* (Leipzig, 1872).
Büsing, Max. *Die Reihenfolge der Gedichte Karolinens von Günderrode* (Berlin: Ebering, 1903).
Dischner, Gisela. "Die Günderrode." In: *Bettina von Arnim: Eine weibliche Sozialbiographie aus dem 19. Jahrhundert* (Berlin: Wagenbachs Taschenbücherei, 1977).
Drewitz, Ingeborg. *Bettine von Arnim. Romantik–Revolution–Utopie* (München: Heyne, 1980).
Gajek, Bernhard. *Homo poeta. Zur Kontinuität der Problematik bei Clemens Brentano* (Frankfurt/M.: Athenäum, 1971).
———. "Das rechte Verhältnis der Selbständigkeit zur Hingebung." *Frankfurt aber ist der Nabel dieser Erde* (Stuttgart, 1983), 206-26.
Geiger, Ludwig. *Karoline von Günderode und ihre Freunde* (Stuttgart, Leipzig, Berlin, Wien, 1895).
———. *Dichter und Frauen. Vorträge und Abhandlungen von Ludwig Geiger* (Berlin, 1896).
———. *Dichter und Frauen. Abhandlungen und Mitteilungen von Ludwig Geiger. Neue Sammlung* (Berlin, 1899).
Götz, Friedrich. *Gesammelte Dichtungen von Karoline von Günderode. Zum ersten Mal vollständig herausgegeben* (Mannheim: Götz, 1857).
Groos, Karl. *Friedrich Creuzer und Karoline von Günderode. Mitteilung über deren*

*Verhältnis* (Heidelberg: Universitätsbuchhandlung, 1895).
Hirschberg, Leopold. *Gesammelte Werke der Karoline von Günderode,* 2. Bd. (Berlin: Bibliophiler Verlag, 1922).
Hopp, Doris, und Max Preitz. "Karoline von Günderrode in ihrer Umwelt. III. Karoline von Günderrodes Studienbuch." *Jb. des Freien Deutschen Hochstifts* (1975), 223-323.
Jeep, Ernst. *Karoline von Günderode. Mitteilungen über ihr Leben und Dichten* (Wolfenbüttel, 1895).
Kemp, Friedhelm. *Karoline von Günderode* (Stuttgart: Bürger, 1947).
Konrad, Gustav, Hrg. *Bettina von Arnim. Werke und Briefe,* 1. Bd. (Frechen/Köln: Bartmann, 1959). Darin: "Die Günderode."
Mattheis, Margarethe. *Die Günderrode. Gestalt, Leben und Wirkung* (Berlin, 1934).
Naumann, Annelore. *Caroline von Günderrode* (Berlin: Freie Universität, 1957).
Pigenot, Ludwig. *Karoline von Günderrode. Dichtungen* (München, 1923).
Preisendanz, Karl. *Die Liebe der Günderode* (München: Piper, 1912).
Preitz, Max. "Karoline von Günderrode in ihrer Umwelt. I. Briefe von Lisette und Gottfried Nees von Esenbeck, Karoline von Günderrode, Friedrich Creuzer, Clemens Brentano und Susanne von Heyden." *Jb. des Freien Deutschen Hochstifts* (1962), 208-306.
———. "Karoline von Günderrode in ihrer Umwelt. II. Karoline von Günderrodes Briefwechsel mit Friedrich Karl und Gunda von Savigny." *Jb. des Freien Deutschen Hochstifts* (1964), 185-235.
Regen, Erich. *Die Dramen Karolinens von Günderode* (Berlin: Ebering, 1910).
Rehm, Walther. *Der Todesgedanke in der deutschen Dichtung* (Leipzig, 1928).
———. "Über die Gedichte der Karoline von Günderode." *Goethe-Kalender* (Frankfurt/M.: Goethe-Museum, 1942).
Rohde, Erwin. *Friedrich Creuzer und Karoline von Günderode. Briefe und Dichtungen* (Heidelberg, 1896).
Sauter, Franz. "Karoline von Günderode." *Westermanns Illustrierte Deutsche Monatshefte,* Nr. 39 (Dez. 1867), 254.
Schwartz, Karl. "Geschichte der Familie von Günderrode." In: J. S. Ersch, *Allgemeine Encyclopädie der Wissenschaften,* Teil I, Bd. 97. Sonderdruck.
Wolf, Christa. *Karoline von Günderrode. Der Schatten eines Traumes. Gedichte, Prosa, Briefe, Zeugnisse von Zeitgenossen. Herausgegeben mit einem Essay* (Darmstadt: Luchterhand, 1979).
———. *Kein Ort. Nirgends* (Darmstadt: Luchterhand, 1979). Fiktive Darstellung Günderrodes.

## III. Materialien zu Anna Louisa Karsch

Arnhold, Erna. *Goethes Berliner Beziehungen* (Gotha: Klotz, 1925).
Arnim, Ludwig Achim von. "Französisches Theater in Berlin." *Monatliche Beiträge zur Geschichte dramatischer Kunst und Literatur,* 1. Bd. (Okt.-Dez. 1827), 192-94.
———. "Ungedruckte Briefe der Karschin." *Der Gesellschafter oder Blätter für Geist und Herz,* hrg. v. Gubitz, 46. Bl. ff. (20. März 1819ff), 181ff; und *Bemerker* Nr. 11 (Beilage zum 136. Bl.).

Beuys, Barbara. *Anna Louisa Karsch. Herzgedanken* (Frankfurt: Societäts-Verlag, 1981).
Chézy, Helmina von. *Aurikeln. Eine Blumengabe von deutschen Händen,* 1. Bd. (Berlin: Duncker und Humblot, 1818).
Franz, Wilfred. "Ein unbekannter Brief Goethes an Franz Graf von Waldersee. Mit biographischen Erläuterungen, zwei unveröffentlichten Gedichten der Karschin und zwei Portraits." *Jb. des Freien Deutschen Hochstifts* (1976), 53-81.
Geiger, Ludwig. *Berliner Gedichte 1763-1806.* Berliner Neudrucke, 2. Serie, 3. Bd. (Berlin: Paetel, 1890).
———. *Ludwig Achim von Arnim. Unbekannte Aufsätze und Gedichte.* Berliner Neudrucke, 3. Serie, 1. Bd. (Berlin: Paetel, 1892).
Gleim, J. W. L. "Am Geburtstage der Anna Louise Karschin. Den 1. December." *Dt. Merkur,* hrg. v. Wieland, 3. Bd. (1798), 379.
Hausmann, Elisabeth. *Die Karschin. Friedrichs des Großen Volksdichterin. Ein Leben in Briefen* (Frankfurt/M.: Societäts-Verlag, 1933).
Herder, J. G. v. "Gedichte von Anna Louisa Karschin, herausgegeben von C. L. v. Klenke geb. Karschin. Berlin. Zweyte Auflage. 1797." Rezension. In: *Herders Sämmtliche Werke,* hrg. v. Bernhard Suphan, 20. Bd. (Berlin: Weidmann, 1880), 269-76.
———. "Sappho und Karschin." In: *J. G. v. Herders sämmtliche Werke,* hrg. v. I. F. Heyne, Bd. 18. Zur schönen Literatur und Kunst, 2. Theil. Fragmente, 2. Sammlung (Carlsruhe: Bureau d. dt. Classiker, 1821), 136-42.
Klenke, C. L. v. "An meine verstorbene Mutter." *Berliner Gedichte,* hrg. v. L. Geiger, a.a.O., 184-85.
Lavater, Johann Caspar. *Physiognomische Fragmente zur Beförderung der Menschenkenntniß und Menschenliebe,* 3. Bd. (Winterthur: Steiner, 1787), 312; Bildbeilage CXLIX.
Menzel, Herybert. *Das Lied der Karschin. Die Gedichte der Anna Luise Karschin mit einem Bericht ihres Lebens* (Hamburg: Hanseatische Verlagsanstalt, 1938).
Muncker, Franz. *Anakreontiker und preußisch-patriotische Lyriker. Zwei Teile in einem Bande. Hagedorn. Gleim. Uz. Kleist. Ramler. Karschin* (Stuttgart: Union Dt. Verlagsgesellschaft, 1895).
Mundt, Theodor. *Schriften in bunter Reihe zur Anregung und Unterhaltung,* 1. H. (Leipzig: Reichenbach, 1834).
Nickisch, Reinhard M. G. "Die Frau als Briefschreiberin im Zeitalter der deutschen Aufklärung." *Wolfenbütteler Studien zur Aufklärung,* a.a.O.—Karsch: 49-51.
Pniower, Otto, *Goethe in Berlin und Potsdam* (Berlin: Mittler, 1925).
*Die Spazier-Gaenge von Berlin. 1761. Drei unbekannte Gedichte der Anna Louise Karschin* (Berlin: Ges. der Bibliophilen, 1921).
Strehlke, Fr. *Goethe's Briefe,* 1. Teil (Berlin: Hempel, 1882), 317-18.
Sulzer, J. G., Hrg. *Auserlesene Gedichte von Anna Louisa Karschin* (Berlin: G. L. Winter, 1764).

## IV. Materialien zu Sophie Laroche

Assing, Ludmilla. *Sophie von La Roche, die Freundin Wieland's* (Berlin: Janke, 1859).

Eichendorff, Joseph v. *Der deutsche Roman des achtzehnten Jahrhunderts* (Leipzig: Brockhaus, 1851), 275-76.
Hassencamp, Robert. "F. Waldmann, 'Lenz in Briefen,' " *Euphorion* 3 (1896), 527-40.
Hohendahl, Peter U. "Empfindsamkeit und gesellschaftliches Bewußtsein." *Jb. der Dt. Schiller-Ges.* 16 (1972), 176-207.
Horn, F. *C. M. Wieland's Briefe an Sophie von La Roche* (Berlin, 1820).
Kampf, Kurt. *Sophie La Roche. Ihre Briefe an die Gräfin Elise zu Solms-Laubach. 1787-1807* (Offenbach: Stadtarchiv, 1965).
Lange, Victor. "Visitors to Lake Oneida. An Account of the Background of Sophie von La Roche's Novel 'Erscheinungen am See Oneida.' " *Symposium* 2 (1948), 48-78.
La Roche, Sophie von. *Tagebuch einer Reise durch Holland und England.* 2. Aufl. (Offenbach: Weiss & Brede, 1791).
Loeper, Gustav von. *Briefe Goethe's an Sophie von La Roche und Bettina Brentano, nebst dichterischen Beilagen* (Berlin: Hertz, 1879).
Martens, Lorna. "The Diary Novel and Contemporary Fiction" (Diss. Yale, 1976).
Milch, Werner. *Sophie La Roche, die Großmutter der Brentanos* (Frankfurt: Societäts-Verlag, 1935).
Neumann-Strela, K. *Sophie la Roche und Wieland* (Weimar, 1862).
Ridderhoff, Kuno. *Sophie von La Roche, die Schülerin Richardsons und Rousseaus* (Diss. Göttingen und Druck: Einbeck, 1895).
Schelle, H. "Unbekannte Briefe C. M. Wielands und Sophie von La Roches aus den Jahren 1789 bis 1793." *Modern Language Notes* 86 (1971).
Schulz, Ursula. "Briefe von Heinrich Christian Boie und Luise Mejer an Sophie La Roche (1779-1788)." *Wolfenbütteler Studien zur Aufklärung,* a.a.O., 67-99.
Spickernagel, Wilhelm. *Die "Geschichte des Fräuleins von Sternheim" von Sophie von LaRoche und Goethes "Werther"* (Greifswald: Adler, 1911).
Sudhof, Siegfried. "Sophie Laroche." In: *Deutsche Dichter des 18. Jahrhunderts,* hrg. v. Benno von Wiese, a.a.O., 300-19.
Williams, Clare, Übers. *Sophie in London, 1786; being the diary of Sophie von la Roche.* Translated from the German with an introductory essay (London: Cape, 1933).
Warthausen, G. v. Koenig. "Sophie von La Roche geborene Gutermann." In: *Lebensbilder aus Schwaben und Franken,* Bd. 10 (1966), 101-25.
Wieland, C. M., Hrg. *Geschichte des Fräuleins von Sternheim. Von einer Freundin derselben aus Original-Papieren und andern zuverläßigen Quellen gezogen* (Leipzig: Weidmann, 1771). Dies ist Laroches Roman, versehen mit einem einleitenden Essay Wielands und dessen laufenden Bemerkungen in Fußnoten. 2. Bde. Neudruck: Winkler Verlag, München (1976).

## V. Materialien zu Sophie Mereau

Amelung, Heinz. "Briefe Friedrich Schlegels an Clemens Brentano und an Sophie Mereau." *Zeitschrift für Bücherfreunde,* NF 5 (1913), 183-92.
———. *Briefwechsel zwischen Clemens Brentano und Sophie Mereau.* Nach den in der Königlichen Bibliothek zu Berlin befindlichen Handschriften zum ersten Mal herausgegeben. 2. Bde. (Leipzig: Insel, 1908).

Anon. Rezension von Sophie Mereaus *Kalathiskos I.* In: *Allgemeine Literatur-Zeitung* (21. Oktober 1801), Nr. 298, Sp. 140-44.

Arnim, L. Achim von. "Auszüge aus Briefen Schiller's an eine junge Dichterin." *Zeitung für Einsiedler,* Nr. 19 (4. Juni 1808), 149-51.

Boxberger, R. "Schillers Briefwechsel mit der Dichterin Mereau." *Die Frau im gemeinnützigen Leben* (Gera, 1889).

Brentano, Lujo. *Clemens Brentanos Liebesleben* (Frankfurt/M.: Frankfurter Verlags-Anstalt, 1921).

Cohen, Edgar H. *Mademoiselle Libertine. A Portrait of Ninon de Lanclos* (Boston: Houghton Mifflin, 1970).

Ense, Karl August Varnhagen von. *Tagebücher,* Bd. 13 (Hamburg, 1870).

Felten, Hans. *María de Zayas y Sotomayor. Zum Zusammenhang zwischen moralistischen Texten und Novellenliteratur.* Analecta Romanica 41 (Frankfurt/M.: Klostermann, 1978).

Germain, André. *Goethe et Bettina* (Paris: les éditions de France, 1939).

Hang, Adelheid. "Sophie Mereau in ihren Beziehungen zur Romantik" (Diss. Frankfurt/M., 1934).

Hayes, Helen. *The Real Ninon de l'Enclos* (London, 1908).

Heinrici, Karl Ernst. *Auktionskatalog* 149. (Berlin, 1929).

Herder, J. G. "Gedichte von Sophie Mereau. Erstes Bändchen. 1800." Rezension. *Herders Sämmtliche Werke,* hrg. v. Bernhard Suphan, 20. Bd. (Berlin: Weidmann, 1880), 362-67. Erschienen in den *Erfurter Nachrichten,* 46. St. (29. Sept. 1800).

Jacoby, Daniel. "Sophie Mereau." *Allgemeine deutsche Biographie,* Bd. 21 (Berlin: Duncker & Humblot, 1970).

———. "Nachbildung Goethescher Gedichte," *Goethe-Jahrbuch* VI. Miscellen (1885), 330-32.

Karnein, Alfred. Hrg. *Des armen Schoffthors "Warnung an hartherzige Frauen."* Texte des späten Mittelalters 30 (Berlin: Schmidt, 1979).

Lafontaine, August. "Ueber den Zustand des weiblichen Geschlechts unter den verschidnen Völkern des Erdbodens." *Flora. Teutschlands Töchtern geweiht,* 3. Bd. (Tübingen: Cotta, 1796), 220-51.

Magne, Emile. *Ninon de Lanclos* (London: Arrowsmith, 1926).

Migge, Walther. "Briefwechsel zwischen Achim von Arnim und Sophie Mereau." *Festgabe für Eduard Berend zum 75. Geburtstag,* hrg. v. H. Seiffert und B. Zeller (Weimar; Böhlau, 1959), 384-407.

Paulin, Roger. *Gryphius' "Cardenio und Celinde" und Arnims "Halle und Jerusalem." Eine vergleichende Untersuchung* (Tübingen: Niemeyer, 1968).

Riley, Helene M. Kastinger. *Ludwig Achim von Arnims Jugend- und Reisejahre* (Bonn: Bouvier, 1978).

*Schillers Werke. Nationalausgabe* (Weimar: Böhlau). Briefwechsel. Benutzt wurden diverse Bände, hrg. 1969-1977, von jeweils verschiedenen Mitarbeitern. Genaue Angaben über den Fundort zitierter Briefe in den Anmerkungen.

Schmidt, Peter. *Sophie Mereau. Kalathiskos.* Faksimiledruck nach der Ausgabe von 1801-1802, mit einem Nachwort (Heidelberg: Lambert Schneider, 1968).

Stern, Selma. "Sophie Mereau." *Die Frau. Monatsschrift für das gesamte Frauenleben unserer Zeit. Organ des Bundes Deutscher Frauenvereine,* Jg. 33, H. 4 (1926).

Sylvania, Lena. "Doña María de Zayas y Sotomayor. A Contribution to the Study of her Works." *Romanic Review* XIII (1922), 197-213; und XIV, 199-232.

Walzel, Oskar. "Clemens Brentano und Sophie Mereau." *Vom Geistesleben des 18. und 19. Jahrhunderts* (Leipzig, 1911).

Widmann, Berthold. "Der Briefwechsel zwischen Clemens und Sophie." In: *Zu Clemens Brentanos Briefwechsel vom Sommer 1802 bis zum Herbst 1803* (Borna-Leipzig: Robert Noske, 1914), 33-41.

Zayas, Doña Maria de. *Novelas Exemplares y Amorosas,* 1. und 2. Teil (Madrid: Don Plácido Barco Lopez, 1795).

## VI. Materialien zu Louise Reichardt

Blom, Eric. *Grove's Dictionary of Music and Musicians,* 5. Ausg., 7. Bd. (New York: St. Martin's Press, 1962).

Blume, Friedrich. *Die Musik in Geschichte und Gegenwart,* Bd. 11 (Kassel: Bärenreiter, 1963).

Brandt, M. G. W. *Leben der Luise Reichardt. Nach Quellen dargestellt* (Basel: Bahnmeier, 1865).

Burwick, Roswitha. "Exzerpte A. von Arnims zu unveröffentlichten Briefen." *Jb. des Freien Deutschen Hochstifts* (1979), 298-395.

Dilthey, Wilhelm. *Aus Schleiermacher's Leben. In Briefen,* Bd. 4 (Berlin: Reimer, 1863).

———. *Leben Schleiermachers,* Bd. 1 (Berlin: Vereinigung wiss. Verleger, 1922). Darin: "Louise Reichardt," 849-58; 739-43.

Eitner, Robert. *Biographisch-Bibliographisches Quellen-Lexikon der Musiker und Musikgelehrten christl. Zeitrechnung bis Mitte des 19. Jahrhunderts,* 2. Aufl., Bd. 7 (Graz: Akad. Druck- und Verlagsanstalt, 1959).

Feilchenfeldt, Konrad. *Clemens Brentano-Philipp Otto Runge. Briefwechsel* (Frankfurt/M.: Insel, 1974).

Krohn, Helga. *Die Juden in Hamburg 1800-1850.* Hamburger Studien zur neueren Geschichte, Bd. 9 (Frankfurt/M.: Europ. Verlagsanstalt, 1967).

Ledebur, Carl Freih. v. *Tonkünstler-Lexicon Berlin's von den ältesten Zeiten bis auf die Gegenwart* (Berlin: Rauh, 1861).

Lorenz, Franz. *Die Musikerfamilie Benda. Franz Benda und seine Nachkommen* (Berlin: de Gruyter, 1967).

Moering, Renate. *Die offene Romanform von Arnims "Gräfin Dolores"* (Heidelberg: Winter, 1978).

de la Motte, Diether. *Harmonielehre* (Kassel: Bärenreiter, 1976).

Reich, Nancy. *Louise Reichardt. Selected Songs* (New York: Da Capo, 1981).—Dies., "L. R.," in: *Ars Musica. Musica Scientia* (1980), 369-77.

Reichardt, Joh. Friedr. *Liederspiele* (Tübingen: Cotta, 1804).

Rheinhardt, Gerty. *Luise Reichardt. Ausgewählte Lieder* (München: Drei Masken, 1922).

Runge, Johann Daniel, Hrg. *Hinterlassene Schriften von Philipp Otto Runge, Mahler,* hrg. von dessen ältestem Bruder. 2. T. (Hamburg: Perthes, 1841).

Sittard, Josef. *Geschichte des Musik- und Concertwesens in Hamburg vom 14. Jahrhundert bis auf die Gegenwart* (Altona/Leipzig: A. C. Reher, 1890).

Steffens, Henrich. *Was ich erlebte,* hrg. v. Willi A. Koch (Leipzig: Dieterich, 1938).
Thompson, Oscar, Hrg. *International Cyclopedia of Music and Musicians,* 10. Ausg. (New York: Dodd, Mead, 1975).
Wagner, Manfred. *Die Harmonielehren der ersten Hälfte des 19. Jahrhunderts* (Regensburg: Bosse, 1974).

## VII. Materialien zu Louise Seidler

Bénézit, Emmanuel. *Dictionnaire critique et documentaire des Peintres, Sculpteurs, Dessinateurs et Graveurs,* nouvelle édition (Saint-Ouen: Gaston Maillet, 1966).
Clement, Clara Erskine. *Women in the Fine Arts from the 17th c. B.C. to the 20th c. A.D.* (Boston: Houghton, Mifflin & Co., 1904).
Gage, John. *Goethe on Art* (Berkeley: U. of Cal. Press, 1980), 95-98. Abbildung von Seidlers Phig.-Relief-Zeichnung: 96.
Gajek, Bernhard, und Franz Götting. *Goethes Leben und Werk in Daten und Bildern* (Frankfurt: Insel, 1966).
Goethe, J. W. v. *Ueber Kunst und Alterthum,* 4. Bd., H. 1 (Stuttgart: Cotta, 1823).
Grimm, Herman. "Goethe und Luise Seidler." *Preußische Jahrbücher* 33, H. 1 (1874), 43-57.
Hecker, Max. *Goethes Briefwechsel mit Heinrich Meyer.* Schriften der Goethe-Gesellschaft, Bd. 34, 35/I, 35/II (Weimar: Verlag der Goethe-Ges., 1919-1932).
Höffner, Johannes. *Goethe* (Leipzig: Velhagen & Klasing, o.J.).
———. *Goethe im Alter* (Leipzig: Velhagen & Klasing, o.J.).
Lehmann, E. "Goethe's Bildnisse und die Zarncke'sche Sammlung." *Zeitschrift für bildende Kunst,* NF V (1894), 249-58 und 276-85.
Nagler, G. K. *Neues allgemeines Künstler-Lexikon,* Bd. 18 (Leipzig: Schwarzenberg & Schumann, o.J.).
Prause, Marianne. *Die Kataloge der Dresdner Akademie-Ausstellungen 1801-1850,* Bd. 1 (Berlin: Hessling, 1975). Dazu: Registerband.
Rathgen, B., und A. Schulten. "B. G. Niebuhr in seinen Bildnissen." *Bonner Jahrbücher,* H. 125 (1919), 1-8. Dazu Tafeln I und II/2.
Scheidig, Walther. *Die Geschichte der Weimarer Malerschule 1860-1900* (Weimar: Böhlaus Nchf., 1971).
Schuchardt, Chr. *Goethes Kunstsammlungen,* Bd. 3 (Jena: Frommann, 1848).
Schuette, Marie. *Das Goethe-National-Museum zu Weimar* (Leipzig: Insel, 1810).
Schulte-Strathaus, Ernst. *Die Bildnisse Goethes.* Propyläen-Ausgabe von Goethes Sämtlichen Werken, erstes Supplement (München: Georg Müller, 1910).
Schuster, Peter-Klaus. "Bildzitate bei Brentano." In: *Clemens Brentano. Beiträge des Kolloquiums im Freien Deutschen Hochstift 1978* (Tübingen: Niemeyer, 1980), 334-48.
Uhde, Hermann. *Erinnerungen und Leben der Malerin Louise Seidler, geboren zu Jena 1786, gestorben zu Weimar 1866,* 2. umgearbeitete Aufl. (Berlin: Hertz, 1875).
———. dasselbe. Neue Auflage, mit einem Nachwort von Joachim Müller (Weimar: Kiepenheuer, 1964).
———. "Goethe und der Sächsische Kunstverein." *Zeitschrift für bildende Kunst* 9 (1874), 277-84, 345-53, 377-80.

Uhde-Bernays, Hermann, Hrg. *Künstlerbriefe über Kunst. Bekenntnisse von Malern, Architekten und Bildhauern aus fünf Jahrhunderten* (Dresden: Jess, 1926). Darin: Caspar David Friedrich an Louise Seidler, S. 416-17.

Vollmer, Hans. *Allgemeines Lexikon der bildenden Künstler von der Antike bis zur Gegenwart,* Bd. 30 (Leipzig: Seemann, 1936).

Werner, Joh. *Die Schwestern Bardua. Bilder aus dem Gesellschafts-, Kunst- und Geistesleben der Biedermeierzeit,* 2. Aufl. (Leipzig: Koehler & Amelang, 1929).

Zarncke, Friedrich. *Kurzgefasstes Verzeichniss der Originalaufnahmen von Goethe's Bildniss* (Leipzig: Hirzel, 1888).

Zeitler, Julius. *Goethe-Handbuch,* 3. Bd. (Stuttgart: Metzler, 1918).

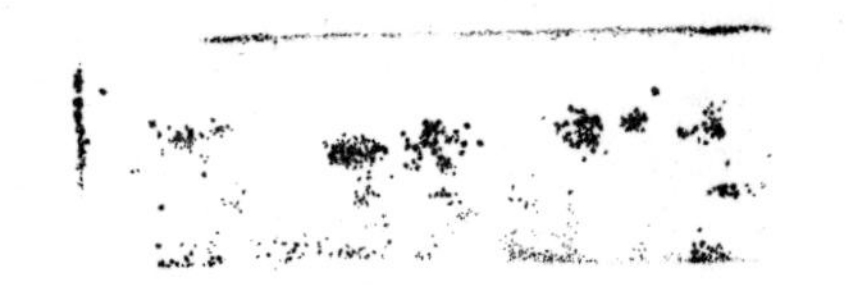